U0439922
13

林慶彰 總策畫
民國時期稀見期刊彙編
第一輯

臺北帝國大學研究年報

第十三冊

哲學科研究年報⑧⑨

哲學科研究年報

第八輯

臺北帝國大學文政學部

臺北帝國大學文政學部

哲學科研究年報第八輯

目次

朱子の認識論

後藤俊瑞

目次

緒言

朱子の認識論を目的とする本論文は、彼の窮理思想を吟味することによつて、其の目的の大部分が果され得るであらうといふ豫想の下に着手せられた。そして此の豫想は必ずしも誤謬ではなく、此の意圖は必ずしも無謀ではないであらう。何となれば、朱子の認識論的思想は其の重要部分が謂ゆる窮理論の形式に於いて展開闡明せられて居るからである。しかし彼の窮理論のみで彼の認識論が盡きるわけではないこと勿論であるから、其の足らざる所は博く彼の文獻中に其の資料を索め、以つて其の全體を構成することに努めた次第である。

第一章 窮理の意義

第一節 諸經に見はれた朱子依據の窮理思想

儒敎に於いて學が如何に重要な地位を占めるかは、論語二十篇の配列に先づ學而が其の卷頭首篇の位置を占有して居ることからだけでも推察するに充分とせられて居るが、事實孔子の學に關する幾多の敎誨を讀むに及んで愈々其の然るを信ぜしめられる。その儒敎の謂ゆる學が知行の兩面を含み、而も二者の併進一致を理想としながらも、其の間行を以つて知よりも重しとする傾向の存するについては、既に先賢碩學の屢々闡明せられた所であつて疑ふ餘地は無いであらう。程朱と雖も亦かゝる思想的傾向を以つて自己の實踐哲學の根本底流となすことは言ふまでもない。しかし程伊川が、「須以知爲本知之深則行之必至有知之而不能行者知而不能行只是知得淺」(遺書卷一五、一三枚)とか「須是知了方行得學者固當勉强然不致知怎生行得」(同、六枚)といひ、朱子も亦「知行常相須…論先後知爲先論輕重行爲重」(語類卷九、一枚)とか「致知力行用功不可偏…但只要分先後輕重論先後當以致知爲先論輕重當以力行爲重」(同)と說く如く、彼等は先づ理を知らざれば行ひ得ず、眞に知れば必ず行ふとの立場から、知は行より輕きも而も行より先なりとして先知後行の說を爲し、學の法に於いても特に窮理を先づ强調し、之を自己の哲學的根柢から闡明した爲め、致知の方面は一層の精緻を致し、その自らなる結果として、從來暗黑の深淵として殘されてゐた儒敎的認識論の分野に、清新透徹の光明を與へ、幾多の興味ある示唆を提供し得たのである。

儒家從來の認識論は、他に依存することによつて己の存在を維持するに止まり、それ自體獨自の世界を有せざるものではあつたが、しかし既にそれが存在しては居つたのであつて、程朱の主張せる窮理論の先蹤と見るべきものにも、周易說卦の「窮理盡性以至於命」があり、之は薛敬軒が「窮理之言出於易以致知格物爲窮理始於程子」(讀書錄卷三)といひ、「自有大學書以來發明致知格物爲窮理之事者程子而已繼程子而發明其言者朱子一人而已」（同）といふ如く、それが程朱の謂ゆる窮理の語の由つて出づる所であるが、韓康伯注は「窮理則盡其極也」と解し、孔穎達疏は其の意を推して「又能窮極萬物深妙之理云々」といへば、獨り窮理の語のみならずその窮理思想も亦易に基く所なしとはいへないのである。更に大畜卦の象に「君子以多識前言往行以畜其德」とあつて、前代聖賢の言行を聞見すること多かるべきを說くは、程朱が窮理には書史を讀んで道義を講明し、古今の人物を論じて是非を分つべしと言へるものと一般であるし、乾卦文言の「君子學以聚之問以辨之」は、中庸の謂ゆる明善擇善や孟子の謂ゆる知性知天と共に、朱子が大學補傳作製に當つて信憑せる所のものである（大學或問）。更にかの論語に至つては、子罕・雍也・顏淵の諸篇に博文約禮の語が見え、子張篇には「博學而篤志切問而近思云々」が見えて居る。此等は孟子公孫丑上篇に謂ゆる知言や離婁下篇の「博學而詳說之」や、中庸の道問學及び博學・審問・愼思・明辨等と共に、程朱にとつては自己の窮理論を有力に根據付けるものと考へられたのである。又、更に大學に謂ゆる格物致知に至つては、彼等の最も重んじ基けるものであつて、朱子の認識論的思想も實に其の全野が此の格物致知の義を闡明せんとして構成せられたものであると言ふも過言ではないと思はれる程なのである。

思ふに、博文約禮に就いては、論語子罕篇に顏淵が孔夫子の人格の高堅を歎稱したる後、其の誘人の法亦循々として次序あるを語れる中に、「博我以文約我以禮」とあり、又、雍也・顏淵の兩篇には孔子自らの語として、「博學於文約之以禮」が見えて居る。博文の文を、皇侃義疏は六籍之文とし、邢昺疏は先王之遺文とし、劉寶楠正義は詩書禮樂與凡古聖所傳之遺籍とする等、其の內容は略ぼ一致するが、服部隨軒博士は、六經は孔子晩年に修めて成れるものなれば、此の文を以つて六經の文とするは當らず、蓋し述而篇に「子所雅言詩書執禮皆雅言也」とあるによれば、孔子の當時詩と書とにはテキストがあり、禮にはテキストがなかつたことが知られ、孔子が此の詩書及び禮を語るや常に雅言を以つてしたのである。故に文を學ぶといふのも此の詩書及び禮を學ぶことである、と說かれた(口授)。朱子も亦周元興に語つて「文是詩書六藝之文詩書是大概詩書六藝是禮樂射御書數」(語類卷二一、一七枚)といへば、朱子も直接には博文の文を此等の諸學者と同樣の內容と解するのではあるが、しかし詩書六藝を學ぶは要するに事物の理を學び知ることであると考へる所から、此の博文を自說の窮理を意味するものとし、博く事物の理を窮める意味と爲したのである。朱子は論語子罕篇註に侯氏の說「博我以文致知格物也約我以禮克己復禮也」を引用し、張敬夫に與へて癸巳論語說を論ずる書にも此の侯氏の說を評して「其說最善」(朱子集卷三三)と云つて居る。蓋し語類には「如應事接物之類皆是文但以事理切磨講究自是心亨」(卷三三八枚)とも「問博學於文文謂詩書六藝之文否曰詩書六藝固文之顯然者如眼前理會道理及於所爲所行處審別是否皆是」(同、六枚)とも見え、「聖人之教學者不過博文約禮兩事爾博文是道問學之事於天下事物之理皆欲知之約禮是尊德性之事於吾心固有之理無一息而不存」（卷二四、四枚）とも見えて居る。かくして朱子は文を以つて直接には詩書六藝をいひ、施いては眼前應接の天下の萬物萬事の道理是非を意味すとなし、博文を以つて天下の萬理を窮知する窮理の事とし、大學の格物致知も之に外ならずと爲したのである。

知言の說は孟子公孫丑上篇に見えて居るのであるが、朱子は之を以つて亦窮理の事と解したのである。公孫丑嘗て其師孟子が心を動かさゞること告子に異なるものあるを聞き、其の能く然る所以を問へるに答へて、孟子が「我知言我善養吾浩然之氣」と云つたが、朱子は之に註して「知言者盡心知性於凡天下之言無不有以窮極其理而識其是非得失之所以然也（中略）蓋惟知言則有以明夫道義而於天下之事無所疑」と言ふ。是れ天下の言に卽して其の義理を窮極し、且つ其の是非邪正の因つて來る所以を認識するを以つて知言とする。言を知れば天下の道義明かに、天下の事理一々疑ふ所無く、我が知よく明かとなるといふのであるから、知言を以つて窮理の事と考へたことは推知せられるが、語類卷二五には「知是知得此理」（一一枚）とも「知言知理也」（一〇枚）ともいひ、更に「知言便是窮理」（一〇枚）とも「知言正是格物致知」（同）とも明言して居るのである。故に窮理を重視する程朱が知言を重視したことは言ふまでもない。程伊川の如きは「學莫貴於知言」（遺書卷二五、五枚）とさへ言つて居るのである。

朱子が中庸に謂ゆる博學・審問・愼思・明辨の四者を窮理の事と爲したであらうことは說明を俟つまでもなく何人も直ちに諒解し得られる所であり、且つ之を以つて窮理の重要なる工夫と考へたであらうことも容易に推知せられる所であるから、之については唯だ白鹿洞書院揭示に「學問思辨四者所以窮理也」と云へるを擧げるに止め、こゝでは之以上の說明は省略してその詳細は後章に讓ることにする。其外更に彼は中庸第二十七章に謂ゆる「尊德性而道問學」の二句を以つて聖賢示す所の入德の方之より詳細なるは莫しと考へ、その尊德性を以つて約禮・存心の事とし、その道問學を博文・窮理の事と爲したのである。蓋し德性とは吾が天から稟受した正理卽ち本然の性である。此の德性を恭敬奉持して失はずんば、一毫の私意の之を蔽ふなく、一毫の私欲の之を累はすなく、その旣に知る所に涵泳し、その已に能くする所に敦篤にして、能く心此に存して道體の大を極め得べく、問學に道つて怠らず博く理を窮むれば、理を析つては毫釐の差なく、事に處しては過不及の謬あらず、理義の未だ知らざるものは日に之を知り、節文の未だ謹まざる所は日に之を謹んで、よく知を致して道體の細を盡し得ると爲すのである。

格物致知の語が大學に見えて居ることは今更ら言ふを俟たざる所である。程伊川は此の語を「格至也物事也事皆有理至其理乃格物也」（外書卷二）といひ、「格猶窮也物猶理也猶曰窮理而已矣」（宋元學案卷一五）と解して、始めて大學の格物致知を以つて周易の窮理の事と爲したのである。後、朱子出づるや十六歳の時既に格物の文字に心を潛めたが、未だ其の義を曉らずして心に往來すること二十餘年、日常用功の處に就いて之を求め、參ふるに他の經傳の說を以づてして反復證驗、始めて伊川の說の的當なるを知つたのであつた。此に於て彼は「夫格物者窮理之謂也」(癸未垂拱殿奏箚)といひ、「格物致知只是窮理聖賢欲爲學者說盡曲折故又立此名字」(朱子集卷四七、答黃子耕第五書)とも述べて伊川の說を繼承し、以つて益々其の說を發明敷演して窮理の有つ倫理的哲學的意義を探索追求したのである。かくて彼の窮理思想はいよ〳〵其の幽深と精彩とを加へるに至り、遂に其の粹を錄して文を爲り以つて大學傳の第五章を補つたのである。故に朱子窮理の說の精要は實に此の補傳に盡きて居るのであるが、彼は更に其の著大學或問に縷々數千言を連ねて、以つて補傳の意を敷演すると共に、その作られし所以をも發明し、程子の語十六條を引いて以つて自說の悉く程子に出づることを明かにして居るのである。

第二節　窮理と格物致知

格物の格については朱子は伊川と與に「格至也」(大學註)とし、「格者極至之謂」(經筵講義)と解して居り、物も亦伊川の如く「物猶事也」とし、從つて格物を以つて「窮至事物之理欲其極處無不到也」(大學註)とした。致知については「致推極也知猶知識也推極吾之知識欲其所知無不盡也」(同)と說いて居る。格物と致知との關係については經筵講義に「致知之道在乎卽事觀理以格夫物」とある如く、格物によつて事物の理を窮めることが我が知を致す所以であつて、我が知を致さんと欲すれば物に格らねばならぬとして、格物を以つて致知の法とするのであるが、李堯卿に答へた書には「格物致知只是一事難分先後」と述べ、黃子耕に答へた書にも「但能格物則知自至不是別一事」と云つて居り、更に語類卷一五には「致知格物只是一事非是今日格物明日又致知格物以理言也致知以心言也」(一〇枚)と說いてあるやうに、朱子に在つて格物致知は殆んど異なる所なく、一事一物の理を窮めるとき我心に於いて一事一物の知を致し、理を窮めること愈々多ければ、我の知は愈々廣きを加へるのであつて、才かに彼に明かなれば則ち此に曉るのである。其の實は唯だ一事に外ならぬのである。强いて分てば格物は物を以つて言ひ致知は心を以つて言ふの差あるに過ぎぬ。かの大學に窮理と言はずして格物と說く所以は、語類卷六二に「大學所以說格物却不說窮理蓋說窮理則似懸空無捉摸處只說格物則只就那形而下器上便尋那形而上之道便見得這箇元不相離所以只說格物」(一九枚)といふによつて明かである。若し窮理と言へば人は多く理を以つて懸空底のものと考へ、懸空に理を窮めることを窮理と誤解し易いからである。理は懸空に存するものではなく、必ず事物に卽して存在するものである。しかし形影の見るべきものなきが故に知り難く捕へ難い。之に反し事物は迹の睹易きものがあり、此の事物に於いて此の理を窮め、人をして實體

（理の具體的内容）を窮知せしめるものなるが故に、窮理の二字は格物の切なるに及ばぬと爲すのである。

第三節　窮理に關する主なる異説

格物の解に關しては朱子出生に先だつこと數十年の頃、司馬温公が格を扞禦の意とし、格物致知とは外物を扞禦して而る後よく至道を知るの意と爲したが、當時の學者中には此の説に依つて之を推廣し、人の本性は本來不善なきものなるが、其の不善を爲すは外物の誘惑によるもの故、外物の誘を扞去すれば本然の善自ら明かなるのみ。「是れ致知在格物」の意であると説く者もあつたやうである。然るに朱子は極力此の説には反對した。蓋し彼謂へらく、物有れば必ず則ありで、物と道とは未だ嘗て相離れざるものである。今若し外物を扞禦して而る後以つて至道を知るべしと曰ふならば、父子を絶つて而る後始めて孝慈を知り、君臣を離れて而る後始めて仁敬を知り得るわけである。果してかゝる道理があるであらうか。よしその外物を君臣父子の如き人倫とせず、之を欲望の類としても、欲望は人間本來の有である。今飮食の欲を扞去し閉口枵腹にして而る後始めて飮食の正を得るであらうか。男女の欲を扞去し種類を絶滅して而る後始めて夫婦の別を全うし得るであらうか。かゝることのあり得べからざるは言はずして明かである。格物を外物の扞禦とする說の如きは戎狄に於いてさへ尙ほ妥當し得ないものであると難じたのである（大學或問參照）。

朱子の當時陸象山は又格物について異說を唱道した人であつた。象山の學は直截簡易で、其の重んずる所は主として實踐躬行であつた。故に性理を論ずる如きは彼の本領ではなく、其の論は極めて不精密であるばかりでなく、反つて詳論することを排斥する傾向のあつたことは、朱子が力を盡して分析し精を極めて細微に渡つたのとは甚だしい逕庭があつた。彼の立脚地は心卽理である。蓋し彼によれば、天地の間に充塞するものは唯だ一理のみである。此の理は無限絕對であるから「塞宇宙一理耳…此理之大豈有限量」（與趙詠道第四書）といふ。天が人を生ずるや之に附與するに此の理を以つてする。萬人此の理を具有はするが決して萬理があるのではない。此の理卽ち此の心である。萬人の心は唯だ是れ宇宙の一心である。故に云ふ「此理本天所以與我非由外鑠…蓋心一心也理一理也至當歸一精義無二此心此理實不容有二」（與曾宅之書）と。是れ唯心論的思想である。殊に雜說に「四方上下曰宇往古來今曰宙宇宙便是吾心吾心卽是宇宙千萬世之前有聖人出焉同此心同此理也千萬世之後有聖人出焉同此心同此理也東西南北海有聖人出焉同此心同此理也」と見ゆるは最もよく彼の唯心論的思想を表はすものであらう。然らば彼は純然たる唯心論に徹底した學者であつたであらうか。否。彼は唯一心を主張しながらも又氣を併せ說いたのである。人は此の理を天に享けて卽ち心を有するばかりではなく、氣を禀けて此の肉體を有つてゐる。「人生天地之間禀陰陽之和抱五行之秀」（天地之性人爲貴論）。是れかの周・程・張・朱が二五之精相交はつて人の生ずることを說くと一般である。其の氣に就いての詳論は無いが、與傅聖謨第三書に「氣稟有厚薄昏明強柔利鈍之殊」といひ、或は包詳道に與へた書にも「人生天地之間氣有清濁心有智愚行有賢不肖必以二塗總之則宜賢者心必智氣必清不肖者心必愚氣必濁」といへば、亦程朱と等しく氣に清濁昏明等の差を認め、此の差が人の知愚賢不肖の原理であると爲したことが知られるわけである。かくて彼は心卽理を唱へて將に唯心論に至らんとしながらも、竟に理氣二元論の域を脫し得なかつたのである。以つて彼に於いても亦朱子と同樣に、如何に支那民族傳統の唯物論的思想が、彼等の間に脫却し得ない偉大なる支配力を有するかを知るのである。

象山に在つては、心卽理で我が心は卽ち聖人の心である。若し此の心が明かならば卽ち聖人である。修養の如きも唯だ此の心を明かにするに在る。我心は常に必ずしも明かではない。蓋し欲が之を害するからである。欲多ければ心の明は必らず寡なく、欲寡ければ其の明は必ず多い道理である。欲とは資稟と漸習（全集卷三五、九枚）とである。故に學者の當に力むべきは氣稟習俗の拘を除去するに在る。徒らに廣く知識を求むるが如きは物欲の大なるものである。彼はかく考へ來つてかの謂ゆる格物を解するが故に、其の說く所大いに朱子と異ならざるを得ぬのである。伯敏格物を問ふ、象山乃ち曰く、「研究物理」と。伯敏曰く、天下萬物其の繁に堪へず、如何か盡く研究し得んと。象山曰く、萬物皆備於我只要明理」(全集巻三五、五枚)と。蓋し物とは我が理であり我が心である。格物とは此の心を明かにし此の理を覺るのである。此の理此の心を措いて他に求めるものは無いのである。萬理は一心に具備するが故に、若し一心が明かとなれば萬理は悉く明かとなるものである。聖賢の書は理を明かにするものではあるが、それは我の理を明かにせるに過ぎない。六經は我の註脚である。苟も我心を知れば六經又何か有らんやであると主張するのである。

明の王陽明は陸氏の思想系統に屬する者なるが故に、其の格物の説も陸氏に類して大いに朱子と異なるものがある。彼は「心卽理也天下又有心外之事心外之理乎」(傳習錄上)とも、「心外無理心外無事」(全書巻一、三三枚)とも、或は「夫物理不外於吾心外吾心而求物理無物理矣遺物理而求吾心吾心又何物耶」(同、巻二四枚)などとも云つて、心卽理の説を主張し、心外理無しと考へた故、格物についても「身之主宰便是心心之所發便是意意之本體便是知意之所在便是物如意在於事親卽事親便是一物意在於事君卽事君是一物意在於仁民愛物卽仁民愛物便是一物意在於視聽言動卽視聽言動便是一物」(傳習錄上)と云つて、意念の在る所卽ち念頭を以つて物とし、「格者正也正其不正以移於正也」(全書巻一、三七枚)とも、「格物如孟子大人格君心之格是去其心之不正以全其本體之正但意念所在卽要去其不正以全其正」(同、九枚)とも述べて、格を解して正とし、格物とは念頭の不正を正し去ることゝ爲した。從つて致知とは念頭の不正を正し去つて我が心の良知を全うすることに外ならずとしたのである。そして朱子の格物說を難じて謂へらく、若し理を事々物々の上に求めるとすれば、孝の理は親の身に在り、忠の理は君の身に在るべく、果して然らば君親沒して後は我が心遂に忠孝の理無かるべく、萬事萬物の理皆然らざるは無いであらう。且つ必ず天下の理を窮むべしといはゞ、吾心の良知を以つて缺くる所ありとし、窮理によつて之を裨補せんとするものである。これこそは心と理とを二とするもので、告子義外の說に外ならぬと（全書卷二參照）。思ふに朱子に對するかゝる非難は未だ朱子の眞意を解せざる所あるに職由するものであつて、其の正鵠を失する所あるは免れ得ざる所である。それ等の點は以下論述する朱子の全思想を以つて之を回顧するとき自ら明瞭となるが故に、其の批判は暫らく之を差控へ、此には只だ朱子の答方賓王第三書、林希元の四書存疑、若しくは秋月胤繼博士の陸王研究等を始め其他にも參考に資すべき批判資料の存することを想起するに留めようと思ふ。

第二章　窮理の對象

窮理が事物の理を以つて其の對象とすることは從來の論述でも推知せられる所であり、窮理といふ語其者が又既に之を示して居るのである。しかし窮理の對象は理であるといつても、其の思想內容には相當複雜なものが存するやうである。以下少しく詳かに之を說明して見ようと思ふ。

抑々朱子哲學に在つては、本體的太極の現實的形相的發展が天地萬物の性であり、此の性なる理が個物に卽して形相界に自展したものが天下の萬理である。本體的太極は性のかゝる萬理への自展に於いてその萬理へと自展する。性も自然・當然の萬理も共に畢竟は本體的太極の現實的自展顯現である。謂ゆる現實的理とは此の性なる理と自然・當然の萬理との外にはない。故に答潘文叔第一書に「大學所謂格物致知乃是卽事物上窮得本來自然當然之理而本心知覺之體光明洞達無所不照耳」(朱子集卷四六)と云ふ如く、窮理の對象たる理は事物の本來の理の性と自然及び當然の理とであるわけである。然るに其の自然の萬理には眞妄邪正の分ありとし、その眞なるもの正なるものを當然の理とする。而して學の一法としてこの窮理を强調した爲めに、その對象としては妄なるもの邪なるものは常に殆んど顧みず、唯だ眞にして正なる當然の理を擧げて性と共に必ず窮め知るべき對象と爲したのである。かの大學或問に「至於天下之物則必各有所以然之故與所當然之則所謂理也人莫不知 而或不能使其精粗隱顯窮極無餘 則理所未窮知 必有蔽雖欲勉强以致之 亦不得而致矣」といひ、「既有是物……見其所當然而不容已與其所以然而不可易者」と述べ、或は孟子が道を知るの明察ならずして竟に道を知らざる者の衆きを論じた盡心上篇の「行之而不著焉」章の集註にも、「言方行之而不能明其所當然既習矣而猶不識其所以然所以終身由之而不知其道者多也」と說いて、窮理が事物の所當然の則と所以然の故との兩者を對象とすべきを主張したのである。

所當然の理が事物に即して存することは、天地あれば其處に高厚なるべきの理があり、山川あればそこに峙流すべき理があり、君臣あればそこに義の理があり、父子あればそこに親なる當然の理がある類で、高厚峙流すべき理は天地山川を離れてはなく、親義なる理は父子君臣を離れては存せぬのであるから、それ等の理は夫々その事物に即して之に格るのである。是れ物に即して其の物の理を知るのである。凡そ當然の理はそれが自然界のものたると人間界のものたるとを問はず、悉くが個物の有つ性の理の自展顯現とせられるから、一として個物の理たらざるはなく、個物に即せざるものは無い。且つかゝる理への性の自展は人爲の按排によつて然るのではなくて自然必然的に然るから、其の悉くが自然必然の理とせられ、此の自然必然法の意味に於いて悉くが天道であるわけである。君の仁、臣の敬、父の慈、子の孝の如き、凡そ人倫相互の間に於ける人間當行の理・人道も亦天道である。此の仁・敬・孝・慈の類の人道は君臣父子なるものゝ理であるが、而もそれ等は君臣父子が夫々相手への對處的關係に於ける理である。君が臣への對處關係に於いて君の理・仁があり、臣が君への對處關係に於いて臣の理・敬が存する。父の慈、子の孝も亦同様である。對處關係は物ではなくて事であるから、その意味に於いて此等の理は事の理であるといへるが、此等の對處を具體現するものは、君であり臣であり、父であり子であるから、此の點からそれ等が君臣父子の理なのである。草木は春生じ秋殺する所に草木の理が在り、水は低きに就く所に水の理が存するが、此等の理を知つて之に對處して、斧斤時を以つて山林に入り、或は道いて低きに至らしめる所に此等に對する人の道が存する。是れ亦人の水木への對處的關係に於いて存する人間當然の理である。故に人間當行の人道は事に卽する理であり、又物に卽する理でもある。かくて對處關係的事に卽して此等の理を窮めることも窮理として遺すべからざることである。語類卷一五に「所謂格物唯是眼前處置事物酌其輕重究極其當處」(一二枚)とも、「如所謂仲夏斬陽木仲冬斬陰木自家知得這箇道理處之而各得其當便是且鳥獸之情莫不好生而惡殺自家知得是恁地便須見其生不忍見其死聞其聲不忍食其肉方是」(一四枚)とも云ひ、或は「至若萬物之榮悴與夫動植小大這底是可以如何使那底是可以如何用車之可以行陸舟之可以行水皆所當理會」(卷一八、五枚)ともいふ所以である。加之、對處的行爲を主とする倫理の立場を根據とする窮理としては、此の萬事の理を窮めることこそその中心職分であるとせられる所から、格物の物を猶ほ事の如しと殊更に解し、格物を事の理に格ることゝさへ說いたのである。

然るに事や物の當然の理は現實には當然的具體的內容を離れて空に存在するものでは無いのである。天地山川の理は高厚峙流の現象に卽して存し、之を以つて自己の內容とし、之に於いて實となるものである。同樣に仁敬孝慈の理も亦仁敬孝慈的行爲に卽して存し、之を以つて自己の內容とし、之に於いて實となるものである。かゝる當然的具體的内容を離れてはそれ等の當然の理も存しない。當然の理はかゝる内容との渾一に於いて事物に卽して存するものである。故に當然の理は天下の事物に卽して窮め知るべきは勿論ながら、又同時にかゝる具體的内容に於いて之を把捉すべきである。否、寧ろ當然の理はかゝる具體的内容と渾一なるが故に、その理の把捉は此の内容の把捉を措いては不可能である。窮理とは理の内容の究知把握である。かの大學經文に係る或問に「所當然之則」と「所以然之故」とは理であつて、此の理を窮めるのが、窮理であると說いてあるが、同補傳に係る或問には少しく之を改めて、窮理には「所當然而不可已」と「所以然而不可易」とを窮むべき旨を說いて居る。此の兩者が同一事を指すことは一見明かなことである。然るに後者の「所當然而不可已」とは、語類卷一八によれば「唯是指事而言」(二五枚)とあつて、それが當然の理の具體的内容を意味することを知るのである。かく一方では當然の理を窮むべきを云ひ、他方では當然の事(この事は具體的内容を意味す)を窮むべきを云ふは、理を窮めることが卽ちその具體的内容を窮めることに外ならぬからである。故に事物に卽して窮理するとは、事物に卽してその理の具體的内容を知るといふことである。以上の如く、窮理の對象は萬事萬物の所當然の理であるが、かゝる理は現實的には當然的具體的内容との渾一の外には存在せぬが故に、此の内容が直接の經驗的對象なのである。

然るに更に所以然之故も亦窮理の對象とせられたことは既述の如くである。所以然之故とは所當然の理、從つて又その內容たる所當然の事をして然らしめる所以のものである。赤子の將に井に陷らんとするを見て怵惕惻隱の心の起るは、當に然るべくして已むべからざる事であるが、しかし此の所當然の事の能く此くの如くなる所以のものがなければならぬ。且つ又此の事を自己の內容とする所當然の理が、此の事の具體的實現に卽して自己を實現する所以のものも無ければならぬ。卽ち所當然の事と理との渾一が能く現實的となり得る所以のものが無ければならぬのである。而してその所以然の故が卽ち性であるとする。性なる理は原頭の處であり、それが又窮理の對象となるのであるが、しかし窮理に最も切要なるは先づ眼前の理を窮めることで、初めから先づかゝる源頭を求むべきではない。ひたすら下面を見るはよいが、下面の窮知を措いて高き上面を知らんとするは穩當でない。下面を平看して件々の理を窮め、一段を見ては此の一段の上に就いてその極に到らんと力むべきで、徒らに原頭の處を尋ね見んと欲すべきではない。さは言ふものゝ事々件々に於いて原頭の處を尋ね知らんとするのを斥けるのでは勿論ない。唯だ一箇渾淪大底のものを先づ見て之から演繹流出せしめて萬事を做さんとする態度を退けるのである。

　性は理であるから性を窮め知ると云つても直接經驗的に之を把握し得るものではない。當然の理の把握が之と渾一なる當然的內容の把握によつて可能であるやうに、性の把握も亦それの現實的顯現たる當然の理の把握を媒介としなければならぬ。然るに當然の理の把握はその具體的內容の把握によつて可能であるから、性を窮め知るには結局は當然的具體的內容の窮知から出發せねばならぬのである。かくて凡そ窮理は常に當然的具體的內容の把握から出發しなければならぬのである。先づ具體的內容を知つて當然の理を把握すれば、所以然の性は自ら默會し得べしと爲して、語類卷一一七には「致知今且就這事上理會合做底是如何少間又就這事上思量合做底因甚是恁地便見得這事道理合恁地又思量因甚道理合恁地便見得這事道理原頭處逐事都如此理會便件々知得箇原頭處」（二二枚）といふ。蓋し初めから原頭を求めると遂には捕へ得ざるに終る恐れがあるから、宜しく流に沿うて源に遡るを要すべしと爲すのである。

朱子は云ふ「此心虛明萬理具足外面理會得者卽裏面本來有底」（語類卷一一四、一一枚）と。又云ふ「要之理在物與在吾身只一般」（同卷一八、二六・七枚）と。外の萬理は心の萬理と二にして一、事物の理として外に客觀的に把握するものは本來我が內面の理に外ならぬ。本來我心に具在するものをば、或は之を身上に於いて觀、或は之を家中に於いて觀、或は之を一國天下に於いて觀るのである（同、卷一四、七枚）。故に外に事物の理を窮め知るといふことは、卽ち內に心の理を窮め知るといふことである。しかし心を以つて心を知ることは不可能に屬するが故に、外に事物の理を窮めずして專ら內に向つて心の理を知らんとするが如きは其の理無きことであるとする。事物の理を心を以つて窮め知ることによつて、心の理は始めて明かとなるもので、外に事物の理を窮め知ることなくして唯だ心の理に於いて之を明かにすることは不可能である。唯だ格物を媒介とすることによつてのみ始めて心の理を知ることが可能なのである（同、卷一二、一一・二四枚）。

今、天下の事物の理は卽ち我が一心の理に外ならぬといへば、陸象山のいふ如く我が一心の理を窮め知れば卽ち萬物の理は明かとなる道理であり、寧ろ此の識心こそ易簡にして幽渾といふべく、事物の萬理を一々窮格するが如き繁瑣にして淺離なるに比すべくもないと考へられ易いであらう。然るに朱子は、かゝる識心の論こそは近世佛學の說、詖淫邪遁の尤なるものであり、學者をして泰然其の心を文字言語の外に措かしめて、古人の明德新民の實學を亂すものであるとし、眞向から之を攻擊したのである。蓋し彼の言に據れば、佛家の謂ゆる識心は心が心を識るのであるが、しかし一體心が心を識ることは不可能であると知らねばならぬ。觀心說に「夫心者人之所以主乎身者也一而不二者也爲主而不爲客者也命物而不命於物者也故以心觀物則物之理得今復有物以反觀乎心則是心之外復有一心而能管乎此心也然則所謂心者爲一耶爲二耶爲主耶爲客耶爲命物者耶爲命於物者耶此亦不待敎而審其言之謬矣」といふは是である。

朱子の未發之中は涵養すべきものであつて、決して求見すべきものではないといふ重要思想も、實は心は識るべからざるものと爲す此の思想が其の根柢をなして居るのである。彼の中庸に其の睹ざる所に戒謹し其の聞かざる所に恐懼するといふは、決して未發之中を反觀して遂に之を執つて應事の準則とせんと欲すると言ふのではなく、須臾毫忽も謹まざるなくよく戒懼して人欲の私をして其の間に萠動するを得ざらしめることによつて、其の本然の體を全うすべきを言ふのである。即ち唯だ未發之中を涵養すべきを敎へるのである。若し未發之中を求見するといふならば、それは別に一心を以つて此の一心を求め此の一心を見ることゝなる。之より大なる誤はない(中庸或問)。其の未發之中を見るといふことはまた未發之心を見ることでもある。朱子に在つては未發之心とは本體の意識界への自展面である。故にそれは凡そ個意識を從つて又知を超越して之を內に包攝するものである。從つて未發に於けるそれ自體は知的對象とはならず、已發の知を以つては把捉し得ざるものである。かゝる心が自展して已發之心ともなれば、萬情として既に現實的具體的個意識であり、それは形色貌象を有つ所のものである。既に此のものとなれば知的對象となつて知的に捕へることが可能となる。是れ已發に於いてその情の天理か人欲かを判別すべき省察の可能を許す所以でもある。尤も此の省察の場合と雖も又心が心を知るのではあるが、しかしそれは心がものを知る意味を有つのであつて、識心に謂ゆる心を知るのではない。識心とは知が未發之心を直接對象的に把捉することである。方賓王の語を借れば未發之心に一超直入(もと禪家の語)する意である。朱子にとつてはかゝることは不可能に屬するとする。この事は黃商伯が「然既發之情是心之用審察於此未免以心觀心云々」と論ずるに答へて「已發之處以心之本體權度審其心之所發恐有輕重長短之差耳所謂物皆然心爲甚是也若欲以所發之心別求心之本體則無此理矣」（答黃商伯第四書）と斷ずるによつて一層明瞭である。故に若し未發之心を知的に把握せんとならば、唯だ他の媒介による外はない。蓋しそれの自覺自展の現實的內容たる個意識を媒介として間接に之を推知するより外に道は無いのである。語類卷一五に「孟子論四端便各自有箇柄靶仁義禮智皆有頭緒可尋卽其所發之端而求其可見之體莫非可窮之理也」（八枚）といふは是を示す。朱子は窮理の對象の至つて切にして近きものとして先づ心をあげ、心の理の窮むべきを力說するが、かゝるものと呼ばるべき心は已發之心を指すのであつて、直接知り得ざる心とは未發之心の謂である。未發之心が旣に直接知的に識り得ざるものであるならば其の理なる本然之性も亦知的に一超直入し得ざるものである。その性も亦所以然之故として窮理の對象とはせられながら、之は直接知的に捕へ得ざるものであるから、ものなる已發之心に卽して其の理を知り、或は廣く客觀事物の理を知つて、此等の理を媒介として始めて窮め得るものである。之を語類卷一一七に「致知今且就這事上理會合做底是如何少間又就這事上思量合做底因甚處是恁地便見得這事道理合恁地又思量因甚道理合恁地便見得這事道理原頭處逐事都如此理會便件々知得箇原頭處」（前廾二枚）と云ふ。誠に未發原頭の處は無媒介的に知的に一超直入し得るものではなく、媒介によつて間接的に知り得るものであるものを、識心論が個々の媒介的諸理の窮知を無視して只管一超直入せんとするが如きは誤謬も亦甚だしいといはねばならぬといふのである。

かく朱子は識心論の誤謬を指摘することによつて、自己の窮理論の正當性を消極的に支持したのであるが、それと同時に積極的にも亦窮理論の眞理性は强調せられたのである。彼謂へらく、凡そ學とは心と理との範圍を出ないものである。心は一身の主たるものではあるが、しかし天下の萬理は一として心の體の自展顯現たらざるはないと言ふ意味に於いて、その體の虚靈は天下の萬理を管するに足るものといへるのである。散じて物に在る萬理が內在して渾一なる所の當然的具體的內容は、千差萬別大小精粗があり、隱顯變化の微妙を極めるものではあるが、それは一として一人の心の自覺自展的內容たらざるはないといふ意味に於いて、其の理の用の微妙は實に一人の心に外ならぬと言へる。故に心の體と萬理と、又心と萬殊の具體的內容とは本來が內外精粗を以つて論ずべからざるものである。然るに此の心が此くの如く靈なるものたるを知らずして之を存することなければ、心は昏昧雜擾して衆理の妙用たる個々の具體的內容を知らぬ。既に之を知らずして又之を窮めなければ、遂に心の自展顯現の迹を知らず、心の眞に正しき當然的自展の方向を知らざるべく、かくては心の自覺自展も自ら偏狹固滯の弊を伴ひ、畢には此の心の全體を盡して純粹自由ならしめることも不可能に終る。之は自然の勢であつて必然的事實である。されば聖人は敎を設けて人をして此の心の靈を端莊靜一の中に存せしめ、以つて窮理の本根とし、又人をして衆理の妙用たる當然的具體內容の存することを知つて、之を學問思辨の際に窮めしめ以つて此の心の全體を盡して、その一切の具體的內容を心の自展的內容として自ら生產し得るの自由を致さしめんとするのである。特殊の一理をそれと渾一なる具體的內容と共に外に之を窮め知ることは、自らにしてその一理を自己の自展內容とするが如き方向に心の一理の自展を將來し、從つて又それの現實的具體的內容を自己の自展的內容とする方向に心の自展を將來するものである。かくて外に萬理を窮め、外に特殊の具體的萬內容を知ることが、心が其內容を以つて自己の萬理の從つて又心全體の自展の現實的內容とするが如き方向に自展することを將來するのである(かゝる精神過程の論理的構造は第五章に詳論する)。眞積み力久しくして一旦豁然として貫通すれば、心のかゝる全自展の可能性は自らにして獲られる。此に至つて內外精粗の別は無く、渾然として內外合一である。かくして未發之心は純然たる自由性を內に保有する。之が本來の眞の姿への復歸であつて復性である。學の此の理想を實現せん爲めにはかく個々の理を知るべき窮理こそ絕對必須の條件であつて、窮理を疏外するが如き識心論では學の目的を果たすことは絕對に不可能であると考へたのである。

第三章　窮理の方法

第一節　窮理の法

前章に論述せる如く窮理とは理を窮めることであり、窮むべき理は所當然之則と所以然之故とであるが、窮理卽格物なるが故にそれ等の理は事々物々に卽して之を窮め知らねばならぬ。然るに所當然之則を窮め知れば所以然之故は自ら明かとなるべき道理故、一超直入の道を取らずして先づ所當然之理を窮むべしとする。然るに所當然之理はその當然的具體的內容と渾一不離にして、此の內容を窮知することなくしてはその理の把握も不可能であり、此の理を知るとは此の內容を知ることであるから、窮理とは事々物々に於いてその事々物々に屬する所の當然的具體的內容を窮め知ることであつた。此の點が一つの注意せらるべきことである。しかも事々物々に於いて之を窮め知るといつても、必ずしも其の事々物々が吾が眼前に至り、吾がその事々物々と直接交涉に入る時にのみ之に卽いて其の理を窮めるといふのではない。語類卷一五に「問格物還是事未至時格事既至然後格曰格是到那般所在也有事至時格底也有事未至時格底」（二枚）といふ如く、事物が未だ吾が眼前に現はれず、吾が未だ其の事物と直接交涉に入らざる場合の閑時にも、亦その事物の理を豫め窮め知ることを力めねばならぬ。この點が又注意せらるべきことである。若し閑時事無き時豫め事物の理を窮め置くと、後に其の事物に接するに及んでは之に處すること甚だ容易であり得るのである。若し然らざれば一旦事物に臨むに及んで窮めんとするも既に及ばざることも起るのである。聖賢の千言萬語も六經語孟の書も、閑時事無きに當つて理を窮めるの要あるが爲めにこそ存するのである。若し唯だ事物に接する時その事物に卽いて理を窮めるのみにて事足るものならば、聖賢の書は其の存在の要もなく、孔子の聖を以つてして好古敏求常師無きほどに常に學を怠らなかつた所以も理解出來ないことになるのである(語類卷一一二〇參照)。

かくて有事の際無事の時を相通じて、事物の所當然の萬理をその理の屬する事物に於いて、その理の具體的内容を窮め知ることによつて、把握しなければならぬ。嘗て程伊川が「凡一物上有一理須是窮致其理」(遺書卷一八、七枚)と述べて、一草一木の理も亦察せざるべからざる旨を明かにせる如く、凡そ此等天下の萬理は一として窮理の對象たらざるはないとせられるが、しかし窮理の學は世の謂ゆる博物洽聞の學ではなく、飽迄も反身躬行を以つて主とし、道德修養を以つて建前とするものなるが故に、唯だ徒らに汎然萬物の理を窮むべきではなく、先づ其の近きもの重きものから次第に遠きもの輕きものに及ぶべきで、其の間に自ら先後順序あるべきであると主張するのである。語類に云ふ「格物須是從切己處理會去待自家者已定疊然後漸々推去這便是能格物(卷一五、二枚)

と。又云ふ「要知學者用功六分內面四分外面便好一半已難若六分外面則尤不可」（卷一八、一六枚）と。更に云ふ「內事外事皆是自已合當理會底但須是六七分去裏面理會三四分去外面理會方可若是工夫中半時已自不可況在外工夫多在內工夫少耶此尤不可也」（同、一七枚）と。その切己處といひ內面といひ內事といふは、大學或問に至切而近者として擧げられた、己の心身性情の理より人倫日用の理に至るまで、凡そ自己の道德生活上に必須不可缺のものを意味し、その外面といひ外事といふは、人や物の理の類である。一草一木の理と雖も察せざるべからざるものではあるが、其の力を用ふるに當つては六七分を己に切なる內事に注ぎ、三四分は己に遠き外事に用ふべきものとするのである。これ亦窮理上大いに留意すべき點である。

然るにかくして初め一事を窮めんと欲して手を下しても、或は其の事難くして窮め易からざる場合がないとは言へぬ。かゝる時若し專ら此の一事に膠着して他を顧みる暇がなければ、恐らくは勞多くしてその功は少なきに終るであらう。故に宜しく別に一事を窮むべきである。伊川が「如一事上窮不得且別窮一事或先其易者或先其難者各隨人深淺」（遺書卷一五、一五枚）と云つて居るのは之を教へたものである。蓋し或は此に因つて彼の難きものもやがて明かとなり得ることもあるからである。是れが窮理の活法である。然るに李延平は「凡遇一事卽當且就此事反復推尋以究其理待此一事融釋脫落然後循序少進而別窮一事如此既久積累之多胸中自當有灑然處非文字言語之所及也」

（延平答問下、二一枚）と相反することを敎へて居る。延平は一事に拘泥する弊がある如くではあるが、しかし必ずしも伊川の說と矛盾するものではない。伊川が且らく別に一事を窮むべしといふに比すれば、其の規模の大、條理の密なる點では程子に及ばざるものがあるにしても、其の工夫の漸次、意味の深切なる點に至つては、伊川の能く及ぶ所ではない。伊川の語は一事未だ窮め得ずして易々改換することを許すのではない。甚だしく通せざるに於いて已むを得ず此くの如くするに過ぎぬ。若し伊川の說に從つて未だ第一件を窮め得ずして容易に第二件に移り、第二件も未だ窮め得ずして第三件へと轉々移行するならば、終身竟に長進を見ざるに終るであらう。延平は一を主とする能はざる者の爲めに戒を發し、伊川は一を主として反つて之に執着する者の爲めに言を爲したのである。寧ろ「講學切忌研究一事未得又且放過別求一事如此則有甚了期須是逐件打結久々通貫」（語類卷一一八、一三枚）を以つて本領とし、萬止むを得ずして始めて伊川の活法を用ふべきものである（答李堯卿第五書、語類卷一一八、八枚參照）。此の點亦忘れてはならぬことである。

「窮至事物之理欲其極處無不到也」（大學註）が格物窮理であり、「推極吾之知識欲其所知無不盡也」（同）が致知である。既に一物一事の上について其の理を知らんとするならば、徹頭徹尾之を窮め盡して些の餘す所無からしめねばならぬ。一物の上について一物の理を窮盡し、其の一理の四隅四角皆窮め知り、四方八面都て見得て周匝遺す所無きに至つて始めて其の理を窮めその知を致したといひ得るのである。致知格物は十事を窮めて九事に通透し、一事の未だ通透せざるものあるもそれは妨げないが、若し「一事只格得九分一分不透」が如きは「最不可」（語類卷一五、一三枚）なのである。今窮めんとする一理に於いては、其の表裏精粗巨細隱顯悉く窮め盡さゞるなきに至らねばならぬのである。固より理そのものには本質上かゝる別の存するものではない。それは理と渾一なる具體的內容の性格に卽して立てた別に外ならぬ。一つの理の具體的內容は必ずしも一箇とは限らぬ。幾多の內容が一つの理の中に、或は相互に對立し、或は分屬統合の關係に於いて存在し、しかもそれ等個々は夫々その一理の具體的內容としての地位を保ちながら、同時にそれ等は合して一理の全內容を構成するのである。此の個々特殊の諸內容の間に存する大小輕重巨細隱顯の差によつて、その內容に此等の別が立ち、かゝる別ある全內容を窮め盡すべしとするのである。孝に就いて之を言へば、孝は子の理であるが、「居れば則ち敬を致し」「養へば則ち樂を致し」「病めば則ち憂を致し」「喪には則ち哀を致し」「祭祀には則ち嚴を致す」の類は皆子の當に爲すべき所で、孝の一理の內容である。然るに此等の節目的各內容の中にも更に幾多の內容を包含すると考へられる。其の「居れば則ち敬を致す」中にも、「進退周旋は愼齋し」「升降出入には揖遜し」「敢へて噦噫嚏咳せず」「敢へて欠申跛倚せず」「寒きも敢へて襲せず」「癢きも敢へて搔かず」等の類が含まれて裏面の小節目を爲す。此等の大小節目が合して孝の一理の全內容を爲すのである。故に孝の一理を窮めるに當つては、此等大小表裏の全內容を遺す所なく窮めねばならぬ。そしてその極處到らざるなく、四方八面周匝無遺に至つて始めて次の理の移り、漸を逐うて次第に天下の萬理に及ぶのである。

然るにかく天下の萬理を窮むるに當つて特に有效適切なる一法として類推といふことが行はるべきである。類推の必要を言ふは既に荀子に「知則明通而類」(不苟)と說き、禮記にも「九年知類通達此謂之大成」(學記)と見えて居るが、之を窮理と結合して論じたものに既に程子の「格物非欲盡窮天下之物但於一事上窮盡其他可以類推」(大學或問參照)がある。朱子も亦「五者仁敬孝慈信乃其目之大者也學者於此窮其精微之蘊而又推類以盡其餘則於天下之事皆有以知其所止而無疑矣」(大學章句)とて之を主張したのである。

然らば一理の窮知に當つてかゝる類推の基準となり得るものは何であらうか。思ふに其の一つは、現に窮め盡さんとする一理自體の有つ或る特殊の具體的內容であり、他の一つはその一理以外の他の或る理である。蓋し一理を窮め知るとは其の理の全內容を知ることであるが、その全內容の中には或は既に知れるものもあり、或は又新たに今知り得たものもあるであらう。故に此の既に知り又は新たに知れる特殊の內容を基準として之を推し、以つて未だ知らず達せざる殘餘の全內容を類推察知するのである。語類卷一八に「所謂格物者常人於此理或能知一二分卽其一二分之所知者推之直要推到十分窮得來無去處方是格物」（一七枚）とあるは之を説くのである。之は一理の中に於いてその內容相互の間に行はるゝ類推である。然るに此の種の類推によつてか、或は其他何等かの法によつて既に或る種の一理を知れば、次に此の既知の一理を基準として他の新たなる理を類推窮知することも亦必須の事なのである。之は既知の理の具體的內容の一部若しくは全部に基いて之を推し、以つて未だ知らざる他の理の內容を推知するのである。語類卷一八に「既是教類推不是窮盡一事便了且如孝盡得箇孝底道理故忠可移於君又須去盡得忠以至兄弟夫婦朋友從此推之無不盡始得」（七枚）と云ふは卽ち此の種の類推である。之も亦理の內容を基準とする類推ではあるが、しかし之は此の理の內容から彼の理の內容を類推窮知するのであつて、前者が一理の中に於ける類推たるに止まるに反し、之は理から理への類推である。以上二種の類推は單用若しくは併用せられることによつて窮理の容易なる進展が見られるのであつて、窮理とは萬理の一々を新たなる最初の出發點から個々獨立に窮め初めるといふのではないのでる。

蓋し「人心之靈莫不有知」（大學補傳）で、「凡人各有箇見識不可謂他全不知如孩提之童無不知愛其親及其長也無不知敬其兄以至善惡是非之際亦甚分曉」（語類卷一八、一三枚）であつて、何人と雖も類推の基準となるべき何等かの知識を多少とも有するものである。故に類推し得ざる人は無い筈である。今試みに類推を例示せんか。親に對する孝道を窮め知らんとするに當つて、若し「敢へて噦噫嚏咳せざる」ことが孝の理の一内容であることを知れば、之を推して或は「敢へて欠伸跛倚せず」或は「癢きも敢へて搔かず」等の類似的内容を推知し、更に又「出入の揖遜」「進退の周旋」等諸他の内容を類推窮知し行くのである。或は「醇酒美肉を以つて親の口體を養ふ」ことが孝の理の一内容であることを知れば、之を推して「善言愛語を以つて親の志を養ふ」ことが亦孝たるを知るのであり、既に「養ひには其の樂しみを致すべき」を知れば、「病には憂を致すべき」を推知し、後者よりして更に「喪には哀を致し」「祭には敬を致すべき」を漸次に類推窮知し行くのである。此くして孝の一理の全内容を知り盡すことが出來る。是れ一理の中の諸内容相互の間の類推によつて、その一理の極處まで知り盡すの道である。而してかくして既に孝の理を知れば、之を推して天下の親に事へ、天下の賢者長者に事ふべき道を知り、天下の君に事ふべき忠の理をも知り得るのである。孟子は人に四端の心ある故此の心を擴充すべしと說いた。牛の觳觫を見ては誰しも忍びざる心の起るものである。この心は人間奧底の本體が人を通して當に在るべき方向へ自展顯現したもので、誰しも之を經驗するものである。且つ又人は之を人間の牛への對處關係に於ける所當然之理の具體的内容として知的に把握し得るものである。既に知的にかゝるものとして把握すれば、此の知を推して羊に對處すべき理をも知り得る筈であり、更に類推して一般禽獸草木に對處すべき理をも知る。之を推して廣く物を愛し民に仁すべき理をも知り得るのである。尤も孟子の謂ゆる四端の擴充はかゝる單なる知的擴充を意味するものではなく、寧ろそれの行的擴充を主とするが故に、それは狹義の致知の範圍に止まらずして、反つて致行の世界を主とするものではあるが、しかしその類推擴充は上述の如く知的世界に於いても考へ得られるわけである。そしてその行的擴充といふものも、此の類推による知的擴充を俟つて始めて其の方向が與へられ以つて其の完成が可能となるのである。

窮理の法は上述の如くかく多樣であるが、更に其の用力の地に至つても亦必ずしも一ではないのである。「若其用力之方則或考之事爲之著或察之念慮之微或求之文字之中或索之講論之際」とは大學或問に說く所である。其の事爲の著に考へるといふは、事象行爲の中に於いて特に所當然之理の內容たるものと然らざるものとを考察辨知することであり、その念慮の微に察すとは、現實意識の中に於いて特に所當然之理の內容たるものと否とを考察辨知することである。此の二者は窮理者が理の客觀的具體的內容と直接交涉下に在つて實地に之を體究把握するもので、程伊川が「或應接事物而處其當」（遺書卷一八、七枚）といへるに據つた說である。其の之を文字の中に求むといふは、伊川が「或讀書講明道義」（同）といふに據り、その之を講論の際に索むといふは、「論古今人物而別其是非」（同）といふに基いたものである。此の兩者は窮理者が理の客觀的具體的內容とは間接的關係に在つて、言語或は文字の媒介によつて抽象的に之を把握するものである。以上何れも極めて重要なるものではあるが、就中朱子の特に重視したことは蓋し文字の中に求むる讀書であつたことは、答孫敬甫第一書に「格物致知莫先於讀書」(朱子集卷六一)と云ひ、語類卷一一九に「凡人爲學須窮理窮理以讀書爲本」(一三枚)といひ、行宮便殿奏劄二に「蓋爲學之道莫先於窮理窮理之要必在於讀書」と說けるによつて窺知し得るのである。

更に想起すべきことは中庸第二〇章に謂ゆる博學・審問・愼思・明辨・篤行のことである。朱子によれば博學と審問とは理を外に得る工夫であり、愼思と明辨とは理を內に體して心と理とが一となるべき工夫である。其の着手に當つては先後の言ふべき無く、五者は同時に併進すべきものであるが、若し之をその相互關係の上より言へば自ら其の序がないわけではない。博く學んで後事物の理を備へ得るが故に、能く之を參伍して疑ふべき所を得て問ふに至るのである。旣に問ふこと審かにして然る後師友の情を盡し得るが故に、能く之を反覆して其の端を發して思惟し得るのである。よく愼しんで思惟すれば精にして純なるを得るが故に、能く自得する所有つて辨を施し得るのである。辨じて明であれば斷定して差はぬ故、疑惑も無くて行爲に見はれ得るのである。行ふこと篤ければ、凡そ學問思辨によつて得た所のものは又皆必ず其の實を踐んで空言に終らぬわけである。之が卽ち五者の序である(中庸或問)。而して此等の中凡そ窮理をして決定的な成果にまで導くものは實に思惟であるとする。學に於ける思惟の重要性については、古來旣に多數先賢の道破せる所であるが、若し文字言語の間に理を尋求することを忽諸に附して、唯だ徒らに自己の思索に依頼して理を求めんとするならば、反つて臆度僻見に陥つて心知を害し身行を謬らしめるに至るものである。かくては終日食はず終夜寝ねず以つて思ふとも竟に益無きのみならず、人をして益々危殆に導くものである。故に思惟は博學と併せ用ひて大いに其の效を發揮し得るものなることを忘れてはならぬ。しかし思惟すればこそ疑を生じ、疑へばこそ問ふのである。疑は思惟の深淺に比例するもので、深く思惟すれば疑も亦深く、疑深ければ問ふこと亦審かなるを得るのである。愼思のあるところそこに審問は生まれて來る。思惟すればこそ比較が可能であり、比較すればこそ辨別も可能である。愼思のあるところそこに明辨が現はれる。審問明辨は思惟を助けて之を容易ならしめるものではあるが、その審問明辨をして可能ならしめるものは實に思惟なのである。かくて思惟の格物致知に於ける重要性は決定的であるといへる。是れ朱子が語類に「窮理以虚心靜慮爲本」(巻九、七枚)とも、「學者理會道理當深沈潜思」(巻一一四、一四枚)とも、「思則得之不思則不得惟在人思不思之間耳」(巻五九、三八枚)とも述べて、窮理に於ける思惟の役割を極めて高く評價した所以である。

之を要するに、窮理は有事の時無事の際を一貫して之を行ひ、其の行ふや己に切なるものよりして次第に遠きに及び、時に或は難易を以つて先後し、既に知れる所によつて類推し、以つて一理の極處至らざるなく、亦萬理餘さゞるの態度を持すべきである。而して思惟は窮理をして最も成果あらしめるものであるから常に愼思することを忘れず、讀書は窮理に於いて先づ力むべきものなるが故に常に之を怠つてはならぬといふのである。

第二節　窮理と讀書

讀書に關する朱子の意見は語類卷一〇及び一一に收錄せられて居るのであつて、此の兩卷は彼の該思想を知るべき中心資料である。しかしその外の文獻にも重要な意見が散見して居るのである。本節の論述は右兩卷を中心とし、併せて諸他の資料に據つて構成せられたものであるが、(註一)あまりに煩に渉るを恐れて必ずしもその依據する所を明示しなかつたことを豫め記して置く次第である。

抑々窮理に於ける用力の地の多い中にも讀書は其の尤も重要なる一つであることは既に前節に觸れた所である。而してその然る所以は「文所以載道猶事所以載物」(通書、文辭解)であるからである。凡そ天下の理は古往今來不易不滅永遠恆常であるが、之を行爲に實にし身に體して能く餘す所なく盡すは惟だ聖人に於いて始めて可能である。聖人の一言一行は悉く道に合して能く道の具體的內容を爲す。而もその言行は經訓史册の中に具はらざるはないのである。殊に三代以前の書は曾て聖人の手を經たもので、全くの天理であるから、道を求め理を知らんとするものはどうしても此等を繙讀せねばならぬ。天下の理を窮めんと欲しながら此等の書册に卽いて之を求めなければ、正しく牆に面して立つ類で、竟に見る所なく行く所を知らざるに終るであらう。然るに諸經は各々其の性質内容に於いて大いに異なる所を存し、從つて功夫も亦浩博なるが故に、之を讀んで大いに效果を擧げんには自ら其の間に先後次第を設けねばならぬのである。

然らば先づ第一着手は何の書であるとするか。曰く四書である。抑々四書は道理燦然として曉解し易きのみならず、之を讀めば人の學すべき所以の道理と、爲學の次序とをも知り得るのである。既に四書に通透して然る後に詩書禮樂等の他經を讀めば自ら通曉し易いのである。四書の中でも先づ大學を讀み、次に論語・孟子・中庸の順を以つて之を讀むべきである。大學は修身治人の規模構造を明かにせるもので、恰も家屋の棟梁骨骼を定立せるものである。故に爲學の次第と綱領とは之に盡きて居るわけである。しかも此の書は曾子が孔子の說を述べ門人又傳述して其の旨を明かにせるもので、等級次第があり、前後相因り互に相發明し、首尾具備して、恰も一時の言一人の記の如くに統一を保つて居る。故に先づ此の書を繙いて爲學の次第と綱領とを定立し、然る後他の書を讀んで其の裏面の節目を塡補し去ればよいのである。論・孟の書は事に隨つて答問せる語であるために、言語も散見して要領を得難いが、其の說く所却つて實なる論語によつて其の根本を立て、次に其の發越多き孟子によつて感激興發を觀るべきである。六經は多くの工夫を要する割に效を得ることが少ないが、語孟は工夫少なくして反つて效を得ることが多い。但、論語は逐文逐意各々一義なるが故に冷靜に思索せねばならぬに對し、孟子は大段を成して首尾通貫せるものなるが故に、一字一句の上を逐うて理會すべきではなく、寧ろ反復熟讀して其の間に自ら文義を悟るべきものである。中庸の書に至つては工夫は密規模は大にして讀み難きが故に、大學・語孟の後に讀んで以つて古人微妙の處を求むべきである。要するに大學は實に入徳の門なるが故に、學者は先づ之を講習して爲學の次第規模を知り、乃ち論語・孟子・中庸を見て義理の根源體用の大略を窮見し、然る後徐ろに諸經を考へて其の旨趣を極めるがよいのである。既に四書を理解し得れば他書は一見して決し得るであらう。四書の後は六經に入るべきであるが、其の中讀み難きものは易と春秋とであるから、此等は學者の先づ讀むべきものではない。殊に易は本來卜筮の書であつて、形影の捕ふべきもの無く、唯だ懸空に道理を説けるのみならず、當時の俗語を用ひて居る所もあるから、其の理解の困難なることは他經の比ではない。孔子が出て其の道理を説き出したのではあるが、それとても聖人の事で一般學者の及ぶべき所ではない。春秋は天下の事を論ずるものであるが、學者は先づ自己の身上の事を理會して然る後天下の事を理會すべきであるから、此の書は當に後に讀むべきものである。若し春秋を讀むならば通常歴史を讀むの心を云つて之を讀まねばならぬ。程子は「以傳攷經之事以經別傳之眞僞」といふも、春秋を讀むの法は必ずしも此くの如く考ふべからざる所がある。春秋は褒貶の意を有つものではない。孔子は唯だ國史の載する所に因つて之を錄したに過ぎぬ。光明正大なる聖人の心に於いて豈に一二字を以つて褒貶を人に加へることがあらうや。後人の如く褒貶を其の間に加へるは恐らくは聖人の意でないであらう。春秋は通常の歴史と異ならぬもの故、之を讀むにも亦異なる所あるべきではないのである。世の學者にして才かに此等易・春秋の二書を理解すれば、既に穿鑿の弊に陷るものが多いのである。故に若し此等の書を讀まんと欲すれば、殊に平易に其の大義を理解せんことを要するのである。大義とは易が陽を尊んで陰を抑へ、君子を進めて小人を退け、消息盈虛の理を明かにせる所、春秋が王を尊んで伯を賤しみ、中國を内とし夷狄を外とし、君臣上下の分を明かにせる所等の類である。そこで六經に於いては易・春秋は後にして、先づ詩・書・禮を讀むことが肝要である。詩經は一章言ひ了つて次章に又之を歎詠するから、意味の深長を覺えるが、しかしそれは別に意義があるわけではないことを知らねばならぬ。且つ詩の言は極めて平淡であるところから、動もすれば名物の上に義理を尋ねて反つて窒塞を來たし易いものである。唯だ六義の體面を識つて却つて諷味し、訓詁文義の如きは略ぼ之を看ればよいことを知らねばならぬ。尙書はまた理解し難い處もあるから、之を讀むに當つては先づ文義の明白にして曉り易い處から讀み、難解の處は且らく措いて之を闕くがよい。禮記を讀むに當つては其の緊要にして日用に切なる部分を拔いて之を讀めばよいのであるが、儀禮を併觀することが肝要である。蓋し儀禮は皆其の事を載せ、禮記は唯だ其の理を發明せるものであるからである。

史を看るには先づ史記を讀み、次に國語及び左傳を讀み、次に兩漢書・三國史を看、然る後通鑑を看、更に其の餘の正史を讀むべきであり、尙ほ餘力あれば諸子にも及ぶべきである。

然らば凡そ讀書の法は如何。多讀と精讀との中朱子は精讀を重んずる學者であつた。精讀とは彼によれば、先づ少看熟讀して其の言をして皆己の口より出づるが如くならしめ、次に精思して其の意をして皆己の心より出づるが如くならしめ、旣に熟讀精思して其の意を曉り得れば、又疑問を起して更に深く其の意を求めることである。此の三者を行へば學は愈々進むを覺えるといふのである。就中、少看熟讀は讀書の全法であるとさへ考へられた。學者の最も大病は多讀博看に在る。多きを貪り博きを求むれば自ら匆々に讀過して雜亂淺略汎濫無統に陷るべく、動もすれば己の意に隨つて穿鑿し、恣まゝに排布橫說して、遂に書の本意を錯會する。かくては歲を卒へ年を窮むるも畢竟透徹の期あることなく、己の分上に於いて何の得る所もなきに終るのである。故に多きを貪らず博きを求めず、少看して反復熟讀しなければならぬ。人は一日に唯だ三碗の飯を喫すべきであるものを、若し多きを貪つて一時に十數日の飯を喫すれば、唯だ身を害するのみである。

而も其の三碗も咀嚼爛熟して始めて眞に身に得るのである。小兒は日に一百字を習へば只だその一百字に止まり、二百字を習へば唯だ其の二百字に專らであるから皆之を記憶し得るに反し、大人は貪つて或は一日に一百枚をも看んとするから、結局は熟讀も出來ず記憶も不可能なのである。故に寧ろ其の十分の一を讀んで之に專ら熟すべきである。讀書百遍意自ら通ずとは眞理であるが、しかも讀むこと一遍なると讀むこと十遍なるとは曉り得る所自ら別なるものがあり、百遍なるとき又自ら異なるものがある。若し讀むこと十遍にして未だ其の義を曉り得ぬ場合には、又讀むこと二十遍、二十遍にして尙通ぜざる所あれば更に三十遍、五十遍に至るべきである。五十遍にして其の意を曉り得てもそれを以つて足れりとして休むべきではない。一千遍すれば一千遍の新味が見出され、一萬遍讀めば一萬遍の新義を發見し得るものである。讀むといふことが卽ち學であるとさへ考へられる。孔子は學んで思はざれば罔く、思ひて學ばざれば殆うしと曰つたが、その謂ゆる學とは便ち讀むことを意味して居るとさへ解せられ得るのである。しかしかく熟讀せよといつても、それは決して記誦・訓詁・文詞を事とすべしといふのではない。此等の間を出でずして聲名を釣り利祿を干むるが如きは學の本を知らざるものである。世の士の多くが此くの如くである爲めに、天下の書は愈々多くして理は愈々暗く、其の德業事功の實が愈々古人に逮ばないのである。

熟讀と共に大切なるは精思である。讀誦は精思を助け精思は讀誦を助けるもの故、讀むこと一遍にして又精思すること一遍、精思すること一遍にして又讀むこと一遍といふやうに反復工夫を凝らし、其の言をして皆己の口より出づるが如くならしめ、其の意をして皆己の心より出づる如くならしめねばならぬ。眞僞を誤ると誤らざるとは只だ思ふと思はざるとの間のみ。熟讀と精思の工夫が進めば、心と理とが自然に一となつて貫通するに至るのである。

而して熟讀と精思に當つて更に留意すべきことは平看と體驗である。平看とは只管虛心を以つて看ることである。自ら想像計獲したり先づ自說を立てゝ以つて書の意を牽引するが如きことがあつてはならぬ。己を以つて書を見ることなく、先づ自己の見を放棄して此の物を以つて此の物を觀、此の書を以つて此の書を觀るべきである。世の經を談ずる者に四弊がある。卽ち本と卑しきことなるに之を抗して高からしめ、本と近きことなるに之を推して遠からしめ、本と淺きことなるに之を鑿つて深からしめ、本と明かなることなるに之を强いて晦きに至らしめるは是である。是れ虛心平看せずして眞意を解せざるに因るのである。體驗とは聖賢の言を以つて之を切に自己の身上に反求し、自己の世界に於いて具體的に體察推究することである。かくすることによつてやがて聖人の心卽ち自己の心となり、聖人の行爲卽ち自己の行爲となつて、古今彼此の隔てなきに至るものである。此こに至つて始めて眞に書を讀んだといふべきである。

既に少看熟讀であり精思であるから、一時に多量を讀破して急進することを欲するものではない。一字を讀む時其の一字に專念して他の字あるを見ず、一句を讀む時その一句に專念して次句あるを知らず、其の一句を理會し透通するを待つて始めて第二句に移り、第二句此くの如くにして始めて第三句に移る。かくして全句悉く理會透通して然る後其の全章を反覆紬繹玩味し、然も尙通せざる所があれば先儒の講解を觀て更に又讀過すべきである。若し先づ本文に就いて考へず、當初より註解を看る時は飢えて而る後に食し渇して而る後に飮むが如き妙味を感じ得ないであらう。かくの如くにして一書を讀み了るのである。此の一書を讀む時此の一書に專念して他書あるを知らぬ態度を持すべきであること勿論であつて、同時に他書を併せ看ることは避けねばならぬ。他書を併看すれば、却つて多讀の弊を招いて支離雜亂に困めらるゝ結果となる。故に未だ讀まざる他書を兼ね看ることは戒むべきである。しかし嘗て既に讀了せる書は寧ろ併せ看るべきでそれによつて舊書の熟讀精思を反復することにもなるのである。一字一句に專念し、一章一書に專念することは、此の心を管攝して常に此こに存せしめることである。是れ卽ち敬である。敬でなければ萬事は成り難く誠ならねば物は無い。敬でなければ心は別處に在つて、讀んでも畢に讀まざると一般である。讀書は實に敬であることによつて大いに其の效を期待し得るのである。敬に居つて既に一書を讀了すれば又初めより之を反覆し、その遍數の如きは問題とせず、ひたすら爛熟して通貫浹洽し、も早や看るべきもの無きに至つて始めて他の一書に移るのである。尤も徒らに博きを求めず、仔細に讀んで從容涵泳すべきであるといつても、それは決して少なきを以つて足れりとするものと誤解してはならぬ。讀書は精讀を主として然もなるべく多く讀まねばならぬ。書を覽ること博ければ、道理を看得ること愈々廣くして且つ深いものである。徒らに少量に執着して、或は進み或は退き、或は存するが如く或は亡きが如き狀態では決して事は成らぬ。斷じて優柔であるべきでなく、須らく博覽を力むべきである。しかし不斷に緊密なる工夫を凝らし決して濫讀に陥るべきではない。宜しく一歩も退轉せず、常に奮發勇往驟進を期すべきである。さりとて些の焦躁があつてはならぬ。功を急がず焦慮せず、寛大廣濶なる心を以つて悠々たる中に驟進を期せねばならぬのである。

註一　主なる文獻を擧げると、語類では卷一三、一四、一六、一九、六二、六七、七八、八七、九四、九六、一〇四、一一四、一一五、一一六、一一七、一一八、一二〇、一二一等の諸所に散見するもの、文集では、讀書之要（卷七四）を始め、與劉共甫、與陳丞相別紙、答呂子約、答吳伯豐、答王欽之、答林正卿、答曹元可、答宋朋孫、答林退之、答李晦叔、答孫敬甫、答或人第四書、徽州婺源縣學藏書閣記等に見ゆるものの類皆以て參照すべきである。

第四章　窮理と貫通

上述の如く窮理は天地萬物の當然の理を、一々其の序に順つて窮め知らんことを要するのであるが、しかし天下の理は萬理無數であるから、悉く窮め盡さんは能く一人の爲し得る所ではないであらう。故に朱子は云ふ「心無限量如何盡得物有多少亦如何窮得盡」（語類卷六〇、三枚）と。既に一人の能く窮め盡す所に非ざるを以つての故に讀書の要を力說する。殊に聖賢の書に至つては最も多く道を載せたものであるから、之を讀んで其の理を窮め知ることが絕對に必要であるとする。是れ前人研究の結果を繼承することによつて、その努力を省節し、以つて窮理の可能度を著しく增大せしめ得るからである。理自體を言へば萬理卽ち一理であつて、異なるものではないにしても、かゝる理そのものゝみが現實に存在し得るものではなく、理は必ず個々萬殊の具體的內容に卽して、之と渾一に於いてのみ現實的なのである。無數の當然の理があるといふは其の具體的內容の無數に基く立言である。しかも窮理とはかゝる萬殊無數の內容を窮め知ることである。加之、其の內容たるや、時間的にも空間的にも增損變化を免れぬもの故、古今東西必ずしも同一ではあり得ない。前人の研究闡明せる道は、載せて典籍に在りとはいふものゝ、其等は其の環境の限定の中に發見せられた理なのである。故に讀書によつて之を知り得ても、之を其の儘今の此の時代此の環境の限定の中に適用することは妥當平穩を缺く所無しとはいへぬであらう。されば道の實行に當つては今に卽する具體的內容を明かにして之を行爲せねばならぬ。その理の大體は讀書によつて知り得ても、微細なる點に至つては其の都度考慮が拂はれねばならぬであらう。かの大學には知止より能得に至るまでに定・靜・安・慮の中間四節目が說かれてゐる。知止とは當然の理を知ることであり、能得とは其の理を行爲へと實現することである。理を知れば其の理の實現は自ら得られる道理であるが、尙ほ其の間に慮の重要さが說かれてゐる。慮とは朱子によれば、既に知れる理に係はる事物が、吾の前に接するに及んで之を慮ることである。よく慮るによつて理の實現をして一層恰好安頓ならしめることが出來、こゝに始めてその理を今に實現し得ると爲すのである。既に知れる理も、之を今に實現するに當つては、決して其の儘では適切恰好ではなく、細節を慮ることを俟つて始めて恰好妥當なるを得るといふのであるから、たとひ前聖先賢の研究の結果でも、之を今に實行するに當つては、尙ほ我れ自らの窮知を俟つべき何ものかゞ其處に殘存するのである。唯だしかし、理の大體は既に知るが故に、この殘餘の足らざる部分を知ることは甚だ容易ではある。それでも今の理を知り行はんとする限り、我自らの努力が全然免除せられ得るわけではない。加之、前人の敎示せる理の數には限度があり、尙ほ多くの殘餘の理は我れ自らの新たなる、研究を俟つてゐる。かくて窮理は一人の能く盡し得る所ではないとの不安は尙ほ去り難い。若し窮理が果して人に不可能ならば、誠意・正心・修身の事も、更に施いては齊家・治國・平天下の事も、亦遂にその希望を棄て去らねばならぬであらう。かくては成己・成物を理想とする儒教、從つて又朱子の實踐哲學は、其の成立の根柢を失ひ了るであらう。此に於いてか、朱子學派の人々は豁然貫通の說を爲して萬理窮盡の可能を許容したのである。李延平は曰ふ「如此旣久積累之多胸中自當有灑然處非文字言語之所及也」(延平答問、卷下)と。程伊川も亦云ふ「自一身之中至萬物之理但理會得多相次自然豁然有覺處」(遺書卷一七)と。又云ふ「所務於窮理者非道須盡窮了天下萬物之理又不道是窮得一理便到只是要積累多後自然見去」(遺書卷二上)と。朱子も此等を承けて大學補傳には「至於用力之久而一旦豁然貫通焉云々」と說き、大學或問には「至於一日脫然而貫通焉云々」とも述べて居る。蓋し窮理は一物を窮め知れば萬理皆通じ得るといふのでない。今日一物に格り、明日又一物に格り、序を以つて漸進し、事々物々の理を窮めなければならぬのではあるが、さりとて萬理悉く窮め盡さねばならぬといふのでもない。「今以十事言之若理會得七八件則那兩三件觸類可通若四旁都理會得則中間所未通者其道理亦是如此蓋長短大小自有準則如忽然遇一事來時必知某事合如此某事合如彼則此方來之事亦有可見者矣」(語類卷一八、二七枚)で、積累旣に多ければ、零々碎々湊合し來つて、二箇は合して一箇となり、七八箇は又合して一箇となり、やがて都て一齊に貫通するのである。但、その貫通の遲速に至つては、氣禀の淸濁、努力の大小に因ることは言ふまでもない。

既に貫通の域に達すれば、それより後はたとひ未だ窮めざる新事物が起つても、既得の知を推して直ちに其の理に通じ得るのである。尤も貫通の域に達したから、それで既に萬理悉く知り盡して了つたといふのでは無い。聖人と雖も尙ほ纖悉盡く知るものでは無い。唯だ貫通すれば既に知つた所に基き、類推によつて未知の理にも極めて容易に通じ得るといふのである。語類卷八七に「而今學者只是不能推類到得知類通達是無所不曉」（三三枚）といふは是であり、盧玉溪が「推而無不通則有脫然豁然處」（大學或問大全小註）といふも朱子の意を得たものである。此の貫通の思想は、古來儒教に存せざる所で、李・程に至つて始めて說き出したものゝであつて、恐らくは禪學頓悟の思想に取つたものであらう。しかし禪學の頓悟が窮理の功を積むことなくして唯だ恍然として神悟するに反し、我が儒の貫通は俺迄も一々事物の理を窮め、積累既に久しきに及んで始めて類を推して貫通すると爲す點が禪學と大いに異なる所であると爲して、記疑には「恍然神悟乃異學之語儒者則惟有窮理之功積習之久觸類貫通而默有以自信耳」と論じて居る。

さはいへ貫通が卽ちに知の至を意味するものではない。孔子は十有五にして學に志し、三十にして立ち、更に十年の久しきに及んで四十始めて不惑に達したといふ。語類卷二三には「不惑則事至無疑勢如破竹迎刄而解矣」（二二枚）といひ、「不惑是見道理恁地灼然」（二〇枚）といひ、論語朱註には「於事物之所當然皆無所疑則知之明而無所事守矣」と說く。不惑とは事々物々の當然の理に於いて、皆一點の疑ふ所なく、其の知明かなるをいふとする。是れ不惑を以つて貫通とするものである。然も此の時に於いては知は明ではあるが、しかしまだ精ではない。其の後更に十年の體驗を積み、五十天命を知る時に至つて始めて其の知は精を極めるとする。故にその註に云ふ「天命卽天道之流行而賦於物者乃事物所以當然之故也知此則知極其精而不惑又不足言矣」と。天命とは「是源頭來處」（語類卷二三、一九枚）で、當然の萬理の然る所以の故であつて、人物に於いては性である。天命を知るとは「然此事此物當然之理必有所從來知天命是知其所從來也」（同、二四枚）「知皆自天命來」（同、二一枚）、「凡事々物々上須是見宅本原一線來處須是天命」（同、一八枚）といふ意味である。蓋しそれは當然の萬理が性の自覺自展に基く所の自然必然的な當然的顯現であるとの自覺に達することである。不惑貫通の時は唯だ當然の萬理自體の認識には達するも、未だそれが性の自覺自展的內容であるとの十分なる自覺には達し得ないのである。それより更に十年の久しき體驗を經て始めて完全にこの自覺に到達し得る。此に至つて當然の萬理とその所以然の故との認識が併せて成立する。之を「初來是知事物合着如此到知命却是和箇原來都知了」（語類卷二三、二〇枚）と云ふ。此の時知は其の精を極めると爲すのである。しかし尙ほ行的に性を盡し得たといふのではない。それは性の完全なる概念的把握に達したまでゞある。論語に「知天命」とあり周易に「窮理盡性以至於命」とある所から、此の兩者を同一視し、從つて知天命を以つて盡性の事と爲し易い。しかし嘗て黃幹が、張橫渠の、五十にして理を窮め性を盡し天の命に至り、六十にして人物の性を盡すといふ說を擧げて質せるに、朱子は對へて「據五十而知天命則只是知得盡性而已」(語類卷二三、二六枚)といひ、又「論語知天命且說知得如此未說到行得盡處」(同)と敎へて居る。是れ盡性の盡には知得盡と行得盡との二義あつて、論語の知天命は前者に屬し、性の完全なる概念的把握を意味するものと爲すのである。かく五十歲に至つて性を知的に完全に把握し得たといふのではあるが、しかし五十歲に忽然として始めてかくあり得るといふのでは勿論ない。一理を窮めて止まる所を知れば、心は必然的に其の方向に動かんとする潛在的傾向を生ずる。之が謂ゆる知止而後有定である。若し後來その事物に接すれば、之に對處して心の此の必然的傾向はやがて顯在的に實となり、其の理は必然的に實現せられる。之が卽ち能得である。此の必然的過程を知的に把握することによつて、その一理が天命より出づるとの自覺に到達するのである。是れ其の一理に關する限りに於いて天命卽ち性を知るのである。此の自覺に達することによつて其の一理は確固不動の必然性を有つて來る。之を「如事父孝事君忠初時也只忠孝後來便知所以孝所以忠移動不得」(語類卷二三、二二枚)と言ふ。かくて同樣に十の理を知れば十の理に關する限りに於いて性を知り、百の理を知れば百の理に關する限りに於いて性を知るのである。理を知ること次第に多く、やがて豁然として貫通するに至れば、知り得ざる理はなく、萬理が性を根として確固不動の必然性を有つとの自覺に近づくのである。當然の理の知の明となり得た此の不惑から、更に益々體驗を積むことによつて、萬理の知と性の知とは次第に熟し來り、知命の時に完全に性の知的自覺に到達して、こゝに其の知は愈々精を極めるのである。しかし此の時と雖も知は猶は未だ其の至極に達したとは言へない。知命の後更に體驗を積むことによつて其知は益々熟し來り、漸次至極の域に近づいて、やがて六十耳順に至つて遂に其知は至極に到達する。故に耳順の朱註には「聲入心通無所違逆知之之至不思而得也」といひ、語類卷二三には「到六十時是見得那道理爛熟後不待思量過耳便曉」（一〇枚）とも「問耳順曰到得此時是於道理爛熟了聞人言語更不用思量得才聞言便曉只是道理爛熟耳」（一三枚）とも云つてある。「不思而得」は耳順に於いて始めて可能である。不惑貫通の當初に在つては未だ生たるを免れぬ知も、知命知性の時に至つて漸く熟するが、それでも尚未だ爛熟とはならぬ。故に朱子は程伊川が知天命は猶ほ思うて得るの境地なる旨を言へるを是認して、「耳順則凡耳聞者便皆是道理而無凝滯伊川云知天命則猶思而得到耳順不思而得也」（語類卷二三、一一枚）と述べて居る。此の後更に十年、久しうして益々熟し、耳順に至つて其知愈々爛熟して不思而得の境地に達するといふのである。此の時に至つて當然の萬理とその然る所以の性との兩者併せて知り盡し、其の知は爛熟して至極に達するのであるが、七十心に從つて矩を踰えざる時は「又是爛熟也」(同二二五枚)とし、此の後更に數十年を經過するも益々爛熟するあるのみと考へたのである。而して朱子は中庸第二〇章に「誠者不勉而中不思而得從容中道聖人也」(同註)、とあるを生知安行の聖人を說くものとし、その不思而得を以つて耳順の時に配當し、不勉而中を以つて從心所欲不踰矩の時に配當して「耳順是不思而得所欲不矩踰是不勉而中」(語類卷二三、二五枚)と云つて居る。故に耳順の時と雖も既に聖人の域に入つて居るわけである。しかしそれは主として知に於いて聖をいふのであり、七十に於いては主として行に於いて聖をいふのである。知行兼ね盡し得て生知安行の聖人と等しきを得る。知と行とは本來離れ得ぬもので、七十よく行ひ盡し得るは六十知り盡し得ることによつて可能であり、六十知り盡し得るとき既に七十行ひ盡すの氣象を含むので、六十耳順の時、行的にも既に聖に入るのである。

知と行とは本來離れ得ぬものといつたが、兩者はもと一者の兩面であり、本質的に合一である。知つて行はざるは未だ眞に知らざるもの、眞に知れば必ず行ふものとせられて來た。そしてその中間に定靜安慮なる過程を考へたのである。大學に云ふ「知止而後有定定而後能靜靜而後能安安而後能得」と。止とは「所當止之地卽至善之所在也」(朱註)であるから、知止とは朱子の謂ゆる窮理である。得とは「謂得其所止」(同)であるから、能得とは既に知れる理を、その理の係はる事物の來るに及んで、之に對處することに於いてよく實現することである。前者は知に屬し、後者は行に屬する。前者を得れば後者は自ら得られるとするのであるが、前者から一躍後者に達するのではなく、其の間に定・靜・安・慮の過程を考へる。定とは章句には「知之(止)則志有定向」といひ、或問には「能知所止則方寸之間事々物々皆有定理矣」と解する。志定向有りと、方寸の間事々物々皆定理有りとは、一見甚だ相同じからざる如くではある。しかし朱子に在つては兩者は「也只一般」(語類卷一四、二〇枚)である。蓋し事物の當に止まるべき所たる當然之理を知ることは、其の理の表象・概念が心中に確立することである。是れが「有定理」である。此の理の表象・概念が確然として定立すれば、心は必然的に之を求めてそれの實現の方向に活かんとする必然的傾向を內に有つ。そして理の表象・概念が明瞭であればある程、明證の意識が強ければ強い程、此の內面的傾向は強烈であり決定的であつて、千動萬動も之を搖動せしめることは不可能となる。理の表象・概念の確立は、心の自展流行の方向の確立を意味し、それは卽ち潛在意志の定立を意味する。是れやがて起ることあるべき意志の方向が定立するのである。之が志有定向である。既に潛在意志に方向が與へられ、その方向への確然たる內面的必然的傾向が與へられるとき、心は此の傾向に司配せられてその方向への自展性を固守し、妄りに他を追うて東奔西走することなく能く靜かである。心既に靜かであれば一身の處る所に從つて安んずるを得る。靜と安とは本來一意で、唯だ靜は心に就いて之をいひ、安は身に就いで之を言ふ。一身の行動が或は右し或は左することなく、貼々地としてよく安定するを安といふ。心の靜を靜といひ、身の靜を安といふのである。心旣に他を追はず、妄りに動かざる故に、一身も亦安きを得るわけである。旣に能く安ければ、日用の間從容として閒暇あり、事至り物來るに及んでは、之を揆ることあつて能く慮るのである。蓋し身旣に安ければ、嚮に知れる所の理の事物が、或は吾が前に接するに及んで、從容として克く慮り、以つて旣に知るの理の實現をして一曆恰好安頓ならしめるといふのである。かくあつて始めて能く其の當に止まるべき所の理を得る。卽ち之を實現し得るのである。初めに知止といひ、後に又能慮といへば、その知止の知は未だ完全ならず、能慮を經て始めて眞知となり得ると爲すかの如くに考へられ易い。しかし朱子は必ずしもさうは考へなかつた。「問知止至能得曰眞箇是知得到至善處便會到能得地位中間自是效驗次第如此」（語類卷一四、二二枚）といひ、「孫子安問知止至能得其間有工夫否曰有次序無工夫才知止自然相因而見只知止處便是工夫」（同、三一枚）といひ、又「眞知所止則必得所止雖若無甚間隔其間亦有少過度處健步勇往勢雖必至然移步亦須略有漸次也」（同）とも云へば、知止は眞に理を知ることで、眞に理を知ればその效驗として定靜安慮の過程は相因つて必然的に滔々として自然に此くの如く生起し、以つて能く得るの地位に至ると爲すのである。知止より能得までは極めて相近く、殆んど間隔なき精神過程の如くであるが、それでもその間に此くの如き中間次第を考へたのである。

さて生知は知に屬し安行は行に屬するが、既に生知なるが故によく安行であり得る。知を主とする立場からは「生知安行知也」（中庸二〇章註）とも言ひ得るわけであつて、語類卷六四に「此處說知便仁在知中說得知大了」（校二）といふ如く、此の知は行に對する知ではなく、行を中に包む大知である。古來儒教は知行が內面的に合一であるといふ事實と、特に行を以つて理想とする風潮とによつて、知の字を多く此の大知の意味に用ひたものである。或は人の己を知らざるを憂へずといひ、或は孩提の童も其の親を愛するを知らざるなく、長ずるに及んでは其の兄を敬するを知らざるなしといふは是であり、「仁之實事親是也義之實從兄也智之實知斯二者弗去是也」（孟子、離婁上）とて事親從兄の事を知るのみならず、之を固く守り行つて去らざるを以つて智の內容とせる如きも亦此の思想であらう。而して此の大知の中に包まるゝ行爲が完全に實となり盡す如き知行の爛熟は、不勉而中不思而得の聖域に至つて可能であるとしても、四十不惑貫通の時未熟ながらも既に六十耳順七十從容中道の境地は開けるのであつて、但だ久しうして益々熟するに過ぎないのである。故に語類卷二三には「到四十不惑已自有耳順從心不踰矩意思但久而益熟」（校二一）と云ふ。朱子が貫通における狀態を述べて「至於用力之久而一旦豁然貫通焉則衆物之表裏精粗無不到而吾心之全體大用無不明矣此謂物格此謂知之至也」（大學補傳）と云ひ、答江德功第二書に「物理皆盡則吾之知識廓然貫通無有蔽礙而意無不誠心無不正矣」といひ、或は大學或問には「及其眞積力久而豁然貫通焉則亦有以知其渾然一致而果無內外精粗之可言」など言へるは、皆貫通によつて得る所の知を以つて單に知識の明を意味せず、實に上述の如き行をも併せ含む大知の立場から爲された說明に外ならぬのである。蓋し謂ゆる吾心の全體とは性の萬理を指し、大用とはその萬理が行爲への自展を意味して、大學章句に謂ゆる「具衆理而應萬事」と相照應するものであつて、是れ知が明かとなる貫通に行の全きをも併せ述べたものであり、又、「意無不誠心無不正」といふも行爲の全きを意味して居る。更に「渾然一致而果無內外精粗之可言」といふに至つては、語類卷一五に「物格後他內外自然合蓋天下之事皆謂之物而物之所在莫不有理且如草木禽獸雖是至微至賤亦有理如所謂仲夏斬陽木仲冬斬陰木自家知得這箇道理處之而各得其當便是且如鳥獸之情莫不好生而惡殺自家知得是恁地便須見其生不忍見其死聞其聲不忍食其肉方是」（一四枚）とあるによつて、それが亦行を含めて貫通を說けるを知るのである。誠に貫通によつて知が至るとは、知的には天下の萬理と性とに通じて能く之を概念的に把握する狀態を獲得することではあるが、それが行的には性の萬理が自由に自展して外に能く萬行を成遂する狀態に至ることを意味するのである。かく內外知行合せて得るといふ意味に於いて貫通が言はれ、知至るが說がれるのである。語類卷一五に「知至謂如親其所親長其所長而不能推之天下則是不能盡之於外欲親其所親欲長其所長而自家裏面有所不到則是不能盡之於內須是其外無不周內無不具方是知至」（一四枚）とあるは之を明示するものといへるであらう。

最後に致知について看過すべからざる一事を述べて本章を終ることゝしたい。それは「知を致す」とか「理を知る」とかいふ場合、此の言葉が朱子に在つては必ず知の二部面に於いて考慮せられて居るといふことである。こゝに知の二部面と言ふは、凡そ知らるゝ理の意識內容其者の完全度と、その理の意識の明白度とを指すのである。窮理の究極目的は行を含む大知に到達する所に在るが、其の當面の對象は天下萬物の個々の理であり、それはその個々の理の具體的內容の窮明である。而して一理の具體的內容には表裏があり精粗があつて、此の表裏精粗を悉く餘す所なく窮め盡すことによつて、始めて其の一理の知は至るとする。之は其の理の意識內容其者の完全を得ることを以つて其の知が至ると爲すのである。一理の意識內容其者の完全度の無數の段階によつて、其の知の完全度に亦無數の差ありとせられる。萬理に通じ得る貫通に至つて、萬理の表裏精粗通せざる無きに至るとするが故に、貫通に至つて始めて知はその意識內容の部面に於いて一應完全の域に到達する。凡そ當然の一理を實にする所の行爲的內容其者の完全度は、主としてその一理の意識內容そのものゝ完全度に依存するであらう。しかし其の行爲內容をよく實にせしむる所以の因、行爲を惹起する所以の力は必ずしもこの完全度に在るのではなく、反つてその理の意識の明白度に在るとせられた。知に深淺をいふは知の此の明白度の大小強弱を表はす語である。

知の內容を表はすに表裏精粗等の語を以ってするに對し、知の明白度を表はすに深淺の語を以つてしたのは實に程伊川であつた。伊川は「知至則當至之知終則當終之須以知爲本知之深則行之必至無有知之而不能行者知而不能行只是知得淺飢而不食烏喙人不踏水火只是知人爲不善只爲不知」(遺書卷一五、一三枚)といひ、「知有多少般數然有深淺向親見一人曾爲虎所傷因言及虎神色便變傍有數人見佗說虎非不知虎之猛可畏然不如佗說了有畏懼之色蓋眞知虎者也學者眞知亦如此(中略)學者便是眞知纔知得便泰然行將去也」(遺書卷一八、七枚)と說く。是れ知の眞・不眞をいふに知の深淺を以つてし、且つ深淺を以つて行爲の由つて起る所と爲すものであるが、朱子は語類に此の說を評して「伊川云知非一概其爲淺深有甚相絕者云々曰此語說得極分明至論知之淺深則從前未有人說到此」(卷一一枚)といひ、且つ大學或問には「惟其燭理之明乃能不待勉強而自樂循理爾夫人之性本無不善循理而行宜無難者惟其知之不至而但欲以力爲之是以苦其難而不知其樂耳知之而至則循理爲樂不循理爲不樂何苦而不循理以害吾樂邪昔嘗見有談虎傷人者衆莫不聞而其間一人神色獨變問其所以乃嘗傷於虎者也夫虎能傷人人孰不知然聞之有懼有不懼者知之有眞有不眞也學者之知道必如此人之知虎然後爲至耳若曰知不善之不可爲而猶或爲之則亦未嘗眞知而已矣」と述べて居る。是れ亦深き知が眞にして至れる知であり、淺き知は不眞・不至の知であると爲すのである。且つ人皆同じく虎の人を傷くるを知れば、その知的內容は衆人異なる所無きも、その中只だ一人神色獨り變ぜし所以が、その知の深淺の差に基くと爲すのであるから、行爲生起の原力が知の內容に在るよりも寧ろ知の深淺に在りと爲したことが理解せられる。加之、燭理之明といひ、或は語類卷九に「論知之與行曰方其知之而行未及之則知尙淺旣親歷其域則知之益明非前者之意味」（一枚）とて、淺と明とを對說せるに見て、謂ゆる知の深淺とは知の明暗と同義にして、知の明白度を意味するものなるを推知し得るのである。且つ又その虎害の說から、凡そ體驗が知の深さ明白さを獲得するに極めて效多きものと爲したことをも知り得るのである。語類卷一五に「惟致知則無一事之不盡無一物之不知以心驗之以身體之逐一理會過方堅實」（一八枚）とあるのも此の體驗の效を說いたものである。知が昭々として明白であれば、そこには些の疑念を容れる餘地は無い。疑はぬことは信ずることの反面で、疑はぬことが信ずることであると考へられる所から、「信謂眞知其如此而無毫髮之疑也」（論語公冶長集註）と云つて居る。明白度の大小は信の意識の大小を意味し、明證の意識の深淺を意味する。この信念・明證の大にして深きを伴ふ明白の知にして始めて眞知至知でありこの知こそ能く行爲を惹起形成する原理となるとする。孔子が漆彫開をして仕へしめんとした時、開は「吾斯之未能信」と對へて居る。朱子によれば、斯は此理を指していひ、信は眞に其理の此くの如きを知つて疑はざるをいふ。漆彫開は理に於いては旣に見盡せるも、其知は未だ深からざるが故に未だ敢へて自ら信ずるに至らぬ。是れ畢竟「只是踐履未純熟」の故であるとする（集註、語類卷二八、五・六枚）。是れ理を知り盡してその知の内容は如何に完全に具備しても、それと比例して知の深度は必ずしも之に伴はず、知の明白度は必ずしも完全とはならぬとするのである。思ふに知の明白・明證は、知の内容其者の完全度と概ね比例して、完全内容には概ね完全明證を伴ふものであらうが、しかし内容と明證とは必ずしも常に比例して相進退するものとは限らないであらう。自己にとつてその事が明々白々の眞理とせられ、絶對の信念に動かされて斷々乎として實行したことが、反つて後に至つて大きな誤謬であつたと發見する不幸を吾々は屡々經驗する。古昔、嘗て曾子は子游と共に朋友を弔したことがあつた。彼は襲裘して之を弔したが、子游は裼裘して之を弔したのである。曾子は之を見て子游を指して人に示して曰ふ、子游は禮を習へる者と聞けるに、裼裘して弔するとは合點がいかぬ。禮を知らざる者かと。然るに主人が既に小歛して袒括髮するや、子游は趨つて出で、襲裘帶經して入つて來た。之を見た曾子は、始めて子游の是なるを知り、己の過を悟つたといふ話が禮記檀弓上篇に見えて居る。始め曾子の知は、その明白度はかくの如く極めて深く、明證の意識はかくの如く強烈であつたにも係らず、之と結合した知識内容はかくの如く必ずしも完全ではなかつたのである。不完全なる知的内容にでも絶對的と思へる程の深い信念・明證の意識は伴ひ得るのである。絶對的と思へるほどの信念・明證から起つた行爲にも、尙ほ且つ不完全たるを免れぬものゝ存する所以を、「其所概然自任以爲義之所在者或未必不出於人欲之私也」(答項平父第七書)といつて居る。

同様に完全なる知的內容にでも必ずしもそれほど深い明證・信念を伴ひ得ない場合もあり得るわけであつて、從つてその知は必ずしも行爲形成の原理としての力を揮ひ得ぬこともあり得るのである。かく知の內容の完全度と知の明白度とは必ずしも倂行するものではないのである。蓋し明證の意識は內容其者の意識に直接的且つ全體唯一的に依存するものではなく、それの外に更に諸種の意識をも媒介として、我が奥底の本體から閃めき出づるものであるからである。しかし、若し其の理の踐履體驗を重ねると、知は明白度を增强し　信念の意識は深長して、其の理は自ら必然的に行爲へ實となるに至る。若し明白・信念に於いて幾らかでも缺くる所があれば、その闕くる所が鶻突苟且の根となつて、惡を爲すも也た妨げずとの心がその間に生じ來る。是れ自ら欺くことであり、意が誠でないことである（語類卷一五、一八枚右）。一理の知が體驗によつて爛熟し、昭々として眞に白日の明證を有つ時、其の知は絕對的必然を以つて行爲へ實となるのである。孟子の謂ゆる集義によつて生ずる所の自反して縮ければ千萬人と雖も吾往かん底の天地に塞がる至大至剛の浩然の氣も、理義の知が絕對的明白度に達した所絕對的信念を伴ふ所に經驗せられることである。此こに至つて知と行との、知止と能得との、連關合一が極めて自然に極めて容易に成し遂げられ、內外は完全に合一となる。此こに知は其の明白度に於いても眞となり至りに達する。故に至知・眞知といはれる知行一なる大知とは嚴密なる意味に於いては、その內容の完全度と、その意識の明白度との二部面に於いて完全性を得たものでなけばならぬ。一理の內容を知るとき、其の知には旣にそれ相當の明證・信念を伴ふものであるから、其の知は或程度行爲へ實たらんとする必然を伴ふ。しかし未だ多くの體驗を經ずして未熟の間は、其の明白度は未だ昭々の域には達せず、眞に深い知ではない。故にその知の有つ行爲へ實たらんとする內面的必然性もまだ弱い。自ら欺くに至るはその爲めである。貫通によつて萬理の知を致すとき、萬理の知は內容的に充實し、明白度も一應は得られる。しかし尙ほ耳順や從心不踰矩の後年には及ばぬ所があつて、其の知が自然必然的に行爲と連關合一する上に於いて尙ほ未だ熟せざる所あるを免れぬ。四十歲貫通の後、更に十年知命の時でも尙ほ思ふ所あるを免れぬは熟に於いて尙缺くる所あるからである。耳順思はずして得るに至つて、知の內容と明白とが共に爛熟に達して眞知至知となる。此こに至つて貫通に謂ゆる大知が完全に得られる。窮理もこゝにまで到達するのでなければまだその目的は理想的に果されたとはいへないのである。

第五章　認識の論理

凡そ主觀客觀兩界の一切の現實的物象は、朱子に在つては、悉く太極・一氣の渾一的本體の自覺自展とせられた。人間の意識界も人間自體の自覺自展で、人間の最も深い奥底から起ると考へられるが、その人間各自の自覺自展はそれが個人の自覺自展でありながら、同時に之と一なる本體の自覺自展に外ならぬとせられた。そして本體の現實意識への自展面をば未發之心と呼んだのであつた。個々の顯在的なる現實意識は、凡て潛在的に未發之心に本來固有の內容であつて、未發之心が自己の此の內容を自覺限定する所に意識界が成立する。儒敎從つて又朱子に於いては、現實意識を知・情・意の三方面に分かち、三者に各々差別を立てるのであるが、齊しく未發之心の自覺自展として、一樣に此等を情と呼ぶことが行はれ、此の三者に屬する個意識が無數であると考へられて、萬情の名稱が立てられた。無數の萬情は一つ一つが現實的個意識として形而下のものであり、既にそれ等がものである限り、必ず理を具有しないものは無いのである。個々一々の意識は皆理と渾一であり、其の萬理は悉く未發之心に具在する太極即ち本然之性の現實的特殊化に外ならぬ。未發之心は本體の現實意識への自展面なるが故に、それは本體として太極・一氣の渾一體であり、此の渾一體が渾一的に自展するとき個々の意識が成立する。之を抽象的に、其の個意識に內在の理をばその太極に內在の理の客觀化とする。故に萬情に內在の萬理は太極の萬理に外ならず、太極の萬理は仁・義・禮・智の體系的四理に分屬統一せられ、その四理は更に專言之仁即ち仁一般・本然之性の包攝統一する所である。仁一般の特殊化が四理であり、四理の特殊化が萬理である。四理の何れかの一理は萬理中の己に分屬すべき凡ての理を己の中に有ち、己の中なるこの許多の理の客觀化として現實的萬理が成立する。萬情に內在する萬理の直接の統一體が四理、四理の從つて又萬理の、究極的統一體が太極である。しかしものとしての萬情は單に太極なる理のみの自展によつて成立するものではない。それは太極・一氣の渾一體の渾一的自覺に於いて始めて成立するものである。萬情の成立には一氣の自展も併せ行はれねばならぬのである。

朱子は云ふ「人性雖同稟氣不能無偏重有得木氣重者則惻隱之心常多而羞惡辭遜是非之心爲其所塞而不發有得金氣重者則羞惡之心常多而惻隱辭遜是非之心爲其所塞而不發水火亦然」(語類卷四、一九枚)と。現實的人間に於いては肉體構成の氣質中木氣の多少が惻隱の多少に關係し、金氣の多少が羞惡の多少に關係する。同樣に火氣は辭遜に、水氣は是非に、夫々關係するといふのである。此の事は人の性の一理の仁と共働する氣が木氣であり、義と共働する氣が金氣であり、禮とは火氣が、智とは水氣が、夫々共働することを意味する。故に惻隱の成立根源として仁と木氣との共働的統一的主體の存在が考へられ、羞惡の成立根源として義と金氣との共働的統一的主體が考へられ得る。同樣に辭遜には禮と火氣、是非には智と水氣との、夫々の共働的統一的主體が考へられ得るのである。此の四個の仁・義・禮・智的主體に在つては、それの四理が人間の本然之性に包攝統一せられる如く、又それの四氣は人間の氣質に包攝統一せられる。しかし此等四氣の外に更に氣質があるわけではなく、四氣が卽ち人の氣質なのである。故に此の四個の主體は結局は氣質と本然之性との渾一體たる氣質之性に包攝統一せられるものである。而して其の仁的主體の自覺自展は、直接には惻隱の意識の生産とせられるが、此の惻隱に包攝統一せられる所の惻隱的諸情は齊しく此の仁的主體の自覺自展とせられ、此等の諸情に內在の諸理は、仁の理が本來包攝する所の諸理の外化顯現であるとせられる。羞惡及び羞惡的諸情についても同樣のことが言はれ、辭遜及び辭遜的諸情竝びに是非及び是非的諸情についても亦同樣に考へられた。此の四理の各々の中に本來包藏統一せられる所の萬理の個々が夫々自展する所に個々の異つた萬情が成立し、その萬理の異つた一つ一つがその萬情の異つた一つ一つに內在する。果して然らば一つ一つの異つた理が自展して一つ一つの異つた情を生産するためには、その一つ一つの理は夫々獨自の異つた氣を自己との共働者として有ちその氣との統一的主體を構成し、此の個々特殊の一つ一つの統一的主體の自展として、その各主體に對應する個々の萬情が生産せられる。此の特殊的統一的主體は萬情の數に對應して多く存在し、一情毎に夫々異つた統一的主體を自己の根源として有つと考へられる。此の事は人間の智の理の自覺自展の論理的構造を觀ることによつて一層明瞭となつて來るであらう。

蓋し感官的知覺は人間の本然之性中の智なる理が、耳目口鼻等の五官を通じて活らくことによつて生起するものとせられたが、それは智なる理と此等の五官を構成せる魄なる氣との共働によつて生産せられるとするのである。人と物との氣質に清輕重濁の差ありといふは、人物を別つ爲めの大體論であるはいふまでもなく、清輕なる人の氣でも人々によつて其の差萬別なるのみならず、同じく一人の氣と雖も淸濁輕重千差萬別の無數の氣の結合統一である。故に同じく一人の魄といふも、耳・目或は口・鼻とその感官を異にするに從ひ、夫々その質を異にすると考へられる。夫々其の質を異にする所から、それとの共働による智の理の自展が其の迹を異にして、或は聽覺となり、或は視覺となり、或は味覺或は嗅覺と諸種の知覺が生産せられる。然るに既に生産せられた知覺的意識は形而下のものなるが故に、一として理を具有しないものはない。聰は聽覺の理とせられ、明は視覺の理とせられる。知覺的意識に內在の此等の各理は、智の理の中なるそれ等と對應する所の各理の現實化である。智の理は仁・義・禮の三理と相竝んで、萬理の大綱の一として、萬理中の自己に分屬する數多の理を包攝統一する體系的一理である。その數多の被包攝的理は、皆智の理としてその一々が知的理である。多くの知的理の或る者は眼の魄との共働によつて視覺を生じ、他の或る者は耳の魄との共働によつて聽覺を生ずる。味覺・嗅覺の類も亦同様である。一つの知覺が生產せられると、その生產に直接與つた理は必ずその知覺に內在して客觀化する。かくて視覺の直接の根源として、視覺的理と眼の魄との共働的な統一的主體が考へられ、聽覺の直接の根源として、聽覺的理と耳の魄との共働的な統一的主體が考へられる。味覺も嗅覺も亦同樣に自己の直接の根源として其の各々が獨自の統一的主體を有つのである。卽ち各種の知覺は各々が獨自の知覺的主體を有つわけである。此のことは獨り知覺的意識に於いてのみ然るのではなく、思惟又は判斷等の意識に於いても亦同樣である。思惟や判斷は智の理と魂氣との共働的生產とせられるが、思惟は智中の思惟的理と魂中のそれの生產に與かる或る特殊の氣（思惟的氣）との共働的な統一的主體たる思惟的主體の自展であり、判斷は又判斷的理と魂中のそれの生產に與かる或る特殊の氣（判斷的氣）との共働的な統一的主體たる判斷的主體の生產である。そしてその現實的思惟意識に內在する理は、その根源の思惟的主體の中なる知的理の客觀化であり、その現實的判斷意識に內在する理は、同樣にその根源の判斷的主體の中なる知的理の客觀化である。而して此の特殊の知覺的主體、思惟的主體及び判斷的主體は、それの各理が智の理に、それの各氣が水氣に、夫々包攝統一せられることによつて、智と水氣との統一體たる智的主體に包攝せられて之と內面的に一を爲す。故に智的主體は一切の特殊個々の知的主體を包攝する體系的主體である。

智的體系的主體の中に幾多の知的特殊的主體の存在を認め、現實の幾多の知的意識は此等の特殊主體を自己の直接の根源として有つといふ上述の考へ方は、仁的・義的及び禮的の各體系的主體に於いても亦通用すると見なければならぬであらう。從つて惻隱的諸情は一々が獨自に自己の直接根源としての特殊的主體を有ち、それ等の主體は悉く仁と木氣との統一たる仁的體系的主體に包攝せられる。羞惡的諸情も恭敬的諸情も、一々が獨自に自己の直接根源としての特殊的主體を有ち、その主體は悉くが、義と金氣との共働的統一體たる義的體系的主體若しくは禮と火氣との共働的統一體たる禮的體系的主體に包攝せられる。故に獨り知的意識といはず凡そ一切の現實意識は、各々其の直接の根源として、特殊個々の理と氣との渾一體たる特殊的主體を有ち、その萬種の特殊的主體は、夫々四個の仁・義・禮・智的體系的主體に分屬統攝せられる。そしてそれ等が其の儘人間の氣質之性に包攝統一せられるのである。現實の人間は本然之性と氣質との統一體であるとせられるが、かゝる統一體が卽ち謂ゆる氣質之性であるから、人間は卽ち氣質之性に外ならぬわけであり、人間の生產する意識界はとりも直さず氣質之性の生產である。本體は理と氣との渾一體であるが、それを人間の意識への自展に卽して觀た時、それは理と特に氣の靈能との渾一たる未發之心とせられた。此の思惟傾向は又此の氣質之性を意識の生產主體として觀る時にも活いて、それが本然之性と特に氣質の靈能との渾一に於いて思惟せられたであらうと考へられる。かゝる意味に於ける氣質之性が故に人間意識の現實的主體である。同樣にかの仁的主體にしても仁と木氣の靈能との統一體が考へられ義的主體には義と金氣の靈能との統一體が考へられたと思はれる。即ち凡そ四箇の體系的主體も、萬種の特殊的主體も、その悉くが理と氣の靈能との統一體と考へられたであらう。そして此等諸主體を包越する氣質之性は現實的主體としては究極的であるが、しかし又其の根柢に包越者として未發之心なる本體を有つのである。しかし未發之心の外に別に氣質之性があるわけでもなく、氣質之性の外に別に體系的主體があるわけでもなく、體系的四主體の外に又別に許多の特殊的主體があるわけでもない。凡ては具體的には一統一なのである。

一切の現實意識は已發之心として未發之心の發現であるとせられ、未發之心がそれの根源主體と考へられたが、未發之心といふは實は本體に外ならぬから、それは人によつて差異得失のあるものではなく、萬人に普遍的であり、それは現實意識の根源主體として現實意識以前のもの故對象的には直接認識すべからざるものである。大學或問に「人之一心湛然虛明如鑑之空如衡之平……故其未感之時至靜所謂鑑空衡平之體雖鬼神有不得窺其際者固無得失之可議云々」といふ所以である。かゝる未發之心の現實意識への自展は、人間の上述の意識主體が意識界へする自展を通して實現せられるものである。蓋し本體は己が包越して之と一なる具體的特殊の自展を通して自ら自展するものであるからである。今一つの喜悅の情が生起したとする。此の情は自己の直接根源たる特殊的主體の自展によつて生産せられるのであるが、此の情が惻隱に包攝せられてあるやうに、それの主體も亦仁的體系的主體に包攝統一せられてあるから、それの特殊主體が自展することは、その裏に之を包越する仁的體系的主體がそれを通して自展することであり、しかもそれは又更にその裏に之を包越する氣質之性がそれを通して又自展することである。そして氣質之性の此の自展は、更に之を包越して之と一なる本體的未發之心がそれを通して自展することである。但だ人は多少とも氣質を異にし、從つて其の靈能も異なる所ある故に、氣質之性も人々自ら異ならざるを得ないし、各位次の意識主體も亦自ら人によつて異なる所無きを得ぬ。故に萬人同じ未發之心ではあつても、それがかゝる異なる主體の自展に於いて己の自展を實にする限り、人々の意識界は自ら特殊化するを免れ得ないのである。故に人間相互の現實意識の差別化の原理は氣質であるといふことが出來、そこに氣質の拘なることが認められ得る根據がある。しかし未發之心は本體として、人々の氣質之性と完全に重なつて一であるのみならず、仁的主體とも一であり、この喜悅的主體とも一である。其の各位次の主體は互に包攝的關係に立ちながら、しかも本體的未發之心とは何れもが完全に重なつて一つである。此の未發之心が、氣質之性の自展を通し、更に仁的主體の自展を通し、更に喜悅的主體の自展を通して、此の喜悅の情へと自展する。意識生產のかゝる過程的構造は、獨り仁的主體のみならず、義的主體にも禮的主體にも又智的主體にも通ずるものである。卽ち本體的未發之心は、氣質之性と一であるは勿論、體系的四主體の各々を包越して之とも重なつて一であり、更に此の四主體の分攝統一する一切の萬情的主體の一々とも重なつて一を爲す。體系的四主體は萬情的主體を包攝しながら氣質之性に包攝せられ、それ等は凡てそのまゝ更に未發之心に包攝せられる。此等體系的四主體の何れかゞ、自己の包攝する某特殊的主體を限定することによつて、その某特殊的主體は某個意識へと自展するのであるが、それは又此の自展を通して未發之心がその意識へと自展することなのである。そしてその場合、體系的四主體が自己に屬する特殊的主體の自展を通して自展するとき、その特殊的主體に對應して成立するものが個々特殊の萬情とせられ、體系的四主體の夫々に直接對應するものが四端の情とせられたのである。

上述の如き本體的未發之心は、之を無限の圓と見ることが出來るでもあらう。此の無限の圓は人々個々の氣質之性の背後に擴つて之を包攝し、後者はその無限圓の無數の異なれる中心の一つを自己の中心として、その無限圓の中に擴がれる圓であり、その氣質之性は未發之心と重なつて一なる故に其の周邊は裏面に於いて無限圓と合一する。更にその氣質之性の無限圓の中なる四個の體系的主體は、背後の無限圓の異なる四個の中心を夫々自己の中心として、その無限圓の中に擴がれる四箇の圓であり、その各々は又氣質之性及び未發之心と重なつて一なるが故に、其の周邊も亦裏面に於いて無限圓と合一する。更に無數の特殊的主體は、自己の分屬する四體系的主體の何れか一つの無限圓の異なる無數の中心を夫々自己の中心として、其の圓内に擴がる無數の圓であり、その一つ〳〵が又背後の主體と一つに重なるが故に、その圓の周邊も亦裏面に於いて無限である。かく各位次の主體は何れも皆無限の圓を爲して一つに重なり合ふのである。かくて各人の氣質之性の無限圓の有つ獨自の中心はそのまゝ未發之心の無限圓の中心を爲し、四體系的主體の各無限圓の有つ獨自の各中心は、其の儘氣質之性の、更に又未發之心の、無限圓の中心を爲して、その上に自己の圓を荷ふと同時に、又氣質之性と未發之心との無限圓をも荷ふ。更に又無數の特殊的主體の無數の無限圓の獨自の各中心は、其の儘それの分屬する某體系的主體の無限圓の中心を爲しながら、同時に氣質之性及び未發之心の無限圓の中心を爲して、以つて其の上に自己の圓を荷ひながら、同時に某體系的主體圓を荷ひ、更に氣質之性と未發之心との圓をも荷ふ。今、一つの某特殊的主體が、自己獨自の中心を中心として活らくことによつて某個意識を生産するとき、それは其の主體圓を統攝する某體系的主體圓が、その同一の中心を自己の中心として活らくのである。又それは更にその主體圓を包攝する氣質之性の無限圓が、同じその中心を中心として活らくのであり、更にその背後の未發之心の無限圓が、やはりその同一の中心を自己の中心として活らくことである。一個の意識の生産には各位次のそれに對應する主體圓が、共通の同一中心を中心として活らくのであつて、此の意識生産の自展過程は、具體的には全然同時同一的なのである。故に如何なる個意識が現實的となるかは、どの氣質之性の、どの體系的主體の中に於いて、どの特殊的主體が中心的位置に立つて自己の獨自の中心を樞軸として活らくかによつて定まるのである。そして此の事は未發之心の太極の中の、從つて人間の本然之性の中の仁・義・禮・智のどの理の中に於いて、どの一つの特殊的理が中心的に活らくかを意味する。然るに萬理は一理に外ならぬが故に、某特殊的一理のみが活いて他の理は活らかぬとは考へられぬ。活らけば全體が活らかねばならぬのが理の性格であるとする。從つて一つの特殊的主體が自展すれば、必ず之と連關して他の一切の特殊的主體も、亦夫々自己の中心を中心として共に活らき、體系的四主體も、夫々自己の中心を中心として活らくと考へられる。故に一つの主體が自展して或る一意識を生產すれば、それと與に他の多くの意識も同時に生產せられるわけである。しかし其れ等の生產せられた個意識の中或る一つの意識が當面の現實意識として中心的に成立するのは、その意識に對應する特殊的主體の自覺が、それの屬する體系的一主體の自覺に當つて、その中心的位置に立つからであり、未發之心の全體活動に於いて、その主體が中心的位置に立つからである。そしてそれは又個人の氣質之性の活らきが、その特殊的主體を中心としてそれを通して活らくからである。かくて如何なる特殊的主體が、從つて又如何なる特殊的理が、中心的に活らくかが現實意識の差別化の原理であるわけである。當面の一現實意識と同時に生產せらるゝ諸他一切の意識は、それ等の由つて出づる主體が、此の中心的主體に對して有つ內面的關係の緊密度に從つて、自ら遠近の位置を異にする。中心的位置に立つ當面の主體と最も緊密なる連關を有する主體の生產たる個意識は、當面の現實意識と最も近密に關係して現實面の中心に最も近く位する。其の緊密度の稀薄となるに從つて、その意識も順次に中心から遠ざかる。此の一つの中心的意識と緊密なる關係に在る若干の意識が、その中心的意識の位する當面の現實面の中心に近く浮かび上つて、それ等が知らるゝ範圍の心理的意識界を構成し、諸他の意識は遠く離れて知られざる意識界を構成するのである。そして未發之心の自覺自展は時間的系列に於いて行はれ、常に唯だ或る一つの特殊的主體を特に自己の樞軸的中心として行はれるものであつて、同時に二つ以上を樞軸的中心として自展するものではないから、現實の意識面の最上層位に中心的に立つ意識は常に唯だ一つであつて、意識面に中心的な現實意識が同時に二つ以上生起することは不可能であり、萬殊の個意識は次を追うて意識面の中心に生產せられるのである。換言すれば活らく個々の特殊的主體が順次入り代つて、樞軸の共通的中心が次々にと變移するのである。故に一つの意識が現實の當面中心に立てば、諸他の意識は夫々遠近を異にして中心から離れるのである。無數の現實意識が相次いで意識面に生滅變化するのは、未發之心がその自覺自展を實にするに當つて選ぶ中心の推移に基くのである。孟子は四端の情を說き、禮記には七情をいふ。兩者の關係に就いては「朱子の德論」に於いて嘗て述べた如く、七情の喜・哀・懼・愛・欲は惻隱の強弱過不及あるものとし、怒と惡とは羞惡の強弱過不及あるものとする。此等は惻隱又は羞惡の情と本質的に異なるものではなく、唯だ量的に變化するものである、と考へられたのである。しかしさうは言つても七情は各々現實的個意識なるが故に、其れ等は其の根源として獨自の特殊的主體を有ち、此の主體の自覺自展を通して、仁的又は義的主體が、從つて又未發之心が、自展する所に成立するものである。一旦發生した惻隱又は羞惡が、中途に於いて七情へと變化するのではなく、七情はあくまでも七情自身の有つ獨自の特殊主體からの生産である。唯だ其の個々の特殊主體が、惻隱的（仁的）又は羞惡的（義的）主體に分屬統一せられて居り、それ等の七情は惻隱又は羞惡に包攝統一せられて居る所から、兩者は本質的に異ならず、唯だ量的に異なるものと見え、從つて七情を四端の單なる量的變化に過ぎぬものとも考へられるのである。又、人欲とは道心或は人心の過不及あつて非合理的なるものとする。人欲と雖も亦一現實意識である以上、それ等は未發之心の自覺自展であり、從つて未發之心に包攝せらるゝ、自己獨自の特殊的主體を有ち、此の主體の自展による生産である。如何なる人欲もそれ自身の深き根源を未發之心の中に有ち、此の自己の深き根源からそれが現實面に現はれ來るものである。道心が流れて人欲となるといつても、それ等がそのまゝ中途で自己を變じて人欲に形をかへるのではない。道心が流れて人欲となつたといふとき、それは今迄意識の現實面の中心に立つてゐた道心がその位置を退いて、新たに人欲が當面の現實意識として、其の位置にとつて代つたのである。之は未發之心の自覺自展に於いて、今迄據つてゐた樞軸的中心が、道心の主體から人欲の主體へと推移したのである。旣に人欲が意識面の中心に立てば、道心はその中心から退いて遠ざかり、惟れ微たらざるを得ぬ。是れが卽ち人欲の蔽なのである。此の人欲をして意識の中心に立たしめざる努力こそ實に學の中心問題を爲すのである。

以上の如き、本體の現實意識への自展面たる未發之心と個人の意識主體との內面的構造、及び其れ等相互の自展過程的關係については、勿論朱子自身かくの如く明瞭に論述して居るわけではない。しかし朱子の全思想を推せば自ら此くの如き論理的構造が成立するのである。而して何故にかゝる論理的構造が必要であり、又何故にかゝる自展過程が現實意識の生產に必要であるかに至つては、朱子に在つてはそれは經驗以前の根本的事實として承認せらるべきものであつて、其の理由の說明は要求せらるべきものではなかつたのである。

さて未發之心が自展して現實意識を生產するといふのであるが、しかしかゝる自展生產が起る爲めには、必ずそれに對應する或る種の觸發の媒介が必要であるとせられたのである。物來れば之に應じて發動し、物去れば初めの寂然不動に復へるのが未發之心である。入井の童を見ては乍ち惻隱の心が起り、尊長に接しては乍ち恭敬の情が生ずる。自他の惡を見ては羞惡を感じ、是非を見ては之を是非する心を經驗する。是れ皆客觀の觸發によつて、其の特殊的觸發に對應する自己の特殊的主體が自展し、此の自展を通して未發之心が自覺自展すると爲すのである。觸發者の性格によつて觸發せらるゝ未發之心の自展の方向が決定せられるのである。更に言へば、未發之心の自展に當つて、如何なる體系的主體が、そして又その主體の中の如何なる特殊的主體が、自展すべきかゞ、觸發者の性格によつて決定せられるのである。入井の觸發には特に仁的體系的主體が之に應じて動き、惡事には特に義的體系的主體が選ばれて、所産の意識も自ら前者には惻隱後者には羞惡と夫々異なる。故に發生する現實意識の特殊化は亦觸發者の性格を以つて其の原理とするといふことも出來るのである。而してかゝる觸發は、必ずしも客觀界の物象のみから來るとは限らず、主觀界にも亦かゝる觸發の契機は存するとするのである。朱子に在つては、客觀界は自己の主觀の全然の所産ではなく、其れは本體の自覺的內容としては、齊しく本體の生産たる自我の意識界と對等である。しかし主觀界も客觀界も、共に一つの本體の自覺の迹として共通の根柢の上に立ち、本體の統一の中に於いて外面的に對立するに止まり、內面的には一統一である。內面的に一統一なるが故に主觀と對立の客觀が能く我を觸發し得るのである。そして凡そ客觀が我の未發之心を觸發するに當つては、必ず先づ我の感官を觸發しなければならぬ。客觀が我の感官を觸發することを通して未發之心を觸發するから、未發之心がその知覺的特殊的主體の自展を通して自展して、その客觀の知覺が生起する。此の客觀的知覺なる現實意識が成立すると、其の知覺意識が又自己の根柢の未發之心を觸發して、之に對應する他の意識主體の自展を起し、之を通して未發之心が又他の現實意識を生産する。入井の事實が眼を觸發してそれの知覺を生じ、更にその知覺の觸發によつて惻隱の情の發生するに至るは、かゝる過程に由るのである。四端の情の生起は主としてかゝる過程をとると考へられた。而して此くの如くにして生産せられた凡そ我の現實意識は、又自らが觸發者となつて、更に諸他の現實意識の生産に參與する。惻隱の情から救助の意志が生れる類である。かくの如く凡そ我の現實意識は、己と内面的に緊密なる關係を有つ他の或る特殊の現實意識の生産の爲めの觸發者となり得るのである。かくて客觀界の事象及び主觀界の現實意識の觸發者としての性格が、未發之心の自展の方向を決定し、現實意識の特殊化の原理となるのである。居は氣を移すといひ、仁風の地に居るを美と爲すといひ、或は孟母の三遷の類も、皆客觀の觸發者としての性格が直接間接に人の現實意識の特殊化の原理となるといふ所に、其の道德的正當性の第一歩の根據があるのであり、又一塵の邪念と雖も忽諸に附すべからずとして、省察克己が強調せられるのも、其の邪念が意識界の中心位置を占めることによつて、直接道心を拒否して微ならしめる蔽を生ずるからであるは勿論ながら、更にそれが邪欲續發の原理ともなつて、人欲は更に人欲を呼び、邪念は更に邪念を生んで、彌々道心生起の機を奪つてその蔽を増し、遂に收拾すべからざるに至るを未然に防壓し得る所にその正當性を有つのである。

以上は現實意識發生過程の論理的構造の一般的論述であつたが、認識の論理的構造も亦之を推して容易に理解し得られる所である。凡そ現實の知的意識界は、氣質之性の包攝する智的體系的主體の自展による生産であるが、かゝる主體の自展は、自己の包攝する數多の知的特殊的主體の孰れかの自展に於いて始めて實となるものである。此の事はそれ等各位次の主體の自展を通して本體的未發之心が自展することを意味する。而して人間の知的體系的主體とは、智の理と水氣(水氣の靈能)との渾一體であり、それの包攝する知的特殊的主體は、智なる體系的理の包攝する知的特殊的理と、水氣の包攝する魂或は魄(此等の靈能)との渾一體である。其の某知的特殊的理(視覺的理或は聽覺的理の類)と某魄(目魄又は耳魄の靈能の類)との渾一體が、某感官知覺的主體(視覺的主體又は聽覺的主體の類)であり、又他の某知的特殊的理(思惟的理又は判斷的理の類)と某魂(思惟的魂又は判斷的魂の靈能の類)との渾一體が、思惟的又は判斷的主體である。此等感官知覺的主體と、思惟的及び判斷的主體とは、悉く智的體系的主體に統一せられ、後者は前者の自覺自展を通すことによつて、各種の知覺・思惟・判斷の現實的知的作用の意識を生産し、諸種の知覺・表象・概念の如き知的意識を生産する。然るに未發之心の(從つて又氣質之性の）現實意識への自展は、主觀若しくは客觀の觸發を俟つて始めて實となるものであり、その客觀は先づ吾々の感官を觸發することによつて、未發之心の（從つて又氣質之性の）發動を喚び、その發動が智的體系的主體の中なる、この觸發者の性格に對應する知覺的特殊的主體の發動を通して行はれることによつて、その客觀に對應する知覺意識が成立するのである。朱子に在つては其の客觀は本體の自覺自展的內容として、我の主觀とは一應離れて存在するものである。それは吾の認識以前に、吾の主觀の外に、素より存在するものである。しかし吾の主觀の認識以前に在つては、それは未だ知られざるものとして暗黑の世界に屬する。此の暗黑の客觀が、吾の感官を通して未發之心を觸發することによつて、吾の內にその客觀に對應する客觀知覺の意識が生産せられ、此こに始めてそれが光明の中に浮かび上つて來る。吾の內に此の客觀知覺の現實意識が成立すると、それと同時に吾の外に吾と近く相對立して、その主觀と對應する現實客觀が、外界として、客觀的對象界として成立する。語類卷一五に「知與物至切近正相照」（二七）と云へるは、此の客觀認識成立に於ける主客照應の境を說くのである。その客觀知覺は客觀の觸發によつて起り、而も其の客觀に對應するものではあるけれども、しかしそれは單なる客觀の映像ではない。我の底なる本體と一なる我の知的主體の直按の自己限定に外ならぬから、それは吾の中に其の根源を有つ所の、外的客觀に對する內的なる實存であり、しかも我がかゝる實存を內に生産することが、客觀をして外に現實的存在たらしめる所以である。此の意味に於いてそこに先驗的觀念論の傾向を看取し得るのである。しかし又他面、客觀は吾の主觀に非ざる、吾の主觀とは一應獨立した對立的存在であつて、それは吾の主觀の所產ではないと見る所に、經驗的實在論の趣を彷彿せしめて居るのである。かくて朱子は、先驗的觀念論の傾向を有ちながらも之に徹底せず、經驗的實在論の傾向をも併せ有して、二者折衷の特殊な一つの立場を取つて居るのである。此の思惟傾向は彼が其の本體論に於いて、唯理論若しくは唯心論に傾きながら、しかも之に徹底せずして更に唯物論をも併せ取つて、二者折衷の太極・一氣の渾一的本體を立てたのと同一傾向であつて、彼はどうしてもかゝる思惟傾向から脫し得ない運命に在つたのである。

朱子の認識には、上述の客觀的事物の認識たる感官知覺の外に、更に理の認識が考へられ、之を思惟・判斷の所產とした。判斷を是非の心と呼び、智の端とさへ考へた程に重んじた上に、思惟をば心の最も重要なる一作用としたのである。孟子は告子上篇に「心之官則思」と說いてゐるが、朱子も亦此の思想を大いに尊重して、語類卷五九には「心之官固是主於思」といひ、孟子同篇註にも「心則能思而以思爲職凡事物之來心得其職則得其理而物不能蔽失其職則不得其理而物來蔽之」と云ふ。得其理とか不得其理とかいふは、事物の理を認識すると否とをいふのである。かくも思惟を重んじて、理の認識の如き深遠高尙なることは之に由るとする。認識は判斷によつて成立するとせられるが、若し其の判斷を思惟の取る形式で、思惟の根本作用に外ならぬと考へれば、彼の如く思惟作用が卽ち認識作用であるといふことも出來るであらう。認識は客觀知覺と、表象・概念の構成によつて成立する所の複雜なる認識とを併せ意味するのであるが、朱子にとつては就中理殊に當然之理の認識を以つて窮理の事とし、之を以つて學の最も重要なる一つと爲して、感官知覺の外に特に此の種の理の認識を強調したのである。その當然之理中、彼の最も重視したものが人倫に於ける道德的理卽ち人道であつたことは勿論である。人道なる理は人間の當然的行爲を內容として之と渾一的なるものであつて、人間の未發之心に內在する當然の萬理が、自他に對する處理行爲への自展客觀化である。故に自然界の天道が、吾に非ざる客觀物の有つ性の理の直接的顯現であるのとは異なり、人道は人間自體の性の理の直接的顯現であり、人間自體に內在の理と端的に同一なるものである。それは人間自體の內の理が外的に把握せられたものではあるが、しかしそれは同時に人間の內に在るものと考へられた。かゝる理を窮め知るとは、其の理の卽する具體的內容と與に之を知るのであり、之をものに卽して知るとは、自他相互の間に於ける對處的關係に卽して、その人間が自他に對處すべき當然的具體的行爲內容を、その人間の當然の理の內容して知ることである。それは人間のかゝる當然的自展內容を、卽ち人間奧底の本體たる未發之心のかゝる純なる自覺自展的內容を、人間自らが知的に抽象固定し對象化し、且つ其の對象の中に理を規定し、以つて之を客觀的に定立することである。そしてそれは人間に於ける本體自展の具體的當然的内容に對應する所の知覺或は表象・概念を、人間自らの意識界の現實面の上層中心的位置に構成生産することである。此の事を「因是物以求之使是理瞭然心目之間而無毫髮之差」（癸未雍拱殿奏箚）と表現した。こゝでは外の理を捕え知ることが、内に自らかゝる知を生産することゝ一であつて、その理の知覺・表象を生産することである。然るに一つの知覺、一つの表象・概念が、現實意識として生産せられるにも、それに對應する特殊の知的主體が其の都度活かねばならぬ。そして此の一回の生産活動は、その知的主體の生産經驗として内に蓄へられ、それだけその主體（從つて又未發之心）の今後の生産活動は容易となり、從つて其の知の再生が容易となるのみならず、それと類似の認識も亦それだけ容易に行はれ得るのである。此の生産的活動經驗が知的主體に蓄へられることが、その知が内に蓄へられることである。同じ理の意識が屢々生産構成せられると、それだけ多くの經驗が内に蓄へられて、その主體のその方向への活動傾向がそれだけ盛んとなり容易となる。卽ちそれだけ其の知が深く蓄へられ、それだけその知が明かとなるのである。そしてそれは又その主體の知的理が、それだけ多くの活動傾向を獲得するのであり、從つて又習なる理がそれだけ自由活動的となるのである。故に窮理に於いて、若し同一理が屢々繰り返して知られるときは、その一理の知は愈々深さを加へ熟を増し、若し異なる諸理を知ること愈々多ければ、理の知を得ること愈々多きを得る。朱子は窮理に於いて獲得した知が熟知となることを重んじ、經驗を重ねるにつれて生知は次第に熟知に至ると說く。蓋し一つの知が熟するとは、その知が知全體の中に、從つて又廣く意識全體の中に、攝取統一せられて、全體との間に緊密なる組織を獲得することであると考へられるが、此の事はその知の特殊的主體が、智的體系的主體の中に、從つて又未發之心の中に、攝取統一せられて、之と緊密なる組織關係に入ることであり、そしてそれは其の一主體が全主體の包攝中に於いて自己を限定することに外ならぬ。一回の此の自己限定がその知の一回の生產である。自己限定を重ねる毎に、その知的主體は益々全體との間に緊密なる組織關係を獲得し、愈々盛んな活動性を蓄積する。それが知の明を深め熟を增すことである。知的主體が一限定、一統一を經驗する每に、其の知は熟の度を進めるのである。知の熟度はその主體の被統一度の無數に應じて又無數の段階が存するのである。そしてかゝる知の熟度を一層效果的に高めしめるものとして、體驗なるものが擧げられたのである。蓋し體驗によつて得る所の知は、單に知的主體の自展のみの世界に成立するものではなく、知的主體の活動が中心とはなるけれども、更に其の他の情・意的主體の活動も亦それに伴つて共働的に行はれ、それ等によつてその知の成立が大いに幇助せられる結果、言はゞ人間全體の盛んなる活動に基くものとなり、從つて其の知的主體の全體への統一が一層高度の緊密度を得るからであると思はれる。

所が凡そ現實意識は未發之心を觸發して、後者の自展の媒介となるが故に、この構成せられた知も、更に又他の己と緊密なる知的意識の生産を呼んで、知覺が更に思惟を呼び、判斷を起し、概念の構成を將來することゝもなるのである。之は其の初めの知的主體（從つて其の理）の活動が、自己と內面的緊密關係に在る後者の知的主體（從つて其の理）を觸發して、それ等主體（從つてそれ等の理）の活動を喚起するからである。されば窮理を重ねて多くの理を知れば、其の諸知の直接的諸主體は各々の知の生産方向への今後の活動の容易さを獲得するのみならず、更にそれ等の響きはそれ等と內面的に緊密なる關係に在る他の諸知的主體にまで活動的傾向性を附與蓄積せしめるに至る。かくて未知の當然の理に接するや、それの認識に要する知的主體は、此の既得の內面的活動性から比較的容易に自展して、其の理の認識がそれだけ容易に成立するのである。知的主體はその孰れが活動するにしても、其の一活動每に必ず此の活動經驗を自らの中に蓄積すると共に、他の知的主體にも影響してそれにも亦活動傾向を蓄積せしめるものなるが故に、窮理を重ねて知を致すこと多きに從ひ、知覺・思惟・判斷の各主體は直接又は間接に次第に多くの活動傾向を蓄積し、從つて知的作用は益々活潑となり行き、遂には知的貫通に達するのである。此の時に於いては、凡ての知的主體は內に充分なる活動傾向を蓄積し、新知を得るに當つても、それに必要なる知的主體の一切活動が極めて容易に相互連關的に行はれ、謂ゆる類推も殆んど自然的に行はれて、それ等一切の新知が自ら構成せらるゝ如き狀態に達するのである。類推とは既得の甲知を推して新たな乙知を得ることゝ考へられて居るが、それは乙知と類似の既得の甲知を嘗て獲得せる時に活いた甲知的主體の中に蓄へられたその一定の活動傾向が、新たな乙知の獲得に當つて、その乙事が甲事と類似の故に、その乙事の觸發によつてもとの甲知的主體が再び同一方向に活らいて容易に甲知が再生せられ、その生產活動が甲知の主體と最も緊密なる關係に在る乙知の主體に響き、その響きによつて乙知的主體が自發して乙知が構成せられることである。その乙知的主體が乙知生產に要する活動は甲知的主體の活動に緊密に影響せられ、且つその活動が極めて相類似する所から、その生產たる甲知の僅かなる補正が乙知であると見える。甲知の類推による乙知の構成とは、內面的には兩主體の斯くの如き相互關係を基礎とするものであるから、自らそこには大きな努力を要せずして極めて容易にそれが可能なのである。

當然之理（具體的內容さ渾一）の表象・槪念が知的主體によつて構成せられることは、我が內の當然之理の自展內容を知的に把握することであつたが、當然之理の知的意識が生產せられるとき、此の知と對應する所の我が內面の當然之理は、そこに自己の當に自展すべき方向が明示せられ、其の示されたる方向への自發活動性が其の知の觸發によつて自らの內に搖り動かされ、その知的內容を實にする如くに自展せんとするのである。蓋し朱子に在つては、事物の客觀知覺も習の理の作用に基づき、表象・概念の構成も亦智の理の作用に由るとするは勿論、その智の理は更に又四端の謂ゆる是非之心の理でもあるとする。是非之心とは「是知其善而以爲是也非知其惡而以爲非也」（孟子公孫丑上集註）といふ所の心である。是を見ては之を是とし、非を見ては之を非とする心とは、故に倫理的價値判斷意識である。答陳器之書にも「則惻隱羞惡恭敬是三者皆有可爲之事而智則無事可爲但分別其爲是爲非爾是以謂之藏也又惻隱羞惡恭敬皆是一面底道理而是非則有兩面既別其所是又別其所非是終始萬物之象」と說いて居る。凡そ客觀的知覺が成立し、或は表象・概念が構成せられるとき、其の知覺若しくは表象・概念をば、或は眞とし僞とし、或は善とし惡とし、或は美とし醜とする意識が之に伴ふものである。此の意識が價値判斷意識とせられる。孟子が智の端とした是非之心は、倫理的價値判斷意識故、勿論此の中に包含せられるものである。但、彼は倫理を主とする立場から、かゝる倫理的價値判斷を特に提擧して、以つて其の他の美的及び科學的價値判斷をも代表せしめたわけである。しかも此の價値判斷意識も智の理を以つて其の生產根源とする點に於いて、それは知覺・表象・概念等の知的意識と共に共通の根柢を有つものであり、從つて兩者は必然的に相伴つて生起せざるを得ないのである。然るに又、價値判斷によつて價値意識が生產せられると、その價値意識の觸發は我が性の義の理を必然的に搖動して羞惡の情を生產せしめ、以つて其の善は之を好み其の惡は之を惡むに至るのである。義の端たる羞惡之心とは、朱子に在つては、主として己の惡を羞ぢ人の惡を惡む倫理的感情をいふとするのではあるが、此の心はどりも直さず凡そ一切の價値は好んで之を求め、一切の非價値は惡んで之を斥ける心であることはいふまでもない。凡そ價値意識にはかく必然的に義の理の自展を伴つて、或は之を愛好又は羞惡する心、之を追求又は排斥する心が隨伴して生動するのである。此の點から價値判斷には自ら實踐的態度を伴ふと言ひ得るであらう。而して其の然る所以は是れ亦兩者の根柢たる智と義とが、我に於いて渾然一理の緊密關係に在るが故に、一が活らけば必然に他も之に伴つて活らくからである。かの四端の情が互に相隨伴して働くのも、皆其の根柢の理が同樣にかゝる渾一的關係に在る爲めである。語類卷五三に「羞惡恭敬是非之心皆自仁中出」(二一枚)といひ、「從那縫罅裏迸將出來恰似寶塔裏面四面毫光放出來」(一二枚)と譬ふるはその一班を示すものである。かく價値意識に實踐的態度が伴ふ事實は、普通には知と意とが一者の兩面なるが故にと說かれるのであるが、朱子に在つては、知と意との根柢たる智と義とが、理として內面的に統一の緊密關係に在るが故に、兩者は自ら相伴ふとするのである。こゝに朱子の知行一致の哲學的根據が存する。此の實踐的な好惡の心が、價値判斷の是非の心に常に必然的に伴つて生起し、兩者が恰も一者の如き趣を呈する所から、朱子は時に此の兩者を同一視して、義の端羞惡之心を智の端是非之心の中に包まるゝものとすることもあつて、語類卷一四に「見善事而歎慕」を以つて是非之心と説いて居る。是れ意を知の中なるものと見るのである。以上の如く、當然之理の知識が成立すれば、それに關する是非の價値判斷意識が成立し、價値意識が成立すれば、夫れの必然的なる觸發によつて、誠に「理義之悅我心猶芻豢之悅我口」（孟子告子上）といふ如く、義の理が動いてそれに對する好惡の情、追求若しくは排斥の心が發生し、之が定向ある意志としてやがて吾等の行爲にまで進展するに至ることが多いのである。そして此の事が卽ち其の知識内容・價値内容の實現若しくは抹殺の方向に、我のそれに對應する當然の理が自展することである。かく當然之理の知を得れば、それがたとひ外的行爲にまで進展するほどでなくとも、兎に角その知的内容、價値内容に對應する我が内の當然之理そのものに、その方向への活動傾向が附與蓄積せられるのである。そして後來その事物が我が眼前に來れば、内の當然之理の此の既得の潛在的活動傾向が現實に活らき出して、よく其の事物の理を内から實現し得るのである。外の一理を知ることによつて、それに對應する内面の一當然之理に、斯くの如き活動傾向が附與蓄積せられるから、外の理を窮め知ること多ければ、多くの内の理が此の傾向を獲得し、やがて知的貫通に至れば我が中の當然の萬理は悉く此くの如き活動性を獲得するのである。それが性が純粹自由となり、明德が明かとなることである。道を行へば内に德が得られるといふのも、道を行ふことによつて、内の當然之理にその方向への活動傾向が蓄積せられることをいふのである。知的貫通には、獨り一切の知的理

（從つてその知的主體）の活動が自由活潑となるのみならず、又それと共に、諸他一切の當然の萬理（從つて一切の意識主體）が亦かくの如く貫通に至るので、是れ物來るや感じて知らざるなく、感じて知るや通ぜざるなく行はざるなき境である。行的貫通は知的貫通と相連關して得られ、知つて行はざるなき知行の合一が實となる。唯だ此の後は其の知益々熟し、其の行も亦愈々熟して、六十耳順となり七十心に從つて節に中るに達するのである。かくして知行は本來合一であるが、尙ほ其處に知が行に先だつ趣が看取せられる。先知後行の論が立ち、明德を明かにすべき學が先づ格物致知より出發せねばならぬとせられる所以もこゝに存する。但、此の先知後行の趣を認めずして、知卽行の絕對的一を強く主張した者は王陽明であつた。彼は云ふ「知是行之始行是知之成若會得時只說一個知已自有行在只說一個行已自有知在」（全集卷一）と。又云ふ「見好色屬知好好色屬行只見那好色時已自好了不是見了後又立箇心去好聞惡臭屬知惡惡臭屬行只聞那惡臭時已自惡了不是聞了後別立個心去惡」（同）と。是れ知は行への展開に於いて始めて成立し、知的意識と好惡の意識とは端的に一つであるとするもので、朱子が知るは智の理に基づき、好惡するは義の理に基づくもので、兩意識は必然的に相伴ふが、其の直接の根源主體は各々之を異にする所の、二つの現實意識であると爲すのとは、其の間大いに逕庭があるのである。

　生知安行の聖人は、心の欲する所に從つて矩を踰えざる境地の人とする故、聖人に於ける本體の自展は眞實無妄で、些の偶然邪妄の混ずるものなく、常に純粹に眞實で、自ら本來のあるべき筈の當然的方向を實にすると見る。換言すれば、其の心的生活は自ら當に在るべき筈の秩序を保ち、其の諸動機は各々自己の有つべき筈の威力を十分に發揮して、正しい調和ある心的過程の線上を進む。たとひ當然之理を知的に特に明瞭に意識することなくとも能く之を實にし得るのである。聖人に於ける此の事實は單なる偶然ではなく、自然法的必然性を有つもので、その當然之理の實現は直接自明的自然として存在する。しかし聖人に非ざる一般常人に在つては、多少とも氣質の拘人欲の蔽なきを得ぬ故、必ずしも常に左樣な心的生活を營み得ぬ所から、當然之理の明瞭なる認識が必須不可缺となるのである。勿論かゝる人も時には當然之理の明瞭な意識なくして、能く之を意志し實にすることも可能ではある。しかしそれは聖人に見るが如き恒常性を有せず、言はゞ何かの拍子に起つた偶然の出來事として、一時的現象たるに過ぎないであらう。故に此等の人は當然之理を明白に意識して、此の意識を自己の心的生活に參與せしめる方が、多くの場合當然之理の實現の機會をより屢々より確實に捕へ得て、本體の當然的自展を己に於いて一層實にすることが出來るものである。當然之理の意識はそれ自らの有つ力に因つて、自らを心的生活に參與せしめ、以つて本體的未發之心、從つて又本然之性・仁一般、の純粹當然的方向を實にするやうに諸心情の秩序を調整する上に貢獻するものである。吾々の心的生活にとつては、當然の理の意識は單なる表象や概念たるに止まらず、義の理を觸發搖動して羞惡の情卽ち好惡する意志を發動せしめる底の規制力である。或る氣臭を認識する時、それと共に之れを臭氣若しくは芳香として認識するが、既に之を臭氣と認識すれば、その知の規制力によつて必然に之を惡む心、拒否せんとする意志を喚起し、之を芳香と認識すれば、必然に之を好む心、嘉納せんとする意志を喚起する。一般に、善の表象・概念は必然に之を好み嘉納せんとする意志を喚起し、惡は必然に之を惡み拒否せんとする意志を喚起するのである。そして夫れ等の對象が吾等の行爲に於いて獲得實現せられんとする際、此の意志は必然的に行爲の規定根據としての力を揮ひ、かくして受容或は拒否の行爲が取られるに至る。而して理の知識が明白となるに從ひ、其の規制力は活潑顯著となり、意志力も强烈に發揮せられる。當然之理の認識が明白且つ豐富となつて、此の規制力が内に豐富に蓄へられる程、その意識はよりよく心的生活に參與して、諸心情の秩序はよりよく調整せられ、よりよき心的生活が齎らされて、本體的未發之心・本然之性・仁一般の眞實無妄なる自展がそれだけ多く實となる。窮理の道德的重要性は此に在る。當然之理の意識にはかゝる好・惡又は欲求・拒斥の積極・消極の心的活動を伴ふのであるが、此の心的活動こそは、吾等の意志は當に當然之理に從つて構成せられねばならぬとする自明の强制的な自發活動で、それは本體が當然的方向へ自展せんとする本來の要請に基くものである。故に當然之理を意識すれば、それと同時に吾々は、之に從はねばならぬとの必然的な促迫を内に經驗する。かくして當然之理の意識は意志決定に於ける規制根據となるのである。しかし當然之理の意識の此の規制力は、必ずしも常に人に於いて最高度に作用し得るものでない。それは意志決定の規定根據が必ずしも此の意識のみではなく、諸他の人欲が又動機として心的生活に參與し、自己の規制力を發揮することもあるからである。此等の規制力が強大なる力を發揮するやうな心的狀態に於いては、當然之理の意識の規制力はそれだけ減殺せられる。世人の道德的差異は此の天理人欲の兩規制力の相互牽制的心狀の如何に基くともいはれ得るのである。

孔子は人の道德性を測知する爲めの三基準を擧げて「視其所以觀其所由察其所安人焉廋哉人焉廋哉」（論語爲政）と云はれて居るが、朱子之に註して、以は爲、由は從、安は樂とし、其の爲す所の外的行爲の善惡を視れば其の人物の君子か小人かを知り得べく、更に其の意志の從つて來る所の動機の善惡を觀て、若し其の動機が未だ善でなければ、たとひその外的行爲が善であつても、亦君子と爲すを得ざるべく、更に其の樂しむ所如何を察して、若し心の樂しむ所が其處に在るのでなければ、たとひ其の動機は善なりともそれは亦僞であつて、到底久しきを持することは出來ぬと解して居る。されば一つの行爲が眞に道德的である爲めには、外的に宜しきを得る外に、その動機も善でなければならぬ、更に樂しんで胸中愉悅の情に充たされて之を行ふのでなければならぬわけである。若しその行爲が不快・不滿・不慊の情に色付けられたものならば、たとひそれが外に宜しく動機が正であつても尙ほ未だ道德的に完全ではあり得ないのである。この樂しんで道を行ふといふことは、儒敎倫理の甚だ重んずる所であり、朱子も之を重視したことは大いに注目に値すると思はれる。こゝに樂しんで道を行ふといふは、愉快や滿足や自慊の如き言はゞ快の感情が善行の動機となるといふ意味ではない。それは善なる動機からの行爲にかゝる感情が隨伴すべきをいふのである。貝原益軒が道を樂しむは人心の固有にして本然の樂みである旨を自娯集に說いて居るやうに、此の感情は道の實行に當つて普通に自然に伴ふ所のものである。朱子によれば、一切の意識は未發之心の自覺自展であるが、それは又本然之性の自覺自展に基づくとし、且つ愉悅の如き快感は其の反對の不快の感情と共に、仁の理の自展に基いて生產せられる感情とする故、快・不快の感情はその根柢は他の一切の意識と共通である。故に一意識が生產せられるとき、此の感情も亦自らそれに伴つて生產せられるわけである。そして此の感情は凡そ生產せられた如何なる現實的意識內容にも常に隨伴するといふ特質を有つ故、あらゆる意識內容は快若しくは不快の感情を以つて色付けられるのである。されば今當然之理の認識が成立すれば、之に伴つて自ら快又は不快の感情を經驗する。しかし此の場合、快又は不快の感情が意識の表面中心に位するのではない。表面中心に位するものは當然之理の表象・概念である。快又は不快の感情は此等の意識內容の附屬隨伴者として自己の位置を保つに過ぎないのである。コーヘンは快・不快の感情を意識內容の Annexen とし、常に Suffix たるに止まると見たやうである(Hermann Cohen-Ethik des reinen Willens. S. 156)。されば當然之理を行爲するに當つて、義の理が自展して之を好み之を追求する意識卽ち意欲を生產するための規制原理は、中心當主たる當然之理の意識であつて、快・不快の如き附屬隨伴的感情ではないと見るべきである。この事は義の理が裁制斷制の理として直接第一義的に先づ何よりも當然之理の善を追求し、惡を排斥する方向に自展して、行爲を合理的たらしめる原理である所にその本質があつて、決して快・不快を直接第一義的對象として、何よりも先づ快を求め不快を退けるといふやうなものではないとしたことからでも推察出來るのである。かくて快・不快の感情を意識の原本的なるものとし、一切の意識は此の原意識を根柢として之によつて惹起せられ、從つて一切の行爲も亦之によつて生產せられると見る主情主義的倫理說は、朱子の取らざる所であるが、しかし道德的生活に於いて、此の快・不快、慊・不慊の感情を甚だ重視し、凡そ當然之理の意識を有つとき、又、此の意識の規制力によつて當然的方向に向つて統制ある心的生活が營まるゝとき、それ等が自ら此の感情に色付けられ、その心的生活が進むにつれてそこに之に伴ふ快悅の情を次第に豐富に經驗し、終に中心油然として道を樂しむに至つて始めてその心的生活は道德的に完全となることを承認强調した點に於いて、その倫理説は主情主義の香が漂ひ、嚴肅主義の冷淡が克服せられて、春日和煦の柔らかく暖かい光に包まれて居るのである。

之を要するに、當然之理の認識とは、知的主體が其の理を知る方向に自覺自展して、其の理の知的意識が生産せられることである。一體認識作用は本體の現實的自展の迹なるが故に、本體は認識を越えたものであり、本體的理も亦認識を越えたものである。既に認識を越えたものであるから、それを知的に把握することは不可能であると考へられて、識心論の誤謬が朱子によつて指摘せられたのである。しかし現實的相對的なる知が本體の自覺自展である限り、それは絶對的超越的なる本體に包まれながら、又本體を包むものである。絶對的本體は知の地盤となり、知に於いて自己を實現するのである。かゝる本體は故に知にとつては遠き彼岸の達すべからざる超越者ではなくて、反つて卽今現實の知の中に常に自己を表現するものである。かくて本體は現實的相對的なる知の外に求むべきではなく、反つて知の中に於いて之を把握し得る可能性の有るものであると見なければならぬ。そして此の知の中に於いて本體を把握することが本體自體の知的自覺である。本體が知的に自覺して自らの內容的理を知ることが、知的主體が內に其の理を生産成立することであり、それが又外に其の理を認識することで卽ちそれが謂ゆる窮理である。本體が其の特殊の理を自己の否定として成立せしめることによつて、その理が一旦本體の外なる理として成立して、外に獨立的有の趣を有つのであるが、更に其の理の自己否定によつて本體が肯定せられ、此の本體の否定的自己限定として再び其の理が本體の包攝に於いて自己を限定するとき、其の理は本體の統一中の理となつて、本體との間に緊密なる組織を獲得し、其の理は本體の中に活潑に自己を保つ。それだけ本體の其の理が明かとなるのである。こゝに其の當然之理は自己の本源に復歸して眞に其體的なるものとなる。當然の萬理がかくの如くなつて、本體が從つて又本然之性が自由となり、仁一般・明德が明かとなり、虛靈不昧の渾然たる性が内に實となる。外の當然之理は本體の外的客觀化であるが、本體が之を知的に諒解することによつて、始めて一旦故鄕を出離したその理がもとの故鄕に復歸安住する底の圓環的自覺を完成するのである。かく外の當然之理が本體に再統一せられることによつて内に明かとなる爲めには、本體と一應對立する外のその當然の萬理を認識諒解することが必要であり、窮理が缺くべからざる緊要事なのである。しかし窮理といふも、本體自身が一旦分裂して其の特殊の當然之理を自己に對立せしめながら、其の對立的理を媒介として再びもとの統一に復歸する、本體の此の圓環的自覺(明々德、復性復初)の進行過程の一機能面たるに過ぎぬのである。同樣に居敬といひ存養省察といひ忠恕といふも亦夫々それの他の機能面に外ならぬ。かくて凡そ學とは本體の此の圓環的自覺の完結を以つて目的し、其の方法とは此の圓環過程の機能面を抽象的に取り上げて、以つて人の持守すべきものとして示されたものに外ならぬのである。

結語

以上凡そ五章、朱子の認識論的思想を分析詳說したのであるが、其の綱領の代表的表現は、大學補傳及び大學或問の該傳に關する朱子の論述であらう。右は稍々長文の煩を免れぬものではあるが、こゝに之を錄して以つて本論文の結語に代へると共に、一は以つて本論根據の骨子を示し、一は以つて未だ論及せざりし點の補說にも利し、旁々讀者自らが之を讀んで更に新意をそこに發見せらるゝの便にも供したいと考へた次第である。

尙ほ本論文に取扱へるもの以外にも、學に於ける窮理の意義とか或は窮理と居敬との關係等、極めて重要なる問題も存するのであるが、しかし其れ等は他篇に於いて夫々適當なる位置を占め得るものなるが故に、此の論文では之を割愛したことを一言附記して置く次第である。

（**大學補傳**）

右傳之五章蓋釋格物致知之義而今亡矣閒嘗竊取程子之意以補之曰所謂致知在格物者言欲致吾

之知在卽物而窮其理也蓋人心之靈莫不有知而天下之物莫不有理惟於理有未窮故其知有不盡也是以大學始敎必使學者卽凡天下之物莫不因其已知之理而益窮之以求至乎其極至於用力之久而一旦豁然貫通焉則衆物之表裏精粗無不到而吾心之全體大用無不明矣此謂物格此謂知之至也

（大學或問）

曰此經之序自誠意以下其義明而傳悉矣獨其所謂格物致知者字義不明而傳復闕焉且爲最初用力之地而無復上文語緒之可尋也子乃自謂取程子之意以補之則程子之言何以見其必合於經意而子之言又似不盡出於程子何邪曰或問於程子曰學何爲而可以有覺也程子曰學莫先於致知能致其知則思日益明至於久而後有覺爾書所謂思曰睿睿作聖董子所謂勉强學問則聞見博而智益明正謂此也學而無覺則亦何以學爲也哉或問忠信則可勉矣而致知爲難奈何程子曰誠敬固不可以不勉然天下之理不先知之亦未有能勉以行之者也故大學之序先致知而後誠意其等有不可躐者苟無聖人之聰明睿智而徒欲勉焉以踐其行事之迹則亦安能如彼之動容周旋無不中禮也哉惟其燭理之明乃能不待勉强而自樂循理爾夫人之性本無不善循理而行宜無難者惟其知之不至而但欲以力爲之是以苦其難而不知其樂耳知之而至則循理爲樂不循理爲不樂何苦而不循理以害吾樂邪昔嘗見有談虎傷人者衆莫不聞而其間一人神色獨變問其所以乃嘗傷於虎者也夫虎能傷人人孰不知然聞之有懼有不懼者知之有眞有不眞也學者之知道必如此人之知虎然後爲至耳若曰知不善之不可爲而猶或爲之則亦未嘗眞知而已

矣此兩條者皆言格物致知所以當先而不可後之意也又有問進脩之術何先者程子曰莫先於正心誠意然欲誠意必先致知而欲致知又在格物致盡也格至也凡有一物必有一理窮而至之所謂格物者也然而格物亦非一端如或讀書講明道義或論古今人物而別其是非或應接事物而處其當否皆窮理也曰格物者必物物而格之耶將止格一物而萬理皆通耶曰一物格而萬理通雖顏子亦未至此惟今日而格一物焉明日又格一物焉積習既多然後脫然有貫通處耳又曰自一身之中以至萬物之理理會得多自當豁然有箇覺處又曰窮理者非謂必盡窮天下之理又非謂止窮得一理便到但積累多後自當脫然有悟處又曰格物非欲盡窮天下之物但於一事上窮盡其他可以類推至於言孝則當求其所以爲孝者如何若一事上窮不得且別窮一事或先其易者或先其難者各隨人淺深譬如千蹊萬徑皆可以適國但得一道而入則可以推類而通其餘矣蓋萬物各具一理而萬理同出一原此所以可推而無不通也又曰物必有理皆所當窮若天地之所以高深鬼神之所以幽顯是也若曰天吾知其高而已矣地知其深而已矣鬼神吾知其幽且顯而已矣則是已然之詞又何理之可窮哉又曰如欲爲孝則當知所以爲孝之道如何而爲奉養之宜如何而爲温凊之節莫不窮究然後能之非獨守夫孝之一字而可得也或問觀物察己者豈因見物而反求諸己乎曰不必然也物我一理纔明彼卽曉此此合內外之道也語其大天地之所以高厚語其小至一物之所以然皆學者所宜致思也曰然則先求之四端可乎曰求之情性固切於身然一草一木亦皆有理不可不察又曰致知之要當知至善之所在如父止於慈子止於孝之類若不務此而徒欲汎然以觀萬物之理則吾恐其如大

軍之遊騎出太遠而無所歸也又曰格物莫若察之於身其得之尤切此九條者皆言格物致知所當用力之地與其次第工程也又曰格物窮理但立誠意以格之其遲速則在乎人之明暗耳又曰入道莫如敬未有能致知而不在敬者又曰涵養須用敬進學則在致知又曰致知在乎所養養知莫過於寡欲又曰格物者適道之始思欲格物則固已近道矣是何也以收其心而不放也此五條者又言涵養本原之功所以爲格物致知之本者也凡程子之爲說者不過如此其於格物致知之傳詳矣今也尋其義理旣無可疑考其字義亦皆有據至以他書論之則文言所謂學聚問辯中庸所謂明善擇善孟子所謂知性知天又皆在乎固守力行之先而可以驗夫大學始敎之功爲有在乎此也愚嘗反覆考之而有以信其必然是以竊取其意以補傳文之闕不然則又安敢犯不韙之罪爲無證之言以自託於聖經賢傳之間乎曰然則吾子之意亦可得而悉聞之乎曰吾聞之也天道流行造化發育凡有聲色貌象而盈於天地之間者皆物也旣有是物則其所以爲是物者莫不各有當然之則而自不容已是皆得於天之所賦而非人之所能爲也今且以其至切而近者言之則心之爲物實主於身其體則有仁義禮智之性其用則有惻隱羞惡恭敬是非之情渾然在中隨感而應各有攸主而不可亂也次而及於身之所具則有口鼻耳目四肢之用又次而及於身之所接則有君臣父子夫婦長幼朋友之常是皆必有當然之則而自不容已所謂理也外而至於人則人之理不異於己也遠而至於物則物之理不異於人也極其大則天地之運古今之變不能外也盡於小則一塵之微一息之頃不能遺也是乃上帝所降之衷烝民所秉之彝劉子所謂天地之中夫子所謂性與天道子思所謂天命之性孟子所謂仁義

之心程子所謂天然自有之中張子所謂萬物之一原邵子所謂道之形體者但其氣質有淸濁偏正之殊物欲有淺深厚薄之異是以人之與物賢之與愚相與懸絶而不能同耳以其理之同故以一人之心而於天下萬物之理無不能知以其稟之異故於其理或有所不能窮也理有未窮故其知有不盡知有不盡則其心之所發必不能純於義理而無雜乎物欲之私此其所以意有不誠心有不正身有不修而天下國家不可得而治也昔者聖人蓋有憂之是以於其始敎爲之小學而使之習於誠敬則所以收其放心養其德性者已無所不用其至矣及其進乎大學則又使之卽夫事物之中因其所知之理推而究之以各到乎其極則吾之知識亦得以周遍精切而無不盡也若其用力之方則或考之事爲之著或察之念慮之微或求之文字之中或索之講論之際使於身心性情之德人倫日用之常以至天地鬼神之變鳥獸草木之宜自其一物之中莫不有以見其所當然而不容已與其所以然而不可易者必其表裏精粗無所不盡而又益推其類以通之至於一日脫然而貫通焉則於天下之物皆有以究其義理精微之所極而吾之聰明睿知亦皆有以極其心之本體而無不盡矣此愚之所以補乎本傳闕文之意雖不能盡用程子之言然其指趣要歸則不合者鮮矣讀者其亦深考而實識之哉曰然則子之爲學不求諸心而求諸迹不求之內而求之外吾恐聖賢之學不如是之淺近而支離也曰人之所以爲學心與理而已矣心雖主乎一身而其體之虛靈足以管乎天下之理理雖散在萬物而其用之微妙實不外乎一人之心初不可以內外精粗而論也然或不知此心之靈而無以存之則昏昧雜擾而無以窮衆理之妙不知衆理之妙而無以窮之則偏狹固滯而無以盡此心之全此其理勢之相須

蓋亦有必然者是以聖人設敎使人默識此心之靈而存之於端莊靜一之中以爲窮理之本使人知有衆理之妙而窮之於學問思辯之際以致盡心之功巨細相涵動靜交養初未嘗有內外精粗之擇及其眞積力久而豁然貫通焉則亦有以知其渾然一致而果無內外精粗之可言矣今必以是爲淺近支離而欲藏形匿影別爲一種幽深恍惚艱難阻絕之論務使學者莽然措其心於文字言語之外而曰道必如此然後可以得之則是近世佛學詖淫邪遁之尤者而欲移之以亂古人明德新民之實學其亦誤矣○曰近世大儒有爲格物致知之說者曰格猶扞也禦也能扞禦外物而後能知至道也又有推其說者曰人生而靜其性本無不善而有爲不善者外物誘之也所謂格物以致其知者亦曰扞去外物之誘而本然之善自明耳是其爲說不亦善乎曰天生烝民有物有則物之與道固未始相離也今曰禦外物而後可以知至道則是絕父子而後可以知孝慈離君臣而後可以知仁敬也是安有此理哉若曰所謂外物者不善之誘耳非指君臣父子而言也則夫外物之誘人莫甚於飲食男女之欲然推其本則固亦莫非人之所當有而不能無者也但於其間自有天理人欲之辨而不可以毫釐差耳惟其徒有是物而不能察於吾之所以行乎其間者孰爲天理孰爲人欲是以無以致其克復之功而物之誘於外者得以奪乎天理之本然也今不卽物以窮其原而徒惡物之誘乎己乃欲一切扞而去之則是必閉口枵腹然後可以得飲食之正絕滅種類然後可以全夫婦之別也是雖裔戎無君無父之敎有不能充其說者況乎聖人大中至正之道而得以此亂之哉○曰自程子以格物爲窮理而其學者傳之見於文字多矣是亦有以發其師說而有助於後學者耶曰程子之說切於己而不遺於物本於

行事之實而不廢文字之功極其大而不略其小究其精而不忽其粗學者循是而用力焉則既不務博而陷於支離亦不徑約而流於狂妄既不舍其積累之漸而其所謂豁然貫通者又非見聞思慮之可及也是於說經之意入德之方其亦可謂反復詳備而無俟於發明矣若其門人雖曰祖其師說然以愚考之則恐其皆未足以及此也蓋有以必窮萬物之理同出於一爲格物知萬物同出乎一理爲知至如合內外之道則天人物我爲一通晝夜之道則死生幽明爲一達哀樂好惡之情則人與鳥獸魚鼈爲一求屈伸消長之變則天地山川草木爲一者似矣然其欲必窮萬物之理而專指外物則於理之在己者有不明矣但求衆物比類之同而不究一物性情之異則於理之精微者有不察矣不欲其異而不免乎四說之異必欲其同而未極乎一原之同則徒有牽合之勞而不睹貫通之妙矣其於程子之說何如哉又有以爲窮理只是尋箇是處然必以恕爲本而又先其大者則一處理通而觸處皆通者其曰尋箇是處者則得矣而曰以恕爲本則是求仁之方而非窮理之務也又曰先其大者則不若先其近者之切也又曰一處通而一切通則又顏子之所不能及程子之所不敢言非若類推積累之可以循序而必至也又有以爲天下之物不可勝窮然皆備於我而非從外得也所謂格物亦曰反身而誠則天下之物無不在我者是亦似矣然反身而誠乃爲物格知至以後之事言其窮理之至無所不盡故凡天下之理反求諸身皆有以見其如目視耳聽手持足行之畢具於此而無毫髮之不實耳固非以是方爲格物之事亦不謂但務反求諸身而天下之理自然無不誠也中庸之言明善卽物格知至之事其言誠身卽意誠心正之功故不明乎善則有反諸身而不誠者其功夫地位固有序而不可誣矣今

爲格物之說又安得遽以是而爲言哉又有以今日格一物明日格一物爲非程子之言者則諸家所記程子之言此類非一不容皆誤且其爲說正中庸學問思辨弗得弗措之事無所咈於理者不知何所病而疑之也豈其習於持敬之約而厭夫觀理之煩耶抑直以己所未聞而不信他人之所聞也夫持敬觀理不可偏廢程子固已言之若以己偶未聞而遂不之信則以有子之似聖人而速貧速朽之論猶不能無待於子游而後定今又安得遽以一人之所未聞而盡廢衆人之所共聞者哉又有以爲物物致察而宛轉歸己如察天行以自強察地勢以厚德者亦似矣然其曰物々致察則是不察程子所謂不必盡窮天下之物也又曰宛轉歸己則是不察程子所謂物我一理纔明彼卽曉此意也又曰察天行以自強察地勢以厚德則是但欲因其已定之名擬其已著之迹而未嘗如程子所謂求其所以然與其所以爲者之妙也獨有所謂卽事卽物不厭不棄而身親格之以精其知者爲得致字向裏之意而其曰格之之道必立志以定其本居敬以持其志立乎事物之表敬行乎事物之內而知乃可精者又有以合乎所謂未有致知而不在敬者之指但其語意頗傷急迫既不能盡其全體規模之大又無以見其從容潛玩積久貫通之功耳嗚呼程子之言其答問反覆之詳且明也如彼而其門人之所以爲說者乃如此雖或僅有一二之合焉而不免於猶有所未盡也是亦不待七十子喪而大義已乖矣尙何望其能有所發而有助於後學哉間獨惟念昔聞延平先生之敎以爲爲學之初且當常存此心勿爲他事所勝凡遇一事卽當且就此事反覆推尋以究其理待此一事融釋脫落然後循序少進而別窮一事如此既久積累之多胸中自當有灑然處非文字言語之所及也詳味此言雖其規模之大條理之密

若不逮於程子然其工夫之漸次意味之深切則有非他說所能及者惟嘗實用力於此者爲能有以識之未易以口舌爭也曰然則所謂格物致知之學與世之所謂博物洽聞奚以異曰此以反身窮理爲主而必究其本末是非之極摯彼以徇外誇多爲務而不覈其表裏眞妄之實然必究其極是以知愈博而心愈明不覈其實是以識愈多而心愈窒此正爲己爲人之所以分不可不察也

社會哲學試論

淡野安太郎

目次

序言　社會哲學への出發

從來我が國の思想は抽象的であつた、といふやうなことが批難せられて居る。しかもそれは單に所謂精神主義派の思想にのみ向けられたものではなくして、一般に我が思想界——從つて我が哲學界に對しても提出せられた批難であるかの如くに見える。我が哲學思想は、しからば、いかなる意味に於て抽象的と謂はれるのであらうか。

これに對して哲學者の側から恐らく先づ次のやうな辯駁が試みられるであらう。「常識の立場で具體的と考へられるものは、もの〻本質を考究する哲學の立場から觀れば却つて皮層面に漂ふ抽象的なものであり、常識が抽象的として批難する思想こそ實在の眞の姿をうつしたもの、その意味に於て眞に具體的なものである、」と。吾々は先づ「抽象的」と「具體的」とが、常識の立場と哲學の立場とでは、全くさかさまになることを明別して置かねばならぬ。

このことを承認した上で、しかしながら、ひとはなほも批難の聲を疊みかけて來るであらう。「哲學者の自負する『眞に具體的』な思想は、抽象的と稱せられる層面にまで自己を實現することによつてのみ、その具體性を誇り得るのではないか。抽象的なものは非本來的なものであるとの故を以てそれに背を向けて專らたゞ自己の『深い體驗』の中へ沈潛するならば、その瞬間すでにそれ自身抽象態に頽落してしまつて居るのではないか。宛も有に背を向けた無が畢竟一特殊的有にすぎないやうに。」

從來我が國の哲學思想は抽象的であつたといふ批難が右のやうな事態を指摘したものとすれば、哲學者は辯駁する前に反省しなければならないであらう。——口に日本精神を說く人の中に、顏をそむけさせるやうな態度を示す人があるばかりではない。所謂普遍妥當的な眞理の探究者を以て自任する學者の中にも、ひとをして顰蹙せしめるやうなエゴイストも決して珍らしくはないのである。社會生活の現實を直視するとき、我が國の思想や學問が宙に浮いて居る事實は、なんとしても否定することは出來ぬ。しかも他面、一旦緩急あれば義勇公に奉ずる我が國家生活が世界に冠絕する立派なものであることは、諸外國も亦ひとしく認めるところである。かゝる社會生活と國家生活との分離背反は、いつたい何處より由來するものなのであらうか。所謂思想の抽象性も畢竟こゝに窮極の根源をもつて居るのではあるまいか。

飜つて歷史を顧みるに、右に述べたるが如き分裂は本來の日本人の生活には毫も認められないのである。我が國に於ては神々のみわざが「くに生み」に集中せられたといふ不動の信念が神話の形で表現されて以來、國家（卽ち國と家の綜合態）は日本人にとつては根源的現實であり、一方に於ては君臣の別が嚴として存して居ながら、しかも他方臣民の家はその源を皇室に發し臣民は皇室を宗家と仰いで居るが故に、義に於ては君臣、情に於ては父子といふ忠孝一本の道徳が成り立つ。國卽家、家卽國、蓋しこれ程具體的統一を實現した生活は他にはあり得ないであらう。かゝる一本の生活が生きられる限り、思想も亦具體的であつた。——一般に抽象觀念の高度の發達は、思惟生活を獨占する少數優越者の生ずることを條件とすると謂はれる。而して我が國に於ては、古來さういふ條件がそれ程顯著には存在しなかつた。勿論、何れの時代何れの社會に於ても少數優越者階級の發生することは避けることの出來ない事態であり、畢竟程度の差にすぎないとも考へられるであらう。しかしその差は他の國々と比較するとき、我が國の思想生活を充分特色づけるに足るだけのものだつたのである。卽ち、古代の日本に於ては言語による敎養が普遍的に社會の上下に行はれその內容も歷史や傳說の傳誦で、上下の社會によつて懸隔のあるものではなかつた。漢學渡來後には上層社會に於ては漢學の敎養が傳來の傳誦の敎養に代つたために敎養の分裂を生じ、上層ではもはや傳誦の敎養は廢たれたけれども、それでも少年時代の初等の敎養はやはり傳來のものであつたと稱せられる。かくして建國以來、外部からも內部からも少しも變革されずに續いて來た我が國の歷史の力はこゝにも有力に作用して、上層階級と下層階級との意識の基底の共通性は依然として保たれた。假名文字が發明されたのもさうした條件からであるが、その假名文字による日本文學の創造を見たのもそれであつた。生活に卽した思想の具體性は、かくして我が國の一大特徴となつたのである。我々は茶道をもち華道をもつ。日本人にとつては日常茶飯事も決して思想と無緣のものではないのである。さらに禪家が手水の作法を說くに到つては、思想の具體性も實に極まれりと云ふべきであらう。

かくの如き國と家との一本の生活及びそれに根ざす思想の具體性を根底より分裂させ、以て本來の具體的思想を現實に對して全く抽象的ならしめたものは、近代ヨーロッパ的社會卽ちゲゼルシャフトの急激な導入であつた。しかもそれは決して偶然の不祥事ではなくして、歷史的必然であつた。卽ち、東洋を席捲しようとする諸外國に對して日本がその獨立を保持するためには、今や絕頂に達せる資本主義文明のメカニズムを一足飛びにとり入れることが絕對に必要だつたのである。それはまことに一足飛びであつた。一足飛びであつただけにその躍進も實にめざましかつた。しかもそれに「國運の隆盛」なる名が冠せられると共に、人々はいつしか基底にひそむ生活の二元性を忘れてしまつた。我々の國家生活は誇るべき歷史をもつ、しかし新たにはじまつた社會生活には歷史がなかつた筈である。前者の歷史を以て後者を蔽ひ得るかの如く思ひ込んだところに、我が國に於ける社會道德育成への努力欠如の根本原因がある。

師父に對する禮に於ては一點の申し分のない敬虔な弟子が、ひとたび街頭に出て見識らぬ市民の群に伍して電車やバスに乘らうとするとき、忽ち相貌を一變して夜叉となり、ひとを押しのけて突き進む。そして順序を無視してひとより早く乘込むことを「要領がよい」とさへ思ふ。從來我が國に於ては、かゝる態度の分裂が殆んど異とせられなかつた。それが多少問題として採り上げられるやうになつたのは、統制經濟の運營上重大な妨げとなつた賣惜み・買溜め・闇相場の横行などといふ恥づべき現象と交通道德の欠如との間に一脈の關連があるのではないか、といふやうなことが薄々感ぜられるやうになつてからである。ヨーロッパ人は個人主義者であると謂ふ。確に日本人固有の國と家の生活から觀れば、個人主義的であることは否定することが出來ぬ。しかし——日本人の國家生活が長い歷史をもつて居るやうに——ヨーロッパ人の社會生活はまた相當に長い歷史をもつて居る。日本人にとつて不忠不孝な人間が稀れであるやうに、ヨーロッパ人に於ては反社會的な人間は稀れである。自分より前に待つて居る人を押しのけて順序を無視して自分が先きに出るといふやうなことは、普通には到底出來ないと思はしめるだけの傳統をヨーロッパ人はもつて居る。日本人にとつて國家道德が血管の中に生きて流れて居るやうに、ヨーロッパ人にとつては社會道德が血となつて生きて居る。その反面、國家道德を充分體得しないヨーロッパ人が國家生活に於て往々個人主義者であるやうに、社會道德を未だ體得しない日本人は社會生活に於て屢々個人主義者である。しかも世界史の現段階は吾々に向つて、國家生活と社會生活との高度の統合を要求して居る。我が國に於て根源的現實たる「國家」があらためて「社會」の隅々にまでその根をおろさねばならぬ。それは我が國民にとつて大きな課題である。その課題はただ社會機構をマスターすることによつてのみ成し遂げられるであらう。ところでメカニズムをマスターするか（即ちその主となるか）、或はメカニズムの奴隷となるかは、往々正反對に思ひ込まれる危險を孕んで居るのである。例へば、人々が一列にならんで順序を待つて居るとき、人々ばいかにも不甲斐なくメカニズムの奴隷となつて居るかの如くに見える。そして順序を無視して所謂要領よく立ち廻るところに、いかにも自己を生かし得たかの如くに見える。しかし眞實は正にその反對である。メカニズムはただ心を空しうして隨順することによつてのみ、マスターすることが出來るのである。而してかゝる基底の上にのみ、眞に偉大なる個性の發揮も冀望され得るであらう。然らずして端的に自己を生かさうとするとき、それはつねに單なるエゴイズムに陷沒する危險にさらされて居るものと云はねばならぬ。自己の高さを自負し深さを誇る人々の中に、みづからはメカニズムを超越したつもりで居ながら、實は却つてその奴隷となつて居る人のいかに多いことであらう。心の貧しい者は幸ひである。

かくして今や、現代の我が國に要求される思想の具體性が何を意味するかが明かとなつたであらう。思想の學的自覺としての哲學は、もはや單にただひとすぢに自己の內へ沈潛するのみであつてはならぬ。自然科學や歷史科學との一般的關係に加へて特に我が國に於ては、哲學はつねに社會諸科學に隨順することによつてマスターしつゝ、眞に具體的な思索を一歩々々深めて行かねばならないのである。――ベルグソンは佛蘭西哲學一般の特色を述べた箇所で言つて居る。「一つの觀念を徹底的に考へることは、あまりにたやすい。難事はむしろ必要な所で演繹をとどめ、諸特殊科學の研究とまた絶えず實在と接觸を保つことによつて、その觀念を適當に屈曲せしめることである。」

La philosophie, ainsi entendue, est susceptible de la même précision que la science positive. Comme la science, elle pourra progresser sans cesse en ajoutant les uns aux autres des résultats une fois acquis. .... La philosophie reste ainsi un grand effort synthétique, sans prétendre être une grande synthèse. —— Bergson.

("La Science Française", nouvelle édition, p. 19-20.)

第一章　自然と人間

一　人は自然から生れねばならぬ

人は自然の子であると謂はれる。このことはしかし、人が單に自然に生れるものであるばかりでなく、自然から生れるものであることを意味しなければならぬ。「自然に生れること」は自然の中に於て生れることゝして實は單に「成ること」の別名にすぎず、そこにはただ自然の部分的變形が見出されるに過ぎない。人はただ一度此の世に生れて來るだけであると謂ふ。確に出生も死亡もただ一回限りのものであると云はねばならないであらう。しかしその場合の一回性といふことも、その底に種の連續性が横はつて居る限り、そこには少しも獨自性といふ意味はない。それはただ直線的連續的時間上の一時點に出現し、それから或る間隔をおいて他の時點に消滅するといふに過ぎない。畢竟それは自然の中の一つの小さな移り變りにすぎないのである。自然の成り行きにまかせる限り、そこには未だ勝義の人間は生れないのである。

自然の中に埋沒する生物體としての人のほかに人間としての人が誕生するためには、人は自然から生れねばならぬ。自然から生れるとは、自然から離れ自然に背くことである。既に人間が四つの脚を以て地面を這ふことをやめて後脚のみを以て地上に立ち上つたとき、人間はもはや大地に背くもの自然の叛逆者たるべき運命を背負はされたと謂はれる。しかし自然に背くことは決して自然から絶縁することではない。否むしろ、自然にそむき自然から離れることによつて、はじめて自然といふものが識られるのである。宛も山中にあるものはその山を識らず、山を出ることによつてのみその全貌がはじめて明かになるやうに、自然は自然を出ることによつてのみ識られ得るのである。「母なる自然」にそむくことによつて却つてその大いなる力と深い愛とを體驗することが出來るのは、確に人間にのみ與へられた尊い特權であると云はねばならぬ。

所謂自然主義と雖もそれが一つの主義として自覺的に主張せられる限り、ひとたびは必ず自然から離れて先づ自己と自然とを一應對立せしめ、――外見上は自己を自然の一部として自然の中に沒入せしめるが如き貌を呈しながら――實は却つて自然を、しかもそれを他のものとの生きた聯關(一)からひきはなして、我が物として簒奪しようとするものであり、此の意味に於て自然主義こそ最も自然を殺すものであると云ふことも出來るであらう。而して自然を完全に簒奪したと思ふとき、人は卽ち自己を自然化し從つて自己を完全に殺して居るのである。自然を何等かの意味に於て生かすことなくして、人は自己を生かすことは出來ぬ。自然を生かすその「深さ」だけ、それだけ人は自己を生かすことが出來るのである。これ卽ち自然主義とは反對に、自然からひきはなされた所謂「價値」のみを力說する當爲主義(二)に對しても、「生からの隔り」の不滿の聲が放たれざるを得ない所以である。

(一)　此の「生きた聯關」とは勝義の「現實」の內容をなすものであるが、それが如何なるものであるかは次節に於て明かになるであらう。

(二)　當爲主義といふ言葉は異樣に響くかも知れぬ。私は一般に凡そ「主義」といふものは、部分を全體として主張するところに成立するものと考へるのである。卑近な例を擧げるならば、野菜料理は副食物の一部分をなすものであるが、それを以て副食物の全部となさうとするところに所謂菜食主義が成り立つ。更に又、「認識」が心理的側面と論理的側面とを包含することは周知の通りであるが、その心理的側面の究明のみを以て認識の問題を解決し得たものと主張するところに、認識論上の心理主義が成り立つ。同樣に、當爲が「現實」の一契機をなすことは云ふ迄もないことであるが、その當爲を以て「現實」の全般を蔽はしめようとするならば、かゝる主張に對して當爲主義なる名を冠することもあながち無理ではあるまいと思はれるのである。

かくして自然の奴隸ともならず、しかも自然から遊離もせずして、人間を自然と共に生かす途としては、何よりも先づ實踐による自然の止揚が擧げられるであらう。卽ち、自然的なるもの(過去的限定)と當爲的なるもの(未來的限定)との板挾みのただ中に身を置きながら、しかも無限の深さより湧き出づる決斷力によつて兩者の飛躍的統一を實現する「行爲」に於てこそ、眞に生きた個性自覺的な人間が生れると共に、自然的なるものも單なるその過去性を脫して現在にその生命力を遺憾なく發揮し得るものとなる、と考へられる。誠に個性的なるものに於てこそ、衝動的なる自然と自覺的なる人間とが矛盾即統一的に一體をなすものと云ふことが出來るであらう。そこに於ては死ぬことは生きることであり、生きることは死ぬことである。此の生死一如の瞬間現在に於てこそ、非連續卽連續の人生が成り立つと考へられる。それは神と獸との中間に位する人間が有限相對の中にありながら、しかも無限絕對を憧れて精進する姿に他ならぬ。個性的なるものは、しかし、それが他のものによつてはおき替へることの出來ない非通約的なるものゝ創造をその生命とするものであるが故に、當然他者との悲劇的な對立を形づくる運命を免れることは出來ぬ。否、個性自覺的なるものは根源的には自己自身の中に最も激しい對立を以て迫る他者を見出すのである。創造はそれ故につねに苦惱と相卽する。しかし苦惱と相卽する故にこそ、人は却つて深い喜びを見出し生き甲斐を感じ得るのであらう。かゝる個性的創造の行はれる世界が先づ眞實在の世界と考へられることは、本來自覺的なる人間にとつては或る意味に於て必然であると云はねばならぬ。

しかし飜つて虛心坦懷に現實を直視するに、かくの如く全く異質的なるものが動的に交錯する劇的な場面が、決して人間の住む唯一つの世界なのではない。一方に於て吾々は個人差を機構的聯關の中に吸收して「平均人」として行動する場合もあれば、他方に於ては恩讐の彼方に無我の境地を體驗し得る場合も全然無いとは云へないのである。これに對し、前者は單なる日常性の世界であり後者は稀に惠まれる瞬間であるとしてその實在性を稀薄なものと考へることは、決して現實に忠なる所以ではないであらう。若し眞實在といふ言葉を「最も強くはたらくもの《ウイルクリッヒ》」といふ意味に解するならば、恐らく目的主義者は目的の實現に最も役立つものを、人格主義者は個性自覺的な人格を、信仰生活者は絶對愛の境地を、それぞれ眞實在と呼ぶのに躊躇しないであらう。吾々はこのことを先づ卒直に認めなければならぬ。而して若し、眞實在を「最も具體的なるもの」——即ち凡てのものを契機として内に包含統一するもの——の意味に解するならば、信仰生活者の説く絶對愛の境地こそ正に眞實在の名に値するものであり、前二者の主張するものは何れもその契機の一つを形づくるものに過ぎないことゝなるであらう。而して、かゝる契機を凡て包含統一する最も具體的な眞實在は、凡てのものを夫々固有の位置に於て在らしめる最高の實在として、自然から生れた人間の當然歸り行くべき魂の故郷でなければならぬ。しからば再び最初に還つて、そも〳〵人が自然に生れるばかりでなく、自然にそむくことによつて自然から生れねばならぬといふのは、いたつい如何なる事態を意味するのであらうか。

二　「つくるもの」と「つくられたもの」と「おのづから成るもの」

人は自然から生れねばならぬといふとき、一應は、人が自然から脱け出て人の世としての世界に入らねばならぬといふことの意味に解されるであらう。しかしその場合、自然と世界なる出來上つた二つの領域的なるものが先づ在つて、而して後に一方から他方へ人が移ることを意味してはならぬ。世界をはなれて人があり得ないやうに、人をはなれて世界がそれ自體であるわけではない。從つて——普通よく謂はれるやうに——「人は歴史的世界の中へ生み落されるものである」といふ場合、その歴史的世界を豫め與へられた一つの場面の如きものと考へてはならぬ。歴史的世界は決して人間にとつて單なる所與ではない。所謂「自然界」といふものは何處にも與へられては居ないと云ふべきであるならば、「歴史的世界」も亦何處にも與へられては居ないと云はねばならぬ。人は決して手を拱いて歴史的世界の中へ入つて行くものではないのである。自然界の所與性を無自覺的に前提することが自然主義的立場の臆斷であるとするならば、それと全く同じ意味に於て、歴史的世界を人がその中で生れその中ではたらきその中で死んで行く既成の場面であるかの如く主張するのは、歴史主義的立場ともいふべきものゝ臆斷であると云はねばならぬ。むしろ、その存在する場面として一定のものをもたず從つてその在り方が一定しないところに、人間存在の根本特質が見究められなければならないのである。

吾々は今、人は決して手を拱して歴史的世界の中へ入つて行くものではない、といふことを述べた。それはとりもなほさず、人が單なる成り行きに身を委せるのみでは、未だ歴史的に生きるものにはならないといふことに他ならぬのである。歴史的に生きるためには、人は「成り行き」から一應身を斷ちきつて何等かの意味に於て主體的にはたらかねばならぬ。否、嚴密に言へば、「成り行き」から身を斷ちきつて而して後に主體的にはたらくのではない。主體的にはたらくことをはなれて、成り行きから身を脱する術はない。從つて主體的にはたらくことゝ成り行きから脱け出ることゝは卽ち同時である。此の主體的なはたらきの原初的な形態を通念に從つて「つくること」と呼ぶならば、人はつくることに於て自然から生れて歴史的に生きるものとなるのである。しかしかく云ふことは決して、人間を所謂ホモ・ファベルとして觀念することを意味するのではない。マクス・シェーラーに依れば、西洋の文化圏内に於けるホモ・ファベルの思想は、——ホモ・サピエンスの思想が人間と動物とを峻別するのとは著しい對照をなして、——人間を「たゞ特殊な動物の一種に過ぎないもの」と觀る自然主義的な立場に立つものなのである。卽ち、此の立場に於ては他の凡ての動物と全く同一の要素・力及び法則が、人間の場合にはたゞ一層複雜な結果を伴つて、はたらいて居るに過ぎないと考へられる。(一)しかしかくの如く人間を「たゞ特に高度に發達せる生物」と把握することは、人間を未だ人間ならざる狀態に於て把握することであり、それはとりもなほさず未だ勝義の人間を把握せざるものと云はねばならぬ。單なる衝動的生命(二)の立場にとどまる限り、人間は自己を特に他のものから區別すべき何ものをも見出すことが出來ないのである。ベルグソンはその「物質と記憶」に於て、實生活に完全に適合した行動の人を、單に刺戟に對して直接的反作用を以て應ずる衝動の人から區別し、且後者を下等動物と同一視して居る。(三)直接的反作用たる衝動が外的刺戟の單なる延長に過ぎない以上、衝動の人と下等動物との間に何の區別も認められないのは當然であると云はねばならぬ。人間が人間としての獨自性を主張し得るためには、單なる動物的生命には還元しつくすことの出來ない何物かがつけ加はらねばならぬ。かくして、凡てのものを受動的な素材と能動的な形相とに分けて考へるギリシャ人は、かゝる人間獨特の形相をもとめて「理性」を發見した。誠に理性は凡ゆる民族凡ゆる階級の相異を超越するものとして、ホモ・サピエンスの思想は永く西洋文化の主流的傳統を形づくることになつたのである。しかし理性が民族と階級とを超越して全人類を包越し得るかの如く見えるのは、個々の人間の中にはたらく理性が――カオスをコスモスにまで形成する――全宇宙的な理性と原理上同一のものであると見做されることに基づくのである。それは人間を超時間的な永遠の世界へ昇華せしめるものと云はねばならぬ。ホモ・サピエンスの思想は人間を動物から區別すると共に、人間固有の世界を素通りして、遙か彼方の永遠の世界にまで連れ去るのである。勿論「理性」的永遠の世界にも――單なる靜止した秩序ばかりでなく――運動があることはあるであらう。しかし永遠の運動は實は無限の循環にすぎず、一層廣い範圍に於て之を觀ずるならば畢竟靜止に他ならないのである。その本性上、理性の世界に人間の歴史は之を索むべくもない。ホモ・サピエンスの永い思想史的傳統に於て、ヘーゲルははじめて「發展」の概念を導入することによつて人間の歴史をひらいたと謂はれるのであるが、所謂「自由の意識に於ける進步」が目的論的發展である限り「一切は既に與へられて居る」(四)のであり、人間はたゞ定まつた筋書に從つてそれ〴〵の役を演ずる操人形にすぎないのである。尤も時にはその筋書からはづれた場面が演出されるかの如く思はれる場合もあるであらう。しかしそれは畢竟「理性の狡智」を物語るものに他ならぬ。ホモ・サピエンスの立場に立つ限り、歴史は理性の歴史ではあつても人間の歴史ではない。ホモ・ファベルが歴史以前のものであるとするならば、ホモ・サピエンスは歴史を見失つたものと云はねばならぬ。吾々のもとめる「つくるもの」としての人間は、かゝる歴史以前のものでも、また歴史を見失つたものでもあつてはならないのである。

(一) Max Scheler: Philosophische Weltanschauung, S. 19 ff.
(二) ホモ・ファベルの思想を一言でつくせば、人間を Triebwesen と觀るものといふことが出來る vgl. Scheler: ibid. S. 28.
(三) Henri Bergson: Matière et Mémoire, p. 166.
(四) ベルグソンは目的論を批評して言ふ。「目的論は——例へばライプニッツに於て見られるやうな——極端な形に於ては、ものは凡て（生命の有無を問はず）既に豫め描かれた一つのプログラムを實現するにすぎないものである、といふことを含んで居る。……機械論的假說の場合と同じやうに目的論に於ても亦 "tout est donné" といふことが假定せられて居るのである。かやうな意味に於ての目的論は畢竟さかさまにされた機械論（mécanisme à rebours）に他ならぬ。それは全く同じ要請の下に立つ。兩者の異る點は、吾々の有限なる知性が事物の顯著な繼起現象を辿つて行く際に、機械論がその知性の光を吾々の背後に置くのに對して、目的論はその光を吾々の行手に置くことによつて吾々を導かうとする點に相違があるだけである」（L' Evolution Créatrice, p. 42-43.）。

しからば、人がつくることに於て自然から生れて歴史的に生きるものとなるといふのは、如何なることとなのであらうか。動物も亦巣をつくつて生活を營んで居り、その器用さは屢々驚嘆に値するものがあるのではあるまいか。動物が生活を營むことゝ人間が生活を營むことゝは、いつたい何處に本質的な相異があるのであらうか。

動物は直接食慾をそゝる餌を巧妙に捕捉し、直接生命を脅かす敵を敏捷に回避するであらう。動物の行動を決定するものは、つねに直接的原因である。成程、動物の中にも遠き將來を慮つて先づ巣をつくり次いで食糧を貯藏するかの如く見えるものがあることは事實である。しかしそれは人間が人間の立場から附與する解釋であつて、その場合にも動物はたゞ直接本能的に動いて居るのに過ぎないのである。ところで本能の本能たる所以はそれが終始、有機體の一部分たる器管と密接に結びついて居るところにある。從つて本能的行動とは畢竟單なる有機體の活動にすぎないのである。尤も高等動物の中には本能的活動のほかに、明かに或る程度の智能の發達を物語るやうな動作を示すものもあるであらう。例へば、猿が踏臺樣のものを用ひて自己の身長を高くし、更に棒切れを以てその手を一層長くする場合など。しかしその場合にも踏臺は自然的器管としての足の單なる補ひであり、棒切れは同じく自然的器管としての手の單なる延長であることが見逃されてはならぬ。自然的器管の單なる延長にすぎないものを用ひる智能は實はそれ自身、自然的器管と密接に結びついた本能の單なる延長にすぎないのである。本能の線をいかに延長しても、そこに異質的なるものが出現する筈はない。單なる自然的有機的聯關の中に閉ぢ籠められて居る限り、未だ勝義の人間の世界はひらけて來ないのである。

單なる自然的有機的聯關の中にとゞまる以上、自己と距離をおいて對立する何物もない。動物にとつて環境は直接生命を養ふ環境であり、また直接生命を脅す環境である。直接性は動物的環境の根本特質をなすものと云はねばならぬ。動物は自己と距離をおいて對立する「客體」を未だ識らないのである。それは所謂「客體」が決して自然に在るものではないことに基づくのである。手を拱いて成り行きに身をまかせる限り、そこには主體もなければ客體もない。主體的なはたらき――その原初的な形態としての「つくること」に於て、はじめて「つくるもの」としての主體と同時に「つくられたもの」としての客體が成立すると云はねばならないのであるが、その「つくる」はたらきは單に成り行きの方向に沿ふたはたらきであることは出來ない。勿論、人は自然を無視して何事もなすことは出來ないであらう。例へば、寫眞がうつるのは光線といふ自然力に由ることは云ふ迄もない。しかし光線が寫眞をうつすのではない。寫眞がうつるためには、光線は適當に屈折されねばならぬ。而して光線の屈折は、自然に從ひつゝしかも自然の方向とは逆の方向からの限定を加へることによつて、はじめて實現せられるのである。寫眞器が自然的器管(instrument naturel)から區別せられて人工的機關(instrument fabriqué)と呼ばれる場合、その「自然」と「人工」との相異はまさに此の限定の方向が逆になるといふ點にある。一般に、成るがまゝのものではなく、ものゝあるべき姿・形をイデアと呼ぶならば、人はつくることに於てイデアを見、イデアを見ることによつて更につくるはたらきへ驅り立てられるのであるが、かゝるつくることゝ見ることゝの相卽はイデアが未來から語りかけるものであることに基づくのである。單に過去から一方的に限定する自然的限定は、たゞ「推し進める」にすぎないものであらう。未來から語りかけるものにしてはじめて一歩々々つくることに於てつねにあらたな姿・形を見究めさせ、あらたな姿・形を見つめることによつて更にあらたなつくるはたらきへ驅り立てるのである。かくして人によつてつくられたものは、つくられたものであるのにも拘らず――過去的自然的限定に對する逆限定としての――未來的イデア的限定を體現するところに、その特質を有するものと云はねばならないのである。(一)

（一）つくられたものがもはや如何なる意味に於ても未來的イデア的限定を體現しなくなつた場合、それは既に「つくられたもの」としての性格を喪失し、、單なる自然物の一つに顚落してしまつて居るのである。まこと單なる過去性への顚落は、自然性への顚落に他ならぬ。

ものをつくるといふことは、自然的限定とは逆の方向よりイデア的限定を加へることによつて、自然を再構成することである。かくして連續性を特質とする自然的有機的聯關の中へ最初の非連續性が齎らされる。客體としての「つくられたもの」が主體としての「つくるもの」から距離をおいて對立するばかりではない。つくるといふことが逆の方向より限定することであるといふまさにそのことによつて、イデア的限定にさからふ自然はその「おのづから成るもの」としての性格をはじめて(一)鮮明に際立たせて來るのである。つくるはたらきがなされる以前の自然――即ち原自然ともいふべきものは、未だ如何なる明確な輪廓をも有たないものなのである。「古事記」に「夫れ混元既に凝りて、氣象未だ效《あら》はれず、名もなく爲《わざ》も無し、誰かその形を知らむ」といはれ、或は又「舊約聖書」に「地は定形《かたち》なく曠空《むなし》くして黑暗《やみ》淵《わだ》の面《おもて》にあり」と語られるなど、何れも宇宙發生物語（Kosmogonie）の形に於て原自然の姿を述べたものと觀ることが出來るであらう。更に宇宙發生物語から宇宙理論（Kosmologie）の方向へ深く分け入つたプラトーンはかゝる原自然を「ヒュレー」或は「コトラ」のかたちに於て觀念し(二)之を「彷徨ふ原因」と呼ぶ。而して

「凡て生誕は暗黒より光明への生誕である」と考へるシェリンクは、此のプラトーンの「ヒュレー」を「波立ち沸きかへる海原」に比して居るのである。(三) 人間がつくることに於て生れる以前の原自然の姿を、これより一層適切に表現することは恐らく困難であらう。自然はしかし、かゝる原自然の姿のまゝでいつまでもとどまるものではない。原自然の狀態にとどまる限り、歷史は永久にはじまらないであらう。而してそれと共に原自然がまさに原自然たる所以もその意味を喪失するの他はないであらう。凡そ歷史が生み出される限り、そして原自然がその歷史の形成に重要なる一役を演ずるものである限り、自然はその性格を一新して歷史の舞臺へ登場せざるを得ないのである。「ヒュレー」を「彷徨ふ原因」と呼ぶプラトーンは又、此の世界が「必然と理性とが一緒にはたらくことによつて」生れたものであることを說く。しかもそれは「必然が理性の說得に服することによつて」なのである。(四) 吾々は此の場合、理性によつて說得されるものが「彷徨ふ原因」ではなくして「必然」と呼ばれて居ることを見逃してはならぬ。イデア的限定にさからふものは、もはや暗黒の中に無方向に荒れ狂ふ海原の如きものではなくして、或る一定の方向からの一種の必然なのである。勿論、それは未だ近世的な意味に於ての合法則的必然を意味するものではない。合法則的必然は所謂對象的自然の特性を形づくるものとして、遙か後に現はれるものなのである。對象的自然の現はれる前に、自然は歷史の基體をなす基體的自然としてその姿を示さねばならぬ。合法則的必然として限定される以前に、イデア的限定にさからふものとしての基體的自然は、吾々の言葉を以て云へば、最も適當に——或る力を以て迫る——「おのづから成るもの」と呼ばれ得るのではあるまいか。かくして「つくる」といふ同一のはたらきに於て、主體としての「つくるもの」と客體としての「つくられたもの」とが距離をおいて對立するばかりでなく、同時に又基體としての「おのづから成るもの」がその姿を鮮明に示すことゝなる。而して此の主體と客體と基體、卽ち「つくるもの」と「つくられたもの」と「おのづから成るもの」との三つのものゝ動的聯關こそ所謂「現實」の內容を形づくるものに他ならぬのである。しからば、かゝる現實はいつたい如何なる論理的聯關をもつたものなのであらうか。

（一）原自然から人間の世界が誕生する系圖を形而上的歷史と呼ぶならば、かゝる形而上的歷史そのものが人間の世界と共にはじめて誕生するのである。かりに人間の世界と何の關はりもなき單なる自然が想定されたとしても、それは單なる瞬間以外の何ものでもないであらう。人間の歷史的世界に先立つ如何なる世界もない。しかも歷史的世界は刻々原自然から誕生しつゝあるのである。

（二）アリストテレースはプラトーンが「テイマイオス」の中で素材と場所とを同じものであると言つたと述べて居る（Phys. IV. 209 b）。

（三）Schelling: Das Wesen der menschlichen Freiheit, Phil. Bibl. Bd. 197, S. 31 f.

（四）Platon: Timaios, St. 48.
プラトーンがこゝで主題的に論じて居るのは、いふ迄もなく宇宙の成り立ちであつて、人間の歷史の成り立ちではない。

此の人間の歴史をも宇宙の歴史の中へ含ましめて考へるギリシャ的思想の制限は、勿論、充分自覺されねばならぬ。

三　存在聯關（類―種―個）と意味聯關（普遍―特殊）

一般に存在は判斷の形に於て把捉されるものであり、而して判斷の最も純粹な形式は包攝判斷であるが故に、包む普遍と包まれる特殊との關係が存在の論理的構造を形づくるものと考へられる。普遍―特殊の包攝關係は確に意味の聯關を示すものではあらう。しかしそれは果して現實の存在構造を示すものであらうか。

例へば個人と國家とは、いかなる關係に立つものなのであらうか。普遍―特殊の包攝論理の立場より之を觀れば、個人とは特殊の持殊化の極限であり普遍に對する限定が特殊を經てその極個人に至ると考へられると同時に、個人より出發すれば特殊も亦一つの普遍でありその普遍化の極が人類全體に他ならないが故に、現實の國家が多數の特殊國家に分かれて居るのは單なる消極的制限にとゞまり、本質的には人類全體を包容する人類國家を形成すべきものと考へられるのである。かゝる考へ方に於ては特殊は類と個とに對し、單に類よりは特殊的であつて個よりは普遍的な中間者たるにとどまつて、特殊の特殊たる獨自性は見失はれるの他はない。即ちそれは、一般に分類に於て類と種と個の形づくる階層的系統をそのまゝ人類と特殊國家と個人との關係にあてはめようとするものに他ならないのであつて、かくては凡て特殊的なるものは單なる過渡性以上の何物をも主張し得ないこととなるであらう。かくして單なる過渡點としての多くの特殊的なるものを經て全體と個體とが連續的につながる結果は、個體が全體の特殊的限定の極限と考へられるところに人類主義的平等觀が成り立つと共に、逆に又全體が個體の普遍的擴充の極限と見做されるところに個人主義的原子觀が成立することとなるであらう。此の人類主義的平等觀と個人主義的原子觀とは互に相表裏して近世市民社會のイデオロギーの核心をなす。理想型化された市民社會は恐らくかくの如き構造をもつたものでもあらう。しかしそれが現實の社會構造であるかの如く思ひ込んだところに、かゝるイデオロギーの甚だしき抽象性があり、更にそれを人間社會の範型としてその實現に向つて努力したことがやがて危機の到來を早めることゝなつたのであらう。單に觀念的につくられた市民社會は、生きた人間社會の抽象的一面以上の何ものでもない。力と力とが相對抗する關係を拔きにして、生きた人間の社會が現實にあり得る筈はないのである。しかも力と力との對抗關係が單なる包攝論理のよく把握し得るところでないことは云ふ迄もないであらう。

生きた現實は決して單なる包むものと包まれるものとの包攝的關係のみによつて成立つものではない。單なる意味の聯關は確に包攝の關係として把握され得るであらう。しかし包攝論理を以て直ちに生きた現實の構造を明かにしようとすることは、意味聯關の論理と存在聯關の論理とを無雜作に混同せるものと云はねばならぬ。而してかゝる混同の由つて來るところは、普遍―特殊の聯關が判斷の全稱・特殊・單稱の三種類に對應して一般―特殊―單一の聯關として觀念され、而してそれと類―種―個の聯關とが單なる形の上の類似によつて同一視されるところにある。しかし個が單一に盡きるものではないやうに、種は單なる特殊ではなく又類は單なる一般ではない。否、嚴密に言へば、「單一」に何ものかが加はつて「個」となり「特殊」に何ものかが加はつて「種」となり「一般」に何ものかゞ加はつて「類」となるのではなくして、二つの聯關は一應全然その在り方を異にするものとして、夫々の特質が先づ明かにされねばならないのである。卽ち、一般―特殊―單一の聯關がそれ自體としては外延的包攝の靜態的關係であるのに對して、類―種―個の聯關はそれ自體が既に存在構造に於ける力的對立の動態的關係を示すものとして把握されねばならぬ。力的對立を形づくるものとして、はじめて類と種と個の三肢の聯關が成立つのである。吾々は動かずして靜止する類と種と個の三肢的聯關を考へることが出來ぬ。靜止するものは死せるものであり、死せる類は類にして類にあらず、種にして種にあらず、個にして個ではない。靜止せるものゝ間には、正當なる意味に於ける三肢の聯關は成り立たぬ。そこには包むものと包まれるものとの關係があるだけである。而して包むものを普遍といひ包まれるものを特殊と呼ぶならば、靜態的聯關は實は普遍―特殊の關係に他ならぬのである。所謂「一般―特殊―單一」の聯關に於ける「特殊」の內實は「多數の單一」以外の何ものでもなく、又「單一」は「一特殊」以外の何ものでもない。かくして特殊―單一の關係が比較的狹い範圍に於ての普遍―特殊の關係であるとするならば、一般―特殊―單一は決して夫々獨自性をもつた三肢の對立關係ではなくしてたゞ程度を異にしてつながる普遍―特殊の關係であると云はねばならないのである。ところで凡そ「意味」と稱せられるものは、特殊が普遍の中へ包攝せられ、普遍が特殊に自己を限定するところに成り立つ。單なる特殊、單なる普遍は何ものをも意味しないであらう。特殊と普遍の結びつきに「意味」が成り立つ。これ卽ち吾々が普遍―特殊の聯關を意味の聯關と呼び、それを類―種―個の存在構造の聯關から一應區別する所以である。

ところが「現實」は單なる存在ではなくして同時に意味をもつ。所謂「無意味」な現實と呼ばれるものも、實はそこに期待された意味・意欲された意味が實現されて居ないといふのに過ぎないのであつて、一般に如何なる意味も含まれて居ないといふのではない。期待された意味が實現されて居ないといふことは、まさにさういふ意味が實現されて居ることを物語るものに他ならぬからである。かくして「現實」なるものは存在構造の聯關の中へ意味の聯關が內含され實現されるところに、はじめて成り立つものと云はねばならないであらう。しからば、それはいつたい如何なる事態を意味するのであらうか。

存在構造の聯關は類―種―個の動的聯關であつた。しかしそれは決して、類といふもの、種といふもの、個といふものが先づ存在して、而して後に相互に聯關を形づくるといふのではない。現實が成り立つ前に、類や種や個が夫々獨立して存在するといふやうなことはあり得ないのである。之を逆に言へば、現實は決して現實以前のもの即ち現實ならぬものゝ結合によつて成り立つことは出來ないのである。「歷史はたゞ歷史から」「社會はたゞ社會から」と稱せられる所以である。それは宛もいのちなきものを如何に結合してもいのちあるものが成り立たないのと同樣である。いのちあるものは一擧に生れ一擧に死ぬのほかはない。生物的生命から人間的生命への飛躍についても事情は全く同樣である。生物的生命がいかに複雜になりいかに精妙になつても、その方向線上を歩む限り永劫に人間に達することは出來ぬ。人間は瞬間每に生れる可能性をもつと共に、又瞬間每に死ぬ可能性をもつ。かゝる危機の上に人間存在が成り立つものとすれば、吾々の歷史的社會的現實も亦創造と消滅への危機の上に成り立つ。從つて嚴密には、歷史的社會的現實があるといふことは出來ぬ。現實はあらしめられるか然らずんば消滅するかの何れかであつて、あらしめる「はたらき」のないところ即ち姿を消すのほかはないからである。(一) 吾々はさきに、「つくる」といふ同一のはたらきに於て主體としての「つくるもの」と客體としての「つくられたもの」

と基體としての「おのづから成るもの」とが同時に分明となり、しかも此の三つのものゝ動的聯關こそ所謂「現實」の內容を形づくるものに他ならぬことを述べた。しかもつくるはたらき以前のものは、「彷徨ふ原因」と呼ばれ「波立ち沸きかへる海原」に比せられるのほかなきものだつたのである。現實は右の主體と客體と基體の動的聯關と同時に成立し、此の三つのものは現實と同時にその內容たる動的聯關を形づくるものとして成立する。かくして主體と客體と基體の三つのものは現實の三契機と呼ばれるに最もふさわしいものと云はねばならぬ。ところで存在構造の聯關は類―種―個の動的聯關であり、その中に實現さるべき意味の聯關は普遍―特殊の聯關であつた。此の二種の聯關と現實の三契機たる主體と客體と基體とは、しからば、いつたい如何なる關係に立つものなのであらうか。

（一）私がここに於て「自然界の所與性を無自覺的に前提することが自然主義的立場の臆斷であるとすれば、それと全く同じ意味に於て、歷史的世界を人がその中で生れその中ではたらきその中で死んで行く既成の場面であるかの如く主張するのは歷史主義的立場ともいふべきものゝ臆斷である」と云つたことを想起されたい。

先づ最初に見失はれてならないことは、つくる主體とつくられた客體とおのづから成る基體とが決して平面に靜止した包攝的聯關をなすものではなくして、力的對立の動的聯關を形づくるといふことである。しかもその三肢の聯關は決して無限にめぐる單なる三つ巴ではない。吾々はさきに人が自然から生れねばならぬことを述べた。即ち、人が自然から生れるのであつて、自然が人から生れるのではない。何人も否神すらも此の順序を逆轉することは出來ぬ。それを、三肢なるが故に三つ巴の無限の廻轉から脱することが出來ないかの如く考へるのは、現實にはたらくことから身をひいて、單に描かれた構造を眺めて居るからに他ならぬ。繰返して言ふ、人は自然から生れねばならぬ。此の場合、つくることに於て生れる主體が「個」と呼ばるべきであるならば、その母胎たる基體は當然「種」と名づけられねばならないであらう。即ち、主體としてのつくるものが「現實」の個的契機であるのに對して、基體としてのおのづから成るものは同じく「現實」の種的契機なのである。しかし、かくして殘る客體としてのつくられたものが現實の類的契機を形づくるといふことは、如何にして言ひ得られるであらうか。既に述べたるが如く、つくられたものとはイデア的限定を體現するものであつた。「現實」の中にはたらく類的なるものは、それ以外にあり得ないのである。吾々は觀念として描かれた單なる普遍と、現實にはたらく類的契機とを混同してはならぬ。つくるはたらきに即して基體から主體と同時に生れる客體、しかもつくられたものとして絶えず主體と一定の距離をおいてつくるものとしての主體に喚びかける客體、——かゝる客體よりほかに現實の一契機としてはたらく類的なるものはあり得ないのである。かくして現實の個的契機は主體としてのつくるものであり、種的契機は基體としてのおのづから成るものであるのに對して、類的契機は客體としてのつくられたものであることが明かにせられた。

しかし現實はつねに意味をもつたものであり、無意味な現實と呼ばれるものも實は旣にさういふ意味をもつたものであつた。現實から遊離した意味はあつても（例へば論理及び數理の領域）、意味をもたない現實なるものはあり得ない。しからば普遍―特殊の意味の聯關は、右に明かにせられた現實の構造の中へ如何なる形に於て含まれて居るのであらうか。

歷史的社會的現實はつねに特殊的なるものであると謂はれる。それは必ずしも、歷史的社會的現實と呼ばれるものが時間的にも空間的にも一定の位置づけから離れてはあり得ないといふことにつきるものではなくして、それ〴〵の現實がそれ〴〵特殊の意味をもつて居ることを指摘して居るものと解されねばならぬ。所謂「非本來的」と稱せられる日常生活の世界も、決して意味の稀薄なものではなく、況んや無意味なものではない。例へば、吾々は均一の料金で市電或は市バスを自由に利用することが出來る。均一のコストで自由に濶歩出來る領域が自然界の何處に見出されるであらうか。又、左側通行が勵行されて居る限り、人と人或は乘物と乘物とが衝突するやうなことは絕對にあり得ない。かゝる秩序を吾々は自然の何處に見出し得るであらうか。吾々は「日常性」の名の下に徒らに卑下してはならぬ。日常性の世界の中にあることは決して單なる自然的存在に墮することではないのである。客體的普遍の中に攝せられる所謂日常生活の世界こそ、先づ人間の誇るべき偉大なる創作であると云はねばならぬ。（此の場合「客體的」が「對象的」と同義でないことが注意されねばならぬ。）客體的普遍の中へ自己を失ふことを極度に卑しみ、たゞ空なる「創造」の美名の下に自己陶醉に陷れるエゴイストの中に、いかに多くのなまの自然性が醜く目に立つことであらうか。吾々は個性の發揮を冀望する前に、先づ自己を客體的普遍の中へ失はねばならぬ。

尤も客體的普遍の中へ自己を失ふ一特殊としての在り方そのものは、いふ迄もなく、本來自覺的たることを生命とする人間にとつて窮極の在り方ではあり得ない。つくられた客體の中に實現された普遍は、個性自覺的な實踐によつて、つくるものとしての主體の方へ戰ひとられねばならぬ。かくして實現された主體的普遍の世界は、しかしながら、カントの Reich der Zwecke の如く單に複數の Zwecke が相並立する狀態にとどまることは出來ないであらう。人が自己の個性を自覺すればする程、人と人とを結びつける有の媒介は次第にその影をひそめて、人は自己の立つ地盤が無限に狹まつて行くのを覺えるであらう。否、それは無數に多くの絕對他者が相互に無限の深淵を距てゝ對峙する世界ですらあるであらう。その極、各自が立つべき地盤を全く失ひ足下に橫はる絕對の無に直面するとき、主體的普遍の世界が姿をかき消すと共に、人は再び母なる自然の懷の中へ抱きとられるのである。單におのづから成るものとしての基體的自然は、イデア的限定にさからふものとして、むしろ無數の種差を生むものであらう。おのづから成る世界は誠に千差萬別の世界である。今や主體的精進の途を行きつくすことによつて自己を完全に撥無し去つたとき、忽然として呼び還へされる――高次の基體のもつ普遍としての――基體的普遍の世界に於ては、人間は一樣に――無を媒介とする――「はらから」として凡ゆる差別と恩讐を超越して、最も根源的に愛し合ふことが出來る。自然は人間に差別を與へ人間をひき離すものであると共に、又最も深く人間を結びつけるものなのである。客體的普遍の世界から主體的普遍の世界へ、而して最後に基體的普遍の世界へ、――人間は低き自然から生れて高き自然へ還つて行くべき運命を、否使命を背負つて居るのである。

未開民族の叱責

藤澤桓

未開民族は怒を發し易いのではないか。その怒は烈しいのではないかと推測させるやうな理論及び記載がところ〴〵にある。その一方、未開民族は子供をあまり叱らない。激しくは叱らないといふ觀察がある。このことに、われ〳〵の叱責は怒の暴發である場合が多いことを考へ合はて見る。すると未開民族は怒を發し易いとは一概にはいへなくなる。しかし、その修正を更に修正しなければならないやうな資料もある。さういふ文脈に於て問題となる論述や自他の資料をある程度まで纏めて見ようとするのが本稿の目的である。

○

デンボーの怒の力學的研究(註一)に於て、怒の暴發は結局は精神の原始化に基くのであるといはれてゐる。そしてその狀態が兒童の精神の原始性に類似するといふことが明らかにいはれてゐる。そこに、未開民族の精神については何もいはれてゐない。併し現今の心理學に浸潤してゐるウェルネルの發達心理學(註二)の構想に注意すれば、そのやうな狀態はたゞに兒童精神の原始性にだけではなく、又未開民族の精神の原始性にも類似するといふことを容易にいひ得るであらう。そこに未開民族は怒を發し易いと思はせるやうな理論があると私には考へられるのである。

デンボーの論じてゐることは特殊な實驗の過程に基いてゐて、それを知らないと分りにくい。究極的な理論的收獲もそれと密接なかゝり合ひがある。實驗は二つあつて、一つは輪投げをさせ一つは花を取らせる。輪投げは一定の目標へ三米半の距離から十續けて懸かるまで練習するやうにいはれて始めるのであるが、極めて困難だといふことはやり始めるとぢき分る。花を取るのもやはり難題になつてゐる。事狀は兩方に共通でどれか一つ分れば他は代理される。私は花を取る方を追試したことがある(註三)からこの方の大要を見ることにする。

被驗者の居る場所を二米半平方のゆかのなかだけに限る。足下にそのしるしの棒枠が置かれる。そのそとに臺を置き花を立てる。枠からそれまでの距離とその高さとから、枠の内から手を伸ばして取らうとしただけでは容易には取れないやうになつてゐる。それを枠外に蹈み出さないで手に取るやうにといふ。臺に飛びついて取るのは禁じる。その外には二通り解決の方法がある。一つはからだを伏せて片手を枠外のゆかにつけ、も一方の手をあげて花を取るので、も一つは枠内に置いてあつた腰かけを枠外に持ち出し、その上に片手をついて取るのである。被驗者はやがてこの兩方を成就する。併しなほ他の方法でといはれる。それがあるかないか被驗者にははつきりしない。それでなほ努力をつづける。前の方法の換へ手は承認されない。それでその先の努力はすべて無效に終る。枠の外側に沿つて添景的に輪投げ用の輪が並べてある。それを目的に向つて持ち扱つて見る。なほ枠の棒その他實驗設備の細目にわたつて解決の手段とのかゝり合ひを見出さうとする。何が目的に向けて考へられ、持ち扱はれても結局は引込めなければならない。そして目的に向つた行動とその拒否とが益々多樣に交錯する。力學的考方に於ては、事に當る者及び之に影響を及ぼすものゝ全體を一系統の力の場と見る。そして右の如き事態は隨所に方向相反するほゞ同じ強さの力が相拮抗して場の緊張を生じ、それが次第に加はるものと見る。場の中におのづから當事者の內面的、人格的の場（所謂內部精神組織）とその事に關した環境的の場が區別されるが、ともに緊張の支配を受ける。その結果として諸種の異質的なものが等質化される。又は諸種の限界が弛む。そして次第に全體の場の構造が一元化され原始化されるといふ。旣にして多くの換へ手がなされ肢體、用具の用法の細目が顧慮されるのも、輪や枠の棒が向けられて設備の細目が顧慮されるのも、それらの細目がすべて目的關係に於て等質化され自らなる異質性が捨てられるのであつて、場の全面的一元化が始まつてゐるのである。なほ他の例として、例へば目的でなかつたものが目的になる。枠外に容易に取れる花がやはり添景的に置いてある。それを取る――代償的解決。又例へば實驗場を水びたしにして、泳いで取りに行くといふ――非現實的解決。そして現實の場と、それとは次元を異にすべき非現實面との限界の弛み。又例へば次のやうな二種類の障壁の融合がある。

もう取方がないといへば常にまだあるといはれる。場を出ようとすることが常に實驗者の持つ權威的なものによつて場のなかへ返されるのである。この場とそのそとゝの境界に越え難い障壁が繞る。そして既に目的の前に見出された障壁に再び押しやられる。すると後者は既に單に目的への通路に非ず、外への通路として前者と等質のものとなる。かくて兩障壁は被驗者を圍み全體の場の一元化を強める。而してかゝる逃げ路のない圍みの中に高められる緊張を以て怒の情緒性の力學的根柢となす。

これを內面的人格的の場について見ればその諸種の機能的な隔壁が弱まる。自己の機密に關する深層には通常機能的閉鎖性がある。緊張は表層からそれへかゝつて來る。そして遂にはその機能的な隔壁は失はれ表層と共通の層となる。實驗中の興奮した不可解の言葉が、後に確めた所に依れば授業に對する失望をも含めてこの實驗に對する失望をあらはしたものであつた。これなどがその例と見なされてゐる。なほ內面的な場と環境的な場とを離しつゝ結ぶ運動的な境界層が弛み、怒のそとへの過大な運動が準備される。之を最後的に弛めて內的緊張の放出が行はれるのが怒の暴發である。

それに先立つた「過大な緊張と、場に於ける精密構造の弛みとに基いた一元化が同時に一つの單純な構造への原始化を意味し」これが「子供の原始性」と類似だといふのである。しかもその事がその「情緒の力學的基礎についての我々の立論の一つの確證である」(一一八頁)と。何となれば――「子供は大人にくらべて非常に一元的な力學的全體になつてゐる。表面と深部に分化されることも少く、内部精神組織と環境との間の境界層もまた力學的に弱い。だから(右の)情緒狀態はある意味に於て子供らしい狀態へ投げ返されるに等しい。實際我々の觀察した多くの擧措は子供に特有のものと見られる。現實と非現實とのわづかの分離。一つの精神領の興奮の他への容易なる加被。物の固定した實質的性質へのよりわづかな拘泥。呪術的及びアニミズム的な擧措。より大なる無制約性等。なほ子供の容易に興奮し得る情緒性によつても證明される通り、情緒の局面(Affektsituation)にとつて決定的なる狀態に比較的容易に推移する所の、全體人格(Gesamt-person)の構造が、彼にあつては永續的に存するのである。」(一一九頁)

こゝに情緒性といふのは怒のそれを指してゐるとしか思へない。これに先立つた論述の間にも頻りに情緒といひ情緒性といつて怒を指してゐて、情緒一般について述べる文脈でなくとも、その言葉を用ゐ得ることを證してゐる。こゝに子供についていふ所も文脈は何等情緒一般に及んではゐない。そこでは、子供は怒を發し易いといつてゐるのであり、そのことが子供の精神力學的性質の原始性に因ると見てゐるのである。さうでなければ、さきに精神構造の原始化と「子供の原始性」との類似が、怒についての力學的立論に一つの確證になるといふことが意味をなさない。さきの引用に次いで述べる所でその主旨は多少修正されはするが、それだからといつて主旨が變るといふことはあり得ることではない。

「とはいへ、怒（Argeraffekt）に於ける全體の場の力學的狀態を子供のそれと簡單に同一視しようとするのは誤である。確かに兩方とも、內部精神組織と、精神的環境に對する境界層とに、隔壁の固さが比較的僅かであり、それが相對應する働き方をしてゐる。併し、子供に於けるやうにその組織の本有的未分化性と精神的材料の全般的柔軟性及び可塑性とがあるのと、大人の情緒に於けるやうに既に存する分化が取去られ現存の隔壁と障壁とが弛められ或ひは破られるのとでは、自ら本質的に異なるものがある。中でも殊に自制過程の性質にこの相違が明らかになるやうに見える。本來の情緒暴發の爆發的、暴力的であることとから知られるやうにその情緒的全體は、密接に結びつけられながらなほ秩序立てられてゐる（諸）組織の調和的相互關係に基くのではなくて、精密構造の破壞に基くのである。」（一一九頁）

○

ウェルネルの發達心理學が未開民族の情緒について述べるのは、それが他の原始的なる者のそれと竝んで認識及び運動と分化すること少く、ウェルネルの發達概念に從へば機能的に「複雜」なる統一をなすと見られるからである。而して認識と分化することが少いといふのは、情緒が所謂「相貌的認識」の要因となるからである。

「進んだ文明人の行動には、環界にある物が正常的には多かれ少なかれ實質的な、冷靜な——對象的性格を擔ふといふことが豫定されてゐる。それで、行動の仕方が非常な飛びはなれた全體體驗を現はしてをり、從て環界に對する純粹に實質的な觀察がなくてできたものであると、それに立入つて考へることは困難である。客觀と主觀との分化されることの少いこと、對象的なるものが狀態的なるものへ強く結びつけられてゐること、直覺と情緒とが密接に編みあはされてゐること、さういつたことがすべての原始的な體驗の中にあらはれてゐるが、それといふのもそこでは情緒が事物世界を本質的に共同決定してゐるからである。このやうな、環境の把握に際しての情緒の關與といふか或ひはそれ以上にそれの優勢支配ともいへるものから特別な視樣《みやう》が生じる。我々には冷靜にその實質的な性質に於て見られる物が未開人(Naturmensch)には多樣な行き方で全く異つて見える。物が實質的にではなく、内的表出に從て、精神化されて、「相貌的に」、捉へられる。我々には、木は木であり、雲は雲である。我々にはすべての對象はそれが認識に從はせられる限り事物の體系から認識される。しかし非常に稀ではあるが文明人にも環界が内的表出に従て、即ちその相貌的性格によつて與へられる。例へばある景色が美的效果に於て捉へられる場合がそれである。かゝる場合には全く異つた體驗の仕方があらはれる。人は景色の中に云はゞ顔を探し出すのである。人はそれを相貌的に體驗するのである。それで、景色は快活であるとか悲しげであるとか、嘲るやうであるとか、怖しいとか、崇高、神聖であるとか地獄的であるとか等といふことになる。」（四五—四六頁）

「未開民族（Naturvölker）に於て幻視が廣汎な役割を演ずるのも、自然が魔的に形づくられるのも相貌的觀察の特別の場合であるに過ぎない。原始的なる者の世界、この世界の對象は實質的な體系聯關に從て決定されるのではなくこゝでは情緒が世界の感受內容（Sinngehalt）をつくる。呪術的及び神祕的な世界像は、物が單にその客觀的な所與に從てといふよりも寧ろ主觀的な情緒的な視樣によつて決定され形づくられる・根源的觀察法に基いてのみ可能なのである。」（四八頁）

このやうにして未開民族は溢れ出づる情緒の中に住み、情緒活動の旺盛なことを思はしめる。その中に怒を含めることが許されない理由は見出されない。更に情緒と運動との分化が少く、その身體的表出の過剩なことが明らかに怒について述べられる。これらのことから未開民族の怒について推測されることは怒を發し易く、激しく怒るといふことである。

「最も原始的なる者（Primitivster）のすべての情緒は本質的に運動を伴ひ、文明人よりもその程度は遥かに上である。子供が歡聲を擧げ躍り上つて喜び、地面に身を投げつけて怒る（Zorn）やうに、セイロンのヴェッダは彼等の情緒に於てこれと全く同様に過剰にそして身體的に振舞ふとサラシン兄弟は報告してゐる。

小さな子供のやうにヴェッダは怒つて地面に身を投げつけ脚をばた〳〵させ、全身が激情的な運動に陷るとサラシン兄弟はいつてゐる。全く同じことがアンダマンのミンコピーに於てもフィリッピンのネグリトに於ても見出される。」（五七頁）

而して脚註によれば、アンダマンについてはマン、ネグリトについてはブルーメントリット、それ〳〵の報告を參考したことになつてをり、その文獻名が出てゐる。勿論サラシンのそれも出てゐる。この三者の中私が今直ちに重ねて參看する便を有するのはマンだけである。その中にウエルネルによつて參照されたと覺しき箇所を探せば、表情乃至表意動作十六を枚擧的に記載した一節があり、これ以外にはそれに當るものはない。その中怒に關しては次の記載がある。

「非常に怒つても（angry）脚をばた〳〵させないけれども、左手を齒の間に入れて、掌を出來るだけ上にする。そして怒らせた人の近くの地面の上のものを烈しく睨みつける。同時に右手で何か武器を取つて、恐ろしい意味の言葉を、左手の位置が許す限り云ふ。（註四）」

他の箇所には叱責についての記載がある。それは後に引用することにする。

以上によつて直接ウェルネルの發達理論の中から、未開民族の怒が浮上がつて來るやうに見える。しかしやはりデンボーの理論がそれを助けてゐるのである。既に情緒と認識との未分化は見られたが、更に章を重ねて、表象の內に、觀念と知覺との間に、乃至は現實と非現實との間に、その他多樣に多くの領域に於て分化と中心化とのわづかなことに到底せしめられる。なほ呪術に關して再び「相貌的」認識に强勢が置かれる。更に人格的構造の「複雜」性、「融化」性が指摘され、人と環界との境界の不分明が見られる。既に情緒と運動との未分化は見られた。かゝる全體的未分化はデンボーによつて怒の狀態、情緒性、又は怒の暴發の準備狀態の根柢に見られたものである。かくして、さきにいふやうに、未開民族の情緒活動が旺盛であると見られるならば、その中に怒が含まれない筈はないといへるのである。理論から築かれる未開民族の怒とはおよそ以上の如きものである。

○

次に、未開民族は怒り易いといふ記載が、わが高砂族についてなされてゐるのが見出される。「臺灣番族慣習研究」に、高砂族の各種族について總括的にその「性情」が枚擧されてゐる。その最初を引けば次の通りである。

「性情ハ各族徑庭アルト雖モ傾向ヲ一ニシ、主トシテ強弱ノ差アルニ過キサルカ如シ、概言スレハ一般未開民族ニ通有ナルモノトシテ、(一)感情強ク、激シ易ク、又變リ易ク忍耐自制ノ力ニ乏シク喜怒哀樂忽チ外ニ形ハル(註五)」

このことは總括的に見て最初に擧げられてゐるのであるから、「番族慣習報告書」の中に個別的に各種族の「性情」を見ても必らずこのことが記されてゐる筈である。例へば、アタイヤル族については、美點から記されてゐるから、順序は最後に廻されてゐるけれども次の通りである。

「(六)又感情強クシテ忍耐自制ノ力ニ乏シ其喜怒哀樂ハ顔容、擧動及ヒ言語ニ表現シ易シ。彼等カ一朝小事ニ激シ多年ノ親交ヲ破ル如キハ往々之アル所ナリトス(註六)」

又サイシャット族については「(二)……忍耐自制ノ力ニ乏シキコト本族モ亦たいやる族ト異ル所ナシ(註七)」と。又ツォウ族については「(六)……忍耐自制ノ力ニ乏シキコトハ一般番人ノ常トシテ本族モ亦此傾アルヲ免レズト雖モ之ヲたいやる、ぱいわん兩族ニ比スレバサホド甚シカラザルガ如クニ思ハル(註八)」と。これによれば「忍耐自制ノ力ニ乏シキコト」從て「喜怒哀樂忽チ外ニ形ハル」は、アタイヤルと、ルカイを含めたパイワンとに最も甚しいと見なされてゐることが分る。かく「徑庭アリト雖モ」各種族その傾向を一にするのである。

概括的「研究」に於て個別的「報告書」に於て、右の情緒特性の記載の後又は前に連接して、異種族に對して猜疑心が深いといふ記載がある。「研究」に於てはそれが後にあり、前記載の次の項の前半をなしてゐる。「（二）異族ニ對シテ兇害ヲ敢テシ殘虐ヲ忍ヒ且警戒嚴ニ猜疑深シ」と。「報告書」に於ては大抵前にあり、アタイヤルなら、前記載の前の項として「（五）彼等ハ異族ニ對シテ警戒心深ク常ニ人ヲ猜疑シ不安ノ眼ヲ以テ其ノ擧動ヲ注視シ心常ニ沈靜ナラス」と。サイシャットについては、前記載と同じ項の前半にあり、（三）異族ニ對シテ警戒心「深キコト忍耐自制ノ力ニ乏シキコト、本族モ亦たいやる族ト異ル所ナシ」と、前記載がこの後につゞくのである。ツォウについても同樣に、「（六）異種族ニ對シテ警戒心深キコト竝ニ忍耐自制云々」と前記載がつゞくのである。これらの文形の中特にサイシャットについてのものは「異族ニ對シテ」が、「警戒心深キコト」のみにかゝらず「忍耐自制ノ力ニ乏シキコト」にもかゝるやうに見える。併しその他の文形を參照すれば、忍耐自制云々は異族に對してではないことが分る。大體異族に對して喜怒哀樂が形はれ易いといふことは受取れないことである。かくして總括的に「感情強ク、激シ易ク、又變リ易ク忍耐自制ノ力ニ乏シク喜怒哀樂忽チ外ニ形ハル」といふべき高砂族の情緒特性についてはそれが發揮される特定の情況は見られてゐない。寧ろ「氣質」的に見られてゐる。どの情況に於てといふには及ばない、永續的な人格的構造の特異性として見られてゐる。怒はその一部ではあるけれども、やはり、怒り易く激怒し易いと見られてゐるといふのを妨げないであら

○

前述のやうに未開民族は怒り易いと見なされ勝ちであり、且さう見なされてもゐる。そこでかゝる者を被驗者としてデンボーの實驗を行つたらどうか。行動、情緒の心理學には更に〳〵その力學的諸性質を發見し概念の整備を計ることが確かに一つの急務とされる。その要求に副ふことができないであらうか。その期待を以て私はデンボーの花の實驗を、アタイヤルにサイシャットに、パイワンにルカイに、ツォウにブヌンにと施行して來た。けれども怒に關する限り私の期待は少しも報いられない。アタイヤルは偏執的に、同一の短絡的に目的に向つた運動を制止すべくもなくとめどなく繰返す。サイシャットには逃避的な樣子が見える。パイワンはなるほど猜疑心の深い佇立をいつまでもつゞける。ルカイは豁達自在に、とらはれずに立體的に多樣に目的に向つた運動を展開する。時間をかけ苦惱を深めるに從つてさういつた行動特性が各種族に固有のものゝやうに見えて來る。併し怒つた振舞には遂に出會はない。それで私はその實驗結果をその行動特性を主として、又はその方向力の社會的境界現象への干渉として處理したのである。(拙稿、前出)

かくして實驗的に怒を求め得なくとも、日常生活の中にそれを探り得ないか。併しその中に怒の所在と目されるやうな場面が自らつきとめられるといふやうなことはない。それで我々の日常生活に於て怒の多い場面が未開民族に於ては如何かと對照するの外はない。それとして我々の子供に對する叱責の場面を選んではいけないであらうか。昭和八年、臺北一師附屬小、公學校三—六學年兒童から質問紙法によつて得た資料によれば、彼等の想起せる父母による叱責は、內地人兒童（內）にあつては回答數の三六・九％本島人兒童（臺）にあつては六九・一％が體罰（註九）なのである。その內わけは次の通りである。

一、つねる」叩く」毆る」ひつぱる」押す」げんこつ」つきとばす」ひねる」蹴る」倒す」（特殊な例としては）五回叩かれて六回ひねられた」——手、稀には足によること回答に明らかなもの及び器物を用ひしこと分明せざるもの……內—二〇・五　臺—二八・二（％の附記省略）

二、器物による打擲——棒その他、あり合はせのもの、又は（特に本島人兒童について）殆ど「專用」のものによること回答に明らかなもの……內—三・一　臺—三二・四

三、縛る」縛つて叩く」……內—一・七　臺—三・九

四、灸……內—二・〇　臺—なし

五、追ひ出す……內—三・三　臺—なし

六、幽閉。押入に」小屋に」便所に」等……內—四・五　臺—なし

七、酷罰。袋に入れて天井に吊す」椽から引づりおろされた」……内―〇・八　臺―〇・七
八、生理的「苦行」。御飯を食べさせぬ」寢させぬ」……内―一・〇　臺―三・九
口でおどすだけなのは他の同種類のものと共に他の項にまとめ、内―一〇・八　臺―七・七となるが、これは體罰の中へは含めない。

體罰は叱責の中に優勢な頻數を占めてゐる。而してかゝる體罰は殆ど常に怒の中に行はれる。又言責といへども往々にして怒罵に等しい。われ〳〵の日常生活の中に怒の分布の最も密なのは叱責の場面に外ならぬであらう。且かゝる情勢はわが內地人又は本島人に民族的に類緣の地のみに限られない。體罰（körperliche Züchtigung）は殆ど常に怒（Zornaffekt）の中に行はれるとはブーゼマンもその通りいつてゐる。(註一〇)そしてこのドイツの學者も叱責に於ける體罰の優勢な頻數を示す資料をもつてゐる。かくして、かゝる事情と對照的に、未開民族の怒をその叱責の場面に探ることが示唆される。

○

先づ、やはり高砂族から。岡田氏はいふ。「事實、原始民族に直接した人ならば何人でも此家族の結合の緊密なこと、家族員相互の愛情の深いことに驚くであらう。人は家族に於て愛情、權威

けたるかを教へられる。即ち先づ親の子に對する愛情は極めて深く、私の調査し得た範圍に於ても親が子を折檻するといふ樣なことは全く無いと言つてよい位である。諄々と說き聞かせれば子も亦直ちに過を改める。勿論中には强情なために親の手に餘る者もあるが、さういふ者は他の部落生活に於ても持て餘し者になることが多く、親族、他人の制裁を受けることが多い。從つて普通の家族生活に於ては親子は深い信賴感の上に立つて居る。(註一一)」

前述の通り「臺灣番族慣習研究」の中には各種族通有の「性情」が列擧されてゐる。又これが「一般未開民族ニ通有ナルモノ」といはれてゐる。そこに、前述の「喜怒哀樂忽チ外ニ形ハル」に次いで、「異族ニ對シテ凶害ヲ敢テ　するも「同族友愛ノ念ニ富ミ親族慈愛ノ情ニ厚ク又老幼ヲ憐愍シ……」と、幼を憐れむといはれてゐるのも一顧に價ひしよう。かた〴〵高砂族に於ける父母による叱責には餘り體罰によるものはないやうに考へられる。

次に前述の、未開民族ははげしく怒るといふ例として、ウェルネルの引用したアンダマンのミンコピー及びセイロンのヴェッダは如何に叱るかを見よう。

やはり、マンに依るが、「アンダマンの子供は厚かましく出過ぎる (impudent and forward) と叱られる (reproved)。併し訓練 (discipline) が體罰 (corporal punishment) の力をかりることは稀い。子供等には早くから寛大で自制することが敎へられる。」(九三頁)

セリグマンは、「ヴェッダは愛情の深い、子煩惱の親達で、子供が何か欲しがるのを拒むといふことは決してしないで、いつも一番よいものを與へる。」といひ、次のやうな例を擧げてゐる。二、三歳位の裸の子供が父の斧を肩にかけて、住居（Pihilegodagalge）の外を行きつ戻りつして得意さうに歩きまはつてゐる。非常に幸福なのである。だが、そのうちにそれで犬を嚇すので母がとめようとするとそれで母を打たうとする。それを見て、父が立つて來て、宥めて斧を捨てさせやうとする。併し子供はもう興奮してゐてそれを捨てやうとはしないで、しまひにはそれを父に投げつけて父の脚に當てる。父は明らかに困惑して斧を藪の中に投げ込んでしまう。併し既に怒つて泣き叫んでゐる子供を叱り（scold）も罰し（punish）もしない。そしてそのうちに何か食物をやつてだまらせる。（註一二）

これは、幼なさに對して示された親の寛大、自制の例であるけれども、次には七、八歳か八、九歳位の子供が母とはげしく議論してゐたのが、急にむきをかへて雨の中へ飛び出して、歸つて來た時には平靜を取戻してゐたといふ例を擧げてゐる。このやうに早くから、自制することが既に親から子へ移されてゐるのである。

ハンブリーに引用されたマリノウスキーに依れば、オーストラリヤの原住民社會に於ける親子の關係に關する四十一の記述の中三十五は明らかに、親子の間に強い愛情及び緊密感の存在を確

めてゐる。又、極度の寛容が通例のやうに見え、罰は一つも記録されてゐない。(註一三)

ハンブリーに引かれた、體罰がない、又は稀だといふ記述はこれのみに止らない。前述のセイロンのヴェッダに關するセリグマンも引かれてゐる。なほ次のやうに多くの引用がある。T. C. Hodsonによれば、北西部印度 (Manipur) の好戰的なナガ族も極めて子煩惱で訓練を缺き、それが子供を我儘にしてゐるが、とにかく子供に對して殘酷な例は一つも眼につかなかつたとのことである。(三三頁) F. Boasに依れば、エスキモー (Central Eskimo) の子供は非常に深切に取扱はれ、叱られるとか、むち打たれるとか、體罰を受けるとかのことはない。(三五頁、八六頁) J. W. Bilbyによれば、バッフィンランドのエスキモーは、時々妻を虐待することはあつても、子供の知るものは、最も深切な最も子煩惱な取扱ひだけである。(八六頁) T. Whiffenに依れば、アマゾンのインディヤンは決して子供を打つことはなく、又何等かの仕方で罰するといふことも稀である。(一〇〇頁) その他、タスマニヤ人、ビルマのシャン、ギアナのインディヤン、なほ北米のインディヤン、シベリヤ原住民、アイヌ、英領中央アフリカ原住民、それ〴〵についての引用の中にも親の子供に對する寛大な態度が記されてゐる。そして、ハンブリーは要約して、「大體として未開民族にあつては兩親は子供に對して深切で、愛情深く、興味をもつてをり、不活潑で、無感動である。」といふ。(一一九頁) かくして、「未開民族に於ける子供の取扱についての人類學的證左は

A. Wernerの意見を裏書きする。」といひ、それとして、「大體として私の考では若し原住民の親が彼等の義務に缺けるとしたらそれは彼等が餘りにもイージーゴーイングなのによる。」といふのを引用してゐる。（三五—三六頁）併し未開民族の子供の取扱方の特徴が、單にかゝる一つの性格學的特徴のみに基くと考へるのはあぶない。次に擧げる例の中、グリーンランドのエスキモー及び、ニューギニヤのアラペシュとムンドゥグモールの例は、それを警告してゐる。なほ後に引用するブーゼマンの言ふ所もそれとして參照さるべきである。

ミードの編輯する、十三の種族についての同數の報告の中、次の四種族については明らかに兩親による體罰の稀なことが記されてゐる。

（一）グリーンランドのエスキモー――子供はどんなにいふことをきかなくても決して罰されることはない。親の子供に對するかゝる寛容の理由について、西のコッパーマインエスキモーの間では、子供は近頃死んだ誰かの再生であり、子供が何かを望むのは子供としての氣まぐれではなくてこの再生した靈魂の表出であるといはれる。子供がいふことをきかないのではなくて兩親が老巧な靈魂の求める所を領會しないのである。それで子供の機嫌をとる方がよいのである。（註一四）

右に引用した例は兩親の寛大の理由がその種族の中に既に説明されてゐる稀な例であらう。

（二）東アフリカのバチガ――母は常に子供を甘やかしてゐるので、母が仕事をいひつけても、

「私はいやだ。」といふのが子供のよくいふ返事である。母は自分で水を汲んで歸つて來る。そしてびつこを引きながら、「私は彼を罰することができない。彼は私を愛しなくなるかも知れない。或ひは逃げ出して藪の中で眠るかも知れない。」と說明するであらう。あとの言葉は、よくほかの子供に非常に正確に石を投げる非常に惡い子供を打つことをしないことに對する說明であつた。

罰の代りに嚇かしがつかはれ、子供はいろ〳〵な妖怪を恐れるやうになる。それには想像的なものもあり、母の相妻（co-wife）の如き現實のものもある。時々嚇かしに父が打つといふことがいはれる。しかしこれはめつたに事實となることはない。小さな子供は父にすつかり打込んでゐることがよくあり、父について出歩くことを喜ぶ。（一四七―一四八頁）

（三）イロクヲイ――一九〇五年の報告によれば、體罰は用ゐられてゐなかつた。その代り顏に水をかける。極端な場合には超自然の魔を嚇かしにつかつて訓練の支へとした。かうして慈悲深いといふ親の名聲は保たれてゐた。（二七二頁）

右の引用に於ては顏に水をかけるといふことが體罰の中に入つてゐないが、そのことは私には奇異な感じを與へる。

（四）フィリッピンのイフガオにも、（五）ニューメキシコのズニインディヤンにも體罰は稀である。（二七一頁、三三九頁）

次の六種族は何れも體罰に關して言及される所はなく、又全體の教育に關する記述から大抵どれにも體罰がないと思はれるものである。

(一) ニューギニヤのアラペシュ――アラペシュの大人が子供のすることを禁止する場合が、子供の喧嘩について唯一つだけ記されてゐる。子供同志何時まで遊んでゐても少しも構はないが、少しでも言爭ひが始まると大人が割つて入り双方を引離して、別々の場所で蹴つても叫んでも轉げ廻つても地面には石や焚木を投げても、自分で自分の體をひつ搔いても嚙んでも自由にさせられるが、相手にさはつたり物を投げたりすることは許されない。これが習慣となつて他に對する自分の怒を自分のまはりに發散させてしまうことが大人の生活にも存續する。アラペシュの社會は人對人の關係が極めて穩やかなのを特徴としてゐて、人は他に對してアグレッシーヴであつてはいけないのであるが、右の場合はそれに對する訓練を丁度必要なだけ與へてそれ以上に更に體罰を加へるのでないことは、教育についての全體の記述を通して明らかである。一夫多妻制であるけれども相妻が互ひに對立するといふことはなく、一人の妻はほかの妻を自分の子供に對してほかの母といつて紹介しよい人といつてきかせることを、乳をやりながらなすべき教育の一つとしてゐる。從て後述のムンドゥグモールに於けるやうに一夫多妻制のために子供が母に味方して父に反抗するといふことはない。(四六頁、なほ、註一五)

(二)　カナダのオジブソア——子供が結婚するまでの、兩親の老巧な敎師振りが記されてゐる。（一二八頁）

(三)　ヴァンクーバー島のクワキウトゥルインディヤン

(四)　アドミラルティ諸島のマヌス

(五)　北米のダコタ——叱り役は兩親ではなくて、姉、次いでは兄又は從兄である。（四一九頁）

(六)　ニュージーランドのマオリ

殘りの二種族のうち、ポリネシヤ南西部のサモアンに於ては子供がむづかると年上の子守が大人から叱られ打たれる（三〇七頁）と記され、南アフリカのバソンガに於ては父は嚴格で非違を罰する（三七六頁）と記されてゐる。

サモアンについてはハンブリーも、兩親の訓練は氣まぐれで、ある時は子供は何でもいふなりに望がかなへられ、ある時は小さな罪に對してもはげしく打たれると T. B. Stair を引用してゐる。（ハンブリー、前出、六六頁）

かくの如く未開民族一般の名聲に反して體罰の行はれる例も二、三見受けられる。その類に入るものになほミードの記すニューギニヤのムンドゥグモールがある。そこには親子の間にはげしい對立がある。それは男の子を父から離し、女の子を母から離す系統組織(rope)と、八人乃至十人もの多妻を理想とする一夫多妻制とに基いてゐる。男の子が十か十二にもなる頃にはその母はもう父の愛妻ではない。父は若い妻を求める。古い妻はこれに反對して夫から打たれる。さういふ場合、男の子は母を防禦し父に反抗するものと豫期されてゐる。("Sex and Temperament" 一七六、一七七頁) 七歳の男の子が父に反抗して家を出て行つても父はそれを引止めやうとしない。(二一〇頁) 大體幼時から母の怨みとやる瀬なさが子供にあてつけられて、授乳にも落ちつきがない。離乳の過程にも打つことや不機嫌な言葉が伴ふ。(一九八頁) 泣くとびしやりとやられる。(二〇〇頁) 母は女の子に極彩色の小さな草のスカートをつけさせるがそれをよごすと怒つて引裂いてしまひ、わるいことをしたのだから裸でゐたらいゝといふ。(一九九頁) 怒つた親達は子供を蚊帳籠から追ひ出してつめたい、蚊に責められる夜を戸外で過させるやうにする。(二一八頁) もし娘が蚊帳籠の中に男を引入れてゐる所を見付けやうものなら、父の怒は激しく籠の口を締めて殆ど直立で高さ六、七呎の梯子 (house-ladder) から轉がり落してしまう。籠のまゝ蹴りもすれば槍や矢で突きさすことすらある。(二一七頁)

かくの如く體罰の行はれる例もあるけれども、一般には未開民族が子供に體罰を加へることは稀であるとされてゐる。それは前述の如くその例の方が廣く見出し得るのによる。そしてそのことは教育心理學的に次のやうにいはれる程一般的に受入れられてゐるのである。

「力を用ゐないでは子供を教育することはできない。それで先づ次のやうな特別な事情から危險が生じる。まづ、子供が實際成し得ることゝ、子供がやがてわれ〳〵の文化の世界に獨立して生活し得るために學ばねばならぬことゝの間には明らかに不釣合がある。この不釣合は技術が進歩すればする程、經濟生活が分化すればする程、卽ちすべての人の競爭の激化と個人の生活空間の縮小とにつれてひどくなる。このことから未開民族 (wenig kultivierte Völker) の子供の訓練 (Kinderzucht) が歐洲人より非常に穩やかで、例へば南米のインディヤンの子供はまだ笞罰を知らないといふ程であるといふことが一部領會される。文化の向上するにつれてかの不釣合が成立して後はじめて、スパルタ人、ローマ人、イスラエル人の「嚴格な訓練」が形づくられたのである。心理學的に見れば、それは兩親の要求と自然の子供の擧措との間のかの不自然な釣合から生ずる・情緒の放出に外ならない。(ブーゼマン、前出、四七頁)

かくして一應大體として未開民族は、われ〳〵のやうに叱責を著しい怒の所在としないといへる。しかしその場合には前述のサモアン、バチガ、ムンドゥグモールの例は除外され、その他のものが通例とされるのであるけれども、その大づかみな統計的取扱の信頼性に關してなほ事例の檢索が必要であらう。未知の事例を探るのは勿論、旣知のものにもなほ闡明を要すべきものがあらう。而して、叱責竝にそれにまつはる怒の事理解明のためにはこゝに除外されたものの中に旣に顯章に慣するものがあるといつてよい。

かくの如くにして、右に述べる所につき自分も檢索する所あり度く、私は高砂族について叱責情況の調査を試みた。

○

方　法

質問紙に記入を求める。團體的に。用紙は左に示す(1)、(2)になほ(2)と同樣な(3)、(4)、(5)を加へたもの。

被調査者

各族とも少數の部落に當つただけである。パイワン族ではマカザヤザヤ、下パイワン、ピューマの三社。ルカイ族ではトナ社。これらの部落に於ては、敎育所兒童及び最近二箇年の卒業生より成る群I（大ざつぱ乍ら年齡が一般國民學校兒童に相當する群）、それ以前の卒業生より成る群II、兩群を被調査者とした。

パングツァハ族では馬蘭公學校の六學年及び四學年兒童。アタイヤル族では内横屏及びカラパイ兩敎育所兒童。右以外の種族には調査は及んでゐない。

シカラレタコト (1)

オ父サンカラデモ、オ母サンカラデモ、先生カラデモ、ソノホカ　ダレカラシカラレタコトデモヨイ。又イツノコトデモヨイ。シカラレタコトヲ思イ出シテ下サイ。シカラレタコトハ　イクツモ　アルデシヨウ。(1)(2)(3)……ト、イクツモ　シカラレタコトガ　思イ出セルデシヨウ。

ソノ中デ、アナタガ　今　一バンハジメニ　思イ出シタ、シカラレタコト(1)ノコトダケヲ、ハツキリ思イウカベテイテ下サイ。ソウシテイテ、次ノ一カラ七マデノ問イニ　答エヲ書イテ下サイ。答エハ　クワシク、ソシテ正直ニ書クノデスヨ。答エノ文章ハ下手デモカマイマセン。

	問イ	答エ
一	ソレハ　イツ(イツゴロ)ノコトデスカ。	
二	ダレニ　シカラレタノデスカ。	
三	ソノトキ　シカラレタノハ　アナタガ　何ヲシタカラデスカ。	
四	シカツタ人ハ　ドウイウヨウニ　シカリマシタカ。	
五	シカラレテ　アナタハ　ドウ思イマシタカ。	
六	シカラレテ　アナタハ　ドウシマシタカ。	
七	シカツタ人ハ　ドウイウ　カンガエデ　シカツタノデシヨウカ。	

シカラレタコト (2)

マエニ書イタシカラレタコト(1)ノホカニ、ソノ次ニ思イ出シタシカラレタコト(2)ノコトダケヲハッキリ思イウカベテ下サイ。ソウシテイテ、ヤハリ次ノ一カラ七マデノ問イニ答エヲ書イテ下サイ。

	問イ	答エ
一	ソレハ イツ(イツゴロ)ノコトデスカ。	
二	ダレニ シカラレタノデスカ。	
三	ソノトキ シカラレタノハ アナタガ何ヲシタカラデスカ。	
四	シカッタ人ハ ドウイウヨウニシカリマシタカ。	
五	シカラレテ アナタハ ドウ思イマシタカ。	
六	シカラレテ アナタハ ドウシマシタカ。	
七	シカッタ人ハ ドウイウ カンガエデ シカッタノデショウカ。	

原寸の1/2

やり方

質問紙に印刷された教示は不滿足な點を免れてゐない。それを補ふために、パイワンとルカイとでは、被調査者に事例をいはせ記入欄にあてはめて黑板に書きながらよく說明する。そのために教示に約三十分を費す。實際の記入時間は一時間半乃至二時間である。パイワンとルカイとでは筆者が實施者としてそのやうにした。馬蘭へは當研究室の蔡君が行き、右の主旨に從て實施した。以上各地ともその族出身の通譯に最も堪能な者の通譯によつて實施者の說明の通じない所を補つた。內横屛では敎育擔任の內地人巡査に、カラパイでは敎育擔任のその族出身の巡査に、實施者として教示を一任し授業時間內に記入させた。

調査年月

內横屛——昭和十年六月。カラパイ——同年七月。パイワン、ルカイとも——昭和十四年八月

馬蘭——同年十月。

結　果

結果は表をして語らしめよう。

第一表には體罰報告人數と體罰報告件數とを示し、その各々の出席者人數又は叱責報告件數に對する百分比を擧げる。この兩百分比は各個それぐ〳〵體罰頻度とすることができるが、人數頻度

からは一人にどれだけ件數の體罰があるのか分らず、件數頻度からは一定件數が何人のものか分らず、相對照する必要があるので兩者を竝示する。

第二表は、多くの分表から成るが、體罰の仕方を區分し、各區分にどれだけ件數が入るか、各社、群別、男女別、而して父によるものと母によるものとを分けて示す。

第三表は、叱責理由を區分し、各區分にどれだけ件數入るか、又その件數の中どれだけが體罰によるのかを、第二表同樣多くの分表によつて詳しく示す。

表に明らかなやうに、種族によつて體罰の頻度は異り、パイワンにはそれが極めて小さく、トナ、馬蘭、アタイヤルと順次大きく、パイワンに對して極めて大きく開いて行く。

かくの如き現象に對して、パイワンに於ては發表の力がないか、又は有るものをかくして記さなかつたのではないかゞ疑はれる。しかし、詳しく叱責の情況を記し、親は敎へ子は服するありさまを傳へながら、體罰に言及されないのであり、又下パイワン及びピユーマ兩社に於ける通譯擔當者（同一人）のいふ所によれば、實際に體罰は稀なのである。

體罰の多い方について、無いのにあるいふとは疑ひ難い。そしてカラパイに於ける調査實施者は、叱責及び體罰を普通に行はれてゐることゝして、その理由及び仕方を書いて示したが、そのなかで、「惡い事をした際及び云ひ付けを守らない際は、直ちに手でたゝいたり、木の枝或は竹枝その場にあり次第のものでたゝく。」といふ。

馬蘭の報告は、多く子は親に追はれると思はせる。それはパイワンの報告が、多く親と子とは語り合ふと思はせるのと著しい對比をなす叱責情況の相違である。

又、體罰頻度の多いのをいはゞ文明への墮落と考へられないこともない。そしてとりわけ臺東街に含まれる馬蘭には本島人の影響が思はれる。しかし、アタイヤルについてカラパイの調査實施者の語る所からは古來體罰が行はれてゐるやうに解せられる。何れにせよ、右の如き現象の事理に關して深くたづさはることは他日を期するが、未開民族は叱責を怒の所在とするか否かについての高砂族からの答はこれだけの結果からも明らである。依然として、一概に未開民族は怒り易いとはいひ得ない。そこには怒り易からざる側の好例となすべき種族がある。しかし高砂族諸種族全體としてはその名聲を保ち難い。（一六・九・一五提出）

註一、Dembo, T.: Der Ärger als dynamisches Problem. Psychol. Forsch. XV. 1931.
二、Werner, H.: Einführung in die Entwicklungspsychologie. 1926.
三、拙稿「アタイヤル族とサイシャット族とに於ける指導社會との間の社會的境界現象」心理學研究、第十三卷、昭和十三年。
拙稿「高砂族の行動特性（その一）―パイワンとルカイ」臺北帝國大學文政學部哲學科研究年報、第六輯、昭和十四年。
四、Man, E. H.: On the Aboriginal Inhabitants of the Andaman Islands. (Part I, II, III). Journ. Anthropol. Inst,

XII, 1883. 八九頁。
五、「臺灣番族慣習研究」第一卷、大正十年。七六頁。
六、臨時臺灣舊慣調査會第一部「番族慣習調査報告書」第一卷、大正三年。四六頁。
七、同、第三卷、大正五年。二三頁。
八、同、第四卷、大正六年。二八頁。
九、拙稿「内臺兒童の叱罰の回想」臺灣教育、昭和十年三、四、五月。
拙稿「内臺兒童の叱られた經驗内容」日本學術協會報告、第十卷、第四號、昭和十年。

今は、體罰の中からこれら舊稿に於けるE、Gを除く。

一〇、Busemann, A.: Pädagogische Psychologie im Umrissen. 1932.
一一、岡田　謙「原始社會」弘文堂、教養文庫、昭和十四年。二一三頁。
一二、Seligmann, C. G. and B. Z. Seligmann: The Veddas. 1911. 九〇頁。
一三、Hambly, W. D.: Origins of Education among Primitive People. 1926. 三一頁。この外の引用頁は本文中に記す。
一四、Mead, Margaret (Ed.): Cooperation aud Competition among Primitive Peoples. 1937. 七六頁。この外の引用頁は本文中に記す。一々の報告者の名前は省略する。
一五、Mead, Margaret: Sex and Temperament in three Primitive Societies. 1935. をも併せて引用す。

表 1　　父母による體罰報告者人數及び體罰報告件數

		出席者人數	體罰報告者人數	百分比	叱責報告件數	體罰報告件數	百分比
マカザヤザヤ Ⅰ	男	29	6	21	94	12	13
	女	28	10	36	97	18	19
	計	57	16	28	191	30	16
下パイワン Ⅰ	男	37	3	8	89	4	4
	女	26	1	4	51	2	4
	計	63	4	6	140	6	4
ピューマ Ⅰ	男	24	3	13	17	4	24
	女	20	0	0	22	0	0
	計	44	3	7	39	4	10
トナ Ⅰ	男	24	14	58	108	36	33
	女	22	12	55	83	23	28
	計	46	26	57	191	59	31
內横屏	男	7	5	71	7	6	86
	女	10	5	50	12	9	75
	計	17	10	59	19	15	79
カラパイ	男	18	16	89	34	22	65
	女	6	6	100	12	9	75
	計	24	22	92	46	31	67
馬蘭六年	男	44	37	84	151	88	58
	女	39	21	54	78	31	40
	計	83	58	70	229	119	52
馬蘭四年	男	22	7	32	40	10	25
	女	19	10	53	45	13	29
	計	41	17	41	85	23	27
マカザヤザヤ Ⅱ	男	26	14	54	41	18	44
	女	17	4	24	41	9	22
	計	43	18	42	82	27	33
下パイワン Ⅱ	男	25	4	16	39	4	10
	女	12	1	8	19	1	5
	計	37	5	14	58	5	9
ピューマ Ⅱ	男	13	3	23	24	5	21
	女	5	1	20	11	1	9
	計	18	4	22	35	6	17
トナ Ⅱ	男	29	4	14	45	7	16
	女	11	1	9	22	2	9
	計	40	5	13	67	9	13

先生，兄、姉等を叱責者とする報告は除外してある。そのことは以下各表とも同じ。
叱責報告件數は表 3 の各分表最下段の計に一致する數。
體罰報告件數は表 2 の各分表最下段の計に一致しなほ表 3 の各分表最下段の計の右肩部に一致する數。

表 2　　父母による體罰の仕方報告件數 (1)

マカザヤザヤ Ⅰ

	男			女			計
	父	母	計	父	母	計	
たゝく	1	2	3	2	3	5	8
大きな竹でたゝく	1	—	1	—	—	—	1
たいまつでたゝく	—	—	—	1	1	2	2
たいまつをとつて手でたゝく	—	—	—	—	1(2)	1(2)	1(2)
頭をたゝく	2	—	2	2	3	5	7
つねつたりたゝいたり	—	—	—	—	1	1	1
御飯を食べさせない	1	1	2	—	—	—	2
しばる	3	1	4	1	2	3	7
計	8	4	12	6	11(12)	17(18)	29(30)

マカザヤザヤ Ⅱ

	男			女			計
	父	母	計	父	母	計	
たゝく、なぐる	2(3)	1	3(4)	2	2	4	7(8)
手でたたく	1	1	2	—	—	—	2
頭をたゝく、なぐる	1	1	2	—	—	—	2
叩いたりしばつたりする	—	—	—	1	1	2	2
ひどく叩く、御飯を食べさせない	1	1	2	1	1	2	4
御飯を食べさせない	3	2	5	—	—	—	5
頭をなぐる、御飯を食べさせない、外に出て入口をしめてかんてらを消す	1(2)	—	1(2)	—	—	—	1(2)
頭を叩く、家に入れない	—	1	1	—	—	—	1
外に出す、夜があけるまで	—	—	—	1	—	1	1
計	9(11)	7	16(18)	5	4	9	25(27)

括弧内に入つてゐる數字は——體罰仕方の區分から數へれば一件でも、表3に擧げるやうな叱責理由の區分から數へれば二件又は三件となる報告ある。つまり體罰は一つでもその理由は多岐となつてゐる。その場合體罰の仕方から數へた件數のみでなく、責理由から數へた件數をも示すために後者を括弧內に入れたのである。而して表1及び表3の體罰件數は

下パイワン Ⅰ

	男			女			計
	父	母	計	父	母	計	
たゝく	—	—	—	—	2	2	2
頭をたゝく	1	—	1	—	—	—	1
たゝいて御飯を食べさせない	—	1	1	—	—	—	1
御飯を食べさせない	1	1	2	—	—	—	2
計	2	2	4	—	2	2	6

下パイワン Ⅱ

	男			女			計
	父	母	計	父	母	計	
たゝく	2	—	2	—	—	—	2
頭をたゝく	—	—	—	—	1	1	1
顔をつねる	—	1	1	—	—	—	1
御飯を食べさせない	1	—	1	—	—	—	1
計	3	1	4	—	1	1	5

ピューマ Ⅰ

	男			女			計
	父	母	計	父	母	計	
たゝく	1	3	4	—	—	—	4
計	1	3	4	—	—	—	4

ピューマ Ⅱ

	男			女			計
	父	母	計	父	母	計	
げんこつ	—	1	1	—	—	—	1
手で顔をたゝく	1	—	1	—	—	—	1
頭をたゝく	1	1	2	—	—	—	2
たゝく、つねる、石を投げる	—	—	—	—	1	1	1
御飯を食べさせない	1	—	1	—	—	—	1
計	3	2	5	—	1	1	6

表 2　　父母による體罰の仕方報告件数　(3)

トナ I

	男			女			計
	父	母	計	父	母	計	
たゝく	9	7(8)	16(17)	2	6	8	24(25)
手でたゝく	4(5)	7	11(12)	3	3	6	17(18)
木でたゝく	—	1	1	—	—	—	1
竹でたゝく	—	1	1	—	1	1	2
棒でたゝく	3	—	3	—	4	4	7
まきでたゝく	—	—	—	1	—	1	1
頭を手でも棒でもたゝく	—	—	—	—	1	1	1
肩をたゝく	—	—	—	—	1	1	1
石を投げる	—	—	—	—	1	1	1
足を投げる	—	1(2)	1(2)	—	—	—	1(2)
計	16(17)	17(19)	33(36)	6	17	23	56(59)

トナ II

	男			女			計
	父	母	計	父	母	計	
たゝく	—	1	1	—	—	—	1
棒でたゝく	—	1	1	—	—	—	1
頭をたゝく	1	—	1	—	—	—	1
頭を手でたゝく	1(3)	—	1(3)	1	—	1	2(4)
頭を竹でたゝく	—	—	—	—	1	1	1
足で蹴る	1	—	1	—	—	—	1
計	3(5)	2	5(7)	1	1	2	7(9)

表 2　　　　父母による體罰の仕方報告件数 (上)

内 横 屏

	男			女			計
	父	母	計	父	母	計	
竹で叩く	1	—	1	—	—	—	1
頭を叩く	1(2)	—	1(2)	2	3	5	6(7)
顔を叩く	3	—	3	—	—	—	3
しばる	—	—	—	2	1	3	3
しばる、頭を叩く	—	—	—	1	—	1	1
計	5(6)	—	5(6)	5	4	9	14(15)

カ ラ パ イ

	男			女			計
	父	母	計	父	母	計	
たゝく	—	—	—	1	—	1	1
體を叩く	—	1	1	—	—	—	1
體を手で叩く	1	—	1	—	—	—	1
手で叩く	1	—	1	—	—	—	1
げんこつ	2	—	2	2	1	3	5
足や手を叩く	—	1	1	—	—	—	1
木で叩く	1	—	1	—	—	—	1
細い竹で叩く	—	—	—	2	—	2	2
ぼうで叩く	—	—	—	1	—	1	1
頭を叩く	1	—	1	—	—	—	1
頭を手で叩く	1	—	1	—	—	—	1
頭をげんこつ	1	—	1	—	1	1	2
木で頭を叩く	1	—	1	—	—	—	1
耳を引ばる	—	1	1	—	1	1	2
足を叩く	3	—	3	—	—	—	3
竹で足を叩く	1	—	1	—	—	—	1
尻を叩く	3	—	3	—	—	—	3
しばる	1	—	1	—	—	—	1
しばる、川の中へ捨てられると思ふ	1	—	1	—	—	—	1
しばる、竹で足を叩く	1	—	1	—	—	—	1
計	19	3	22	6	3	9	31

表 2　　父母による體罰の仕方報告件數（5）

馬　蘭　六　年

	男			女			計
	父	母	計	父	母	計	
たゝく、なぐる	5	11	16	4(5)	5	9(10	25(26)
ひつぱつてたゝく	1	—	1	—	—	—	1
壁にあつた荒棚をすぐ持出して私をめがけてたゝく	1	—	1	—	—	—	1
どんな棒でも拾つて投げる	1	—	1	—	—	—	1
水をくむ天秤棒で二三回なぐる	—	1	1	—	—	—	1
ひつぱつてまきの棒でなぐる	—	1	1	—	—	—	1
むちでたゝく	—	2	2	—	1	1	3
ひつぱり笞でたゝく	—	—	—	1	—	1	1
手でたゝく	—	1	1	—	—	—	1
頭をたゝく	—	1	1	—	1	1	2
頭にげんこつ	—	—	—	—	1	1	1
むちで頭をなぐる	1	—	1	—	—	—	1
髮の毛を引く	—	1	1	—	—	—	1
頰をたゝく	—	2	2	—	—	—	2
耳を引つぱる	4	8	12	—	3	3	15
耳を引く、げんこつする	—	1	1	—	—	—	1
たゝいたり耳を引いたり	1	—	1	—	—	—	1
耳を引つぱつてなぐる	—	2	2	—	—	—	2
籐の棒でたゝいり耳を引つぱつたり頰を引いたり頭を棒でたゝく	—	1	1	—	—	—	1
むちでなぐつたり、耳を引いたり又御飯を食べてはいけないといつたりげんこつをしたり	1	—	1	—	—	—	1
手をたゝく	—	—	—	—	1	1	1
棒をもつてたゝいた時に丁度手に當る	—	—	—	—	1	1	1
脚をたゝく	—	—	—	2	—	2	2
脚をたゝいたり顔をたゝいたり耳を引つぱつたりする	—	1	1	—	—	—	1
脚をたゝいたり、耳を引いたり頭をたゝく	—	1	1	—	—	—	1
尻をたゝく	5	10	15	—	1	1	16
むちで尻をたゝく	1	2	3	—	4	4	7
なぐる、尻があかくはれる	1	—	1	—	—	—	1
手をつかまへて尻をたゝく	—	1	1	—	—	—	1
頭をたゝく、尻をたゝく	1	—	1	—	—	—	1
耳を引いたり尻をたゝく	—	2	2	—	—	—	2
尻と耳をたゝく	—	—	—	—	1	1	1
まきをとつて尻をたゝく、耳を引つぱる	—	—	—	1	—	1	1
むちで尻をたゝく、耳を引つぱつて頭をたゝく	1	—	1	—	—	—	1
尻を笞でたゝいたり馬鹿野郎といつて耳をひいたり、阿呆といつて又尻をたゝいたり、頰をたゝいたりする	—	1	1	—	—	—	1
頭をたゝく、手をたゝく、尻を叩く	1	—	1	—	—	—	1
むちで頭、尻、脚などをたゝく	1	—	1	—	—	—	1
脚をひどくたゝく、手をたゝく、尻をいくつもたゝく	1	—	1	—	—	—	1
追ひかけて來て足で蹴とばして尻をむちでたゝく	1	—	1	—	—	—	1
締を投げたり、尻をけつたり	1	—	1	—	—	—	1
むちで尻をたゝく、御食を食べさせない	—	—	—	—	1	1	1
御食を食べさせない	2	5	7	—	1	1	8
いたい	1	—	1	—	1	1	2
ひどいばつ	—	1	1	—	—	—	1
計	32	56	88	8(9)	22	30(31)	118(119)

表 2　　父母による體罰の仕方報告件數　(6)

馬蘭四年

	男			女			計
	父	母	計	父	母	計	
たゝく	1	1	2	1	1	2	4
棒をもつてたゝく	—	—	—	1	—	1	1
頭をたゝく	2	—	2	1	—	1	3
手をたゝく	—	—	—	—	1	1	1
尻をたゝく	2	4	6	5	3	8	14
計	5	5	10	8	5	13	23

表 3　　　　　　　　　　理由別叱責件數並に體罰件數 (4)

ト　　ナ

叱責理由	群 I 男 父	男 母	男 計	女 父	女 母	女 計	計		群 II 男 父	男 母	男 計	女 父	女 母	女 計	計
a 水を汲みに行かない。	8^{1}	4^{3}	12^{4}	6^{1}	14^{5}	20^{6}	32^{10}	a	2^{1}	1	3^{1}	—	4	4	7^{1}
b 粟(又は米)をつかない。	—	—	—	—	2	2	2	b	2	—	2	1	1	2	4
c 掃除又は洗濯をしない。	2^{1}	—	2^{1}	1	—	1	3^{1}	c	—	1	1	2	—	2	3
d 御飯をたかない。	3	—	3	—	—	—	3	d	1^{1}	—	1^{1}	1	1	2	3^{1}
e 畠に行かない。	7^{1}	3^{1}	10^{2}	3^{2}	3	6^{2}	16^{4}	e	7	3	10	2	1	3	13
f 畠から歸るのを迎へに行かない。	—	—	—	—	—	—	—	f	—	—	—	—	—	—	—
g 薪(又はたいまつ、かや)を取りに行かない。	—	—	—	—	—	—	—	g	1	—	1	—	1	1	2
h 水牛の番をしない。(又は豚に餌をやらない)	—	1	1	—	—	—	1	h	—	—	—	—	—	—	—
i 子守をしない。	—	1	1	—	3^{1}	3^{1}	4^{1}	i	—	—	—	—	—	—	—
j 喧嘩。	22^{7}	13^{7}	35^{14}	8^{1}	6^{2}	14^{3}	49^{17}	j	3	—	3	1^{1}	—	1^{1}	4^{1}
k 破損。紛失。(器具其他)	13^{4}	8^{4}	21^{8}	5	10^{5}	15^{5}	36^{13}	k	4	2^{1}	6^{1}	—	1	1	7^{1}
l 盗む。(畑のものなど)	4	4^{1}	8^{1}	2	1	3	11^{1}	l	—	—	—	—	—	—	—
m 學校に行かない、おくれる。勉强しない。	—	—	—	—	—	—	—	m	3^{3}	—	3^{3}	1	—	1	4^{3}
n 「遊ぶ」「いたづら」などと記すもの。	—	—	—	1^{1}	—	1^{1}	1^{1}	n	—	2	2	—	—	—	2
o 「いふことをきかない」「手傳をしない」などと記すもの。	4^{2}	4^{2}	8^{4}	1	2^{1}	3^{1}	11^{5}	o	3	—	3	—	—	—	3
p 具體的に理由を記すが a—m の範圍に入らないもの。	4^{1}	2^{1}	6^{2}	—	4	4	10^{2}	p	5	1^{1}	6^{1}	2	2^{1}	4^{1}	10^{2}
q 理由を記さないもの。	1	—	1	5^{1}	6^{3}	11^{4}	12^{4}	q	1	3	4	—	1	1	5
計	68^{17}	40^{19}	108^{36}	32^{6}	51^{17}	83^{23}	191^{59}	計	32^{5}	13^{2}	45^{7}	10^{1}	12^{1}	22^{2}	67^{9}

表 3　　　　理由別叱責件數竝に體罰件數 (3)

ピューマ

	叱責理由	群 I								群 II						
		男			女			計		男			女			計
		父	母	計	父	母	計			父	母	計	父	母	計	
a	水を汲みに行かない。	5^{1}	4	9^{1}	6	2	8	17^{1}	a	—	2	2	1	2^{1}	3^{1}	5^{1}
b	粟(又は米)をつかない。	—	1	1	1	1	2	3	b	—	—	—	—	1	1	1
c	掃除又は洗濯をしない。	—	—	—	—	1	1	1	c	—	1	1	—	—	—	1
d	御飯をたかない。	—	—	—	—	—	—	—	d	—	—	—	—	—	—	—
e	畠に行かない。	—	1^{1}	1^{1}	1	2	3	4^{1}	e	3^{2}	4	7^{2}	1	—	1	8^{2}
f	畠から歸るのを迎へに行かない。	—	1^{1}	1^{1}	1	3	4	5^{1}	f	—	1	1	—	—	—	1
g	薪(又はたいまつ、かや)を取りに行かない。	—	1^{1}	1^{1}	—	—	—	1^{1}	g	1	1	2	—	1	1	3
h	水牛の番をしない。(又は豚に餌をやらない)	—	—	—	—	—	—	—	h	—	—	—	—	—	—	—
i	子守をしない。	—	—	—	—	1	1	1	i	—	—	—	—	1	1	1
j	喧嘩。	—	—	—	—	—	—	—	j	—	2	2	—	—	—	2
k	破損。紛失。(器具其他)	2	—	2	—	—	—	2	k	1	1^{1}	2^{1}	1	—	1	3^{1}
l	盜む。(畑のものなど)	—	—	—	—	—	—	—	l	—	—	—	—	—	—	—
m	學校に行かない、おくれる。勉强しない。	—	—	—	—	—	—	—	m	1	1	2	—	—	—	2
n	「遊ぶ」「いたづら」などと記すもの。	—	—	—	—	—	—	—	n	—	—	—	—	1	1	1
o	「いふことをきかない」「手傳をしない」などと記すもの。	—	—	—	—	2	2	2	o	—	—	—	—	1	1	1
p	具體的に理由を記すが a－m の範圍に入らないもの。	—	1	1	—	—	—	1	p	3^{1}	1	4^{1}	—	—	—	4^{1}
q	理由を記さないもの。	—	1	1	1	—	1	2	q	—	1^{1}	1^{1}	—	1	1	2^{1}
	計	7^{1}	10^{3}	17^{4}	10	12	22	39^{4}	計	9^{3}	15^{2}	24^{5}	3	8^{1}	11^{1}	35^{6}

表 3 理由別叱責件數並に體罰件數 (4)

ト　　ナ

叱責理由	群 I								群 II						
	男			女			計		男			女			計
	父	母	計	父	母	計			父	母	計	父	母	計	
a 水を汲みに行かない。	8^{1}	4^{3}	12^{4}	6^{1}	14^{7}	20^{6}	32^{10}	a	2^{1}	1	3^{1}	—	4	4	7^{1}
b 粟(又は米)をつかない。	—	—	—	—	2	2	2	b	2	—	2	1	1	2	4
c 掃除又は洗濯をしない。	2^{1}	—	2^{1}	1	—	1	3^{1}	c	—	1	1	2	—	2	3
d 御飯をたかない。	3	—	3	—	—	—	3	d	1^{1}	—	1^{1}	1	1	2	3^{1}
e 畠に行かない。	7^{1}	3^{1}	10^{2}	3^{2}	3	6^{2}	16^{4}	e	7	3	10	2	1	3	13
f 畠から歸るのを迎へに行かない。	—	—	—	—	—	—	—	f	—	—	—	—	—	—	—
g 薪(又はたいまつ、かや)を取りに行かない。	—	—	—	—	—	—	—	g	1	—	1	—	1	1	2
h 水牛の番をしない。(又は豚に餌をやらない)	—	1	1	—	—	—	1	h	—	—	—	—	—	—	—
i 子守をしない。	—	1	1	—	3^{1}	3^{1}	4^{1}	i	—	—	—	—	—	—	—
j 喧　嘩。	22^{7}	13^{7}	35^{14}	8^{1}	6^{2}	14^{3}	49^{17}	j	3	—	3	1^{1}	—	1^{1}	4^{1}
k 破損。紛失。(器具其他)	13^{4}	8^{4}	21^{8}	5	10^{5}	15^{5}	36^{13}	k	4	2^{1}	6^{1}	—	1	1	7^{1}
l 盗む。(畑のものなど)	4	4^{1}	8^{1}	2	1	3	11^{1}	l	—	—	—	—	—	—	—
m 學校に行かない、おくれる。勉強しない。	—	—	—	—	—	—	—	m	3^{3}	—	3^{3}	1	—	1	4^{3}
n 「遊ぶ」「いたづら」などと記すもの。	—	—	—	1^{1}	—	1^{1}	1^{1}	n	—	2	2	—	—	—	2
o 「いふことをきかない」「手傳をしない」などと記すもの。	4^{2}	4^{2}	8^{4}	1	2^{1}	3^{1}	11^{5}	o	3	—	3	—	—	—	3
p 具體的に理由を記すが a—m の範圍に入らないもの。	4^{1}	2^{1}	6^{2}	—	4	4	10^{2}	p	5	1^{1}	6^{1}	2	2^{1}	4^{1}	10^{2}
q 理由を記さないもの。	1	—	1	5^{1}	6^{3}	11^{4}	12^{4}	q	1	3	4	—	1	1	5
計	68^{17}	40^{19}	108^{36}	32^{6}	51^{17}	83^{23}	191^{59}	計	32^{5}	13^{2}	45^{7}	10^{1}	12^{1}	22^{2}	67^{9}

表 3　　理由別叱責件數竝に體罰件數 (3)

ピューマ

	叱責理由	群 I 男 父	群 I 男 母	群 I 男 計	群 I 女 父	群 I 女 母	群 I 女 計	群 I 計		群 II 男 父	群 II 男 母	群 II 男 計	群 II 女 父	群 II 女 母	群 II 女 計	群 II 計
a	水を汲みに行かない。	5^{1}	4	9^{1}	6	2	8	17^{1}	a	—	2	2	1	2^{1}	3^{1}	5^{1}
b	粟(又は米)をつかない。	—	1	1	1	1	2	3	b	—	—	—	—	1	1	1
c	掃除又は洗濯をしない。	—	—	—	—	1	1	1	c	—	1	1	—	—	—	1
d	御飯をたかない。	—	—	—	—	—	—	—	d	—	—	—	—	—	—	—
e	畠に行かない。	—	1^{1}	1^{1}	1	2	3	4^{1}	e	3^{2}	4	7^{2}	1	—	1	8^{2}
f	畠から歸るのを迎へに行かない。	—	1^{1}	1^{1}	1	3	4	5^{1}	f	—	1	1	—	—	—	1
g	薪(又はたいまつ、かや)を取りに行かない。	—	1^{1}	1^{1}	—	—	—	1^{1}	g	1	1	2	—	1	1	3
h	水牛の番をしない。(又は豚に餌をやらない)	—	—	—	—	—	—	—	h	—	—	—	—	—	—	—
i	子守をしない。	—	—	—	—	1	1	1	i	—	—	—	—	1	1	1
j	喧嘩。	—	—	—	—	—	—	—	j	—	2	2	—	—	—	2
k	破損。紛失。(器具其他)	2	—	2	—	—	—	2	k	1	1^{1}	2^{1}	1	—	1	3^{1}
l	盗む。(畑のものなど)	—	—	—	—	—	—	—	l	—	—	—	—	—	—	—
m	學校に行かない、おくれる。勉强しない。	—	—	—	—	—	—	—	m	1	1	2	—	—	—	2
n	「遊ぶ」「いたづら」などと記すもの。	—	—	—	—	—	—	—	n	—	—	—	—	1	1	1
o	「いふことをきかない」「手傳をしない」などと記すもの。	—	—	—	—	2	2	2	o	—	—	—	—	1	1	1
p	具體的に理由を記すが a−m の範圍に入らないもの。	—	1	1	—	—	—	1	p	3^{1}	1	4^{1}	—	—	—	4^{1}
q	理由を記さないもの。	—	1	1	1	—	1	2	q	—	1^{1}	1^{1}	—	1	1	2^{1}
	計	7^{1}	10^{3}	17^{4}	10	12	22	39^{4}	計	9^{3}	15^{2}	24^{5}	3	8^{1}	11^{1}	35^{6}

表 3　　理由別叱責件數竝に體罰件數 (6)

馬　　蘭

叱責理由		六年								四年						
		男			女			計		男			女			計
		父	母	計	父	母	計			父	母	計	父	母	計	
a	水を汲みに行かない。	5^{5}	17^{9}	22^{14}	2^{1}	16^{6}	18^{7}	40^{21}	a	—	2	2	3^{2}	4^{1}	7^{3}	9^{3}
b	粟(又は米)をつかない。	—	4^{2}	4^{2}	—	—	—	4^{2}	b	—	—	—	—	1	1	1
c	掃除又は洗濯をしない。	1^{1}	6^{1}	7^{5}	3^{2}	8^{4}	11^{6}	18^{11}	c	—	1	1	—	—	—	1
d	御飯をたかない。	2^{2}	4^{3}	6^{5}	—	4^{3}	4^{3}	10^{8}	d	—	—	—	—	—	—	—
e	畠に行かない。	2^{2}	3^{3}	5^{5}	—	—	—	5^{5}	e	3^{1}	2^{1}	5^{2}	4^{2}	1	5^{2}	10^{4}
f	畠から歸るのを迎へに行かない。	—	—	—	—	—	—	—	f	—	—	—	—	—	—	—
g	薪(又はたいまつ、かや)を取りに行かない。	1^{1}	—	1^{1}	1^{1}	—	1^{1}	2^{2}	g	1	1	2	—	2	2	4
h	水牛の番をしない。(又は豚に餌をやらない)	4^{2}	11^{7}	15^{9}	1^{1}	2^{2}	3^{3}	18^{12}	h	1^{1}	1	2^{1}	1	—	1	3^{1}
i	子守をしない。	—	1^{1}	1^{1}	—	2^{1}	2^{1}	3^{2}	i	—	—	—	—	1^{1}	1^{1}	1^{1}
j	喧嘩。	4^{3}	3^{2}	7^{5}	—	1	1	8^{5}	j	—	—	—	—	—	—	—
k	破損。紛失。(器具其他)	4^{2}	5^{1}	9^{3}	—	1	1	10^{3}	k	—	—	—	—	—	—	—
l	盜む。(畑のものなど)	—	1^{1}	1^{1}	—	—	—	1^{1}	l	—	1	1	—	—	—	1
m	學校に行かない、おくれる。勉強しない。	—	2^{1}	2^{1}	2^{1}	—	2^{1}	4^{2}	m	1^{1}	—	1^{1}	—	1	1	2^{1}
n	「遊ぶ」「いたづら」などと記すもの。	1	7^{4}	8^{4}	3	5^{2}	8^{2}	16^{6}	n	3	3	6	2^{1}	3	5^{1}	11^{1}
o	「いふことをきかない」「手傳をしない」などと記すもの。	6^{3}	9^{3}	15^{6}	3^{2}	5	8^{2}	23^{8}	o	6^{1}	4^{2}	10^{3}	2^{2}	5^{1}	7^{3}	17^{6}
p	具體的に理由を記すが a—m の範圍に入らないもの。	2^{1}	10^{6}	12^{7}	—	8^{2}	8^{2}	20^{9}	p	—	—	—	1	4^{2}	5^{2}	5^{2}
q	理由を記さないもの。	18^{10}	18^{9}	36^{19}	3^{1}	8^{2}	11^{3}	47^{22}	q	6^{1}	4^{2}	10^{3}	5^{1}	5	10^{1}	20^{4}
計		50^{32}	101^{56}	151^{88}	18^{9}	60^{22}	78^{31}	229^{119}	計	21^{5}	19^{5}	40^{10}	18^{8}	27^{5}	45^{13}	85^{23}

表 3　理由別叱責件數並に體罰件數 (5)

内横屏								カラバイ							
叱責理由	男			女			計		男			女			計
	父	母	計	父	母	計			父	母	計	父	母	計	
a 水を汲みに行かない。	—	—	—	—	—	—	—	a	—	—	—	—	—	—	—
b 粟(又は米)をつかない。	—	—	—	—	—	—	—	b	—	—	—	—	—	—	—
c 掃除又は洗濯をしない。	—	—	—	—	—	—	—	c	—	—	—	—	—	—	—
d 御飯をたかない。	—	—	—	—	—	—	—	d	—	—	—	—	—	—	—
e 畠に行かない。	—	—	—	—	—	—	—	e	1^{1}	—	1^{1}	—	—	—	1^{1}
f 畠から歸るのを迎へに行かない。	—	—	—	—	—	—	—	f	—	—	—	—	—	—	—
g 薪(又はたいまつ、かや)を取りに行かない。	—	—	—	—	—	—	—	g	—	—	—	—	—	—	—
h 水牛の番をしない。(又は豚に餌をやらない)	—	—	—	—	—	—	—	h	—	—	—	—	—	—	—
i 子守をしない。	—	—	—	—	—	—	—	i	—	—	—	—	1	1	1
j 喧嘩。	2^{2}	1	3^{2}	1^{1}	5^{3}	6^{4}	9^{6}	j	1	1^{1}	2^{1}	—	—	—	2^{1}
k 破損。紛失。(器具其他)	—	—	—	—	—	—	—	k	1^{1}	—	1^{1}	—	—	—	1^{1}
l 盗む。(畑のものなど)	—	—	—	—	—	—	—	l	5^{4}	1^{1}	6^{5}	1^{1}	—	1^{1}	7^{6}
m 學校に行かない、おくれる。勉强しない。	—	—	—	—	—	—	—	m	2^{2}	—	2^{2}	—	1^{1}	1^{1}	3^{3}
n 「遊ぶ」「いたづら」などと記すもの。	4^{4}	—	4^{4}	—	—	—	4^{4}	n	6^{3}	—	6^{3}	1^{1}	—	1^{1}	7^{4}
o 「いふことをきかない」「手傳をしない」などと記すもの。	—	—	—	4^{3}	1^{1}	5^{4}	5^{4}	o	10^{7}	3^{1}	13^{8}	5^{4}	3^{2}	8^{6}	21^{14}
p 具體的に理由を記すが a—m の範圍に入らないもの。	—	—	—	—	—	—	—	p	3^{1}	—	3^{1}	—	—	—	3^{1}
q 理由を記さないもの。	—	—	—	1^{1}	—	1^{1}	1^{1}	q	—	—	—	—	—	—	—
計	6^{6}	1	7^{6}	6^{5}	6^{4}	12^{9}	19^{15}	計	29^{19}	5^{3}	34^{22}	7^{6}	5^{3}	12^{9}	46^{31}

社會的場と人格

――力學的立場よりみたる――

福島重一

目次

一、社會的行動

凡て行動は意味をもつてゐる。たとへばひとが一寸立上るにしても無意味になされはしない。彼はたとへばどこかへ行かうとして立上るのである。われわれが他者の行動の意味を理解するのは、その行動の目標が知られる限りに於てゞある。行動の目指す目標によつて行動の意味は知られるのである。われわれが動物の行動を理解するのも、その行動をその行動の目標となる對象に對する反應としてみることによつてゞある。たとへば肉片に近づく犬の行動を見るとき、われわれは犬が肉を得ようとしてゐるのだと知るのである。

一般に行動は何かをなすものであり、この主體によつてなされる事が行動の意味をなす。主體に自らの行動の意味が知られるのも、その行動によつて生起せしめられるその働きかける對象の反應によつてゞある。小鳥におそひかゝる猛禽はその行動の意味を、自らの行動によつて生起せしめられる小鳥の反應によつて知るのである。然し乍ら自らの行動の意味がその働きかける對象の反應によつて知られるのは、行動が特定の目標を目指すものであり、主體の要求を充たす過程に外ならぬからである。行動によつて生起せしめられた反應によつて行動の意味が主體に知られるのは對象の反應によつて主體の要求が充たされ、或は充たされないからである。從つてもしかうした要求が主體に存しないならば、對象は主體にとつて意味のないものであり、その反應も主體にとつてどうでもよいものにちがひない。對象の反應はこのやうに主體の要求充足に關係を有するものであるから、對象は主體に或る特定の情緒的反應を生ぜしめるのである。行動はかうした情緒的反應を生ぜしめる對象に對してなされるのである。

一般に情緒はそれを生起せしめた對象に投射されるものである。われわれはわれわれの眺める繪によつて生ぜしめられた情緒的反應を繪そのものゝ性質であるとなす。然しこれはたゞ單に美的なものについてのみ言はれる事ではない。美味さうなものとは美味さうな感じを生ぜしめるものであり、氣持のわるいものとは氣持の惡い感じを生ぜしめるものであり、可愛らしいものとは可愛らしいといふ感じを生ぜしめるものである。われわれはかうした情緒的反應を、それを生ぜしめた對象の性質であるとなす。動物の生活する環境はかうした情緒的反應を生ぜしめる對象から成立つてゐる。かうした意味に於て、環境は主體の要求によつて彩られてゐる。動物は對象によつて生ぜしめられる情緒的反應によつて導かれ、その要求を充たすのである。然し乍ら要求が充たされると共に、對象は最早や主體に何等の反應を生ぜしめない。環境の內容は主體の要求によつて一變せられる。

凡て行動は主體の要求を充たすためになされるものであり、主體の要求充足に關係を有するやうな對象のみが主體に對して反應を迫ることが出來る。從つて同じ種に屬する個體相互の間に接觸交通がなされ得るためには、相互に他の個體の存在が主體の要求の充足に關係をもつてゐなければならぬ。さもなければ個體間の交通接觸は生じない。個體は共通の目標の遂求に於て相會するのである。二匹の犬は一片の肉片を目指して相會し、性的興奮期に於ては凡ての動物は、性的要求の充足を目標として異性に近づく。然し乍らわれわれは肉片を爭ふ二匹の犬の行動を社會的だとは言はないし、異性を求めそれに近づかうとする行動はそれ自體としては社會的行動とは呼ばれない。たゞそれが特定の社會的集團に於ける行動としてみられる限りに於て、それは社會的行動であると言はれる。行動は同じ集團に屬する他の個體の行動、生活と或聯關をもつてゐる限りに於て社會的と呼ばれる。たとへば家庭生活を營む動物に於ては、その凡ゆる行動が社會的なのではなく、家庭生活に聯關を有つやうな行動のみが社會的だと言はれるのである。

かうした意味に於て群をなして生活する動物の外敵に對して發する叫び聲は明かに社會的行動である。といふのは全群はその叫び聲に反應してとび立つて走り出し、危險をのがれるからである。然し外敵に對して發する恐怖の叫び聲は明かに外敵の襲來をその仲間に傳へるものではあるが、それは仲間に傳へんとして發せられるものではない。それはオグデンも言つてゐるやうに＊

外敵の襲來によつてその環境が恐怖に充ちたものとなる事から自ら生ずる反應である。それは動物を包んでゐる環境の情緒的色彩を其の儘に表現したものに外ならぬ。從つてその叫び聲を聞く他の成員の環境をもさうした色彩をもつて塗りつぶすのである。實にこのことが全集團を一つの個體のやうに飛び立たしめるのである。だから集團をなして生活する動物の行動は社會的行動と呼ばるべきものであるが、われわれは動物がたゞ單に集團的生活をなすといふことから、集團をなす成員相互の間に社會的交涉が存するのであるといふことは出來ない。

* C. K. Ogden; The A. B. C of Psychology, London 1930 p.124

集團に屬する成員と成員との交涉がなされ得るためには、主體は他者の行動を自らの行動に對する反應としてゐることが出來なければならぬ。然しこのことは主體が集團からの或程度の獨立性を獲得することなくしてはなされ得ない。群居動物に於ては、主體は未だ集團から分化されてゐない。主體は集團から獨立せる主體としての意味をもつてゐない。だから集團は一つの個體のやうに外的環境に對して反應するのである。從つて動物に於ては行動はよし社會的ではあつても彼等相互の間には社會的交涉が存するとはいへない。嚴密な意味に於ては社會的交涉は人間的社會にのみ存するものである。

ではひとは如何なる條件の下に於て、他者の行動を自らの行動に對する反應としてみる事が出來るか。凡て行動は主體の要求を充たすためになされるものであるから、ひとが他者の行動を自らの行動に對する反應として認めるのも、他者の行動が主體の要求充足に對して無關係でないがためでなければならぬ。他者の行動が主體の目標遂求の障害ともなれば、助成するやうな條件ともなるやうな場合にのみ、他者の行動は主體の行動に對する反應としてみられ得る。從つて他者の行動が主體の行動に對する反應としてみられるのは、彼等が共通の目標を遂求するものであるがためでなければならぬ。然しただ單に共通の目標を遂求するといふことだけからは、先にもみたやうに社會的交渉は成立たない。社會的交渉が成立つためには、ひとは他者の行動を自らの行動に對する反應としてみることが出來なければならぬ。言ひかへれば他者の行動を自らの行動に對する應へとしてみることが出來なければならぬ。從つてそこには他者を自らと同じやうな主體として把握するといふことがなければならぬ。自分と同じ目標を遂求する主體として他者を認めるといふことがなければならぬ。言ひかへれば共通の目標を遂求する人々の一團に屬する成員として自らを認め他者を認めるといふことがなければならぬ。これが凡ゆる社會的交渉を成立たしめるために缺くことの出來ない條件である。たとへば經濟的交渉にしても、共通の目標を遂求する人々の一團に屬するものとして、相互に承認するといふことがなければ成立たない。

このやうに社會的交渉が成立つためには相互に他者を共通の目標を遂求する人々の一團に屬す

る成員として認めるといふことがなければならないが、たゞ單にひとびとが共通の目標を遂求するといふことだけからはその生活が協働的であるとは言へない。共通の目標を遂求すればこそひとびとは衝突することもあるからである。たとへばひとびとが競爭するのは共通の目標を遂求するひとびとの一團に屬する成員として相互に他者を承認してゐるがためではあるが、この場合ひとびとの行動の目標となるものは競爭に勝つといふことである。この仲間に勝つといふことが共通の目標となつてゐる。更に商人同志が競爭する場合にしても、彼等が競爭するのは、たとへば得意の獲得であらう。得意の獲得といふ共通の目標を目指して行動がなされるがために、そこに衝突も生ずるのである。競爭は一般に共通の目標を遂求することから生ずるのであつて、共通の目標の缺除から生ずるのではない。それは共通の目標を遂求する一團のひとびとの間に生ずる現象である。だから競爭は又協働に轉化され得るのである。競爭によつてではなく、協働によつて一層共通の目標に容易に達せられる事が、競爭者達によつて認められるとき、それは協働に轉じ得る。たとへば商人は價格を協定するとか、或は得意の分野をきめるとかして協力することもあり得るのである。といふのはそれは競走に於けるやうに競爭そのものが目標ではないからである。

一般に社會的交渉が成立つためには、共通の目標を遂求する人々の一團に屬する成員として相互に他者を承認するといふことがなければならないが、この場合交渉が協働の形をとつて現はれるか、或は衝突といふ形をとつて現はれるかといふことはその時々の事情に基くのであつて、その遂求する目標そのものゝ性質には依存しないやうに思はれる。たとへば、人々の間に勞働の生産物の交換、或は賣買がなされるのは、交換或は賣買によつて兩者共その要求を充たす事が出來るからである。從つてそこにはひとびとの協力がある。然しこの場合、目標となるのは單なる交換ではなく、主體にとつて有利な交換である。從つてこの共通目標の故に、協働が生じ得ると同樣に、對立の生ずる可能性がある。しかし對立は彼等が共通の目標に向つて進んでゐるといふ事から生ずるのであるから、兩者共適當だと認める條件の下に於て對立は和解せしめられるのである。私はそこに於てひとびとの協働が存するにせよ、或は衝突が存するにせよ、共通の目標を遂求するひとびとの一團を社會的場として記述することにしよう。社會的場に於ては、その場に屬する個人或は集團の要求を充たすためになされる行動は、同じ要求を充たすために他の個人或は集團によつてなされる行動にとつて都合のよいこともあれば都合の惡いこともある。從つて成員は他者のさうした行動に對して無關心ではあり得ない。このことがひとびとをして相互に他者の行動を自らの行動に對する反應として認めることを得しめるのである。

一二、環境を主體の要求を充たすに都合のよいやうに變化せしめるといふことは、人間の共通の要求である。從つて人々はこの要求を充足せしめるために協力することもあれば競争することもある。といふのは、共通の目標は主體の都合のよいやうにといふことであり、或者にとつて都合のよい條件は他の者にとつて必ずしも都合のよい條件ではないからである。從つて生活條件を主體の要求を充たすに都合のよいやうに變化せしめるといふことは、ひとが社會的場に屬する成員である限りに於て、他の成員がこれを承認する限りに於てなすことが出來る。從つて生活條件を主體の要求を充たすに都合のよいやうに變化せしめようとする要求は、ひとが社會的場に屬する成員である限りに於て、主體にとつて都合のよいやうな條件を社會的場に於て獲得しようとする要求となる。人々はこの共通の目標に於て相會するのである。これが凡ゆる社會的存在の政治的並に經濟的行動の目標となる。從つてそこには協働といふことが成立ち得ると全く同樣に衝突の生ずる可能性がある。一般に協働にしても衝突にしても、場に屬する凡ての成員が主體にとつて都合のよい生活條件を獲得するといふ共通の目標を遂求することから生ずるのである。この共通の目標のために、商人は競爭し、政黨は爭ひ、國と國とは武器をとつて戰ふのである。然し乍ら生活條件は他の成員の承認をまつて始めて確保せられるものである。從つて對立は和解に、衝突は協働に轉じ得るものである。といふのは、衝突は相互に他者の承認を要求する事から生ずるものとしてあく迄も協働を目指すものでなければならぬからである。

然し乍ら社會的場に於てひとびとの相會するのは、その行動が生活條件の確保に向けられてゐるがためのみではない。ひとは生そのもの丶充實を目指して社會的場に於て他者と出會ふのである。ひとが科學、藝術、宗敎、道德を遂求するのは、遂求することによつて生そのものを充實せしめ豊かならしめんがためである。生活條件の確保に向けられる行動は、この生の充實なる生そのものに內在的な要求に仕へる限りに於て意味と價値とを得るのである。かうした目標が社會的場に屬する或成員によつて遂求せられるといふことは、他の成員の目標遂求に對して妨害とならないのみか、かへつてこれを促進せしめ助成せしめる作用を有するものとして、か丶る目標の遂求に於ては對立もなければ衝突も存し得ないと考へられるかもしれない。けれどもこ丶に於ても、ひとびとは共通の目標を遂求するが故に、かへつて對立し衝突することがある。といふのは、ひとはこ丶に於ては自分に有利な條件の獲得を目指して相會するのではないが、自ら發見せる眞理、自ら體驗せる眞理、自ら創作せる作品の他者によつて眞理として是認せられ、美的價値を有するものとして承認せられる事を求めるが故にのみ他者と相會するがためである。而もひとが自ら眞理だと信ずる事を他者が必ずしも眞理として受容れるとは限らないからである。更に又、眞理探究に於て發見された眞理が他の探究者の目標遂求に何等かの意味をもつとすれば、それは發見された眞理が他者によつて眞理として是認せられることによつてゞある。従つてもしこ丶に他者との協働が成立つとすれば、他者によつても是認されるやうな眞理の探究が共通の目標となるがためでなければならぬ。もしさうでなければ協働は成立たない。このことは宗敎に就ても藝術に就ても言へる。藝術家は自分が自ら見出した美を作品に於て表現しようとする。表現しようとするからには他者によつてそれが美として受容れられる事を求めてゐる。他者によつても是認される、是認せられる筈の價値を探究し實現するといふことが共通の目標となるのである。他者の評價、激勵、一言でいへば他者の是認といふことが行動の決定的要因として働くのはこれがためである。

このやうにひとが生活條件の獲保、獲得を目標として他者と相會するにせよ、或は生そのものの充實を目標として他者と相會するにせよ、ひとは自分の行動、作品、主張、意見が他者に是認せられ承認せられることを求めてゐるのである。其故に社會的場に於てなされる凡ゆる行動は、それが直接的に生の充實のためになされるものであるにせよ、生を充實するための條件の獲得に向けられるものであるにせよ、他者の是認承認を迫る力をもつてゐると言はなければならぬ。ひとが他者の行動を自らの行動に對する反應として知ることが出來るのも、ひとが自分自身の行動主張を是認し承認する事を他者に求めてゐるがためである。他者の行動はひとのこの要求に對する應へとしてみられるのである。

凡て社會的場に於てなされる行動は、ひとがそれを意識してなすにせよ、意識せずしてなすにせよ、常に他の成員の是認を迫る力をもつてゐる。他者の反應はこの是認を迫る力に對する應へとしてなされるのである。行動はそれが他者に對して受容れる事を迫る力を有する限りに於て社會的行動と呼ばれる。更に自分自身の行動主張を他者に對して受容れる事を迫る社會的實在は、人格と呼ばれる。從つて、自らの主張行動を他者に受容れることを迫る力そのものは實に人格の力であると言はなければならぬ。ひとはたゞ他者と緊張せる力學的關係にある限りに於て人格である。

凡て社會的場に於てなされる行動は、ひとが意識して要求するにせよ、意識せずしてなすにせよ、他の成員に受容れる事を迫る力をもつてゐる。かゝるものとしてそれは運動として記述せられる。それはたゞ單に特定の集團によつてなされる政治運動、文化運動がさうであるばかりではなく、凡ゆる人格的行動は他の成員に對して是認承認を迫る力を有するものとして運動として記述せられる。社會的場に於ては成員は相互に自らの行動、主張、信念、思想の他者によつて受容れられる事を求めてゐる。從つて社會的場に於ては成員は相互に緊張せる關係に於てある。然しながら社會的場に於てなされる行動はあく迄も他の成員によつて受容れられることを迫る運動として、それが受容れられない時は必然是正せられざるを得ない。何故ならばそれは他の成員によつて受容れられることを求めてゐる運動に外ならないからである。場に屬する成員は相互に自らの行動主張に對する他の成員の是認肯定を求める事によつて、自らの行動主張を制限するにいたり、こゝに相互要求の對立せる緊張關係から相互理解は生れ、對立せる主張は融和せられ、こゝに成員相互の協働が生ずるのである。といふのは社會的場が全く分裂し、相互に全く交渉をもたないものとならない限り、それを構成する部分の運動はそれに對立する部分の運動に突當ることによつて是正せられる筈であるからである。勿論場に屬する或特定の部分の要求が他の部分の要求を無視し抑壓して强力をもつて押し通される事も可能である。しかしそれにしても、それは或部分の他の部分に對する優越せる力の承認を求めてゐるものに外ならぬ。といふのは、さうした主張要求も他の成員或は集團によつて、よし不承不承にはせよ、承認せられることによつてのみ、確保せられるものであるからである。從つてそれら成員或は集團が一つの同じ社會的場に屬するものである限りに於て、よし權力によつて自らの主張を遂求しようとする行動にしても、やはり運動として他者の容認を迫るものである。從つて社會的場が全く分裂し、相互に何等の接觸面をも持たないものとならない限り、社會的場に屬する成員の行動はあく迄も運動として記述せられなければならぬ。さうしてそれは運動として必然相互に是正せられ相融和するに至るはずである。言ひかへれば衝突は和解に、競爭は協働に轉すべきものである。これは同じ社會的場に生起する運動そのものゝ有する必然的な性格である。

二、社會的場

運動は決して無地の場に生起するものではなく、特定の條件を有する社會的場に生起するものである。風習制度は社會的場に屬する成員の行動の充たさなければならぬ條件である。行動はこの條件をみたす限りに於て他の成員によつて是認せられる。われわれが普通風習制度に從つてなされる行動を運動と呼ばないのはこれがためである。何故ならば、かゝる行動は既に他者によつて受容れられてゐるがためである。しかしそれはかゝる行動が他者に對して受容れる事を迫る力を喪失してゐることを示すものではなく、そこに成員の協働せる力が言はゞ塡充せられてゐることを示すものである。成員はかゝる社會的條件を相互に確認し行動をもつて確證してゐる。風習制度の受容れる事を迫る力はそれが全成員によつて受容れられた運動であるところから來るのである。從つてたゞ單に社會的場に生起する所謂運動が、受容れる事を迫る力を有するものとして運動として記述せられるのみならず、日常生活に於て風習制度に從つてなされる行動も亦一種の運動として記述せられる。

凡て社會的交渉は現實的には特定の風習制度の下に於てなされる。社會的交渉は特定の制度を相互に確認せる成員相互の間にのみ生起する。從つてよし制度の下に於て衝突があるとしても、少くともその制度の承認に於て彼等の要求の合致があり、制度の確保に於て協働はなされてゐるのである。生を充實せしめ、自分に有利な生活條件を獲得するといふひとびとの共通の目標は特定の風習制度の下に於て特定の具體的内容をもつたものとなる。現實的にはひとの要求は風習制度によつて制約された要求であり、自由は風習制度によつて保證された自由に外ならぬ。ひとはたゞ自らの行動によつて風習制度を確認することによつてのみ特定の自由を享有し特定の恩惠にあづかることが出來る。風習制度は人々の協働の産物であり、協働の象徵である。制度はひとびとの協働の仕方を規定してゐる。だからわれわれは社會的場に特定の制度が存在するといふ事實に基いて、場に屬する成員の間に特殊な形態の協働の存する事を知る。かうした意味に於て、國民と國民、國家と國家とが相互に交渉するところの人類なる社會的場も、たとへば、そこに分業なる制度が現存する限りに於て一の協働體をなすものであると言はなければならぬ。この分業なる制度の下に於てひとびとの生活は凡て他者の勞働の生産物に依存し、それによつて保證せられてゐる。從つてひとがその生活のためにする勞働は、同時に他の成員の要求を充たす限りに於て、その目標に達する事が出來る。要求を充たすためになされるこの行動の制約こそ實に分業なる制度の下になされる社會的行動の特質である。

このやうに制度はひとびとの協働の仕方を規定してゐる。制度は社會的場に屬する成員或は集團の協働の產物であり、象徵である。從つて制度がたゞ單に或る限られたる生の領域のみではなく、凡ゆる生の領域にわたつて確立せられてゐるやうな場合には、場に屬する成員の凡ゆる行動は共通の目標に向つて協働してゐると言はなければならぬ。從つて協働が一面的な協働體に比すれば、多面的な協働がなされてゐる協働體に於ては、成員相互の協働の緊密性は遙かに大である。人類なる社會的場の分裂は、實にその部分をなす協働體の成員間の協働が、全體の場に屬する成員としての協働よりも遙かに緊密である事を示すものである。われわれはかうした成員の協働の緊密なる部分的協働體を國民なる言葉によつて普通呼んでゐる。

國民なる社會的場に存する制度は、場に屬する成員の共通の風習慣習が國家の成立と共に、又國家の發達と共に、漸次に法律化されたものである。わ　われは制度と風習とを明確に區別することは出來ない。恐らくそれは程度の問題であらう。制度が風習の法律化であるやうに、制度もそれが存續するとき風習的性格をもつて來るものである。

未開社會に於ては風習が成員の凡ゆる行動を規正してゐる。風習が或る未開社會を他の未開社會と區別せしめる原理をなしてゐる。われわれをして世界なる社會的場に於て部分と部分との分界線を引かしめるものは風習制度である。全體的場の部分に境を設けるものは、風習であり制度であつて、單なる血縁ではない。單なる血縁は未開社會に於てさへも分界原理たり得ないであらう。血は嚴密には混合せるものであるからである。

然し乍ら社會的場の境は永久に變らないものではなく、時と共に變化するものである。社會的場は或は縮小せられ或は擴大せられる。社會的場の擴大される時新たに編入された部分は既存の風習傳統を固執し、少くともその當初に於ては、その場の內には常に指導的地位を占める强力なる集團と從屬的地位にある集團との對立がある。從つてそれらの集團は全體の場に於てたゞ單に竝存するかのやうに見える。けれどもそれらの部分が集つて一つの全體を構成してゐる限りに於てそこには共通な制度が存する筈である。何故ならば、共通の制度の現存こそ社會的場を一つの全體たらしめるものであるがためである。勿論それら部分の間には傳統的風習の共有による內面的融和を缺いてゐるのではあるが、少くとも共通の制度を享有する點に於て、よしそれが從屬的集團にとつてそれほど有利なものではないにもせよ、そこに集團相互の協働が存する筈である。さもなければそれらは一つの全體をなすことは出來ない。われわれは凡ゆる大きな國家に於て國家內に於ける或地方が他の地方と傳統的風習に基く大きな障壁によつて境してゐるのをみる。

然し乍らよし傳統的風習の差異に基く障壁が如何に厚くても、それら集團が共通の制度の下にある限り、そこには指導的集團からその障壁を橫切つて種々の運動がはてしなく續く筈である。

さうして障壁を横切つて押寄せて來る運動によつて永い歳月の間には障壁は漸次に薄くなり、新なる要求は目覺まされ、部分の排他的要求は全體の場に屬する成員である事から生ずる新なる要求によつて是正せられるやうになる。殊に共通の運命に關するやうな事態の生起は障壁を薄くする要因として働くであらう。

われわれは法律なる制度の現存によつてその下に於てある社會的場を一つの全體として把握する。共通の法律なる制度の支配する社會的場を國民と呼ぶ。國民なる社會的場の境は國家の境界と合致する。國民なる社會的場は風習傳統を異にする種々の集團から成立つてゐる。

ひとは法律なる制度の成員の行動に對する外面的規正力に對して、風習或は傳統の內面的規正力を對立せしめる。法律なる制度は國民なる社會的場に屬する成員の行動の充たさなければならぬ條件として、成員に對してそれを受容れることを迫りはするが、それを受容れる成員の內的態度に直接に干渉しはしない。制度は外的に現はれた行動を問題にはするが、行動の動機に就ては何等支配しようとしない。從つて制度の成員の行動に對する拘束力は、それを破る行動を罰することによつて保たれてゐるかのやうにみえる。成員の行動に對する制度の拘束力は、それがその下に於て營まれる成員の共同生活を保護し育むための條件であるところから來る。かうした意味に於て制度は制度によつて保護さるべき共同生活を豫想する。ひとは制度のこの成員の行動に對する外面的規正力の故に、内面的に行動を規正する風習に對立せしめる。

然しわれわれは國家の法律が國民の風習傳統から分化したものであること、風習の行動に對する內面的規正力は、それが比較的に恒常的であることから來るのであり、法律と雖もそれが恒常的となると、風習と同一の機能を有し得る事を忘れてはならぬ。法律制度は設定された始めの內こそそれを充たすといふ事は意識的努力を必要とはするが、それに慣れると共に漸次にその存在さへも氣づかなくなるものである。從つて法律による行動規正力の外面性は一つにはそれが未だ新しいがため、そこになほ對立せる主張の泡立ちが殘つてゐる事から來るのである。現代國家に於ける法律の改廢の速かな事をみればこの事は明らかであらう。一體風習の成員の行動に對する內面的規正力は、それが成員によつて當然のことゝして是認されてゐるところから來るのである。從つて法律と雖も成員の要求に合致する限りに於て世代を經ると共にかゝる內面的規正力をもつにいたる事は明らかである。更に風習と制度との成員の行動に對する規正力の內面性と外面性との相違は風習によつて確保せられてゐる行動樣式が、具體的であるのに反して、制度によつて確保せられてゐる行動樣式が比較的抽象的であるといふ事から來るのであらう。行動樣式が具體的である上に、恒常的であるがため風習は成員の行動に對して內面的規正力をもつてゐるのである。卽ち法律なる制度に於ては、その條件が抽象的であるがため、特定の條件を充たすことによつて選ばれる行動の様式が風習に於けるよりも一層多樣であるのに反して、風習に於ては行動樣式が具體的に規定されてゐるがため、その條件を充たす事によつてなされる行動樣式が非常に制限されてゐるので、特定の行動樣式が成員によつて當然の事としてなされるのである。然しこれと雖もそこに或程度のずれの存する事を認めないわけにはゆかぬ。

この風習なる社會的條件が比較的具體的であり、恒常的であるのに反して、法律制度なる社會的條件が比較的抽象的であり、可變的であるといふ事實は、前者が古い狹い社會的場の條件であるのに對して、後者がそれを包む一層廣い新しい社會的場の條件であるといふ事實に對應するものである。風習は古い近い要求に根ざすものであり、法律制度は新しい遠い要求に根底を有するものである。

われわれの生活は、一樣な親しみを有するだゞつ廣い社會的場に於てなされてゐるのではなくわれわれを中心としてわれわれを離れると共に、次第にその親しみは薄れて行き、遂には殆んど全く感ぜられなくなる迄、社會的場は擴がつてゐる。最も親しみの深い村落とか町とかの周圍には地方が、さうしてその外圍には國土の境がとり圍んでゐる。然し社會的場は單なる國境で終りはしない。更に東亞共榮圏に擴がり、遂に世界なる最大の社會的場に包まれてゐる。從つて社會的場は主觀的には親しみの深さ、協働の緊密性を半徑として主體を中心として描かれた無數の同心聞をもつて記述する事も出來るであらう。然し乍ら協働の緊密性は客觀的には風習制度の現存によつてのみ知る事が出來る。村落とか町とかを一つの全體としてわれわれに認識せしめるものは、其處に共通の風習が存在するといふことでなければならぬ。われわれは風習の存在によつて成員の協働の存する事を知るのである。國家の制度の下に於て、尙かつ地方を明確なその部分たらしめてゐるものは風習の現存に外ならぬ。してみれは風習の現存によつて保證せられる成員の相互依存の關係は、國家の制度の現存によつて保證せられる相互依存の關係よりは一層緊密なものでなければならぬ。一體われわれの情緒に深く根ざす內面的要求は、直接的に接觸する人達、單に心的に接觸するのみならず、身體的にも接觸する人達に於てしか充たし得ない。われわれには血緣的或は地域的に近い人達の間に於てしか充たされ得ないやうな要求がある。風習がかうした近い要求を充たすための條件であるといふ事は、風習が地域的に制約されたものである事、更に多くの風習が家庭生活と關聯を有する種々の生活樣式、出生、結婚、死亡と結合してゐる事からも知られる。制度は恐らく社會的場の擴大に伴つて風習から分化して來たものであらう。

未開社會、蕃社に於ては強固な又包括的な風習が支配してゐて、成員はそれから背かうともしなければ又背くことも極めて稀である。成員の行動の目標は未だ分化してゐず、成員の宗敎的要求、政治的要求、軍事的要求、家庭的要求は凡て渾然たる一目標を遂求することによつて充たされる。そこには宗教的要求を離れて政治的要求もなければ、家族的要求もなく、又血緣に基く要求を離れて宗教的要求も政治的要求もない。そこに於ては現代のわれわれによつて明確に區別されるこれらの獨立せる諸要求は、實は一つの具體的要求の種々相にすぎない。從つてこれら要求に對應せる結社は未だ社會的場に現はれてゐない。然しこの事から未開社會は結社をもたないと斷定するのは早計であらう。といふのは、蕃社はそれ自體血緣的、宗教的、政治的結社であり、更に軍事的結社でもあるからである。彼等の祈る神々は、その守護神であり、彼等がそのために戰ふ神々は戰を彼等に有利に導く神々である。其故に未開社會に於ては結社が存しないのではなく、凡ゆる結社に先立つ結社が未分化の形に於てそこに存するのであると言はなければならぬ。もしわれわれが種々の個有の要求の充足を目指す結社の出現を共同社會の分化として記述し得るとするならば、未だ分化しない共同社會は結社以前の結社であると言はなければならぬ。何故ならば、分化はかゝる原始的結社を想定する事によつてのみ可能であるからである。元來共同社會と結社とは判然と區別されるものではなからう。共同社會は未開社會に於てみられるやうな多樣な面に於ける結社に外ならないのであつて、所謂結社とはその特殊な面に於ける結社に外ならないであらう。その故にわれわれは、それから種々の結社の分化し來るところの多面的結社をば、第一次的協働體と呼び、特殊目標を遂求する結社をば第二次的協働體と呼ぶことにする。

社會的場に於ける成員の協働目標が未分化の狀態にあるとき、風習は凡ゆる制度の機能を營んでゐる。ところが社會的場の擴大と共に、こゝに多面的目標は漸次に分化し、それに對應せる第二次的協働體が社會的場に現れ、種々の制度が確立せられるやうになる。しかしこれらの制度は恐らく多面的風習から分化して來たものであらう。してみればわれわれの現在もつてゐる風習そのものも、未開社會に於て行はれてゐた風習から分化して來たものであらうが、それでも尙制度と區別さるべきものがそこに存するとすれば、それは未開社會の風習のもつてゐる多面性に外ならないであらう。この風習の多面性にこそその國民的團結の根底は存するのであらう。もし制度が一筋の帶によつて成員を相互に結ぶものであるとすれば、これは十重二十重の帶によつて成員を相互に結びつけてゐるのである。共通の風習の下に於てなされる成員の協働が多面的であるのに反して、制度の下に於て共通目標を遂求するためになされる協働は一面的である。制度は風習から分化したものとしてその一面性を免かれ得ない。こゝに制度のもつ安定性が風習の安定性に比して小である理由がある。更に又こゝに成員の行動に對する法律の規正力の外面性と風習の規正力の內面性とが對立せしめられる所以がある。

もし上述せる事が承認せらるべきであるならば、風習が古い狹い社會的場の成員の近い要求に根ざすものであるのに反して、國家の制度はそれを包む新しい廣い社會的場の成員の遠い要求に根ざすものであるといふことは承認されてもよいであらう。共通の風習をもつ古い狹い社會的場は共通の制度をもつ新しい廣い社會的場の部分をなし、それによつて包まれてゐるのであるから、風習は制度によつて護らるべき内容ともみられる。けれどもそれは風習そのものが制度の下に於て更に生そのものを、守護する條件である事を妨げるものではない。それは人格の近い要求に基くものであり、制度は比較的遠い要求、言ひかへれば一層普遍的な要求に根ざすものである。というのは、一層廣い場に屬する成員としての要求に基くものであるがためである。然しながら制度が一層普遍的要求であるといふ事から地方的風習が全く制度の中に解消され得るものであるかのやうに考へてはならぬ。遠い要求に基いて生れた制度は、決して近い要求に基く風習の代りをなす事は出來ない。風習は風習として獨自の機能を社會生活に於て果してゐるのである。又實に風習の未分化性にこそ國民生活の相互依存の緊密性は横たはつてゐるのである。遠い要求の充足を目標としてなされる成員の協働は決して近い要求の充足を目標としてなされる協働を薄弱ならしめる事によつて、鞏固ならしめられるものではない。ではなくして、むしろ小さな場に於ける風習に基く協働にこそ、それを包む大きな場に於ける制度に基く協働の根底は存するのである。制度は風習から分化せるものとして、比較的恒常的な風習に根ざす限りに於て鞏固たり得るのである。共通の風習の下に育まれた集團に對する奉公の精神にこそ、一層包括的なる制度に對する忠誠の精神は根ざすのである。然しながら古い狹い社會的場の有する風習に基く排他性、偏狹性はたゞその場を包んでゐる大きな新しい社會的場に存する制度の現存によつてのみ救はれる。制度の普遍性が風習の緊密性に根ざさなければならないやうに、風習の緊密性は制度の普遍性によつて是正せられなければならぬ。ともあれ風習のもつ內面的な温かみは、それが古い狹い社會的場に於ける協働を示すものであり、制度の普遍性、從つてそれに伴ふ抽象性は、新しい廣い社會的場に於ける協働を示するものである。

國家の法律、卽國民なる社會的場の制度に於て表現せられてゐる要求の普遍性と抽象性とは實に國家內に種々の對立する集團の存する事、いひかへれば國民なる社會的場が必ずしも共通な風習傳統を有する一の集團ではなく、それを異にする種々の集團から成立つてゐる事に基くのであらう。といふのは、制度はこれら集團の凡てに適用すべきものとして、その普遍性は抽象性を免かれ得ないからである。これに反して、國民なる全體の場に屬する諸集團の風習は場の狹さと古さとに由來する排他性と偏狹性とを伴ふ。この地方の偏狹が制度の共通性によつて破られ、遠い要求と近い要求とが融合する過程こそ實に國民化の過程に外ならぬ。然し乍ら、制度は地方の風習を破壞することによつてゞはなく、たゞそのずれを正すことによつて直接的具體的な近い要求を十分に充すやうな條件を提供する事によつてのみ、言ひかへれば風習によつて確保されてゐる成員の協働の緊密性を保護するやうな條件を設定する事によつてのみ、國民的團結の地盤たり得るのである。

國民なる全體の場に存する制度とその部分に存する風習との間に或程度の食ひ違ひのある事は當然の事である。それも指導的地位を有する特定の集團に於ては、よし地方的に幾分風習の差異があるとしても、制度は主として指導的集團の風習から分化したものであらうから、指導的集團のみに關する限りに於ては、制度と風習との間の食ひ違ひは容易に是正され得るであらう。ところが國民なる社會的場に於て、從屬的地位しか持たぬ集團、人種的に又傳統的に異つた風習を有する集團の風習の制度に對する關係はこれと全く事情を異にする。といふのは、制度はその集團の風習から分化したものではなく、いはゞ他からおしつけられたものであるからである。國民化の問題が困難なる問題となるのはかゝる集團に於てゞある。

かゝる集團の國民化は、一つは制度に或程度の地方色を與へ、從屬的集團の風習を制度に加味する事によつて、他方指導的集團の風習が從屬的集團の風習に滲透する事によつてなされる。言ひかへれば、指導的集團から障壁を乘越えて内部に滲透する運動によつてなされる。國民なる場に於て障壁を橫切つて展開せられる運動こそ實に全成員を內面的に綜合する力である。

古い狹い社會的場は新しい廣い社會的場に包まれてゐる。從つて古い狹い社會的場の成員としての近い要求は、新しい廣い社會的場に屬する成員としての遠い要求によつて是正せられる。然し新しい廣い社會的場に屬する成員としての要求は、古い狹い社會的場に屬する成員としての要求を通してのみ實現せられる。これ古い狹い場と新しい廣い場との關係は部分と全體との關係をなしてゐるからである。從つてこれがためには、新しい廣い場が眞實に一つのまとまつた全體であるといふこと、言ひかへれば新しい社會的場が或程度綜合された全體である事が不可缺の條件である。さうしてかうした條件を提供するものこそ實に國家に外ならないのである。國家によつて國家の制度によつてその境界内の種々の集團が綜合されてゐるといふことのみが、近い要求と遠い要求との間の衝突を調和に轉ずる條件を提供するものである。從つて全人類を包む包括的結社が生じ、世界に存する凡ての集團を綜合する制度が社會的場に確立せられる迄は、人類はその偏狹性から十全な意味に於て免れる事は出來ないであらう。世界に於ける凡ゆる集團が共通の制度の下に綜合された全體をなす日こそ最も遠い要求は矛盾なく近い要求に於て實現し得るであらう。この日に於て最も普遍的な要求は最も具體的な要求と握手する事が出來るであらう。人類に對する愛は直ちに隣人に對する愛となるであらう。

三、社會的場の條件と運動

ヴェクトルの場と拘束運動

凡て科學に於ける理論は確實な經驗的事實に基いてなされなければならぬ。從つて科學に於ては、事實の正確な記述といふ事がその發達のために缺くことの出來ない條件をなす。從來社會心理學は、その原則を社會生活に關聯を有する、生物學とか心理學とかいふやうな既成科學の原則から演繹する事によつて、その實證性を確保しようとした。けれども社會現象は生物學的要因並に心理學的要因に基くものではあるけれども、他面それは獨自の現象としてさうした要素的要因からは說明し得ないものを持つてゐる。從つてわれわれが社會現象に近づくためには、社會現象そのものゝ特殊な性格を把握し、確實なる社會的心理的事實に基いてなされなければならぬ。從つて凡ゆる社會現象に伴ふ基本的な社會的心理的事實を簡單な一義的意味しかもたないやうな概念によつて記述するといふことは、複雜な社會現象を明かならしめる上に缺くことの出來ない條件のやうに思はれる。若しわれわれが、凡ゆる社會現象に伴ふ基本的な社會的心理的事實を一義的意味しかもたないやうな科學的概念によつて記述し、そこに或る法則的聯關を發見することが出來るとするならば、これによつて一層複雜な社會的關係を科學的に記述することが可能となるであらう。かうした意味に於て、われわれがこゝになさうとしてゐる事は社會的事實の現象論的記述である。從つて社會的事實をかゝる概念によつて記述する事が果して任意性に基くものではなく、現實の事實の記述に外ならぬといふことは、これから生ずる結論が果して事實に適するかどうかといふ事によつて檢證せられなければならぬ。

社會に於て、ひとびとのなす行動は非常に複雜なものには違ひないが、その行動の社會的側面のみを考察するならば、比較的單純なものではないかと思ふ。社會的存在の交渉の結果生ずるところのものは、もしわれわれがその交渉の仕方を適當に記述する事さへ出來るならば、比較的單純な公式に歸せられるであらう。それは、社會的場に生起する運動を量的概念によつて記述し、さうした量的概念相互の關係を幾何學的に記述する事によつてなされ得る。本來社會的場に生起する運動は社會的存在に對して受容れる事を迫る力として價値的なものである事はいふ迄もないが、運動が價値的であるのは、それが特定の目標を目指す特定の大きさをもつ力である事をいふのであつて、それ以外の事をいふのではない。かゝるものとして社會的場に生起する運動はヴェクトルによつて記述する事が出來る。從つて人格的交渉の結果生ずるところのものは比較的單純な幾何學的圖式によつて記述する事が出來る筈である。さうしてかくして得られた基本的概念は、沒價値的概念ではあるが凡ゆる價値的概念を含み得るであらう。

科學的記述に於て、日常生活の用語を用ゐる事が出來ればそれに越したことはない。殊に社會現象の記述に於ては、さうあつて欲しいものである。然し日常の用語は不正確であり、漠然としてゐる場合が多いから、記述の正確を期するためには、一義的意味しかもたないやうな數學的概念を用ゐる事が絶對的に必要である。われわれが社會的場に生起する運動をヴェクトルによつて現はさうとするのも、かくする事によつて記述に似非科學性を與へんとするがためではなく、記述の正確を期せんがためである。

われわれは先に、社會的場に於てなされる凡ての行動は、他者に對して受容れる事を迫る力を有するものとして運動として記述せられる事、更に運動の生起する場は無地の場ではなく、成員の行動の充たすべき特定の條件の存する場であることをみた。從つて社會的場に生起する運動は場の特殊な條件によつて制約せられる。然し乍ら社會的場の條件をなす風習制度はもと場に生起する運動によつて設定せられたものであり、運動が他者によつて受容れられることによつて生ずる條件に外ならぬ。かゝるものとして風習制度も又場に屬する成員に對して容認を迫る力を持つてゐる。かうした意味に於て、風習制度も又一種の運動として記述せられなければならぬ。それは相互に他者に受容れる事を迫る運動が、相互に他者によつて受容れられることによつて生ずる運動に外ならぬ。われわれの問題は、人格と人格、集團と集團との關係をかうした力學的關係として把捉し、社會的行動を社會的場に於けるヴェクトルとして記述する事によつて、複雜な社會現象を直觀的事實に近づける事によつて現象を簡單な幾何學的關係として記述するにある。

凡て社會的場に於てなされる行動は、ひとが自らを場に屬する成員として認め認められる限りに於て受容れる事を迫る力をもつてゐる。かうした意味に於て、社會的場に於てなされる凡ゆる行動は運動として記述せられる。然し乍ら場に生起する凡ゆる運動が他の成員によつて受容れられるのではない。場に屬する成員の意向、要求に反するやうな運動はしりぞけられ抑壓せられる。場に生起する運動が成員によつて是認せられるのは、それが成員の要求に合致するからである。從つて社會的場に於て或成員或は集團によつてなされる運動は決して直線的に進みはしない。運動はその發展の途上に於て種々の障害にぶつかる。これがもとの運動の方向を著しく變へる。かうした社會的事實は現象論的には如何に記述せられるか。われわれは記述を簡單ならしめるために、社會的場に屬するAなる社會的存在によつてなされる運動がBなる社會的存在によつて受容れられる事によつて蒙るところの變化を幾何學的に記述し、この一般公式が複雜な場合にも適用される事を明らかにしよう。

運動は特定の目標を目指すものとして特定の方向をもつてゐるのみならず、その他者に對して受容れる事を迫る力は特定の大きさを有する。從つて運動は方向と大きさを有する量として、ヴエクトルによつて現はすことが出來る。今社會的場の構成要素である社會的存在Aが、他の構成要素Bに對して受容れる事を迫る運動を$\overrightarrow{P_1P_2}$を以て現はし、それがBによつて受容れられる事によつてに$\overrightarrow{P_2P_3}$に運動が變化したとする。さうすると合成運動は$\overrightarrow{P_1P_3}$で示される。われわれはこの合成ヴェクトルによつて運動に關與せる成員の協働目標を遂求する運動の方向と大きさとを示すことが出來る。これを幾何學的に現はすと、上圖に示す樣になる。

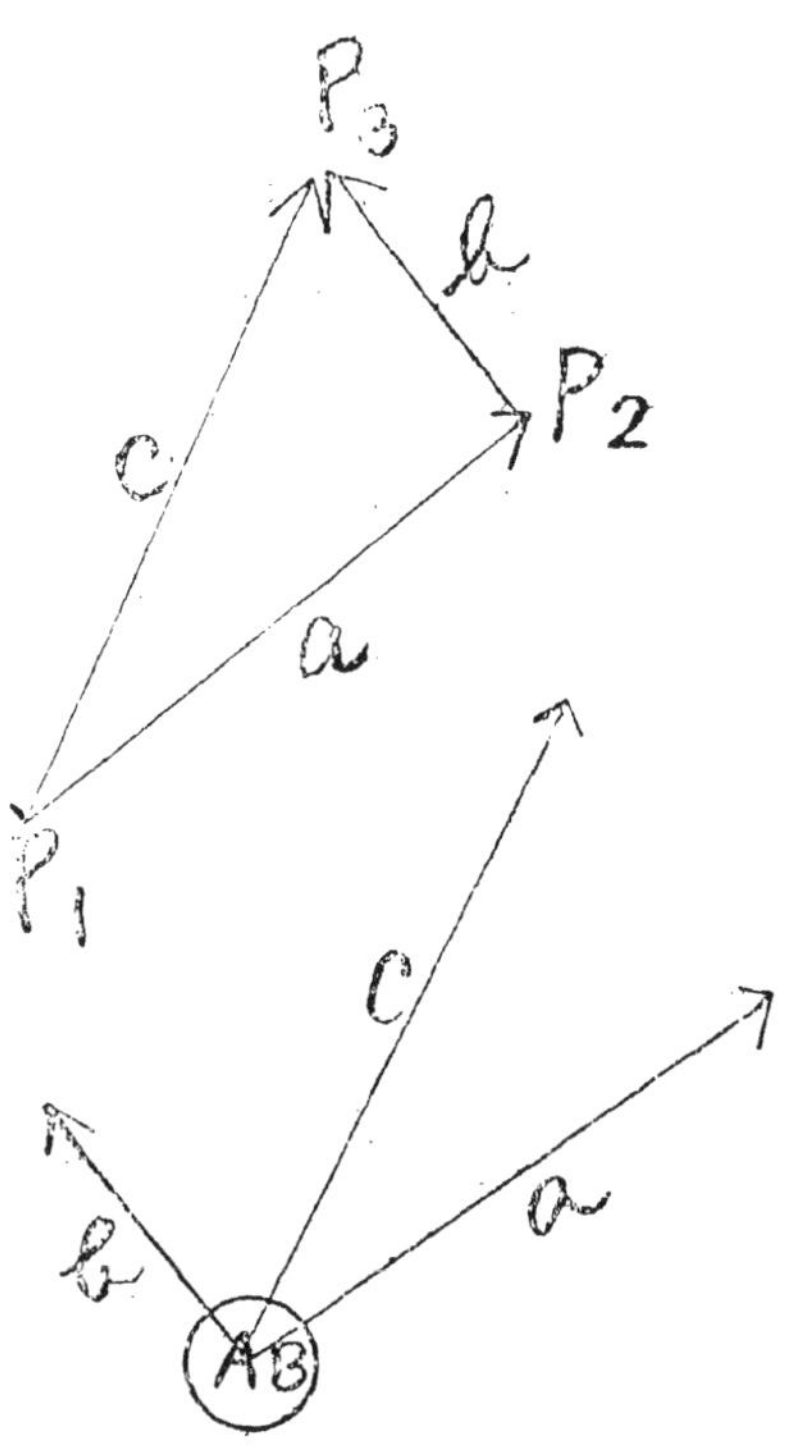

ところがこの合成運動はAとBとの協力によつて生ずる運動に外ならぬから、AとBとが一つの協働體をなし、その協働體の中心に於てAは$\overrightarrow{P_1P_2}$のヴクトルをもつて協働體に作用し、Bはエ$\overrightarrow{P_2P_3}$のヴェクトルをもつて協働體に作用した結果であると考へられる。今$\overrightarrow{P_1P_2}$をaで表はし、$\overrightarrow{P_2P_3}$をBで表はし、その合成ヴェクトル$\overrightarrow{P_1P_3}$をcで表せば、右下圖のやうに圖示される。

卽Aはaだけの力をもつて矢の方向に協働體A.Bを動かさうとし、BはBだけの力をもつて矢の方向に協働體を動かさうとするのである。cはその結果協働體A.Bがなすところの運動を示すのものである。

ところが、この合成ヴェクトル c はAが b を受容れる事によつて生ずるヴェクトルであるとも、Bが a を受容れる事によつて生ずるヴェクトルであるとも考へられる。從つてそれはA並にBによつて受容れらるべきヴェクトルを示し、A並にBが夫々他者に對して a、b のヴェクトルを受容れることを迫る限りに於て、或はAがヴェクトル b をBがヴェクトル a を受容れる限りに於て協働體A.Bがなす筈の運動を示すものである。同じことであるが構成要素A及びBが協働體の中心に作用ずる合成ヴェクトル c を受容れることによつてなされる協働體の運動を示すものである。卽合成ヴェクトル c はA並にBの運動に依存するものではあるが、A並にBが自らを、協働體A.Bを構成する要素として相互に認め認められる限りに於て受容れるべきヴェクトルを示すものである。といふのは、分ヴェクトル a 並に b が他者に對して受容れる事を迫る力を現はすやうに、合成ヴェクトルも又協働體の構成要素に對して受容れる事を迫る力を現はすものに外ならぬからである。A並にBは社會的存在であつて、もし出來るならば、夫々 a 並にBの力をもつて矢の方向に協働體が向ふ事を欲するのであるから、分ヴェクトルは合成ヴェクトルに背く事が可能である。然しそれにもかゝわらず、Aが合成ヴェクトル c を是認し肯定するのは、そこに b なるヴェクトルを有するBなる社會的存在が存するがためであり、そのヴェクトル a がBによつて受容れられる事を求めてゐるがためである。從つて合成ヴェクトルは或程度夫等社會的存在の要求を充たすものではあるが、或程度その要求を抑制する事を求めるのである。而もかうした社會的交渉によつて生ずるヴェクトルは協働體を構成する凡ての部分にとつて同樣に都合のよいものではない。或部分はそれによつて大なる恩惠に浴することが出來るが、他の部分は恩惠に浴する事が少ない。この事は構成要素の運動の方向即分ヴェクトルの方向と合成ヴェクトルの向ふ方向との間のずれによつて示されてゐる。即合成ヴェクトルと分ヴェクトルとによつてなされる角の大きさに應じて合成ヴェクトルを受容れることによつて保證せられる利益恩惠は異るのである。といふのは合成ヴェクトルが一方へ傾くのは、社會的存在そのものの他者に對して受容れる事を迫る力が異つてゐるがためである。

ともあれ分ヴェクトルは協働體を構成する他の部分に共通の方向を與へんがために、相互に自己を主張する部分と部分との力と力との緊張關係を示すものである。合成ヴェクトルは相互に他者の要求を受容れる事によつて成立つものとして、彼等が相互肯定の關係にあり、協働の目標を遂求するものである事を示すものである。

われわれは記述を單純化するために、唯二つのヴェクトルに就て述べたのであるが、この事は運動に關與する成員或は集團が多數になつた場合にも適用されるであらう。即運動はそれに關與する社會的存在のヴクェトルの和として記述せられるであらう。この事は運動がこれを受容れる成員の増加に比例して大となると共にその方向が著しく變化せしめられる事によつても知られるであらう。從つてもし運動が無地の場に生起するとするならば、運動は全然擴大し得ないであらう。といふのは、場に屬する存在が夫々勝手な方向に向はふとするならば、よしそこに合成運動が生ずるとしても、相互に消しあつて無に等しくなるであらうからである。從つて社會的場に於て運動が發展し得るためには、運動の發展し得るやうな條件が場に存しなければならぬ。よし場に屬する存在の要求がまちまちであつても、尚そこに或共通せる方向がなければならぬ。われわれは先に風習制度が社會的場に生起する運動を制約する力學的條件をなすこと、さうして風習制度の現存によつてそこに成員の協働の存する事をみた。この風習制度の成員の行動に對する拘束力の故に特定の風習制度の下に於ては成員の行動は或共通の方向をもつてゐる。實に運動の生起する場はかうした特定の力學的條件の支配する場であり、新たなる運動は常にこの力學的條件に制約されて生起しながら、場の條件の更新に向けられるものである。

凡て運動が成員によつて受容れられるのは、それが成員の内的意向に合致するがためである。從つて運動は主體の要求に或一定の偏りを與へると共に、主體の要求によつて一定の偏りが與へられる。個々の成員によつて與へられるこの偏りは合成運動のヴェクトルが非常に大であるやうな場合には、殆んど度外視し得るものとも考へられるが、運動はこの無視し得るやうな力の合成力に外ならぬ。だから運動は成員によつて受容れられることによつて成員の行動を内的に規正する力を獲得するのである。といふのは運動が受容れられるのは、それが主體の内的意向に合致するがためである。從つて運動が受容れられる時、成員相互の內的意向の合致から同一の目標に對する協働が生ずる。さうして協働はこの目標に達する迄續けられるであらう。この目標に達すると共に運動は終る。運動は終るが、運動によつて確立せられた社會的條件は、成員の協働の象徵として後に殘る。それは成員の協働の產物として、凡ての成員の行動の充たすべき條件となる。われわれはかゝる社會的場に屬する凡ての成員によつて是認せられた社會的條件をば、風習と呼び制度と呼ぶ。風習制度は最早や所謂運動ではないが、そこにはそれを生んだ諸力の合成力が塡充されてゐる。風習制度の有するところの成員の行動に對する規正力は、それが場に屬する成員の相互に受容れる事を迫る力の合成力であるところから來るのである。だからそれは成員に對して受容れる事を迫り、それに背くことを許さないのである。といふのは、それは協働體全體の目標遂求力を示すものに外ならぬがためである。從つて成員は自ら協働體に屬する成員として認め、又他者によつて認められる限りに於てそれに仕へることが要求せられるのである。といふのは、成員はその自由を、自らの行動によつて風習制度を確證することによつてのみ享有する事が出來るからである。凡て社會的場に屬する成員の行動の自由は風習制度によつて保護され保證された自由である。

制度は場に屬する成員によつて是認せられたものとして、成員全體の內的意向を示すものであり、場に屬する成員全體の方向を規定するものであるが、この方向は場に存する分ヴェクトルの合成の結果生れたものである。從つて社會的場に新たなる勢力が現はれると共に、こゝに新なる運動が生ずる。新なる運動は常に制度によつて表現されてゐる既存の方向に或る偏りを與へる力として作用する。風習制度が歷史の過程を通つて作られてゆくのは、決して無地の野に漸次にそれが成長して行くのではなく、內外の諸條件の變化によつて既存の合成ヴェクトルが最早や全成員の內的意向を示すものでなくなり、こゝに新なる要求を表現する新なる運動が現はれ、新なるヴェクトルが合成せられる事によつて風習制度が更新せられてゆく過程に外ならぬ。從つて社會的場に新しい運動が現はれるやうな場合には、既存の合成ヴェクトルに忠實な勢力によつて阻止せられ、こゝに保守的勢力と進步的勢力との對立が生ずる。この對立する分ヴェクトルに基いて運動は振子のやうにゆれる。しかし時の流れと共に、相互に是正し是正せられる事によつて諸力は合成し、かくして對立は和解せられ、場に新なる合成ヴェクトルが浮びあがる。場に合成ヴェクトルが浮びあがり、特定の力學的條件が設定せられると共に、運動は歷史の表面から背後に退き、新なる展開を可能ならしめる地盤となる。風習制度は社會的場に展開する運動を制約する條件である。

社會的場の條件は場に屬する社會的存在の分ヴェクトルから合成せられたヴェクトルに外ならぬ。從つて運動によつて設定せられる社會的條件は場に屬する凡ての集團にとつて同樣に都合のよいものではない。それにもかゝわらず、社會的條件が場に屬する凡ての社會的存在(個人或は集團)によつて受容れられるのは、それら社會的存在の相互に他者に對して受容れる事を迫る力を異にしてゐるがためである。言ひかへれば、それらの分ヴェクトルが異つた大きさと方向とを有するがためである。特定の社會的條件の設定によつて社會的場に於て獲得するところの權利或は特權は、合成ヴェクトルの決定に關與する分ヴェクトルの大きさと方向とに依存する。合成ヴェクトルに對して大きなずれを有する分ヴェクトルを有する社會的存在の社會的場に於て享有するところの恩惠はそれだけ小さいわけである。卽要求はそれだけ阻止されその自由を拘束される事が大きいのである。といふのは、社會的存在は決して平等には合成運動に關與しはしないからである。或る成員或は集團は著しく右に、他の成員或は集團は幾分左に全體の方向を向けようとするのであるが、合成ヴェクトルはそれらの分ヴェクトルの力の大きさに應じてその方向に對して傾くものである。從つて大きな分ヴェクトルはそれだけ合成ヴェクトルに對するずれが少いから、それだけ自らの要求を充たすことが出來るわけてある。從つてかくして設定せられた社會的條件は强力な集團にとつては有利な條件となつて現はれるのである。從つて今こゝに社會的場に於ける集團或は成員の地位なる概念によつて、場に於てその享有するところのこの特權を現はすとすれば、それは合成ヴェクトルの決定に關與するそのヴェクトルによつて決められると言はなければならぬ。卽特定の條件の設定によつて蒙るところの恩惠は、條件の設定に對して盡したその力に應じて異るのである。このことは力學的立場からもつと明白にする事が出來る。

凡て社會的場に屬する成員或は集團によつてなされる運動は場の條件によつて制約されるのであるが、凡ての成員が同一の條件の下にあるといふ事から、われわれは凡ての成員が平等の自由、或は平等の權利を有するものであるといふ事は出來ない。といふのは、社會的條件は運動によつて設定せられた合成ヴェクトルとして、凡ての成員或は集團に對して同じやうには作用しはしないからである。その作用の仕方は合成ヴェクトルの決定に關與する分ヴェクトルに應じて異なるのである。卽合成ヴェクトルの方向とずれの少い分ヴェクトルはそれによつて自らの運動を拘束される事が少いが、それと向きを著しく異にする分ヴェクトルはその運動の自由が著しく制限されるのである。從つて今われわれがこゝに運動の自由度或は拘束度なる概念を導入するならば、社會的場に於ける存在は、その位置によつて自由度を異にしてゐると言はなければならぬ。

かゝるものとして社會的場はヴェクトルの場として記述せられる。蓋し社會的場に於て成員の占める位置には特定の限界があつて、場に屬する成員は決してその水準以下に下ることはない。といふのは合成ヴェクトルの決定に關與しないやうな分ヴェクトルは存しないからである。言ひかへれば協働體の全體の方向の決定に關與しない存在は最早や社會的存在ではないからである。

一體協働體に合成ヴェクトルが作用してゐるといふ事は、協働體そのものが運動してゐること を示すものであり、協働體を構成する凡ての要素が合成ヴェクトルをもつて運動してゐる事を示すものである。ところが協働體が特定の方向に向つて運動してゐるのは、協働體の凡ての構成要素によつて合成ヴェクトルが受容れられ、構成要素が同一目標の遂求に協働してゐるがためである。言ひかへれば協働體の凡ゆる部分が合成ヴェクトルによつて自らの運動を拘束し合成ヴェクトルに仕へる事によつてゞある。從つて協働體そのものを社會的場として記述し、合成ヴェクトルを場の條件として記述するならば、この場に於ては合成ヴェクトルを以て示されるやうな指力線が支配してゐると言はなければならぬ。これは社會的場の條件である風習制度が場に生起する運動に特定の歪みを與へる事を示すものである。從つて社會的場に於ては自由運動なるものは生じ得ない。といふのは、そこに生起する運動は常に場の指力線によつて拘束されてゐるからである。社會的場に生起する運動は凡て拘束運動である。然しその拘束度は上に述べたやうに、合成ヴェクトルの決定に關與する分ヴェクトルの大きさによつて、卽ち社會的存在の場に於ける位置によつて異るのである。或はその運動の自由度は場に於ける成員或は集團の位置によつてきまるといつてもよい。ひとは決して無制限な意味に於て自由なのではない。自由はひとが社會的場に屬する成員である限りに於て嚴密な意味に於ては平等ではない。又必ずしも平等であるを要しない。但し合成ヴェクトルの成員の運動に對する拘束度には限界がある。その限界を越える時は分ヴェクトルは合成ヴェクトルに背き、合成ヴェクトルを分ヴェクトルに轉落せしめ新なるヴェクトルが合成せられる。合成ヴェクトルは或限界內に於ては個人の內的意向となるが、その限界を越えると外的强制力として作用し、それに對する成員或は集團の忠誠を期待する事は出來なくなる。從つて社會的場に於ては成員の占める位置によつて自由度は異るが、それ以上は自由度が下り得ない特定の限界が存するのである。さうしてこの事實こそわれわれをして社會的場をヴェクトルの場として記述せしめるのである。

このやうに社會的場は力學的には、特定の指力線の支配するヴェクトルの場として記述せられる。場に生起する凡ゆる運動は場の指力線によつて一定の歪みが與へられる。從つて指力線が安定してゐるやうな場合には、言ひかへれば合成ヴェクトルが場に屬する凡ての成員によつて受容れられてゐる場合には、社會的場に於てはそれに背くやうな運動は生起し得ないし、又よしかゝる運動が生起しても場の指力線によつて直ちに消されてしまふ。ひとが社會の風習制度の慣性として呼んでゐるところのものは、新しい運動に對する場の指力線の隨性抵抗をいふのである。新なる運動は常に場の指力線に特定の偏りを與へんとするものであり、場の條件の更新を目指すものである。從つて社會的場に新しい運動が生起するのは、場に屬する或成員にとつては合成ヴェクトルが最早や合成ヴェクトルとして承認され得なくなつてゐるがためである。いひかへれば、それはもはや合成ヴェクトルではなく、分ヴェクトルとなつてゐるがためである。かうした意味に於て、對立衝突は場を構成する部分相互の間に生ずるのであつて、部分と全體との間に生ずるのではない。新しい運動によつて既存の社會的條件が更新せられるといふ事、指力線の配置が變更せられるといふ事は、場の既存の合成ヴェクトルが分ヴェクトルに貶下せられ、それに對立する新しい運動を分ヴェクトルとなす新なるヴェクトルが合成せられる事に外ならぬ。

然しわれわれのかうした記述は、風習制度と運動との複雜な關係を單純な形式に歸して記述したものである。現實に於ては社會的場に於ては多種多樣な運動がこれ又多樣なる風習制度の下に生起してゐるのであつて、決して單一な運動によつて單一な制度が場に設定せられるのでもなければ、單一な制度の下に於て單一な運動が生起してゐるのでもない。然しそれにもかゝわらず、特定の目標に關する限りに於て、運動と制度、制度と運動との間には上述せる力學的關係の存することを認めないわけにはゆかぬ。われわれがこゝに特定の目標に關する限りに於てといふのは、ひとびとの間に社會的交渉が成立つのは、ひとびとは共通の目標逐求に於てのみ相會することが出來るからであり、分ヴェクトルの合成せられるのは、運動の同質性を豫想するがためである。かうした意味に於て、科學的目標を遂求する運動は、それに對立する同じ目標を遂求する他の運動とのみ合成せられ得る。このことはわれわれに文化の分野なる概念を導入せしめ、運動はそれ〲の分野に於てなされるのであり、合成ヴェクトルは夫々の分野に存するのであるとの結論に導く。科學的運動は科學の分野に存する合成ヴェクトルによつて制約せられ、政治運動は政治の分野に存する合成ヴェクトルによつて制約され、凡ての運動はそれに對應せる分野の指力線によつて制約されるのであるといはなければならぬ。然しながら運動はそれが如何なる目標を遂求するものであるにせよ、それが一つの同じ社會的場に生起する運動である限りに於て、他の運動と無關係には生起し得ない。場に生起する凡ゆる運動は相互に或一定の聯關をもつてゐる。このことは一つの同じ人格が種々の運動に關與することからも知られる。從つて社會的場に於ては、多種多樣なる合成ヴェクトルが相互に聯關し、特殊な力學的形態をもつてゐるといはなければならぬ。具體的現實的な社會的場は決して單一な指力線の支配する場ではなく多種多樣なる指力線の配置されてゐる場である。而もそれら指力線は決して無關係に存するのではなく、相互に或一定の聯關を有し、全體として特殊な力學的形態をもつてゐる筈である。歴史的時代の危機はこの交錯せる指力線の亂れに基くものと考へられる。

われわれが指力線の惰性抵抗として述べたことは、嚴密には指力線が相互に他の指力線と一定の聯關をもつ、特定の指力線の配置の變化は必然的に全體の場の力學的形態の更新を伴ふこと、言ひかへれば、特定の目標を遂求する運動は必然的にそれと異つた目標を遂求する運動と無關係になされ得ないといふ事實に基くものであらう。社會的場に於ける成員と成員、集團と集團との交渉は實にかうした無數の指力線の支配する野に於てなされるのである。從つてよし成員間或は集團間に或特定の目標に關して對立があり衝突があるとしても、その他の多くの關係に於ては、彼等は相互肯定の關係に立つてゐるのである。社會的場に屬する成員と成員、集團と集團との衝突は相互肯定の地盤に於てなされるのである。對立が特に際立つて浮び上るのも、かうした相互肯定の地盤を背景としてなされてゐるがためである。

四、合成ヴェクトルと信念

ヴェクトルの理論によれば、合成ヴェクトルは協働體の焦點に働くものとして記述せられる。

而もそれはその點に於て分ヴェクトルが作用してゐるとみなされるのであるから、合成ヴェクトルの作用する協働體の焦點に成員の要求と活動とは輻合せられてゐると言はなければならぬ。では成員の要求と活動とが協働體の焦點に輻合されてゐるとは如何なる心理的事實を指すのであるか。

一體合成ヴェクトルは社會的場に屬する成員が相互に他者に對して自らの要求を是認する事を迫り、相互に他者の要求を受容れる事によつて場に浮び上るところの條件に外ならぬ。かゝるものとして合成ヴェクトルは成員が自らを社會的場に屬する成員として認め認められる限り享有する權利を示すと共に、背負ふべき義務を示すものである。權利と義務とは同一概念の裏と表である。其故にわれわれは社會的條件によつて保證せられてゐる權利、相互に承認されてゐる要求をプラスの合成ヴェクトルをもつて示し、そのために生ずる成員の義務をそれにマイナスをつける事によつて現はす事が出來る。人格は權利の主體としてのみ、又義務の主體としてのみ人格である。而もこの權利と義務とはひとが自らを特定の風習制度傳統を有する社會的場に屬する成員として（即ち協働體の構成要素として）認め認められる事によつて、ひとに與へられ、負はされるものに外ならぬ。從つてその具體的內容はその屬する社會的場の力學的諸條件によつて規定せられてゐる。從つて人格の核心をなすものが權利であり義務であり、その權利義務の具體的內容は協働體の焦點に作用する合成ヴェクトルに外ならないとするならば、合成ヴェクトルが協働體の焦點に作用するとは、合成ヴェクトルが人格の核心をなすといふ事を指すものでなければならぬ。

然し乍ら、ヴェクトルが合成せられるのは、ひとが社會的場に生起する他者の運動を受容れる事によつてゞあり、運動が受容れられるのはそれがひとの內的意向に合致する限りに於てゞある。從つて、受容れられる事によつて運動は特定の偏りが與へられる。然しながら、運動は決してひとの望むやうには偏りが與へられはしない。それは運動に關與する凡ゆる成員の協働の產物として、個人の欲するやうには偏りが與へられはしないのである。從つて、運動を受容れる事によつて或程度の偏りが與へられる限りに於て、運動卽合成ヴェクトルは主體の要求を表現するものであるとはいへ、そこには常に個人の要求を抑制する事を求める或種の力が働くのである。而もそれは合成ヴェクトルの決定に關與する分ヴェクトルに逆比例する力をもつて作用するのである。といふのは協働の目標を遂求する事によつて享有する成員の自由度は合成ヴェクトルの決定に關與するヴェクトルの大きさに依存するからである。言ひかへれば、場に屬する成員の場に於て占める位置によつて合成ヴェクトルによつて行動の拘束される度合ひは異るからである。從つて、協働體の焦點に作用する合成ヴェクトルがそれを構成する成員によつて受容れられ、その人格を內面的に規正する力となるのは或限界內に於てゞある。合成ヴェクトルによつて要求の拘束される度合ひが或限界を越えると、ひとは積極的に合成ヴェクトルに仕へようとはしなくなる。よしそれに從ふとしてもやむを得ざるが故に從ふに過ぎない。從つて、そこには嚴密な意味に於ては成員の協働は存しない。これわれわれが協働體を指力線の支配するヴェクトルの場として記述せる所以である。

協働體は特定の目標を遂求するものであるから、その進行を脅かすやうな運動に對して合成ヴェクトルは反應し、その既存の方向を維持しようとする。卽社會的場の指力線はその配置を亂すやうな運動に對して反應し、その既存の狀態を囘復しようとする。

勿論、協働體は合成ヴェクトルに背くやうな運動を抑制し、抑壓する事によつて、その目標の遂求を維持する事が出來ると同樣に、それに背くやうな運動を合成する事によつてもその目標を遂求することが出來る。さうしてこのことは合成ヴェクトルがこれによつて特定の偏りが與へられることによつてのみなされ得る。又事實に於ても、合成ヴェクトルは一面それに背く運動を消すことによつて既存の方向を取もどすと同樣に、それを分ヴェクトルとして合成する事によつて、成員の協働を維持してゐるのである。然しながら合成ヴェクトルが協働體の運動を示すものとして、それを構成する凡ゆる要素の運動となつてゐるやうな場合、卽ちそれが協働體を構成する凡ゆる成員の人格の核心をなしてゐるやうな場合には、それに背くやうな運動は事實生じ得ないし、又よし生じても直ちに消されてしまふ。といふのは、それは特定の大きさに達する迄は全體の運動に對して影響を與へることは出來ないからである。われわれはかうした實例を未開社會に於ける風習に於てみることが出來る。從つて、風習制度の安定性は合成ヴェクトルの慣性抵抗に根ざすものと考へられる。勿論風習制度の安定性はそれが比較的恒常的であるといふことをいふのであつて、それの絶對的不變性を意味するものでないと同樣に、合成ヴェクトルの慣性抵抗なる概念も一の極限概念に過ぎず、事實に於ては上に述べたやうに、合成ヴェクトルに背くやうな運動に對して合成ヴェクトルが直ちに反應し、それを抹消し、場はもとの狀態を囘復するやうに見える場合に於てさへも、合成ヴェクトルの分ヴェクトルに對する反應として如何に極微であつても合成ヴェクトルに特定の偏りが與へられ、場の指力線（合成ヴェクトル）が更新せられるのであると言はなければならぬ。

然しそれにもかゝわらず、われわれは風習制度に抵抗慣性の存する事を認めないわけにはゆかぬ。それはそれに背く行動に對する制裁なる現象に於て明瞭に看取される。犯罪に對する罰は合成ヴェクトルの犯罪に對する反應として記述せられる。元來合成ヴェクトルは、ひとが自らを協働體を構成する要素として認め認められる限りに於て、從ふべき社會的條件であり、ひとはかゝる指力線の支配する場に屬する限りに於て責任主體である。責任主體は實際は受刑者の役割を演ずる。彼は自ら協働の目標遂求に逆ふやうな自らの要求を抑制する事によつて全體に仕へるのである。責任主體は常に制裁されるといふ事實と直接間接關係をもつてゐる。合成ヴェクトルに全然背く可能性を持たぬものは責任主體とはなり得ない。責任ある者は常に罪と關係をもち、罪と結ばれてゐる。犯罪に對する制裁は、合成ヴェクトルに反する行動に對してなされるのである。其故に制裁の目標は犯罪を犯した個人にあるのではなく、犯罪そのものに向けられてゐるのである。それは犯罪によつて歪みが與へられた場の指力線が歪みを囘復する爲に生ずるところの現象であり、歪みを與へる分ヴェクトルに對する場の指力線の抵抗惰性に基くものである。其故に制裁によつて罪を犯した人は殘るも、罪そのものは消されてしまふのである。犯罪がすぐに世間で忘れられるのも指力線によつて罪が消され、指力線が囘復せられ、協働體は既存の方向をたどつてゐるからである。「制裁はそれ自體として考へるならば、行動とその結果とに對てなされるのであり」※場の指力線のその配置を亂す運動に對してなされるのである。

※ Paul Fauconnet, La Responsabilité, Paris 1928 p. 228

犯罪に對する恐怖と怒りとは、權利の侵害に對するそれである。それは成員の信念を傷つけられた事に對する恐怖であり怒りである。權利は信念の事柄である。違反によつて法律制度が脅かされるやうに見えるならば制度は權威を失墜し社會的信念は危險に陷る。制裁はこの犯罪によつて不安に陥らしめられた信念を回復せしめるのである。制度が犯罪を消してその狀態を回復するならば、法律の嚴存が實證せられる。制裁によつて法はかへつて再確認せられるのである。犯罪によつて弱められる筈の法律制度は、違法に對する制裁によつてその權威を回復するのである。制裁は犯罪を取消す機能をもつてゐる。このやうに罪の制裁が犯罪を取消す機能をもつてゐるといふ事は、場の指力線が犯罪によつて何等變更せられない事を示すものであり、場の力線が抵抗慣性を有する事を示すものである。犯罪がひとを不安ならしめるのは、犯罪によつて、その信念が傷つけられるからである。合成ヴェクトルに逆ふやうな行動が世間の非難を招くのはこれがためである。制裁はこの傷つけられたる信念の犯罪に對する反應であり報復である。かゝるものとして制裁は場の指力線の抵抗慣性に基くものとして記述せられる。

　このやうに犯罪に對する制裁は指力線の抵抗慣性に基くものであるから、或一定の限界內に於ては風習制度に背くやうな行動は消されてしまふが、その限界を越えると、指力線に特定の歪みを與へるやうになる。言ひかへれば、既存の合成ヴェクトルは分ヴェクトルに貶下され、新なるヴェクトルが合成せられるやうになる。合成ヴェクトルが更新せられるのである。蓋し既存の合成ヴェクトルが分ヴェクトルに貶下せられるのは、社會的情勢の變化とゝもにそれが最早や成員の要求に合致せず、生を充實せしめるための社會的條件がかへつて生の充實を阻害する條件となつたがためである。然し生を充實するための條件がそれを阻害する條件として宣告されるに至るのは、突如としてなされるにしても、この移りゆきは社會的狀態の變化に應じて新なる要求が漸次に育まれて行くがためでなければならぬ。社會的場に設定されてゐる條件と、內面的に進行してゐる運動とは必ずしも合致しないといふことが現實に於てはある。社會的場の條件によつて制約され拘束されながらも、新なる運動が內部に於て進展しつゝある事は可能である。このその下に於て流れてゐる未だ表面には現はれない運動が、遂に風習制度の安定性を奪ふにいたる事は可能である。もしこの事がないならば、風習制度の更新といふ事はあり得ない。風習制度は生の充實のための條件である。從つてそれはこの目的を果すと共に、新なる條件によつて取つて代らるべきものである。風習制度の抵抗慣性はかうした見地からみれば、新なる要求が十分强固になる迄それを保護する若芽を包む植物の强靱なる苞のやうにも見える。といふのは新なる要求はそれがたゞ既存の合成ヴェクトルに對する反抗であり、たゞ單にそれを破るものである限りに於て抑制せられなければならないからである。それが新なる運動として表面に現はれるためには、その消極性を脫し、積極的に自らの正當性を主張するに至らなければならぬからである。既存の合成ヴェクトルは時が充ち分ヴェクトルが自らを全體の要求であると潛稱する其時期迄それを育まなければならないのである。然しその時こそ既存の合成ヴェクトルはその役目を果し自ら合成ヴェクトルであると潜稱する新なる運動によつて分ヴェクトルに貶下せられ、こゝに對立せる緊張關係を通して新なるヴェクトルが合成せられるのである。勿論新なる分ヴェクトルを育むべき既存の合成ヴェクトルは新なる生の要求を阻止するやうなこともある。然しそれは、子に對する母の愛が時として子の精神的發育を阻害することがあるやうに、その本來の機能の逆用に外ならないであらう。

上述せるやうに、合成ヴェクトルが協働體の焦點に作用するといふ事は、それが成員の人格の核心をなす事を示すものであり、風習制度の有する固有の機能は、社會的場の指力線の抵抗慣性として記述せられる。犯罪に對する法の反應は、それによつて法はその尊嚴を維持するのであるが、それは場の指力線に歪みを與へようとする運動（行動）に對してなされる指力線の反應によつて消され、指力線が既存の状態を回復する現象として最もよく説明せられる。更に又犯罪によつて犯罪者が不安にならしめられるといふ心理學的事實は、合成ヴェクトルが協働體を構成する要素たる人格の核心をなすことを證明するもの〻やうに思はれる。

然し合成ヴェクトルが協働體を構成する成員の人格を内面的に規正する原理となるのは、歴史の永い過程を通ることによつてゞある事は事實である。場に屬する部分間の緊張關係を通して新なるヴェクトルが合成せられたやうな場合には、いひかへれば合成ヴェクトルが未だ生々しい衝突の記憶を保存してゐるやうな場合には合成ヴェクトルは未だ内面的に場に生起する運動を規正する力をもたない。法律の成員の行動を規正する力が内面的ではなく、外面的であると言はれるのはこのためである。してみれば、われわれが場の指力線の抵抗慣性として記述するところのものは、生物學的習性の一種に過ぎないのであらうか。世代を經ると共に合成ヴェクトルが漸次に内面的に成員の行動を規正する力を獲得するに至ることは事實である。それは一つにはたしかに世代の交代によつて、對立せる運動を支持し、主張して來た成員が社會的場から消え去る事にも基くであらう。合成ヴェクトルが幾世代をも通じて維持されたやうな場合にはそこには最早やその成立の當時に於ける瘡痕は癒されてゐるであらう。だから指力線は世代の交代と共に安定性を增し、大なる惰性抵抗をもつやうにもなるのである。合成ヴェクトルが合成ヴェクトルとして承認せられるためには、それを成立たしめた分ヴェクトルを支持する勢力は、分ヴェクトルを支持するものとしては消失しなければならぬ。さうして合成ヴェクトルを合成ヴェクトルの故に支持するものとならなければならぬ。世代の交代はこの協働を緊密ならしめるための缺くことの出來ない條件である。一般に新なる制度はその以前の制度の下に生活してゐた成員にとつては兎角窮屈であり勝手の惡いものである。よしそれの妥當性が承認されてゐても、尙かつ拘束を感ずるものである。ところが、それが世代が代ると、それが妥當なものである限りに於て極めて自然なものとして受容れられるのである。こゝに時といふものゝ働きがある。從つてたゞ一二の世代を通じてさへ、合成ヴェクトルがかゝる安定性を獲得するものであるとすれば、それが數限りない世代を通じて場を支配する時の樣は凡そ想像を絶するものがあるであらう。

　ではそれは結局たゞ單に成員が社會的場の條件に慣れる事から來るのであらうか。卽場の指力線の有する惰性抵抗は、單に物理的慣性に過ぎず、生物學的習慣に外ならぬのであらうか。勿論これも一つの重要な要因には違ひない。然しそれだけによつてどうして分ヴェクトルを消失せしめる作用をなすのであらうか。こゝにわれわれの力學的立場から解明さるべき問題がひそんでゐるものゝやうに思はれる。

　先にもみたやうに、社會的場に於て成員によつてなされる運動は平等に自由なものではなく、合成ヴェクトルの決定に關與する分ヴェクトルによつてきまるそれ〴〵の位置によつて自由度を異にしてゐるのである。從つて社會的場に夫々の位置に應じて自由度を異にする構成要素が存在する限りに於て、其處には常に分ヴェクトルも又存在すると言はなければならぬ。其故に分ヴェクトルが分ヴェクトルとして消失するためには、社會的場に屬する凡ての成員が同じ水準に立つといふ事がなければならぬ。從つてもし時の流れと共に分ヴェクトルが消失して、合成ヴェクトルが漸次に安定性を得るやうになるとすれば、それは永い歲月の間に社會的場に於ける水準の高い部分から低い部分へと運動が流れ、漸次にそれが平衡狀態に達するがためでなければならぬ。次の章に於て精しく述べるやうに、社會的場に於ては、場に力差(Potencial difference)が存する場合には常に一層大なる力を有する部分から小なる力を有する部分への運動が生ずるのである。といふのは運動は受容れることを迫る力として、その一層大なる部分から、比較的小なる部分へと運動が流れるのは、後に述べるやうに當然のことであるがためである。從つて、永い歳月の間には場に屬する凡ゆる成員は力學的には平衡狀態に達する。卽各の存在は同じ水準に立ち、同樣なヴェクトルをもつて合成ヴェクトルの決定に關與するものとなる。かゝる場合には、成員は最早や決して場の指力線にそれるやうなことはなくなる。風習傳統の有する成員の行動に對する規正力はこゝから來るのである。從つてわれわれが指力線の惰性抵抗と呼ぶところのものは、力學的には社會的場が平衡狀態に達する時最大となる。といふのは、社會的場に存する力差が漸次に小となり、平衡狀態に近づくと共に、新なる運動は、餘程大きな力を有しない限り、それを變更する事は出來難くなるからである。卽新しい運動は十分に强力でない限り、直ちに場の指力線によつて消されてしまふ。かゝる場合に於てのみ、嚴密な意味に於て協働體の焦點に作用する合成ヴェクトルは人格の核心をなすのである。其故に場の指力線の有する惰性抵抗は、人格そのものゝ屬性としてみられなければならぬ。このことはわれわれが具體的な特殊な風習を取上げて考察するとき明かにせられる。

レヴイ・ブリユーはその「道徳社會學」に於て、「われわれの道德的意識は或行爲を義務づけ又は禁止するものであるが、この行爲の理由信念は既に數世記前に消滅してをり、今日骨骼しか見付からぬマンモスの血球と同樣に、全くわれわれには理解し難いものである。」と述*べてゐる。われわれはこの誇張された表現の中に多くの眞理が言ひ表はされてゐることをみる。勿論われわれの行爲はそれが如何なる行爲であるにせよ、行動の主體によつて是認せられる限りに於てなされるのであり、主體によつて是認せられるといふこと以外に行爲の理由なるものは存しない。然しわれわれの有する風習には方位とか吉凶日に對する信仰のやうに、迷信的要素を含んでゐるものがある。それらは今日科學的認識によつて全く理由のないものであることを誰も承知してゐるにもかゝわらず、それに對する信仰にはかなり根强いものがある。第一流の科學者を以て自ら任じてゐる人達でさへ、自分の家を建てるに當つては家の方位といふことを眞面目に問題にしてゐるし、又結婚とか死亡などの儀式を擧げる日に關しては、多くの人はそれがよい日であるかどうかといふことを氣にする。現在ではそれを破つたところで誰も非難しはしないのに、どうしてそれが問題となるのであらうか。それは倘そこに何かゞあるのではないかといふ不安が微かながら人人の心に殘つてゐるからである。それを犯すときは、如何なる運命が訪れるかもしれないといふ不安がかうした風習を今日尚保持せしめてゐるのである。それらの風習は人間の運命の量り知られないといふ事實と密接に結びついてゐる。それが科學的に容認されないにもかゝわらず、根強く人心を支配してゐるのもこれがためであり、住居の建築とか結婚とかいふやうな人生にとつて重要な意味を有する事柄に關して人々が極度に迷信的となるのもこれがためである。

※　レウイ・ブリュール著　勝谷在登譯　道德社會學二二七頁

然したゞ單にそれだけの理由でかうした風習が保たれてゐるのではない。われわれは平安朝末期鎌倉時代に興つた日本佛教がかうした信仰に立宗の根據をおいてゐたことをしつてゐる。從つてかうした信仰の背後には現在一般に承認されてゐる宗教的信仰があつて暗々裡にこれを支へてゐるのである。傳統的風習は宗教的信仰と結びつき、成員の信念となつてその行動を規正してゐる。それは否認しようとしても否認し得ない或力をもつて成員に對して受容れることを迫つて來る。日常の生治に於ては、何等問題となつてゐないにかゝわらず、特定の出來事に際會した場合には、われわれはそれに從はしめられるのである。そこには個人の力によつてはどうにもならない或力が働いてゐる。ではどうして風習はかうした力をもつのであるか。どうして風習がかゝる力をもつてゐるのであるかといふ事は、それが社會的場に屬する凡ての或は大多數の成員によつて是認されてゐるからであるといふより外には應へられない。われわれはこれより外にこの力の由來するところを知らない。風習の有するかゝる壓倒的力は社會的場の指力線の惰性抵抗としてのみ說明せられる。

かゝる風習は古い時代に於て支配階級、上流社會のひとびとによつて信ぜられてゐたのであるが、一般庶民はかうした思想には餘りかゝはりを持つてゐなかつたのである。卽合成ヴェクトルの決定に關與することは少なかつたのであるが、永い歷史の過程を通して文化は合成ヴェクトルの決定に關與すること大なる階級、卽社會的場に於て一層高い地位を占めてゐる部分から低い部分へと流れ、江戶時代の中期頃にもなれば、場に屬する殆んど凡ての成員はこの合成ヴェクトルの決定に全く平等に關與するやうになつたのである。このことがこの風習に對して絕大なる安定性を與へたのであり、社會的場の指力線が大なる抵抗慣性をもつやうになつたのである。

だからひとは自らを社會的場に屬する成員として認め、認められる限りに於て合成ヴェクトルに逆ふことが出來ないのである。といふのは相互に他者を社會的場に屬する成員として承認するといふことは、合成ヴェクドルを承認せるものとして他者を認めることに外ならぬからである。從つてそこには合成ヴェクトルに對する主體の忠誠が示されてゐる。一般には他者を社會的場に屬する成員として承認するといふことの中には、他者の社會的場に於ける地位の承認が含まれてゐるが、かうした古い風習に於ては、成員は凡て平等に合成ヴェクトルの決定に關與してゐるがため、こゝにはひとは相互に他者を自分と全く同じ水準に立つものとして承認する。實にこのことにそれが大きな抵抗慣性を有する理由が存するのである。かゝる場合には、合成ヴェクトルは、今の事例に於て明かなやうに、成員の信念となつて現はれるのである。

一體、信念は主體の要求が單なる主體の要求ではなく、主體の屬する全體の要求であるところから來るものであり、協働體の合成ヴェクトルに根ざすものである。かゝるものとして信念は他者によつて肯定せられ確認されてゐる主張であり要求である。一般に責任とか權利とかいふものは信念の事柄である。われわれが先に人格の惰性抵抗と呼んだところのものは實はこの人格の信念に外ならぬ。私をして或行動をなさしめ他の行動を避けしめ、或は或行動を承認せしめ他の行動を非難せしめるものは私の信念である。この信念は決して單なる論理によつては破られない堅い地盤をもつてゐる。われわれが屢々最早やいだいてゐるとは考へられない信念がなほ行動の原因であつたり、原因たるべき新しい確信が尙實踐的には何等の作用をも生ぜしめないことが屢々あるのは、前者には古き實踐の地盤があるのに、後者にはそれが缺けてゐるがためである。

人格の概念はひとのいふやうに他者を含むものである。他者と切離された自己は自己ではない。然しわれわれは更にかく附加へべきであらう。ひとは特定の指力線の支配する社會的場に屬する成員である限りに於て人格であると。といふのは、ひとは自らを社會的場に屬する成員として認め、認められる事によつてのみ責任ある主體として自らを把握するのであるからである。ひとは協働體に屬する成員としてのみ人格であり、人格の核心をなすものは信念に外ならぬからである。信念は協働體の合成ヴェクトルに根ざすものである。だからひとが合成ヴェクトルに背くとき、人格は平衡を失ひ、よろめき不安に陷るのである。人格は場の力學的平衡狀態に於て安定を得てゐるがためである。合成ヴェクトルは人格の支柱である。實にこのことのみが風習傳統を維持しようとする社會の人心を說明するものである。風習傳統に對する尊敬には、それを破ることによつて生ずる恐怖、人格の轉倒に對する恐怖が結びついてゐる。このやうに風習傳統の不可侵性ともいふべき性格は、それを社會的場の安定せる指力線の抵抗慣性として記述することによつて明かにせられる。

人格の核心をなす信念が社會的場の指力線の抵抗慣性に根ざすものであるといふことは、決して人格の自由を否定するものではない。又人格の自由は本質的には協働體の合成ヴェクトルを是認し、それによつて自らの行動を規正することより外にはあり得ない。場の指力線が安定してゐる場合にはひとは決してそれに背かうとはしない。言ひかへれば、社會的場には新なる運動は生起し得ないのである。新なる運動が生起し得るためには、合成ヴェクトルは既に人々の心を十分な力をもつて捕へることが出來ず、指力線は或程度その抵抗慣性を失つてゐなければならぬ。然しかゝる場合に於てさへも、成員は精々合成ヴェクトルを是認するか否認するかの自由しか持たないのである。ひとは社會的場に屬する成員である限りに於て合成ヴェクトルを是認するか否認するかせずして行動する事は出來ないからである。從つて新なる運動は常に既存の合成ヴェクトルによつて制約せられ、既存の合成ヴェクトルの更新を目指すものである。ひとが歴史的時代の危機と呼ぶところのものは合成ヴェクトルの更新されつゝあるその時期を指すのであらう。危機は實に人格の信念の動搖に存するのである。

五、社會的場の力差と運動

文化傳達の問題

群集に於ける感情の昂りは一般に認められてゐる事であるが、それは共同の關心の對象にひきつけられ、興奮した人達の中にひとが屬するといふ事實から來るのである。それは群集を構成する成員の一人として相互に認め認められる事によつて生ずる感情に外ならぬ。この社會的場に屬するものとして認め、認められる事によつて、個性的な思想感情は背後に退き、共通性が浮び上るのである。平常の生活に於て、その行動の地盤となつてゐる共通性が前景に押しだされて、個性的なものは表面から消え去るのである。こゝに一種の解放された愉悦が經驗せられる。この事がそれに屬する成員を普段には決してしないやうな行動にかるのである。そこに於ては、かくあるが事が誰によつても是認せられるからである。成員はその關心の對象に夢中になり、その感情をむきだしにしてさわぎ廻る。從つてその關心の對象が全體の運命に關する事柄であるやうな場合には、獨りでゐるときには思ひもよらぬやうな極端な行動をあへてせしめるやうになる。ル・ボンが群集には、それを構成する諸個人の心理とは異つた心理が生れてゐるといふのもこの故である。

この心理は群集なる一時的な社會的場に屬する成員に生ずる心理に外ならないが、持續的な社會的場に屬する成員の心的態度も、心理的には場に屬する成員として相互に認め認められる事によつて生ずるものに外ならぬ。勿論恒常的な社會的場に於ける平常の生活に於ては、共通性が地となり、個性的なものが浮び上つてゐる。そのためにひとは共通性に氣づかないでゐるけれども、現實的には成員相互の接觸交通は相互に他者を自分の屬する社會的場に屬する成員として是認する事によつてなされるのである。而も他者を自分の屬する社會的場に屬する成員として受容されるのは、彼が自分の屬する社會的場に特有な社會的條件たる風習制度を行動をもつて確證してゐるがためである。ひとは行動によつて相互に協働體の合成ヴェクトルを確證する事によつてのみ社會的場に屬する成員として認められる。こゝに社會的場の指力線の、場に生起する運動に對する影響が成立つのである。恐らくわれわれが他の成員と取交す挨拶の言葉や會話はトロッターも言つてゐるやうに、※單なる思想の交換以上のものであらう。それは多くの場合、例へば天氣がよいとか惡いとか、物價が高くなつたとかいふやうな御互にさうと知つてゐる事柄に關するものである。それにもかゝわらず、それが對話者に滿足を與へるのは、それによつて御互に同じ社會的場に屬する成員であることを確認するがためであらう。だからわれわれは仲違ひをすると御互ひにかうした簡單な言葉の交換さへも節約しようとするのである。

※ W. Trotter, Instincts of the Herd in Peace and War (p. p. 118-119)

相互に他者を自分の屬する社會的場に屬する成員として認めるのは、行動によつて、協働體の合成ヴェクトルを確認することによつてゞある。從つて相互に他者を自分の屬する社會的場に屬する成員として受容れるといふことのうちには、社會的場に於ける他者の位置に對する相互承認が含まれてゐる。といふのは、各の成員はそれぞれ異つたヴェクトルをもつて合成ヴェクトルの決定に關與するのであり、合成ヴェクトルの決定に關與する分ヴェクトルによつて成員の社會的場に於て享有する特權は異るからである。從つてわれわれの平常の生活に於ては、この社會的場に於ける位置の確認が相互承認に表立つてゐるのである。ひとは合成ヴェクトルを受容れることによつて夫々の地位に應じてなすべき課題を受取るのである。かくしてひとはその與へられた位置に於て共同の目標の遂求に關與するのである。未開社會に於ても成員は決して平等ではなく、血緣に基く特殊な特權が或特定の成員に對して認められてゐる。合成ヴェクトルは等しい分ヴェクトルから成立つてゐないからである。

社會的場に於ける成員の位置は決して變らないものではなく、時と共に變化するものである。全體の目標遂求にあづかる社會的存在の力に應じて場に於て占める位置はきまるからである。勿論社會的場に於ける合成ヴェクトルは決して單一なものではなく多樣であり錯綜してゐるから、或分野、例へば政治的分野に於て高い地位を占めるものが、他の分野例へば宗教的或は科學的分野に於て同一の地位を占めるとは限らない。けれども夫々の分野に於て社會的存在の位置をきめるものは常に合成ヴェクトルの決定に關與する分ヴェクトルである。

協働體を構成する成員は凡て全體の目標遂求に關與してゐるのであるが、この目標遂求に關與する成員の力は異つてゐる。ひとは夫々の力に應じて目標遂求に携つてゐる。この協働の目標遂求に力をいたすその程度こそ成員の場に於ける地位を規定するものに外ならぬ。この故に、成員の社會的場に於ける位置の相違は人格の力の差異を示すものであると言はなければならぬ。何故ならば、人格の力は全體の目標遂求に關與する力に外ならず、合成ヴェクトルの決定に關與する分ヴェクトルによつて表はされるものに外ならぬからである。このやうに社會的場に於ける成員の位置は全體の目標遂求にあづかる力によつてきまるものであるから、場に於て占める位置によつて成員が享有するところの權利は異つてゐる。卽合成ヴェクトルの決定に關與すること大なる分ヴェクトルは全體の方向からそれることが少いため、それだけ、自らの要求主張をそれによつて通すことが出來、その要求を充たすことが出來るが、合成ヴェクトルの決定に關與することの少ない分ヴェクトルは合成ヴェクトルによつて偏りが與へられる事が大となり、それだけ自らの要求を充たす事が少ないわけであるからである。全體の目標と自らの目標との間の隔りが大きいわけである。其故に成員は社會的場に於ける位置によつて、その行動、卽運動の自由度を異にするのである。或は拘束度を異にすると言つてもよい。

このやうに社會的場に屬する成員は凡て合成ヴェクトルを承認する限りに於て、卽場の指力線によつて行動が拘束せられる限りに於て成員として認められ、成員としての自由を享有することが出來るのであるが、その享有する自由は場に於ける位置によつて異るのである。從つてわれわれはかうした視點から社會的場に於ける部分間の力差に就て語ることが出來る。われわれはこの力差なる概念を導入することによつて文化の傳達の現象を明かにする事が出來る。力差なる概念はブローンによつて用ゐられてゐるが※、それの導き出される根據は頗る瞬昧である。力差なる概念は社會的場をヴェクトルの場として記述する限りに於て始めて成立つ概念である。ところがブローンに於ては社會的場はヴェクトルの場として把握されてゐない。

※ J. F. Brown; Psychology and Social Order, New York and London 1936

社會的場の部分間に力差が存する場合には、運動は自由度の大なる部分から小なる部分へと進むのであつて決してその逆ではない。といふのは自由度の高い部分は一層大なる承認を迫る力を有するがためである。從つて其他の條件が同じであれば、部分間の力差が大であればある程、部分から部分へと進む運動の速度は大となる。社會的場に於ける文化の傳達波及の現象はかうした立場から明かにせられる。然し文化の傳達波及の問題は社會的場に於ける水準の低い部分の位置の向上の問題、一層大なる人格力の獲得の問題と聯關をもつてゐる。といふのは運動が部分から部分へと進むと共に、特定の協働目標の遂求のみに就て考へるならば、部分間の力差は小となり、ひとびとは同じ分ヴェクトルをもつて合成ヴェクトルの決定に關與するやうになるからである。即特定の文化が社會的場の凡ゆる部分に行きわたるやうになると共に、その文化のみに就ていふときは、場に屬する凡ゆる成員は平等に近い力をもつて全體の方向の決定にあづかるやうになるのである。特定の古い風習傳統に於ては場に屬する凡ゆる成員は殆んど等しい力をもつて全體の方向の決定にあづかつてゐるのである。言ひかへれば、成員はその風習に關する限りに於て平等の人格力を有するのである。このやうに運動によつて場の部分の力差が小となるといふことは、低い部分のみから考へるならば、その社會的場に於ける地位の向上を意味し、人格力の増大を意味する。

このことは社會的場に屬する部分が個人であつても、集團であつても同じことである。運動は常に、力の大なる部分、合成ヴェクトルの決定に一層有力に關與する部分、卽指導的地位にある集團から從屬的地位にある集團へと進展して來るのであつて決してその逆ではない。從來全然或は殆んど問題にされてゐなかつた他の國民の文化が或國民へと流れて來るやうになるのは、世界なる社會的場に於ける國民の位置の變動に基くものである。世界なる社會的場に於て比較的地位の低い國民の文化も、他の比較的高い文化を有する從つて一層大なる是認を迫る力を有する國民と接觸することなく、一層狹い世界に閉ぢこめられてゐる限りに於て、文化そのものもそれ自體としては眞理性をもつてゐるのであらう。ところが他の國民との接觸が不可避的となり、その屬するところの世界が擴大すると共に、狹い世界に於て妥當してゐた眞理はその妥當性を著しく制限されるやうになる。眞理は眞理として世界に於て妥當すべきものであるからである。從つて制限された特定の場にのみ妥當する眞理は最早や眞理としての價値を失ふやうになる。社會的場の擴大と共に、從來殆んど問題にされてゐなかつた他の國民の文化が無視し得ない力を以てその國民に對して迫つて來る。從來理窟をぬきにして正當なものとして受容れられてゐた既存の思想、藝術、宗教の眞理性の是認を迫る力は著しく薄弱ならしめられる。さうしてそれは新しき眞理が一般に受容れられるやうになることゝ比例する。從つて文化そのものに就て考へるならば、受容れることを迫る力の大なる部分から小なる部分へ、言ひかへれば運動は文化的に水準の高い部分から低い部分へと流れて行くのであると言はなければならぬ。運動は世界なる場に於ける力の大なる集團から、小なる集團へと流れて行くのである。さうしてそれはそれら國民間の力差が消失し文化的に同じ水準に達する迄つゞく、人類歴史の方向の決定に有力に關與する部分の運動が受容れられ、既存の傳統的文化と融合し、こゝに新なる文化が形成され、少くとも有力なる國民と同じ水準に於て人類の協働の目標遂求に關與するやうになる迄は運動は休止し得ないであらう。言ひかへれば、國民が文化的に同じ水準に達する迄は休止しないであらう。

かうした場合、文化的に低い水準にある國民内部に於ける運動は、開化運動といふ形をとつて現はれるであらう。然し既存の文化が非常に根強く成員の心を支配してゐる場合、言ひかへれば場の指力線の慣性抵抗が大であるやうな場合には運動は直ちに消されてしまふ。開化運動は進展しない。凡て社會的場に屬する成員の思想信念は單なる論理によつては破られ得ない實踐的地盤をもつてゐる。たゞこの地盤に龜裂が生ずる時、言ひかへれば指力線が慣性抵抗を失ふとき、始めてその眞理性は問はれるのである。從つて新しい運動が進展し得るためには、その屬するところの場の擴大に基いて部分に於ける指力線が或程度抵抗慣性を失つてゐなければならぬ。即それは最早合成ヴェクトルとして、全成員によつて承認され難いものとなつてゐなければならぬ。新なる運動は既存の合成ヴェクトルによつて制約されながらも、それを最早や合成ヴェクトルとして承認しないこと、それを分ヴェクトルであると宣言するところに開始せられる。其故に社會的場に新なる運動が生起するやうな場合には、常に既存の合成ヴェクトルに忠實なる一團によつて代表される所謂保守的運動が現はれ、新しい運動と衝突し、思潮の波は高まる。保守的運動がたゞ單に既存の合成ヴェクトルに忠實なるのみならず、一層古い狀態への復歸を目指すとき、それは反動運動となる。一般に反動運動は革新運動が自由の擴大を目指すものであるならば、自由度を低めることによつて、合成ヴェクトルを安定せしめようとするものである。これは、前者を指力線を亂すものとして、非難し、成員の一層緊密なる協働を、運動を拘束することによつて確保せんとするものである。ともあれ革新運動は常に、社會的場に風習制度が存在する限りに於て、即安定せる指力線が支配する限りに於て、常に現狀を維持しようとする保守的力によつてさへぎられる。この對立せる力の緊張關係を通して運動は或は右に或は左に傾く。然しこの振子の振副も時の經過と共に次第に小さくなり、遂に安定し、新なる運動を制約する條件となる。場の指力線に特定の偏りが與へられたのである。然しこれと共に、この全體の方向の決定に對して有力な作用をなした集團はこれによつてその分野に於て一層大なる自由を享有するに至るのである。

このやうに成員の社會的場に於て占める位置は全體の目標遂求に關與する力によつてきまるのであるから、成員の社會的場に於て占る位置は成員の人格の力の大きさを示すものである。人格の力は合成ヴェクトルの決定に關與する分ヴェクトルによつて表はされるのである。其故に人格の力はその指導力にあるといふ事が出來る。凡て社會的場に屬する成員は、場に生起する運動に關與する限りに於て、全體の方向決定にあづかつてゐる。社會的場に於ては、徐々にではあるが、常に何等かの運動が展開してゐる。それが積りつもつて世代から世代へと移るに從つて、目に見える變化がそこに現はれるやうになる。社會の風習制度はかうした運動によつて漸次に改變せられ、更新せられてゆく。場に屬する凡ゆる成員はかうした運動に關與し、全體の方向の決定にあづかつてゐる。成員の誰かによつてなされた僅かな改革は、それが微かなものであるにせよ、他の成員によつて受容れられることによつて歪みが與へられ、かうして次第に大きな偏向を持つた波となつて進展して行くのである。かういふ意味で凡ゆる成員は指導力を有するわけである。然しかくして傳へられてゆく波は偉大なる人格の出現によつて決定的ともいふべき方向を得るやうになる。われわれはかゝる人格を特に指導者と呼ぶ。

偉大なる人格は夫々の分野に於て、その分野に屬する成員の思想なり趣味なり行動なりに重大なる影響を與へるものであるが、かうした人格の影響も社會的場に於ける部分間の力差に基くものとして說明せられる。といふのは、さうした人格は合成ヴェクトルの決定に有力に關與するものとして、社會的場に於ける水準は高く、從つて合成ヴェクトルの決定に微力をもつてしか關與してゐない低い水準にある部分へとその思想信念は流れてゆかざるを得ないからである。勿論或人の思想なり信念なりが、一言でいへば運動が流れて行くのはそれが他の成員によつて受容られ、それが彼等自身の思想なり信念なりとなる限りに於てゞある。從つて偉大なる人格の思想なり信念なりがその儘に隨從者達のそれとなるといふ事はあり得ない。思想は隨從者達によつて眞理として受容れられる或側面のみが強調せられ、他の側面には觸れられずに殘されるのである。運動に特定の歪みが與へられるのである。多くの隨從者を生む場合、こゝに一つの思想の流れ、思潮といふものが生じ、それがやがて思想界の主流をなすやうになるのであるが、この場合こゝに從來眞理だとして承認されてゐた思想なり信念なりは決して消え去るのではなく、この新しい思想はこの既存の思想と融和することによつて始めて擴大するに至るのである。もと新しい思想が社會的場に現れるといふことは、思想自身として考へれば、從來眞理だとされてゐたことが疑はしくなり、其儘に肯定し得ないといふこと、思想の分野に於ける指力線の惰性抵抗が弱められてゐることに基くものである。偉大なる思想家の出現によつて、この肯定し得ない點が露はにせられ、時人が豫感してはゐながら未だ表現しきらなかつたものが明瞭に把握せられ表現せられる。この天才の見通しによつて激勵された隨從者達によつて運動は徐々にではあるが確實な歩みをつづけるやうになる。思潮が擴大すると共に、その分野に屬する凡ての成員の從來のものゝ考へ方見方といふものに特定の歪みが與へられるやうになる。社會的場の指力線は更新せられ、場に屬する成員の思想感情がそれによつて制約せられるのである。然しそれと共にこの全體の方向の決定に對して有力な作用をなす成員はその分野に於て一層有力な地位を確保するにいたるのである。この點政治運動と何等異るところはない。たゞ異るのは行動の分野だけである。

かうした立場から、われわれは國民の風習傳統は如何にして新しい世代に傳へられるか、又風習傳統を繼承するといふことは年少者の人格の發達にとつて如何なる意味を有するのであるかを明かにすることが出來る。

國民の風習傳統は成員の信念思想感情を離れてあるものではなく、成員の行動に於て確保されてゐる。それは成員によつて確固不動のものとして豫定せられ、理窟をぬきにして正當なものとして受容れられてゐる。風習傳統に對するかうした實踐的承認の下にわれわれの日常の生活は營まれてゐる。從つてひとが相互に他者に期待するところのものも、彼が風習傳統に從つて行動することに外ならない。ひとびとの人格的交渉は相互に他者を自分の屬する社會的場に屬する成員として認め認められることによつて始めて成立つのであるが、それはひとが相互に行動をもつて社會的場の合成ヴェクトルを承認することによつてなされるのである。從つて社會的場に屬する成員の人格の自由はあく迄も制限されたものであり、又さうであればこそ、それは保證せられたものである。自由は社會的場に屬する成員としての行動の自由に外ならぬ。かゝるものとして場に屬する成員は誰でもかゝる自由を享有することが出來るわけである。然しながら、それは合成ヴェクトルによつて保證せられた自由として合成ヴェクトルの決定に關與する分ヴェクトルに應じて異つたものである。言ひかへれば、社會的場に於てはひとの占める位置によつて自由度は異つてゐるのである。從つて社會的場に屬する成員として新たにこの世に現れた未成熟者は未だかかる自由を享有するものとは言へない。自由は彼が合成ヴェクトルの決定に關與する度合ひに應じて與へられる。といふのは、自由は行動をもつて合成ヴェクトルを確證する成員に對してのみ保證されるものに外ならぬからである。其故に年少者を社會的場に屬する一人前の成員に形成するといふ事と、自由なる人格に形成するといふことゝは、ひとがともすれば考へるやうに、決して相反する目標を目指すものではない。年少者は一人前の成員となることによつてのみ人並の人格となることが出來るのである。では如何にして人格は形成せられるか。

如何にして人格は形成せられるかといふ問題は人格の核心をなす信念は如何にして獲得せられるかといふ問題に外ならぬ。人格は行動が主體の內的意向に基いてなされる限りに於て自由であるからである。從つて社會的場に屬する成員としての自由を獲得する過程は同時に成員としての信念を獲得する過程に外ならぬ。其故にわれわれの問題は如何にして國民の風習傳統は傳達されるかとの問題となる。

風習傳統が世代から世代へと傳へられるのは、新しい世代が特定の指力線の支配する社會的場に生れることによつてゞはあるが、それは未だ運動を受容れてゐない成員に對して新しい運動が押寄せて來る場合と同じ仕方によつてなされるのであると考へられる。非常に大きなヴェクトルによつて現はされる運動が新しい要求が目覺める每に押寄せて來るのである。或は外部から押寄せて來る運動が未だ知らなかつた、或は漠然としてしか感ぜられなかつた新しい要求を目覺ますことも非常に多いであらう。とにかくそれがいづれの場合であるにせよ、彼に接觸する成熟せる成員の行動は絕大な力をもつて年少者に受容れることを迫る運動として作用するのである。從つて風習傳統は運動として年少者によつて受容れられることによつてのみ新しい世代へと傳へられてゆく。だから如何に微かであつても、世代を通して社會的場の指力線に一定の歪みが與へられ、風習傳統は世代の交代によつて更新せられるのであると考へなければならぬ。

このやうに風習傳統が世代から世代へと傳へられてゆくのは、運動といふ形をとつてなされるのであるから、風習傳統が世代から世代へと傳へられるといふ事實が存する限り、風習制度に於て表現されてゐるやうな要求を年少者も又有するものであることを認めなければならぬ。然し年少者の要求は、その特殊な風習傳統によつてのみ充たされ得るやうな要求ではない。といふのは、若し彼が異つた社會的場に假りに生れ落ちたとするならば、彼は全く異つた風習を受容れるやうになるであらうから。從つて年少者の有する可能的要求は特定の風習傳統よりは遙かに多樣なる方向をもつてゐると考へざるを得ない。現實的要求は、この多樣な方向をもつてゐる可能的要求が制限されることによつて生れるのであると言はなければならぬ。われわれはその一例として赤ん坊の發音能力を擧げることが出來る。赤ん坊が凡ゆる國語を發音し得るといふことが多くの言語學者によつて證明されてゐる。※このことは單に言語のみならず他の凡ての行動領域に就ても言へる筈である。從つて特定の風習傳統が受容れられるのは、それに反する方向を有する種々の可能的要求或は現實的要求が運動によつて制限せられることによつてゞあるとも考へられる。

※ Paul Guillaume: L'imitation chez L'enfant. p. 38

然し乍ら現實的には、要求は多くの場合、外部から來る受容れることを迫る運動によつて始めて觸發せられるのであり、年少者が特定の社會的場に屬する成員であることから生ずるのである。國民の風習傳統、言語、技術はいふ迄もなく、科學、道德、宗敎、藝術等凡ゆる文化が新しき世代に傳へられるのは、先立つ世代によつてなされることが子供にとつて望ましきものとしてみられるがためである。社會的場に於て大人によつてなされる行動が理想として子供に受容れることを迫ればこそ、子供にそれを實現しようとする要求も生ずるのである。大人の行動に對する子供の模倣は決して機械的になされるものではない。そこには模倣せられる對象に對する評價が含まれてゐる。見習はれるのは自分にとつて價値ある事であり、自分の出來ないことなのである。大人によつてなされる行動は年少者にとつて理想としてみられ、この具體的理想がそれを實現しようとする努力を年少者に呼び起すのである。

子供に親しく接觸したことのあるひとであれば誰も氣のつくことであるが、子供は大人のやうになりたいといふ大きな願ひをもつてゐる。それはたゞ單に身體的に大人のやうに大きくならうとする願ひのみではない。根本的にはそれは大人のやうに振舞ふことが出來るやうになりたいとの要求に外ならないのである。大人の行動に對する子供の模倣は、大人の世界に對するこの憧憬から來る。子供の眼には、大人によつてなされてゐる平凡な日常性の生活も實にすばらしいものとしてうつるに違ひない。子供達の遊戲はこの憧憬の世界を空想的に描き出す。子供は想像作用によつてその要求を實現する。四五歳の子供は好んで兵隊さんになつたり、バスの車掌になつたりする。兵隊さんや車掌は子供の魅惑の對象となる。子供は兵隊さんになりたいと思ふ。この要求が想像作用を通して實現せられるのである。或は自分が父親となつて父親がするかのやうに母親に對し、或は自分が母親となつて母親を自分の位置に置き母が自分に對するやうに、母に對して振舞ふ。

　われわれはこれらの事實によつて年少者に成熟せる成員のやうに振舞はうとする強い要求の存することを知る。然し乍ら、この要求は子供にのみ存するものではなく、社會的場に屬する成員の誰もの有する要求に外ならぬ。といふのは、この願ひは有力な他の成員と同じやうな力を有する者になり度いとの要求に外ならぬからである。早く大きくなりたい、大人のやうに振舞ふことの出來るものとなりたいとの子供の要求は、大人のやうに有力な成員になりたいとの要求として社會的場の部分の間、成員の間に力差が現存するといふ條件のもとに於て、はじめて可能となる。年少者の教育の可能なる所以は、彼等が自由度を異にするヴェクトルの場に生れ落ちるがためである。子供のこの力強い人格になりたいとの要求は、いふ迄もなく、彼等が社會的場に於て占める位置と關係をもつてゐる。氣紛れな自分の要求を通さうとして、それが通らなければ駄々をこねる幼兒が、この自らの習性に逆つてこれを克服するのも、苦い藥を一息に飲む彼の勇氣も場に於ける自らの位置を高めんとの人格的要求から來るのである。親達によつて、子供の行動に對する激勵の言葉として「坊やは大きくなつたのだから」とか、「お兄ちやんだから」とかいふ言葉がしばしば用ゐられるが、そこには子供の社會的場に於ける位置の確認が含まれてゐる。だからたゞそれだけの言葉が子供の精神を高揚せしめるのに役立つのである。

一般に社會的場の部分間に力差が存する場合には、自由度の高い部分から低い部分へと運動の流れをみるのであるが、かうした運動が社會的場に生起するのは、それ〴〵の分野に於て有力な成員によつてなされる行動、その思想信念が、一言でいへば、その運動が低い水準にある成員の眼に望ましきものとして映るがためである。といふのは、社會的場に屬する成員の自由は拘束された自由だから、拘束される事の少ない、自由度の大なる運動こそ場に屬する成員にとつて最も望ましきものに違ひないからである。又ひとは社會的場に屬する成員である限りに於て、社會的場に於てい水準の高い部分から流れ來る運動を受容れることによつてのみ、全體としての生の要求を充たすことが出來るからである。これのみがひとに許された生を充實せしめる唯一の道である。子供の大人のやうになりたいとの要求は、この生を充實せしめようとする全體としての人格の要求の具體的發現に外ならぬ。社會的場に於てはこの全體としての生の要求はかうした制約された形をとつて現はれるのである。然しながら、他者によつてなされるところの運動は如何に絶大なる力をもつて受容れることを迫るにせよ、主體にとつては、あくまでも生を充實せしめるための條件に外ならぬ。年少者はたゞ外部から迫り來る成熟せる成員によつて代表される運動を受容れることによつてのみ、自らを豊かならしめ充實することが出來る。たゞそれによつて人格は强靱となり一層大なる自由を享有する事が出來る。子供は生れるやその力は弱く、言はゞ零に等しい。その全體的生活は兩親の生活に依存してゐる。子は親によつて代表される運動を受容れることによつて、又それを受容れる度合に應じて漸次に社會的場に於ける自由度の大なる水準に登る。彼は兩親への依存關係から解放せられ、ひとりだちの出來る人格となる。水準の高まりは人格力の擴大を意味する。其故に國民の風習傳統が新しき世代に傳へられてゆく過程は、先立つ世代と來るべき世代との力差が漸次に減少し、遂に零に達する過程として記述せられる。

このやうに風習傳統が世代から世代へと傳へられてゆくのは、自由度の高い從つて一層有力な部分から、低い部分從つて比較的微力な部分への運動の流れとして記述せられる。運動としてそれは新しき世代によつて受容れられる事によつてのみ傳達せられる。其故に風習傳統は如何に大なる惰性抵抗を有するとしても、それは年少者に受容れられることによつて、如何に彼等の力が微弱であるにしても、更新せられ特定の偏りが與へられる筈である。又實にこのことがあればこそ、風習傳統は年少者の行動を内面的に規正する力を獲得することが出來るのである。

六、人格の立場と態度

運動の國際的性格と國家の制度

他者によつてなされる運動を受容れるといふ事はそれによつて行動が制約されることであり、制約されるが故にかへつて運動の方向に特定の歪みを與へ、合成ヴェクトルの決定に關與することである。ひとは他者によつてなされる運動を受容れることによつてのみ、自己を充實せしめ豐かにすることが出來る。ひとはこれによつて協働體そのものゝ立場に立ち、狹き自己を脱却することが出來る。ひとをしてかうした高次の立場に立たしめるものは他者である。ひとは他者を同じ次元に位するものとして認め、合成ヴェクトルの決定に關與する協働者として承認することによつてかうした高次の立場に立たしめられるのである。

一體他者によつてなされる運動は、常に合成ヴェクトルとしてのみひとに對して受容れることを迫る。だから、ひとの主張は常に全體の要求として主張せられる。自己主張の根底にはそれが協働體の合成ヴェクトルに根ざすものであるとの信念が横つてゐる。從つてひととひととの關係は緊張せる對立關係に於てある。それは所謂正義と正義との對立であり、所謂眞理と眞理との對立である。從つて自ら合成ヴェクトルだと主張せられるところのものは、他者によつて分ヴェクトルだと宣せられる。他者によつて合成ヴェクトルとして承認せられない限り、それはあく迄も分ヴェクトルに外ならぬ。にもかゝわらず、それは合成ヴェクトルとして主張せられるのである。それが合成ヴェクトルとして主張せられるといふこと、それが合成ヴェクトルとして承認せられるといふことゝは全く別のことである。潜稱せられた合成ヴェクトルは眞實は分ヴェクトルに外ならぬ。それは他者によつて受容れられることによつて合成ヴェクトルたることを證明しなければならぬ。然し自らの主張要求一言で言へば、運動が他者によつて受容れられるといふことは、他者の運動を受容れることであり、運動の方向が微分的にでもせよ、特定の偏りの與へられることに外ならぬ。從つて潜稱せられた正義或は眞理が眞實の正義或は眞理として相互に受容れられるにいたるのは、ひとが相互に他者を共同の目標に對する協働者として承認し、他者の人格を內面的に肯定することによつてゞあり、全面的に相互肯定の關係に立つ事によつてゞあると言はなければならぬ。かうした協働の成立つ場合にのみ、ひとは他者に於て眞實の自己をみる事が出來る。かゝる場合にのみ、協働體の焦點に作用する合成ヴェクトルは人格の信念となる。從つて共通の制度風習傳統の支配する國民的場に於てのみ、成員相互の內面的相互肯定の關係の存するのをみる。

われわれは先に、合成ヴェクトルが協働體の焦點に作用するといふことは、それが協働體を構成する成員の人格を内面的に規正する原理として作用すること、然しそれが眞實に人格の核心をなすにいたるのは、長い歷史の過程を通つて、社會的場の力差が漸次に減少し、凡て成員が同じ水準に於て合成ヴェクトルの決定に關與するやうになつてであらうことをみた。だから國民の傳統的風習が信念として、背き得ない力として主體の行動を制約する事實を、われわれは、場の指力線の惰性抵抗として記述したのであつた。といふのは、社會的場の部分間に力差が消失するとき、新なる運動はもはや生起し得ないからである。運動は十分に力強くならない限り、場の指力線によつて消され、指力線に歪みを與へることは出來ない。共通の風習傳統を有する國民的集團に屬する成員の人格が或一定の型をもつてゐるのは、場の指力線の惰性抵抗に基くものである。といふのは、風習傳統は信念の事柄であり、信念はひとの屬する社會的場の合成ヴェクトルに根ざすものに外ならぬからである。

然し乍ら信念をたゞ單に場の指力線の惰性抵抗にのみ歸するのは餘りに一面的ではないか。といふのは、それに背き、新なる運動を生起せしめるものも又信念に外ならないからである。信念とは思想なり行動なりの他者に承認せられるであらうとの深き期待である。この他者によつても必然承認される筈であるとの期待に基いて既存の風習が維持されるやうに、新なる運動も又展開せられるのである。信念は新しき運動の原動力でもある。

然しわれわれはこゝに他者によつてなされる運動は合成ヴェクトルを表はすものとしてのみ、ひとに對して受容れることを迫る力を有することを想起すべきである。それが合成ヴェクトルであると自ら宣するのは、それがひとの信念に根ざすがためである。従つて若し信念が合成ヴェクトルに根すものであるといふことが承認せられなければならぬとするならば、自ら合成ヴェクトルであると僭稱する分ヴェクトルも、全體の場に於ては事實に於て分ヴェクトルにすぎないとしても、全體の部分をなす社會的場に於て合成ヴェクトルとして承認せられてゐるがためでなければならぬ。たゞこのことのみが、どうしてひとが分ヴェクトルを合成ヴェクトルとして眞劍に主張するのであるかを説明する。またこゝに、新しい運動が少數の同志によつてなされる理由がある。運動の進展する過程は、人格にとつては、信念の確證せられると共に、是正せられる過程である。信念が行動の原理であり、運動の原動力であるべきであるならば、それは他者の信念によつて試みられなければならぬ。信念は自らの主張の妥當性についての深き期待として、他者によつて承認せられないとき必然是正せられなければならぬ。さもなければ、それは現實的地盤を缺く。それは不安定となる。信念は他者の確認によつて始めて確立せられる。この信念の確立せられる過程こそ、實に社會的場に於て分ヴェクトルが合成せられ、新なるヴェクトルの生れる過程に外ならぬ。

ひとの行動は凡て社會的に制約されてゐる。われわれからみて或人の意見や行動が風變りに見えても、それはそのひとの屬する社會的場に於ては當然のことゝしてなされてゐるものに外ならぬ。行動の背後にはその行動を支持するひとびとの一團がある。ひとが他者に對してなす行動は他者も又肯定するものとの期待のもとになされるものである。然しひとにかうした期待を生ぜしめるものは、實にそのひとの生活してゐる社會的場に外ならぬ。ひとの物事に對し、世間に對してとる態度をきめるものは、そのひとの立つてゐる立場である。物事はひとのよつて立つ立場によつて全く違つたものとしてみえる。見えるといふのはたゞ單にあるところのものが見えるだけではなく、あるべきところのものに對する關係に於てみられることを指す。そこには目標によつて測られることが含まれてゐる。だから或立場に立つといふことには或特定の目標を目指して物事に對して立つといふことが含まれてゐる。この目指してゐる目標が物事を評價する規準となるのである。だから特定の立場に立つことによつて、ひとの物事に對する態度がきめられるのである。然しかうした立場といふものは決して個人の氣紛れによつて變へられるものではない。ひとの物事に對し世間に對する評價の仕方、その態度は人格の態度として信念によつてきめられるものである。態度は歴史的社會的に制約されてゐる。このことはひとの態度をきめるところの立場といふものが、歴史的に制約された社會的場であることを示すものである。もしさうであるならば、ひとの態度を拘束するものは社會的場の指力線であり、態度は協働體の合成ヴェクトルによつてきめられるのであるといはなければならぬ。これがわれわれの物事に對する評價の規準を提供する。だから或特定の立場に立つといふことは、合成ヴェクトルの作用する協働體の焦點に自らを置く事として記述せられる。これひとが或特定の立場に立つ限り、或必然性をもつて特定の態度をとらしめられる所以である。

或るひとによつて當然のことゝしてなされることが、屢々他のひとによつて不當のことゝして非難され、排斥されるといふ事實、ひとびとの社會的交渉が對立せる緊張關係にあるといふ事實は、決してわれわれのかうした記述と矛盾するものではなく、かへつて、われわれの記述の正當性を證明するものである。といふのは、ひとの屬する社會的場は單一なホモゲニアスなものではなく、ひとは或る特定の部分的場に屬する成員としてのみ、全體の場に屬する他の部分に對して自らを主張するがためである。ひとは等しく同じ社會的場に屬する成員であつても、その屬するところの部分的場は異つてゐる。われわれは始めに分ヴェクトルを單純に人格力を示すものとして記述したが、人格力はひとの信念に根ざすものに外ならない。從つて合成ヴェクトルの決定に關與する分ヴェクトルは、現實的には、全體の部分をなす社會的場の合成ヴェクトルを現すものでなければならぬ。ひとが他者と相會するのは、全體の場に屬する成員として相互に他者を承認することによつてゞあるが、このことの中には、同一次元に位する他の部分に屬する成員として認めるといふことが含まれてゐる。對立はそれを包む全體としての場に屬する部分間にのみ生ずるのである。從つて行動がかうした部分のヴェクトルによつて拘束され、それが全體の合成ヴェクトルとして主張せられる限りに於て、卽それが全體の場に於ける運動として他者の容認を迫る限りに於て、他の部分との對立は不可避的となる。運動は現實的にはかうした部分ヴェクトルと部分ヴェクトルとの合成によつて展開せられるのである。從つてわれ／＼はこゝに合成ヴェクトルの次元に就て語らなければならぬ。運動の進展する過程は低次の合成ヴェクトルが同じ次元の他の合成ヴェクトルによつて拘束され、高次のヴェクトルが合成せられる過程に外ならぬ。だからひとが自らの立場を固執する限りに於て運動は進展しない。運動が進展するためには、低次の合成ヴェクトルは分ヴェクトルとして相互に是正し是正せられ、高次のヴェクトルが合成せられなければならぬ。言ひかへればひとは高次の立場に立たなければならぬ。ひとが他人との意見の相違を立場の相違に歸するのも、ひとが自らを特定の協働體の焦點に置く限りに於て、或必然性をもつてさうした主張が生れるがためであらう。又ひとがたとへば論爭に於て立場の相違としてそれを打切らざるを得ないのは、主張がそれ／＼のひとの屬する社會的場に拔き得ないやうに根ざしてゐるがためである。それ／＼のひとの物事に對してとる態度はこのやうにひとのよつて立つてゐる場、社會的場によつてきめられる。「場の合成ヴェクトルがひとにとつて疑ひ得ない確實なよりどころとなつてゐるのである。だから場の指力線の惰性抵抗が大きいやうな場合には、その立場を捨てることは困難となる。

未開社會では成員の行動は嚴格な比較的單純な風習傳統によつて規定せられ、社會的場の指力線の惰性抵抗は頗る大きいので、これを破るやうな運動は殆んど生じない。從つて集團全體の方向は殆んど變らず、昔の儘の目標に向つて進んでゐる。成員は比較的單一な目標遂求に於て協働してゐる。從つて未開社會に於ては、成員は凡て同じ角度から事物を眺め世の中を眺める。だから或特定の現象の生起によつて未開社會に於ては、如何なる現象が生起するかといふ事は或程度迄豫言し得るであらう。といふのは、物事に對する成員の態度は比較的單一な合成ヴェクトルによつて拘束され、反應がなされるからである。從つてそこに於ては成員相互の間には本質的な對立は生じない。これ未開社會に於て、風習傳統に背くやうな新しい運動の生起し得ない所以である。

國民なる社會的場に於ける成員相互の對立衝突は場の指力線の配置の亂れに基くものである。凡て新たなる運動は特定の風習傳統の破れに基くものであるがためである。衝突は或特定の目標に關してのみ生ずるのであつて、その根底には相互に承認せられてゐる傳統が横つてゐる。對立はホモゲニアスな場がヘテロゲニアスとなるところに生ずるものであり、社會的場の分化に基くものである。

社會的場に種々の宗教團體、職業團體、政黨、組合、軍隊、學校、會社、社交クラブ、科學協會、藝術家協會、運動協會其他種々の特殊目標を遂求する協働體が形成せられるとゝもに、ひとはそれに對應せる要求をこれら協働體に屬する成員となることによつて十分に充たすことが出來るやうになる。しかもひとは同時にこれら種々の協働體に屬する成員となることが出來る。このことがひとをして夫々の立場から事物をみ、世間を眺めることを可能ならしめるのみならず、特定の立場に立つて自らを主張することを可能ならしめる。

協働體は特定の目標の遂求を目指すものである。從つてこれら協働體はそれ自體としては、その遂求する目標にのみ第一義的意味を認め、他の目標には第二義的意味しか認めない。たとへば宗教的協働體はそれ自體としては政治的協働體の目標に對しては第二義的意味しか認めないし、又逆に政治的協働體は宗教的協働體に第二義的意味しか認めない。それ〴〵の協働體は他の協働體の遂求する目標を自らの遂求する目標に仕へる限りに於て、その意味を認める。從つて國民なる社會的場にかうした種々の協働體が形成せられ、ひとが同時にこれら協働體に屬するやうな場合には、ひとは種々の異つた見地から物事をみることが出來るやうになるのみならず、特定の立場に立つて自らを主張することが出來るやうになるのである。といふのは、ひとの主張する主張にはそれを正當づける社會的根據がなければならないし、これを正當づけるものは協働體の合成ヴェクトルに外ならないからである。ひとは自らを協働體の焦點におき、協働體の遂求する目標を遂求するものであるとの確信の下に於てのみ、自らの主張の正當性を他者に對して主張することが出來る。

元來これら特殊目標を遂求する協働體は國民なる場に生起する運動によつて形成せられたものであり、その遂求する目標は國民なる協働體の遂求する目標から分化したものである。われわれは概念の混同をさけるために國民なる協働體を第一次的協働體と呼び、それから分化せる協働體を第二次的協働體と呼ぶことにする。こゝに協働體とは特定の目標を遂求するひとびとの一團を指す。社會的場に種々の目標を遂求する協働體が出現すると共に、ホモゲニアスな社會的場はヘテロゲニアスな場となる。從つてわれわれは第一次的協働體に第二次的協働體の出現する過程を社會的場の分化として記述することが出來る。第二次的協働體の遂求する目標は第一次的協働體の遂求する目標から分化したものとしてあく迄も一面的である。かうした一面的目標を遂求する協働體が社會的場に現はれるといふことは、文化の發達のため重要なことである。といふのは、これによつて特殊目標は獨立せる目標として遂求せられ、目標遂求のための運動は或程度の自律性を獲得することが出來るからである。而もこれら目標は國民なる協働體の目標から分化したものとして、第二次的協働體の機能は第一次的協働體の機能の分化としてみられる。だからひとはこれら協働體の遂求する目標を遂求することによつて國民なる協働體の目標遂求に關與することが出來る。これひとが第二次的協働體の焦點に自らを置くことによつて特定の立場に立ち、他者に對してなす自らの主張を全體の要求として主張する所以である。第二次的協働體は第一次的協働體たる國民なる社會的場に於ける運動によつて形成せられたものである。從つてその成立に於てみるも國民なる場の指力線によつてその運動の拘束されることは明らかである。然し乍らこのことは同時に又國民なる場の指力線の惰性抵抗がさほど強大でないことを示すものである。といふのは惰性抵抗の極端に大なる社會的場に於ては新しい運動は生起し得ないであらうし、新なる目標を遂求する協働體は形成され得ないであらうからである。このことは第二次的協働體の遂求する目標は第一次的協働體の遂求する目標から分化したものであり、目標の分化はたゞ對立を通してのみ生ずることからも明かである。

一般に社會的場に新しい運動が生起するのは、場の指力線の惰性抵抗が弱められ、それが最早やひとの心を拘束する力を持たないがためである。今迄人心を支配してゐた風習傳統がその力を失ふのは、そこに種々の要因の存する事はいふ迄もないが、その最も重要な要因は、その社會的場を含む全體としての社會的場の擴大、世界の擴大といふ事であらう。世界の擴大はその部分をなす國民なる協働體の世界に於ける地位の變動をきたす。實にこのことが國民なる社會的場の指力線の配置を變更せしめる重要な要因として働くのであらう。

世界の擴大は文化的に水準の高い他の部分との接觸を不可避的となし、こゝに文化の交流なる現象が生ずる。文化は國民なる場の境を越えて流れて來る。技術にしても思想にしても、その傳波する領域には何等明確な境はない。全體の場に力差が存する限り、そこには常に高い水準から低い水準への文化の流れがある。この意味に於て、如何なる國民と雖も世界歷史の方向決定に關與してゐないものはない。或る國民的場に展開する運動は他の國民的場に進展してゐる運動と或聯關をもつてゐる。のみならず、それはその餘波であり延長でさへある。人類の歷史の方向はこの國際的に展開する運動によつて決定せられる。世界なる場に生起する運動が人類の歷史の方向を決定してゐるのである。この特殊目標を遂求する運動によつて特定の協働體は形成せられるのであり、この合成ヴェクトルはこの國際的協働體の焦點に作用するものとして、運動の展開するところ、そこにはこの世界なる場の指力線の支配があるといはなければならぬ。國民なる場に生起する凡ゆる文化的運動は國境を越えて擴がつてゐる場の指力線によつて拘束される。これ國民的文化の國際的性格を有する所以である。然し乍ら國境を越えて展開する運動の遂求する目標は特定の國民なる第一次的協働體の遂求する目標から分化したものとしてのみ、その國民なる場に進展し得る。從つて、かうした人類的協働は一面的な目標遂求に於てのみ成立ち得る。（現實的には人類全體の全面的協働は存しない。われわれは國民協働體に對應せる意味をもつ、人類協働體なるものを知らない。）ひとはこの國民的場に生起する運動の國際的性格の故に、直接に人類の歴史の方向の決定に關與することが出來る。然しこのことはたゞ國境を越えて擴がつてゐる協働體の焦點に作用する合成ヴェクトルによつてその行動が拘束されてゐることを示すものである。ひとは文化的目標の遂求に於てたゞ單に自らの屬する國民的場に屬する成員として協働するだけではなく、その境を越えて他の國民とも協働してゐるのである。こゝに第二次的協働體の焦點に自らを置くことによつてとられる態度、その立場に於て主張される主張が國民なる第一次的協働體の立場を離れ、これを破るものゝある所以である。

然し乍ら國民的場の外部から寄押せて來る運動は、それが國民なる場に於ける運動として現象する限りに於て國民なる場の指力線によつて拘束される。といふのは、それは國民なる場に屬する成員によつて受容れられることによつてのみ國民的場に展開するにいたるからである。水準の高い部分から流れて來る運動は、國民的場に來り特定の偏りが與へられると共に、成員の行動を拘束する力を獲得するのである。從つて國民の文化的傳統は、それを包む世界の文化の影響をまぬがれ得ないが、そこにはその國民獨自の性格が存するのである。國民なる場に生起する國際的色彩を有する運動によつて種々の協働體が場に現はれるのであるが、これら諸運動は國民の風習傳統が最早や全面的には人心をつかみ得ないところから生ずるのであり、新なる運動は既存の合成ヴェクトルを分ヴェクトルに貶下せしめ、永い歴史の過程を通じてこゝに新なるヴェクトルが合成せられるにいたるのである。これが國民の新なる傳統となる。然し新なる運動が流れ來つたその當初に於ては、それが國民一般に受容れられ、國民の一般的傳統となるにいたる迄は、それは國民の古き傳統に背くものとして、場の一部の成員によつて排斥せられるのは當然のことである。それにもかゝわらず、新なる運動はその世界的性格の故に、それ自らを主張する。國民の屬する世界の擴大に伴つて生ずる國民協働體の世界に於ける地位に變動を來し、新なる運動が文化の高い水準から流れ來り、それが平衡狀態に達する迄はかゝる現象は續く。然しそれは文化の更新、場の指力線の更新に基く必然的現象に外ならぬ。

凡て第二次的協働體の遂求する目標は第一次的協働體の遂求する目標から分化したものであり、分化は對立を通してのみ生ずるものである。既にこのことから國民なる場に屬する協働體の第一次的協働體に背く可能性をもつてゐることが知られる。のみならず、各々の協働體はその固有の目標の遂求を目指すものである。從つて各々の協働體は、それ自體としては、それ自らの遂求する目標を第一義的目標となし、他の協働體の遂求する目標をそれに仕へる限りに於てその意味を認める。從つてこれら協働體の運動がその固有の目標に向つて進められるとき、それら協働體相互の間に對立衝突の生じ得ることは明らかである。殊にそれら協働體が國際的運動に基くものであるやうな場合には衝突は遂に歸一するところを知らないであらう。衝突は引いては國民なる社會的場の分裂を生ぜしめる原因ともなる。從つて國民なる場が一の全體たるためには、これら協働體の運動を拘束する條件が社會的場に存在しなければならぬ。國家の法律は實に場に屬する協働體の運動を拘束することによつて、場に屬する成員の諸要求を間接的に調整するといふ機能を有する。

國家は政治的目標を遂求する恒常的な協働體である。政治の目指すところのものは國民なる場に屬する成員の生を充實せしめるところの條件の獲得であり確保である。國家の制度の支配する場は生の充實を目指してなされる種々の運動の生起する國民なる社會的場である。國家はたゞ制度を通してのみ國民なる協働體に仕へる事が出來る。國家はこの全體としての國民なる協働體に仕へるといふ見地から、國民なる場に生起する運動を制約し拘束するのである。國家の法律が場に生起する運動に對して有する拘束力の權威はこゝに根ざす。ところがひとが國民なる場に於て享有するところの一切の特權は、國民なる協働體が、世界に於て占める位置によつて實質的には全く異つたものとなる。國民の享有する自由は、世界なる場に於て占める國家の位置に依存する。卽人類の歴史の方向決定に關與するその力に應じて、言ひかへれば人類なる協働體の合成ヴェクトルの決定に關與する分ヴェクトルによつて、國民協働體を構成する成員の自由度はきまるのである。國家の世界に於ける地位の向上は、必然的に國民的場に屬する成員の地位を向上せしめ、その精神を高揚せしめる、その地位の顚落は文化の凡ゆる領域に於ける自由度の減少を來たし、國民の精神は低調とならざるを得ない。平時に於て對立衝突してゐた國民內の部分協働體間の衝突も戰爭になると一時解消せしめられるのも、部分が他の部分に對して獲得するところの特權も結局全體としての協働體の世界に於て占める位置によつて實質的には全く異つたものとなるがためである。

然し國家の世界に於て占めるところの位置は、たゞ單に政治力、經濟力、軍事力によつてのみ獲得確保されるものではなく、國民の科學的力、道德的力、宗敎的力に基くものである。從つて國家は國民的場に存する凡ゆる協働體に對して、場に生起する運動に對して、政治的目標の遂求に協働することを要請し得るし、又要請しなければならぬ。凡て社會的場に展開する運動の遂求する目標は、第一次的協働體の遂求する目標から分化したものであり、第二次的協働體の機能は第一次的協働體の機能の分化としてみられる。さうしてその限りに於て、ひとは第二次的協働體の焦點に自らを置くことによつて、自らの主張を全體の要求として主張することが出來る。言ひかへれば、第二次的協働體は第一次的協働體の目標遂求に仕へる限りに於て正當に自らの目標遂求の運動を國民的場に於て遂行することが出來る。國家が法律なる制度によつて場に生起する運動を拘束するのも只この見地からに外ならぬ。從つて國家は國民なる場に存する他の協働體の目標遂求のための運動を、それが國民的協働體の目標遂求に仕へる限りに於て法律的手段によつて助成するといふ課題をもつてゐる。國家はこれら文化的諸要求がその下に於て最もよく充たされるやうな條件を場に設定するとき、成員の完全なる獻身を期待することが出來る。といふのは、國家の目指すところの目標が成員の人格的存在としての目標、全體としての生の充實なる目標との間に存するずれが少くなると共に、成員は國家に對する獻身に於て自己の人格を完成することが出來るからである。われわれは國家が成員の獻身を要求し、成員もまた國家のために身を捧げるといふ事實に、國家の遂求する目標が最も廣く深いものであり、人格の本質的要求をなすものであることを知る。(未完)

(昭和十六年七月末日)

主なる參考書

Le Bon The Crowd.

ブーグレ著 河合正道、河合弘道譯 價値社會學

J. F. Brown; Psychology and The social Order.
レヴヰ・ブリル著
勝谷在登譯　道德社會學
Paul Fauconnet, La Responsabilité.
Paul Guillaume; L'imitation Chez L'enfant.
K. Levin; Dynamic Theory of Personality.
" ; Principles of Topological Psychology.
R. M. Maciver. Community.
C. K. Ogden; A. B. C. of Psychology.
キルヤム・シュテルン著
渡邊徹譯　人格學概論
玉城喜一郎著　質點ノ力學
W. Trotter; Instincts of the Herd in Peace and War.
J. V. Uexküll; Streifzüge durch die Umwelten von Tieren und Menschen.

彙報 （昭和十五年七月一日より 同十六年九月三十日まで）

哲學科講義題目 昭和十六年度

【東洋哲學】

今村教授　東洋哲學史概說

同　東洋哲學講讀及演習（老子、莊子）

後藤助教授　特殊講義（宋代の哲學）

同　講讀及演習（論語註疏）

【西洋哲學】

[illegible]野教授　哲學概論

同　特殊講義（行爲現象學）

同　演習（Kant: Kritik der reinen Vernunft）

淡野助教授　西洋哲學史概說（西洋近世哲學史）

同　講讀（Hegel: Die Vernunft in der Geschichte）

【倫理學】

世良教授　倫理學概論

同　東洋倫理學概論

同　講讀及演習（Kant: Grundlegung zur Metaphysik der Sitten）

柳田助教授　倫理學史（西洋）（カント以后の實踐哲學）

【心理學】

力丸教授　心理學概論

同　特殊講義（知覺の心理）

力丸教授 藤澤助教授　心理學實驗演習

藤澤助教授　講讀及演習（Koffka: Principles of Gestalt Psychology）

【教育學】

伊藤教授　教育學概論

同　特殊講義（樞軸國の教育思想と教育の實際）

同　演習（日本精神史研究）

福島助教授　教育史概說

同　特殊講義（社會と人格、力學的立場ヨリ見タル）

【社會學】

岡田講師　社會學概論

學會・講演會

【哲學會秋季講演會】　文政學部哲學會主催　十五年十二月十六日、文政學部第五番教室に於て開催。

講演者及演題は左の通り。

藤澤助教授　「記憶痕跡の假說」

【哲學會春季講演會】　文政學部哲學會主催　十六年五月十日、文政學部土俗人種學特別教室に於て開催

講演者及演題は左の通り。

淡野助教授　「自然と人間」

【日本社會學會第十五回大會】　日本社會學會主催　十五年十二月十七日、十八日、臺北帝國大學文政學部教室に於て開催。

哲學科關係研究報告者及題目は左の通り。

今村教授　「支那社會と宗教」

後藤助教授　「支那に於ける禮俗發生に關する一考察」

伊藤教授　「社會生活と教育作用」

福島助教授　「社會的な場と人格の形成」

【日本學術協會昭和十五年度大會】

伊藤教授　「人間存在の根本特徴と教授方法の原理の演繹」

【新竹師範學校第一回開校記念日講演】　昭和十六年五月

力丸教授　「人間的特性」

【第二十回日本生理學會特別講演】　昭和十六年七月、臺北帝國大學醫學部に於て開催。

力丸教授　「所謂る味盲現象の種族的意義」

【心理學談話會】

（第五十四回、十五年九月十七日）

福島助教授　「習慣の形成に就いて」

（第五十七回、十六年六月二十四日）

今井助手「縁起に就いて」

講習會

【昭和十五年度國民精神文化講習會】總督府主催

伊藤教授「現勢興亞教育とその原理」

後藤助教授「禮の倫理」

【昭和十六年度國民精神文化講習會】總督府主催

世良教授「日本的なるものゝ根柢に横はるもの」（八月）

力丸教授「日本國民性について」（九、十月）

伊藤教授「東亞新秩序と教育の理念」

後藤助教授「東洋倫理」

【國民精神文化講習會】臺中州主催

後藤助教授「水戸學と日本精神」

【國民精神文化講習會】澎湖廳主催

伊藤教授「東亞新秩序と教育の理念」

【第一回南支南洋方面進出者養成講習會】總督府主催

後藤助教授「修身公民科」（十六年八月）

御説明　力丸教授

昭和十六年三月十一日、閑院宮春仁王、同妃兩殿下學內御成の際、味盲現象の種族的差異について御説明申上ぐ。

論著

（臺北帝國大學哲學科研究年報　昭和十五年度　第七輯）

今村教授　周易の政治思想

力丸教授　心理に於ける刺戟と反應に就て

伊藤教授　教授作用と辨證法

後藤助教授　朱子の禮論

（著書）

柳田助教授「行爲的世界」弘文堂　十五年十二月

「道德的精神」弘文堂　十六年十二月

（雜誌）

力丸教授「疲勞と能率」臺灣學校衞生　十五年十一月

伊藤教授「現勢興亞教育」東亞事情　昭和十四年度海外視察報告

彙　報

「大政翼贊と教育道の實踐」　臺灣教育　十六年六月

柳田助教授　「行爲的基體」(承前)　哲學研究　十五年七月

「行爲的基體」(承前)　哲學研究　十五年八月

「眞理の主體的性格」　理想　十六年五月

(新　聞)

力丸教授　「民族性覺書」　臺灣日日新報　十六年八月

昭和十七年四月二十七日印刷
昭和十七年五月　一　日發行

臺北帝國大學文政學部
哲學科研究年報　第八輯
(停) 定價參圓貳拾錢

編輯者　臺北帝國大學文政學部哲學會
代表者　稻田尹

發行者　臺北市兒玉町三丁目九番地
野田裕康

印刷者　臺北市大正町二丁目三七番地
頴川首

發行所　臺北市兒玉町三ノ九
振替臺灣六一九三番
野田書房

臺北帝國大學文政學部

哲學科研究年報

第九輯

臺北帝國大學
文政學部

哲學科研究年報　第九輯

目次

行爲現象學序論

岡野留次郎

哲學が「事態そのものへ！」の要求に充足した滿足を與へなければならないことは、今日最早や何人も疑はないところであらう。抽象的な形式的論理主義や、無內容な定型的整合性や、劃一的な公式主義を排して、具體的な事態の全面的核心に肉迫する意圖を持つことは、現時の歷史的事態に卽應した哲學思索への普遍的要求でなければならない。しかし、何が具體的事態なのであるか、いまだいかなる方法によることが思索の具體性を保證することになるのであるかは、必ずしも端的に明瞭であるとは云へない。

人は屢々歷史的社會的現實について語る。人間存在は肉體的精神的統一體として、一定の家庭に屬し、國家に屬し、また同時に多くの利益社會の一員として生を營み、彼の運命はこれ等歷史的社會的環境のそれと密接に聯關し、何人も自己の存在並に實在性と同樣に、他人のそれ、國家や世界のそれを一瞬も疑ふものはあるまい。何故ならば、實證的存在的には、兩者共に同樣な認識的價値を持ち、論理的先後を附し得ないからである。併しかやうな實證的存在的事實が如何に確實であらうとも、その確實性は存在的眞理性の範圍を出でず、それを根據として、存在論的な實[illegible]性を基礎づけることは出來ない。個人は國家を離れて生存することは出來ない、國家は屢々個人を犧牲とする、しかも、自ら之によつて滅ぶることはない、否、個人を犧牲とすることによつて却つて自らを强うする等々、かやうな事實は我々の現實の國家生活に於て常に經驗するところである。併し、この事實は必ずしも直に存在論的に、特殊が個の前であり、また個の根據であると云ふ主張に導く譯ではない。歷史的行爲の主體たる人間存在が、一個の個的主體として成立する存在論的根據は何であるか、またこれに對する客體たる自然的存在乃至社會的存在の存在論的構造乃至存在論的根據は何か、等々の問題は、存在的實證的な立言からは原理的に引出し得ないもので、哲學はかやうな存在論的な根本問題を、何よりも先づ、問はなければならないのであつて、哲學は決して科學の立場と混同せらるべきではない。單に認識主觀の立場に立つとか、意識主觀から出發するとか云ふことは、思索を抽象的ならしめるであらうが、さりとて無媒介に與へられた實證的事實から出發することが、哲學を具體的にし、客觀的にする譯ではない。行爲現象學が人間存在の行爲的體驗を媒介とすることは、この意味で決して哲學を主觀的ならしめるのでなく、これを媒介として、自己存在並に世界存在の本質並にその存在論的構造を明にし、且つその存在論的根據を追求し、これによつて、凡べての存在の意味並にその構造を明にしやうとするものである。此意味に於て、卽、人間の直接具體的な經驗を媒介として存在問題の解決に進まうとする點に於て、批判的精神の本質は維持せられる。何等かの意味で人間の具體的存在を樞軸とすることなしには、哲學は統一的な中心點を失ふであらうし、世界存在を全般的に把握することも不可能となるであらう。只哲學的反省の出發點となる具體的な經驗を、如何に把握し如何に表現するかに問題はあらうが、我々はこれを行爲的體驗として把握し、且つしか呼ばうと思ふ。行爲的體驗と云へば、直ぐディルタイの意志的經驗の如きものが聯想せられる。しかし、外界の實在性に對する信仰の根據を衝動意志及感情の中に與へられた生の聯關に置くと云ふ思想は、確かに示唆的ではあるが、人間を衝動及感情の體系乃至束と見、感覺・表象・思惟の過程を生の外面とし、これに對し、有意的無意的運動を通して現はれてくる抵抗の經驗即意志の志向作用の阻止されることによつて媒介される內面的な自覺的自我の體驗を中核とし、これとの對立に於て、外界の獨立的な實在性が自覺に持來されると云ふやうな、云はゞ、存在的經驗を綿密に分析し實證し得ても、それによつて、何等かの存在論的原理を把握し得るとは思なれない。固より之等の存在的な實證的經驗的事實が、存在論的超越の遂行せられる地盤乃至素地として、役立ち得ることを否定しやうとは思はないが、それは飽く迄素地なのであつて、存在論的超越そのものが可能となる根據でもなければ、況んや超越そのもの﹅領域でもない。科學の領域と哲學の領域とが密接な聯關を持つことから、兩者の妥當する領域を明瞭に區別することを、抽象的見地と見做す立場も一應は首肯出來ないではないが、兩者を明瞭に區別することが、反面に兩者を辨證法的に綜合し得る所以であつて、哲學的認識はいつでも明確な槪念的把握を志すものとして、明晰な分析と綜合とを念としなければならない。この場合に於ても、外界の實在性がどう云ふ心理的過程を經て我々の自覺に持ち來されるかと云ふことは、心理學的硏究の分野に屬することで、哲學的には外界の實在性の基く存在論的根據が問題でなければならない。勿論、意志の抵抗の經驗が外界の實在性の基く哲學的根據であると云ふ主張は、單なる心理的な認識ではないが、さう云ふ主張を裏づける爲には、單に心理的な經驗の範圍を超えた、云はゞ、存在論的な體驗と云つたやうなものに迄、經驗を深めてゆかねばならないと思はれる。かやうな體驗を認めないと云へばそれ迄であるが、人間が具體的な歷史的行爲の主體として、一定の規定された具體的な歷史的社會的現實界に實存するものとして、その一つ一つの行爲を通して、自己竝に自已以外の客體的世界の現實的實存性を、個々の心理的實證的經驗と共に云はゞ「共體驗」しつゝあるのであつて、このことなくしては、恐らく我々の存在そのもの、從つてまた世界存在そのものが、限りなき無底の深淵に沈みゆくであらう。固よりかやうな懷疑の深淵に沈むことを、却つて批判的として選ぶ道もないではないが、疑ふと云ふことが、我——主體的な我——の實存を基礎として可能である——我々はデカルトのコギト・エルゴ・スムをかやうな意味で再認識する——ことを思へば、我の實存とその實存の體驗こそは、すべての哲學的思索の出發すべき起點であると共に、またそこへ歸著すべき終點でもあるであらう。かく云へば、直ぐアトム的個人主義・自由主義の牙城を守らうとする時代遲れの思想と思はれるかも知れないが、個人が國家を離れて生存し得ないと云ふ存在的な主張と、實存する我の存在が哲學的思索の起點であると云ふ存在論的な主張とは、直に相反するものと斷ずることは出來ない。兩者は、云はゞ、異つた水準に屬する主張である。國家とは存在論的に如何なる存在なのであるか、その存在論的構造如何等は、云はゞ、特殊存在論の問題であつて、一般存在論に於ては、存在一般の意味と構造が問題である限り、かやうな存在論的認識が一般に可能となるべき場面として、主體的實存の體驗が、存在論的プリウスであることは當然のことと思はれる。

實存する主體の體驗と云つても、我々が日常感覺的・表象的・認識的・感情的・意志的に經驗しつゝあるものは、云はゞ、存在的・實證的な體驗なのであつて、それ等の經驗の基礎に、既に存在論的な體驗が橫はつて居なければならぬ。カントが das Transcendentale に肉迫せんとし、フィヒテが純粹事行に肉迫しやうとしたのも、畢竟同じ道を步まうとしたものに外ならぬ。我々は、只、それをもつと具體的・實存的な體驗と、それを通し、それに卽して、把握せられる現實的具體的な存在に於て、存在論的に自覺しやうとするにある。

存在論的な體驗が、すべての存在的な體驗の基礎に橫はつて居るにしても、その本質並に構造が、哲學的闡明を必要とすると云ふ、恰もそのことが、この體驗は bekannt であつても、erkannt でないことを示す。これを自覺に持ち來し、これを存在論的な概念に把握し得る爲には、全生命的な超越が必要とせられる。單に觀想的な立場から、自然的立脚地の本質に從屬する一般的定立を、一時括孤の中に入れると云ふやうな方法で行はれるものではなく、また只管自己の內面的意識への沈潛によつて行はれるのでもない。歷史的現實界に於て實存する主體的自己が、自己並に世界を實存的に超越することによるのである。

二

かやうな體驗は體驗主體に從屬するものとして、一應は主觀的とも見られやうが、存在論的に主體と客體との對立は、認識論的に主觀と客觀の對立する場合と異り、其の聯關は實存的であり、客觀が主觀によつて作り出されるとか、對象が主觀の構成であるとか云ふことが問題となるのではなく、主體と客體との實存的な聯關そのものが、主體的に自覺されたものが存在論的體驗に外ならないのであるから、單に主觀的と見ることは出來ない。歷史的現實界に於ける主體的實存が、自己並に世界の存在性を端的に經驗しつゝある狀態に外ならぬ。勿論實存的主體は、常に一定の具體的な歷史的境位にあるものとして、獨自的な存在性格を持ち、其の限り、體驗内容は獨自的・個別的であり、普遍的な取扱を拒むと云ふことも一應は考へられ、從つてリッケルトなども非難するやうに、哲學が一般普遍的な原理を取扱はねばならない限り、實存的主體の個別的體驗内容にたよることは出來ないとも考へられるが、普遍とか、一般とかを單に形式的に考へ、具體的な内容から抽象し得る限りに於て可能であると云ふ見方からすれば、一應さう云ふ議論も成立つであらうが、普遍とか一般とかは、曾てアリストテレスも考へたやうに、現實的な個別的實存に即して把握されるべきもので、形式的な一般性は、單にそれの抽象的形骸に過ぎないものなのである。ライプニッツのモナドのやうに、個々の實存的主體は、現實的な歷史的世界を、それぞれの境位に於て映し出す鏡である。世界は、映し出す鏡の相違によつて、具體的な個々の内容は必ずしも同一ではないが、そこには自己並に世界の存在性格に於て、普遍的一般的であつて、しかも、同時に具體的な原理が、見出されなければならぬ。

所で、かやうな一般的原理的なものを、明な存在論的自覺に持ち來すことは、必ずしも容易ではない。我々に取つて明であり、知られたものが、直に本質的に明かなもの、知られたものではない。其の際、單に自己内面の主觀的な明證性にのみ頼ることは、必ずしも安全な道とは考へられない。人間存在は、それ自ら歴史的存在であり、歴史的世界に於ける一定の境位的存在である限り、彼自ら歴史的世界に從屬し、それ自らを歴史的に形成すると共に、歴史的世界そのものゝ形成にも參與するとすれば、歴史的世界そのものが、自己形成の過程に於て、人間存在の體驗を媒介として、自己存在を自覺し來つた跡を、反省し理解することは、實存的主體の體驗の反省を、客觀的たらしめるであらう。

かやうに考へて來れば、ヘーゲルが精神現象學に於て歩んだ道は、我々に對しても、多くの示唆を與へるであらう。彼に於ても、意識は單純に對象把握の觀想的主觀ではなく、精神の直接な定在として、否定の驚異すべき力を持つ純粹自我に迄高められ、生命ある實體として、また主體として、自己定立の運動であるとともに、自己を他在とすることによつて、自己自身に媒介する眞理そのもの、實在そのものに外ならぬ。唯一の生命ある精神は、主觀的精神・主觀的意識として自己を顯はし得るとともに、同時にまた客觀的精神として、歴史の中に自己を顯現する精神でもあるのみでなく、こゝでは、精神の辨證法的力によつて、自已認識の遂行が、同時に歴史に於ける精神の辨證法的展開でもあるがため、意識經驗の內容的展開が、單に個體的主觀の內在的發展の意味を持つに止まらず、同時に歴史に於ける精神の生命的・普遍的・存在理性的發展の意味を維持し得る。從つて、こゝでは、精神そのものゝ持つ辨證法的性格は、單純な時間的性格をもつ關心構造よりは、遙かに豐富な內面的構造を持ち、歷史的現實存在の豐富な內容を、哲學的に基礎づけ得るやうに思はれる。それにも拘らず、我々が尙これに滿足し得ないものがあるとすれば、何よりも先づ、歷史的社會的現實存在は、汎論理主義的宥和の辨證法によつては、完全に把握し難い嶮はしき危機性を包藏し居り、これによつて、現實存在の有限性が保證せられるとともに、思辯的抽象性は、具體的な現實の地盤に結びつけられ、單にロゴス的な存在のみでなく、同時にエトス的・パトス的な存在をも、根底から基礎づけ得る道が、他にあり得ることを信ずるからである。

三

併し、ヘーゲルが單に主觀的な精神の領域に止まらず、客觀的精神の領域を媒介として、絕對精神の領域迄肉迫しやうとした普遍的具體性は、單に現象學的な了解主體が自己を世界內に投げ込み、自己存在竝に世界存在の本質的構造をば、單純に了解主體の世界內存在の超越性に基けやうとするのに比べれば、遙に現實的具體的であると云はねばならない。何故なら、後者では超越性は依然內在的に止まり、空間的・時間的に眞實の超越はあり得ないと思はれるからである。個體は單に觀想的乃至了解的主體として世界内に在る存在ではない。それは、同時に世界形成的存在である。個體が世界を離れて在り得ないと同じく、世界が個體を離れて在り得ない。そして、それは世界が個體の集合であるとか云ふことではなくて、歴史的な現實的な世界は、個體を個體として形成すると共に、個體はまた歴史的な世界に生るゝと共に、この世界を形成する原理であるからである。歴史的世界に於ける個體は、實存する人間的存在として、つねに一定の具體的歴史的境位に在り、一定の歴史的社會的環境のもとに、自ら歴史形成的に行爲することによつて、自己竝に世界の存在を確立し、且つその存在を自覺する。自己存在及世界存在は、一度限りそこに既に與へられて居るものではない。世界は確に一面に於て與へられてゐる。併し只單に與へられて居るものではない。同時に作られゆくべきものでなければならぬ。此意味に於て、世界はいつも有限的である。具體的な世界はつねに有限的でなければならぬ。實存的な個體は、かやうな有限的な世界を母體とし、そこから生れ、そこに於て死にゆくのである。しかし、世界もまた同時に個體を離れて在るものではない。個體によつて、個體を通して、自己自らを形成しゆくものである。

かくて個體と世界とは、相互に他を媒介とすることによつて自己を形成し、かつ自己存在を自覺する。單に無媒介的に個體の直接的な體驗に立脚する限り、如何に直接的であり、また超越的であらうとも、眞に具體的であることは出來ない。世界存在並に自己存在の眞に具體的な把握は、自己形成を媒介として世界形成に參與し、世界形成を媒介として自己形成に精進する、歷史的行爲の實存的主體の、云はゞ、行爲的な超越によつて初めて可能である。此點に於て、我々は既に時間的構造のみをもつ關心の概念によつては、存在の本質的構造を說明し得ないと云ふ豫想をもち得る。

一定の歷史的境位に在る實存的個體の存在論的體驗が、哲學的反省を通して、自己を一定の哲學的體系に形成されゆくものとすれば、哲學の歷史の上に現はれるそれぞれの世界觀は、それぞれの歷史的境位に於て、歷史的現實界が個的主體を通して、自己を顯現し形成しゆく際の、主體的體驗の理論的反映でなければならない。このことがヘーゲルをして哲學史に深い關心を抱かしめた理由であらうが、歷史そのものが、彼が考へたやうな辨證法のシェーマによつて展開したか否かは別として、史上に現はれた世界觀の諸種の體系は——現實の主體が一定の歷史的境位に於て體驗するところのものを基として、之等の體系の基礎に在るものが追體驗せられ得る限り——歷史的主體の自己形成の過程と見ることが出來、そこに行はれる歷史的生の營みを個的主體の體驗に卽して後づけることは、人間實存の本質的な形態を顯はならしめることとなるであらう。

このことは、併し、歷史的に存在した世界觀の單なる一般的考察によつて、その類型的な敍述を目指す心理學（ヤスペルス）の立場に立たうと云ふのではない。世界の豊富な内容をその具體的な事態に卽して內面的に理解し、我々の了解し得る限りに於て我々の精神生活の限界を測定することは、一つの重要な意味を持つ企圖には相違ない。それは我々に多くの示唆と教訓とを與へる。殊にそれが一般的な世界觀の歷史と異なり、歷史的に與へられた儘の世界觀をその豊富さに於て取り上げ、その文化的・時間的條件、その事實的年代的な聯關、その獨得な性質等を精細に敍述するのではなく、世界觀に現はれた人間存在を體系的に考察するとする限り、我々の立場と著しく接近するのであるが、こゝでは體系そのものが主要な事柄ではなく、精神生活の聯關、內面的體系性が動くところの一定の圖式を與へやうとするものである。「世界觀の心理學」の著者は、何等かの意味で閉鎖的な體系を嫌惡する。ヘーゲルに見られるやうな整然たる體系は、一面具體的な現實をその具體的な現實性に於て見ることを妨げるとともに、それが閉鎖的完結的であるため、歷史的現實の相對的過程性を見失はしめる。此意味から開放的な體系が望ましいと思はれるが、人間存在の根本的な存在形態を、歷史的現實そのものに卽して明にしようとする行爲現象學は、單に世界觀の類型的研究を通してこれを行ふと云ふのではなく、個的實存主體の存在論的體驗を基礎とし、歷史的世界の自己形成の過程の追體驗を媒介として、存在論的な反省を加へることによつて、人間存在の基礎構造を、一定の論理的秩序に於て闡明しようとするものである。

このことは、行爲現象學が單に歷史的に現はれた世界觀の類型的な考察に止まらず、すべての存在論的研究の基礎的理論を提供するものであるとの要求に基く必然的結果である。

四

個的主體はつねに一定の歷史的境位に在るものとして、歷史的にまた世界的に限定せられ、有限的・相對的存在として、またつねに自己完成への發展的過程に在るものとして、相對的な意味を免れないが、しかも常に歷史的形成の主體として、世界が自己自らを自己自らとして形成し、且つかやうなものとして自覺する通路として、つねに哲學的反省の中心を占めなければならない。哲學が世界の統一的な說明を求める限り、これは避け得ないことであり、カントの批判主義の精神も、眞實にはこゝに求められなければならないのである。この事から自ら行爲現象學に於ては、この或はかの方法を任意に採用するやうな無秩序さを許さない。そこには方法上の統一もなければならぬ。併し、方法上の統一と云ふことは、動きのとれない一定の圖式的方法の固定化と云ふことではない。現實存在の無限に豐富な内容を、何等かの意味で制限するやうな、融通のつかない形式であつてはならない。また、個的主體が、つねに世界が自己を自己として形成し自覺する通路であると云つても、世界との生きた聯關を離れて、窓なきモナドの如く、自己自身の內部からのみ世界を映し出す譯ではない。却つて個體と世界との生きた行爲的聯關に於てこそ、個體が個體として、また世界が世界として、自己を形成し自覺しゆく通路を見出すべきなのである。從つて、こゝでは何等か主觀的な思惟の形式によつて方法を決すべきではなく、却つて個體と世界との具體的な存在聯關を深く省察することによつて、決せられねばならない。辨證的方法と云へば、直ちに人はヘーゲルの圖式を思ひ浮べるであらうが、辨證的方法とは、本來ヘーゲルにあつても、現實在そのものゝ生命及事態を、その儘に生かして把握し得る方法を意味したのであつて、一定の固定した圖式、動きのとれない定型は、寧ろ辨證的方法の本質に屬しないものと解すべきである。兎に角ヘーゲルに於ては如何にもあれ、辨證的方法は、個體と世界との生きた聯關を云ひ現はすに最も適した表現であり、歷史的現實に不可缺である否定を媒介とする自由なる創造と形成を、その現實事態に於て把握する最もすぐれた方法である。蓋し、歷史的現實そのものが、ともすれば固定し凝固し停滯しやうとする抽象性を、その根底に巢喰ふ驚異すべき否定の偉力によつて打破し、つねに新なる創造と建設へと進展しゆく、不斷の形成的生命であるからである。形式論理の根本をなす矛盾律の妥當性をも一應破棄することによつて、却つてこれをその根本から生かし來るところの方法として、辨證法はすぐれて存在の論理なのである。認識の論理によつて、存在の論理が決定せられるのではない。存在の論理こそ、認識の論理を決定するのである。

元來、方法なるものは、曾て考へられたやうに、豫め作り出された主觀的形式であるのではなく、現實そのものに於て見出さるべきものなのである。否現實そのものが、それによつて動きゆくところの形態なのである。否、現實が只與へられたものとして動きゆくのではない。歷史を形成し、またこれを動かしゆくところの人間的存在が、歷史的行爲の主體として、歷史的・社會的現實に於て、單に實證的・存在的な經驗主體として、思惟し情感し營爲するに止まらず、同時にまた自己竝に世界を存在論的に超越しゆく事態に於て、自己竝に世界を形成し、且つかく形成するとともにこれを自覺し認識しゆくのが現實の姿であり、從つて方法は、かやうな現實の事態に卽した具體的方法でなければならぬ。されば方法は內容を離れて存し得ず、現實そのものゝ自己形成の過程の複雜さと豐富さに從つて、その形式に柔軟性を持つべきである。形式の固定性によつて、內容の柔軟性を縛るべきではない。此事は決して辨證法を無秩序無法則の形式となさうとするのではない。辨證的方法は如何にその形式に於て自由な柔軟性を持たうとも、そこには一つの動かし難い本質的な構造契機がある。否定的媒介の契機卽これである。ヘーゲルの偉大さは、如何なる場合でも現實をその直接的な直觀的無媒介性に於てせず、否定的なものゝ嚴肅・痛苦・

耐忍・努力の意義と價値とを認めた點にある。單なる直接性を媒介性とし、單に死せる形骸たる實體を生命あらしめ、眞理を實體(Substanz)としてと同時に主體(Subjekt)として、自己定立の運動として把握するに至つたのは、全く否定の偉大な力によつてゞあつた。「精神の生命は死の前に尻込みし、その破壞力から自己を純粹に保たんとするところに見出されるのではなく、却つて死や否定に堪へ、その中に自己を保存しゆくところに、卽自己の絕對的分裂の中に、却つて自己の眞理性を確保する。否定に直面し、否定を避けるよりは、寧ろ却つて否定に沈潛することによつて、自己を存在と肯定に轉ずるものでなければならぬ」とは、ヘーゲルの精神現象學に於ける主張である。否定は單なる否定なのではない。肯定に通ずる道である。無媒介に定立せられる肯定は、安易な無味(Fadheit)に外ならない。媒介による肯定、否、媒介を自己以外に有する直接性でなく、媒介そのものである直接性、否定そのものが直に肯定である道こそ、辨證法的な運動でなければならぬ。辨證法を何等か或特定の觀念的圖式と考へ、現實を外から測る標準尺度と考へることから、我々は最も强く警戒しなければならぬ。哲學は現實そのものゝ論理學であり、事態そのものゝ學であつて、槪念の遊戲ではない。辨證法が哲學の方法であり得るのは、それが何等か作爲され構想された觀念的形式であるが爲ではなくて、現實そのものゝ動的本質的構造であるからに外ならない。此方法の妥當性は、それによつて現實が、その豐富な內容に於て、如何に充足的に解明せられ得るかの可能性によつて判定せらるべきである。辨證法を或一定の固定した圖式に限定し、現實をこれで規定してゆかうとすることは、辨證法そのもの〻本質に悖るものと云はねばならぬ。辨證法なる名が、もし或一定の形式を必然的に呼び起すとすれば、我々は寧ろ此名を捨て、現實そのものの論理と、その形態とに、忠實でなければならぬ。

五

行爲現象學は、人間存在をその最も具體的な全體性に於て把握しやうとするものであるから、その意味で「哲學的人間學」とも云ひ得やうが、只單に人間の存在的な形態を、科學的知識を基礎として論明しやうとするものでない。飽く迄基礎存在論的であり、超越論的でなければならぬ。が、それと同時に、何等か客體的認識の立場から、對象的に人間存在を把握するものではなく、人間存在の本質的・存在論的形態を、内面的・主體的に把握しやうと志すものである限り、云はゞ、主體的形而上學とも云へやう。人間存在を客體的存在としてゞなく、主體的存在としてとらへることは、それをその主體的動性に於て、人間を行爲的實存に於てとらへることを意味する。人間は、最も具體的には、歷史的行爲の主體としての存在であり、常に歷史的社會的現實と具體的な行爲的聯關に於て立ち、かくしてのみ初めて人間存在は自己存在であり得るからである。人間を何等か存在的・實證的な立場から規定することは、人間存在の抽象的一面性を記述するに過ぎないもので、眞に具體的な全面性を明にするものでない。人間を單に一個の高等な生物に過ぎないと見ない迄も、物質的生命の上に、複雜な心的機能をもち、更に精神的な活動をする複雜な統一體であり、就中精神活動は人間にのみ存在する特色であるところから、精神活動の統一の中心こそ人格であり、人間存在の本質であると云ふやうな見解は、人間存在の、云はゞ、客體的な把握であり、それぞれの科學は、多くの場合、かやうな客體的把握の抽象的一面性に止まる。ところがこの科學の立場を、その基礎に横はる存在理念に迄遡及し、それぞれの存在領域を確立して、それに固有な法則性、並に領域相互間に存する法則性を明にして、云はゞ、客體的な存在論の立場を取ることも考へ得るが、この立場からのみでは、人間の統一的な全體性は把握されない。人間の存在の眞に動的な主體的歴史性は、この客體的存在論の立場からはとらへ得ないと思はれる。

人間の具體的な實存は、彼が肉體を持つて居ると云ふところにあるのでもなければ、彼が精神を持つと云ふところにあるのでもない。何よりも先づ、彼が歴史的現實に於ける行爲的主體として、云はゞ、歴史的個體として實存するところにある。人間は肉體を持つ以上死を免れない。しかし、彼の死は單なる生理的な死ではない。彼は歴史的個體の一つの存在可能である。かやうな實存論的な基礎論究なしには、人間の死の本質は捕へられないであらう。

要するに人間を最も具體的に捕へると云ふことは、人間を現實的な個體として、眞に分つことの出來ない Individuum として、取扱ふことである。このことは決して人間存在の世界的な性格を奪ふことではない。何故なら、人間は、つねに、一定の具體的な世界環境に於てのみ眞に具體的な自己となり、個體となるからである。個體の哲學的意義を高調することは、個體をアトムとの類推に於て考へる、原子論的な世界觀に導くと考へるのは、個體の眞意義を理解しないものである。歷史的現實界は、互に獨立無關係なアトム的な個體の、單なる集合によつて成立するのではない。個體が個體として生れるのは、歷史的世界に於てゞある。此世界的環境を離れて、個體は生れることも死ぬことも出來ない。

若し個體が個體として在り得るのは、歷史的現實に於てゞあるとすれば、個體的なものが同時に最も現實的なものでなければならない。確に、現實とは、世界に於て個體が自己竝に世界を形成しゆく歷史的行爲の瞬間に成立つのである。固より、個體の形成も、世界のそれも、決して簡單なものではないであらう。それ等の問題は、今暫らく別として、兎に角、個體と世界とが形成されゆく行爲的現實に於て、存在の自己形成及自己暴露が行はれること、從つて、そこに於て獲得される存在論的體驗と、その自己形成に、存在論の樞軸を見出さうとすることは、決して的を外れたものではないだらう。

現代に於ける「信教の自由」の問題

淡野安太郎

目次

序　「信教の自由」の問題の現代的意義

近時國民精神の昂揚が強く叫ばれ敬神思想が廣く普及せられると共に、それとの關聯に於て所謂「信教の自由」の問題をいかに處理すべきかが、國民生活の指導目標を確立する上に於て切實に解決を要求される重大問題となつて來て居る。これに對し「神社は宗教に非ず」との建前のもとに二つのものを唯別々に引離すことによつて兩者の間に矛盾相剋が生じない樣にするといふだけでは、到底時代の要求に應へることが出來ないであらう。況んや、神社事務は神祇院に・宗教事務は宗教局に・夫々配分するといふ行政的解決が何等當面の問題の核心に觸れるものでないことは云ふ迄もない。問題は決して單なる外面的な繩張りの協定にあるのではなくして、大多數の日本の家に於て神棚と佛壇とが相竝んで祀られて居るといふ——ヨーロッパ人にとつては全く不可解とせられる——ことが如何にして可能なのであるか、換言すれば同一人が一方に於て神棚の前に跪くと共に他方に於ては佛壇の前に合掌するといふことが——人格の分裂なしに——如何にして内面的に結びつき得るのであるか、更に問題を擴大するならば我が神ながらの大道を顯揚することと信教の自由を許容することとが一般に如何にして内面的に調和し得るかといふ點に、問題の中心があるのである。殊に大東亞共榮圈の建設がもはや紙上の構想ではなくして、國を賭して遂行されつつある現實の課題となつて居る今日、——しかも大東亞戰爭勃發後敵國は直ちに東亞の諸民族に向つて、日本の勢力下に立てば必ず信教の自由が極度に壓迫さるべき旨の逆宣傳を行ひ、これに對し我が比島派遣軍當局は逸早く住民に向つて信教の自由を依然として享受せしめる旨の布告を發して居る今日、——我が神ながらの道を以て萬邦を光被することと信教の自由を享受せしめることとを如何にして內面的に調和せしめるかは、思想問題に關心をもつ者にとつては囘避することの出來ない緊切な課題であると云はねばならぬ。筆者は昨年來外地に於ける宗教對策樹立の仕事に携つた關係上、多少調査したところを玆に纏めて大方の參考資料までに提供する次第である。そこで、先づ西洋に於ける信教の自由の問題と東洋に於ける信教の自由の問題との相異を明かにし、次に支那に於ける信教の自由の問題と我が國に於ける信教の自由の問題との異同を明かにするといふ順序を以て論述を進めて行きたいと思ふ。

——昭和十七年三月——

一　西洋に於ける「信教の自由」

信教の自由の問題は、之を廣義に解するならば、信教の自由を獲得せんがための闘争の歴史を凡て包含することになり、それはやがて宗教史全體に亙る問題とならざるを得ないであらう。しかし、かかる廣汎な問題を全般的にとりあげることは、勿論この小論の主題とするところではない。論究の焦點は終始、大東亞共榮圏を建設しつつある我々日本人に現に今課せられて居る「信教の自由」の問題にある。従つて、玆に先づ西洋に於ける「信教の自由」の問題をとりあげるのも、それによつて間接に我々の問題の性格をより鮮明に書き出さんがために他ならぬ。

一般に、一つの世界（統一體）としての性格を實現するやうになつてからのヨーロッパは基督教世界であつたと稱せられる。ローマによる征服もその統一の形成をカソリック（普遍的）教會に俟たねばならなかつた。更に吾々は十字軍の兵士が、祖國のために戰ふ英國の兵士やフランスの兵士ではなくして、たゞ十字架のために戰ふ基督教世界の戰士であつたことを見逃してはならない。基督教はかくの如くヨーロッパに於ては事實上、超國家的性質をもつ。その超國家性は、いひ得べくんばむしろ土着性として特色づけらるべきものであらう。ヨーロッパに於ては、基督教は既に早くからその外來性を脱して深くその土の中に根をおろしてしまつて居るのである。ヨーロッパ人は最早何人も基督敎を外來宗敎であるとは云はないであらう。從つて例へば「獨逸に於ける基督敎移植史」といふが如きことは殆んど意味をなさないのである。これに對して「日本に於ける佛敎移植史」なるものは充分なる意味に於て成立つ。しかし、もと〳〵由來を辿れば、佛敎が印度から支那を經て日本に入つて來た樣に、基督敎もシリアからローマ帝國を經てゲルマンの世界へ入つて來たものなのである。しかるに、一方の「日本に於ける佛敎移植史」が成立つのに對して、他方の「獨逸に於ける基督敎移植史」が成立たないといふのは、いつたい如何なる事情にもとづくのであらうか。

それは佛敎が日本に於てはあくまで外來宗敎であるのに對して、基督敎は獨逸に於ては既に早くから外來宗敎ではなくなつて居るからである。後に詳述する樣に、日本人の心はその無的性格の故に、空しき心となつて外來の客人をそのまゝ受け容れたのである。我が國に於て佛敎傳來後僅か二世紀にして東大寺の大佛がつくられ、二世紀半にして最澄や空海の如き學者が出たことは、世界宗敎史上特筆すべき現象であると云はねばならぬ。これに對し、ゲルマンの世界に入り來つた基督敎は五六世紀の間は殆んど花らしい花を開いては居ないのである。それは在來のものが一定の有的性格をもつたものであるが故に、それと性格を異にする外來のものを客人として素直に受け容れることが出來ず、在來のものと外來のものとの間に執拗な爭ひが續けられねばならなかつたからである。その代り、ひとたび在來のものに打ち克つた後には、外來の基督教はもはや外來の客人ではなくして、本來の主人の位置を占めることとなつた。これがヨーロッパに於ける基督教の土着性の意味に他ならぬ。

勿論、土着した後の基督教も此の地上に於ては世俗の權力と絶えず爭はねばならなかつた。歷史上、法王と國王との爭ひの形を以て展開されたものが即ちそれであり、而してそれはつねに所謂コンコルダート (Konkordat) の方式に於て――即ち國王は信仰內容に干涉せず・法王は政治問題に干與せずといふ方式によつて――解決されて來たのである。かくして純然たる信仰內容に關する限り、基督教はヨーロッパに於て或る程度土着的安定性を享受することが出來た。從つて基督教會側に少數の異教徒の存在を容認する寬容ささへあれば、宗教界はすつかり門戶を開放してしかも無事平穩であり得る筈であり、事實またさういふ方向に進んで來たのである。例へば、佛蘭西は一九〇五年十二月九日の政教分離法が實施せられるまでは、カソリック教プロテスタント教及び猶太教の三つを以て公認教とし、それ以外のものを非公認教として居た。そして公認教の宣教師は國家から俸給を受ける代りに國家はその宣教師の選任に對して干與することとなつて居たのであるが、政教分離法が實施せられると共に、公認教非公認教の區別が廢止せられ國家は何れの宗教に對しても最早補助を與へないこととなつたのである。更にまた傳統を固く守る英國に於てすらアスキス內閣の下に所謂「國教」廢止案が、アイルランド自治案について上程され、一九一三年一月十八日下院の第三讀會に於て多數の差を以て通過して居るのである。しかも眞實は英國にも元來嚴密な意味に於ての「國教」は存在せず、實際は公認教だつたのである。それはただ國家と特殊な關係のある宗教といふ意味に他ならぬ。即ち、例へばイングランドの公認教たる新教の僧正は大ブリテン及びアイルランド聯合王國の上院の議員として列席することが認められるといふ風に他の宗教團體に對しては與へられて居ない特權が認められると共に、他方に於てはその代りに他の宗教團體の受けて居ない特別の制限――即ち新教の僧正は信條・儀式に關する規定並びに國王の公認教に對する統轄權に關する規定に違反しないといふ特殊な義務――が課せられて居たのである。それは全く國家と教會（といふよりはむしろ教役者）との間の特殊な關係であつた。一般人民は――一六八八年の所謂「名譽革命」以來の信教の自由の原則に從つて――公認教に對してもそれを信仰し又は信仰しない自由を有し、それによつて何等法律上差別待遇を受けることはなかつた。(一)かくの如く、公認教の遵奉を毫も強制するものでないが故に、公認教の存在と信教の自由とは決して矛盾しないものと古くから一般に考へられて來たのである。伊太利に於ても、一九二九年ムッソリーニの努力によつて「ローマの紛爭に關する和解書」が國王エマヌエル三世と法王ピアス十一世との間に交換され宗教界安定の基礎が確立されたのであるが、その際ムソリーニ政府は次のことを繰返し主張してやまなかつた。――羅馬教を國教としたのは、伊太利人の大部分が羅馬教を信奉して居るから其の歴史的位置を尊重した迄であつて、吾等はどこまでも近代國家の體制と威嚴と面目とを主張し、何の一點も法王廳に譲歩しなかつた。從つて、凡ての伊太利人は信仰の如何に拘らず法律の前に全く平等である、と。(二)

(一) 野村淳治「宗教團體と國家との關係」(筧教授還暦祝賀論文集)
(二) 田川大吉郎「國家と宗教」二〇頁、二六一頁

以上述べたるが如き西洋に於ける宗教事情の中、或る特定の宗派の教役者が國家から選任され或は俸給を與へられ或は特權を授けられるといふ風に國家から特別の保護を受けて居たといふ事實を捉へて、我が國に於ける神社と國家との關係も亦右の公認教と國家との關係と大差なきものと考へるならば、かくの如きは彼我國情の相異を全然自覺せざる皮相の見と云はねばならぬ。吾々は外面的な類似に惑はされずに、更に深く人間精神の奥底にまで眼を徹しなければならぬ。卽ち、西洋に於ては公認教を信奉せざることも亦各自の自由であつたのに對して、我が國に於ては神社參拜を拒否するが如き非國民的態度は國民的信念の到底默過し得ないところであり、まさに此の點にこそ――後に述ぶるが如く――我が國に於ける信教の自由の問題の特殊性が見出されな

ければならないのである。

それはとにかくとして、先きに述べたるが如くヨーロッパに於ては基督教は或る程度土着的安定性を享受し得たが故に、基督教會側に少數の異教徒の存在を容認する寛容ささへあれば、宗教界は殆んど無事平穩であり得たのである。ところがナチス獨逸の出現はヨーロッパの宗教界をして未だ曾て經驗したことのない強大な反對勢力との抗爭に直面せしめることとなつた。それはナチス獨逸そのものがはつきりしたしかも特異な世界觀的性格を帶びて居ることに基くのである。ナチス的世界觀はそのミュトス的性格の故に、一種の宗教性をもつ。しかも其のミュトスの核心を形成するものは「民族」であり、「血液の價値に對する信仰」である。その世界觀は「決して人種の平等を信ぜず、諸民族の差異と共にその價値の高下を認め、この認識によつて……優者強者の勝利を促進し劣者竝びに弱者の隷屬を要求する義務を感ずるのである」。[一] かかる "Aristokratismus der Natur" の原則を最後の一人まで徹底的に押し通さうとする限り、それが本來ヒューマニズムを金科玉條とする基督教會と全面的に衝突することは當然であると云はねばならぬ。このことは、ナチスの新しい神話を説く書物が法王廳に於て禁斷の書とせられたといふ事實によつても明かであり、更に具體的には一九三四年九月のかの國民一般投票の結果の中にも明かに觀取され得る形となつて現はれずには措かなかつた。そこでナチス獨逸は一應、總人口の三二・五パーセントを占めるローマン・カソリックは除外して、否むしろ所謂アリアン條款（Arierparagraph）も特定のカソリック學校及び病院に對しては適用を停止するといふ讓歩までして、さしあたり先づ獨逸の建國と密接な關係のある六二・七パーセントのプロテスタントを目標に單一教會（Einige Kirche）たる獨逸福音教會（Deutsche Evangelische Kirche）の設立を企てたのである。それは宗教改革以來成長し來つた諸々の宗派を「一つの信仰」の下に糾合して"Kirche im Staat"の建設を庶幾するものである。"Kirche im Staat"は Kirchenstaatstum に於ける "Kirche über dem Staat" 及び Staatskirchentum に於ける "Kirche unter dem Staat" から區別せられて 唯一の Volkskirche たるにふさはしきものであり、かかる教會こそ眞にルターの根本精神を最も忠實に實現するものとせられるのである。而してそれは Volk のつながりの上に立つものであるが故に、ナチス國家に對して決して單に外面的なコンコルダートといふ樣な一種の「契約」（Vertrag）の關係に立つものではなく、兩者は「信頼」（Vertrauen）によつて內面的に結びつき、夫々の分野に於て相協力することが期待せられるのである。(二) しかし此の單一教會運動が果して課せられた精神的成果をあげ得るかどうかについては今のところ要するに單なる期待の域を脫せず、しかもそれは容易に樂觀を許さない期待であると謂はれる。それは「基督の福音の前には個人的な、況んや民族的な差別はあり得ない」といふ信條が依然として土着的な潛勢力をもちつづけて居るからである。

（一）Hitler: Mein Kampf, 129-130. Aufl., S. 421.
（二）vgl. Hans Wagner: Taschenwörterbuch des neuen Staates. S. 44f.

以上述べ來つたところを通觀するに、ヨーロッパに於て基督教が土着性をもつて居り且その基督教會が或る程度の寛容性を失はない限り、基督教世界としての西洋には「信教の自由」は殆んど問題ではなく、他方またナチス獨逸に於けるが如く――その名稱の如何を問はず――從來の教會の根本信條と相容れない內容をもつた新たなる宗教が土着の基督教にとつて替るためには、宛も基督教がゲルマンの世界に土着するまでに數世紀を要した樣に、今後なほ相當の長年月を必要とするのではないかと思はれるのである。いかに強力な政治力を以てしても精神界に於ける「土着」を奪取することは、容易なことではないからである。

二　支那に於ける「信教の自由」

ところが東洋に於ては、同じ「信教の自由」の問題も根本的にその事情を異にするのである。支那にとつても日本にとつても佛教基督教などの所謂世界宗教は何れも外來のものであり、それに對する本來のもの卽ち土着のものとして、支那は孔子の教をもち日本は神ながらの道をもつ。しかも何れも近代國家らしく信教の自由を國の根本法に於て承認しようとし（支那）、或は旣に承認して居るのである（日本）。從つて信教の自由が原則的に脅かされるといふ意味に於ての「信教の自由」は問題とならず、むしろ支那及び日本に於ける信教の自由の問題は先づ信教の自由を承認した上で、外來の宗教信仰と　本來の國柄と結びついた　傳統的なるものとが如何にして內面的に調和し得るかといふことが根本的に問題なのである。而してかかる形に於ける問題は決して一時的偶然的な政治現象ではなくして、一方國民的自覺が次第に向上し他方所謂信教の自由の名の下に外來宗教の信仰が或る程度自由に容認される限り、むしろ永遠に解決を要求される課題であると云はねばならぬ。ここに東洋に於ける信教の自由の問題の特殊性がある。

支那に於ては古く佛教が傳來した當時、王者と佛者との位置を如何に考ふべきかの問題が起り、更に基督教が入つた時には傳統的な天の信仰と基督教の神の信仰とを如何に調和せしむべきかの問題が喧しく論議せられ、半ば外來宗教側の妥協により次第に國情に適合したものとなることによつて問題の解決が試みられて來たのであるが、此の問題が「信教の自由」の問題の形となつて表面化したのは、所謂「憲政運動」の展開と共に憲法の草案が種々試みられ、その中に規定せられた信教の自由の原則と傳來の孔子の教による精神的統一とを如何にして內面的に調和せしめるかの論議を以てはじまる。從つてそれは、孔子の敎をあらためて如何に見又それを憲法上如何に規定するかといふ所謂「孔教問題」と相表裏するものと云ふことが出來、何れも憲政運動の中に織りなされて浮び上つて來た問題に他ならぬのである。

十九世紀後半、先進資本主義國の武力的竝びに經濟的侵略に直面した支那は、最早「祖宗の法は變ずべからず」といふ傳來の至上命令にのみ從つて居るわけには行かず、精神は變ずべきではないが法或は物は變ずべきであるといふ二元論の上に立つて社會改革を企てねばならなかつた。張之洞（一八三七―一九〇九）はその勸學篇の中で「不變なるものは道德であつて法則ではなく、聖道であつて機械ではなく、心情であつて工藝ではない」と述べて居るのである。更に日清戰爭の結果は、清朝の專制政治が日本の立憲制に敗北したものと一般に信ぜられたが故に、「變法自彊」の聲は一段と大きくなり、一八九八年（光緒二十四年―戊戌）六月德宗が遂に變法（法制改革）の國是を明かにする詔を渙發するに至つて、康有爲（一八五八―一九二七）、梁啓超（一八七三―一九二八）などの變法派の活動は頓に活氣を呈するやうになつた。しかし一方これに對し守舊派の人々は、康・梁の徒は日本や西洋にかぶれ中國古來の聖賢の法を無視して夷狄に屈服するものとして非難し、更に最初新法に贊同して居た袁世凱の變節によつて同年九月德宗は幽閉せられ變法派は大逆非道の人物と宣告せられると共に、德宗の發布した百四日間の變法は凡て撤回せられたのである。かくして德宗と康有爲、梁啓超などの合作になる所謂戊戌改革は完全な失敗に終つた。その頃、相ついで革命を志して成らなかつた人々は日本へ難を逃れて革命運動を繼續したために、一時日本は支那の政治鬪爭の舞臺となつた。例へば君主立憲を主張する康有爲、梁啓超などの保皇派が「新民叢報」を發行し、これに對し民主立憲を主張する孫文、汪兆銘などの革命派が「民報」を發行したのも、何れも日本に於てであつた。かかる時勢は如何ともし難く、德宗に替つた西太后の政權も遂に一九〇六年九月立憲豫備の上諭を下し、次いで一九〇八年八月「欽定憲法大綱」を發布してそれより九年後議會を招集すべきことを約束し、更に猶もはやる民心を鎭定すべく一九一一年には憲法の逐條的起草の根本原則となるべき「憲法重大信條十九條」を公布した。しかし右の「欽定憲法大綱」竝びに「憲法重大信條十九條」は何れも日支兩國の國情の相異を全く無視して大日本帝國憲法の最も根本的な條文を殆んどそのまま模倣したため、到底國民一般の受容するところとはならなかつた。

欽定憲法大綱

一、大清皇帝統治大清帝國萬世一系永々尊戴

一、君上神聖尊嚴不可侵犯

憲法重大信條十九條

第一條　大清帝國皇統萬世不易

第二條　皇帝神聖不可侵犯

かかる根本規定が易姓革命・禪讓放伐の支那に受け容れられる筈はない。(一)

(一)　孫文は支那人一般の皇帝に對する心理を――稍々誇張してであらうが――次の樣に說明して居る。

中國幾千年の歷史を見て來ると、皆皇帝たるの適材として皇帝となつたのではなくて、大なる特技を有し新發明をして人類に功勞を立てたものが皇帝となり政府を組織するを得たのであつて、料理人・醫者・裁縫師・大工の如き特別の技能があれば皇帝となれたのである。

燧人氏――料理人皇帝

神　農――醫者皇帝

軒轅氏――裁縫師皇帝

巢　氏――大工皇帝

米國人の支那式に丁韓良といふ名をつけて居た教授が北京の西山に遊んだ時、路で出會つた農夫と一寸談を交はしたところ、その農夫が

「外國人はなぜ中國に來て皇帝とならないのだらう」と問ふたから、教授が反問すると、

「外國人も中國の皇帝になれますとも」といひながら、畑の邊に架設してある電線を指して、

「かういふものを作つた人なんか無論中國の皇帝になれますよ」

と言ふたさうであるが、この農夫の思想としては只一本の鐵線で消息を通じ書信を傳へることの出來るやうなものを作つた人は當然偉人である、斯樣な大偉人ならば當然皇帝になり得る人であるといふ斷定を下したのであつて、これはよく中國人一般の心理を證明して居る。(孫中山「三民主義」改造文庫一四一―一四二頁)

かくして現實を無視した施策は却つて革命への氣運に拍車をかけることになつた。即ち一九一一年辛亥革命成り、翌一九一二年には中華民國臨時約法（舊約法）の公布を見るに至つた。しかし臨時大總統袁世凱は反對派たる孫文一派の手になる臨時約法を快しとせず（袁世凱と孫文との妥協の結果、大總統を袁世凱に讓る代りに國民黨の手になる約法を袁世凱の名に於て公布せしめたといふ經緯があつたのである）、之を改訂して更に袁自身の勢力の擴充に便なるべき新憲法の制定を企て、一九一三年七月十二日衆議院内に憲法起草委員會を組織した。しかし委員選擧の結果は、袁世凱の豫想に反して國民黨又は之に準ずべきものが多數を占めたため政府より冷遇され、委員會はその開催地を天壇祈年殿に索めるのほかなきこととなり、かくして出來上つたものを天壇憲法草案といふ。その内容は勿論袁世凱の期待せるところとは甚だしく遠ざかつたものであつたが故に、憲法草案が憲法會議に附議せられた翌日（十一月四日）袁世凱はクーデターを斷行して國民黨を解散せしめると共に國會を停止したため、天壇憲法草案は遂に草案たるにとどまつたけれども、同案起草の際には幾多の重要問題が討議せられ、その後種々の憲法草案が作成せられる場合には、常に此の草案が討議の標準となつた。而して同草案は信敎の自由及び孔敎問題に關して次の如く規定して居るのである。

天壇憲法草案

第十一條　中華民國人民有信仰宗敎之自由、非依法律不受制限。
第十九條　中華民國人民依法律有受初等敎育之義務。
　　國民敎育以孔子之道爲修身大本。

右の樣になるまでには當時最大の論爭がなされたのであつて、袁世凱麾下の進步黨所屬委員が「孔子を奉じて以て耶蘇に抗し中華の徒をして一尊に定めしめんが爲に」孔敎を以て國敎となし其の旨を憲法に規定すべきことを主張したのに對し、國民黨所屬委員は極力之に反對し其の反對理由として次の四つを揭げた。

（一）中國は宗敎國に非ず、（二）孔子は宗敎家に非ず、（三）孔敎を國敎とすれば信敎の自由の原則に牴觸する、（四）五族共和なるが故に喇嘛敎回敎などのことも考慮されねばならぬ、と。

ところで袁世凱は孔敎國敎論を一層支持するため、別に敎育部に命じて每年舊曆八月二十七日を以て孔子聖誕節と定めて之を全國に通電せしめ、また祭天祀孔令を定めて孔敎の宣揚に熱中したのであるが、一般は袁世凱の心事を疑ひ之を以て帝政復活の準備であると解して輿論が甚だしく沸騰するに至つたので、起草委員會內部に於ては結局孔敎を以て初等國民敎育修身科の基本觀念とするといふところで雙方の妥協が成立したのである。

先きに述べたるが如くクーデターによつて國民黨を解散し國會を停止した袁世凱は、國民黨系の主張に基く國會萬能主義の天壇憲法草案に代るべき新憲法を制定するため、一九一四年三月十八日新たに自己の意を體する約法會議を設立し、これによつて中華民國約法（新約法）の公布を見るに至つた。舊約法がその全般を通じて第一世大總統たる袁世凱に對する拘束法であつたのに對し、新約法がその權限を著しく擴充し一轉して帝政實施の豫備的工作を試みるに適したものであつたことは云ふ迄もない。ところが袁世凱は遂に帝政實現の志成らずして一九一六年歿したため、南方勢力の主張により舊約法が恢復せられると共に舊國會も亦前會期を繼續して開會せられ、天壇憲法草案は再び新憲法の基礎案として續議せられるに至り、それに伴ひ孔敎問題は再度多くの論議を惹き起したのである。而して積極說を主張する者は「孔子の道は之を國敎として明示すべきであり天經地義に照して我が支那民族は萬々之を廢絕してはならぬ」と主張したのに對し、消極說をとる者は「孔子の道を以て修身の大本とするのはよいが、これは畢竟一つの倫理問題であるから之を國家の根本法の中に別に規定すべきではなく、若し特に孔子の道に關する規定を憲法の中に設けるならば、これは憲法の條文を以て他敎を壓迫するものであつて、恐らくは內外に對して紛爭を惹き起すであらう」と說き、兩々相對立して議論容易に決しなかつたが、遂に妥協して天壇憲法草案第十九條第二項「國民敎育は孔子の道を以て修身の大本となす」は之を削除することとし、その代り同草案第十一條

中華民國人民有信仰宗教之自由、非依法律不受制限。

とあつたのを修正して

中華民國人民有尊崇孔子及信仰宗教之自由、非依法律不受制限。

と改めることにして論議は一應終つたのである。しかし當時對獨宣戰問題に關して政界に波亂を生じ、一九一七年六月十二日國會は第二回目の解散に遇つたため、天壇憲法草案は再度その公布を見ることなくして止んだ。ただ右の修正條文は一九二三年曹錕の發布した憲法の第十二條にそのまま採用されたのであるが、曹錕その人が千三百五十萬元といふ巨額の黄白を以て議員を買收して大總統に選擧せられたといふ曰くつきの者であり、從つてその政府は間もなく瓦解したため曹錕憲法も亦徒らに「賄選憲法」の汚名のみを殘して之に殉死するの他はなかつたのである。

今吾々は修正條文「中華民國人民は孔子を尊崇し及び宗教を信仰するの自由を有す」によつて一應の論議が終つたことを述べた。しかし　最初の天壇憲法草案に於て二箇條に別かれて居た「尊崇孔子」と「信仰宗教」とがたゞ外面的に「及」で結びつけられて一箇條の中におさめられるのみでは、問題自體は少しも解決されては居ないのである。本來、此の兩者が内面的に如何に結びつき得るかが問題だつたからである。更に又、中華民國が民國としての姿を次第に具體化するに及んで、それとの關聯に於ても孔教問題は繰返し論議の中心とならざるを得なかつた。

といふのは、一方に於て傳統的な「信古」の氣風容易に乘て難いものがあるのにも拘らず、他方に於ては動き行く社會の現實の姿と孔敎の內容とを比較する時、おのづから胡適の所謂「評判的（批判的）態度」を採らざるを得なくなるからである。かくして、拜孔派が社會の現實から全く遊離して「至醇至聖の孔夫子は當に全世界を支配するの時あるべし」（辜鴻銘一八五四—一九二八）とただ獨善論を說いて居たのに對し、反孔派例へば「打倒孔子」を叫ぶ陳獨秀（一八七九—）は「孔聖人の倫理學說政治學說に照すに、立君に非らずんば不可なり、故に袁世凱のまさに皇帝たらんとするや先づ便はち尊孔を提唱す」（「復辟と尊孔」）となし、孔子の道は禮敎として嘗ての封建社會に合したものではあつても、その根幹をなす綱常階級說の如きは民主共和の近代社會とは到底相容れないものと見るのである。吳虞（一八七四—）は更に語を強め其の「家族制度は專制主義の根據たるの論」に於ては「盜丘（孔子）の遺禍は萬世に及ぶ」とまで極言して居るのである。(一)

(一) 吳虞「家族制度爲專制主義之根據論」（「新青年」第二卷第六號）
儒家以孝弟二字二千年來專制政治家族制度聯結之根幹………余謂盜跖之爲害在一時盜丘之遺禍及萬世

かかる反孔派の立場から尊崇孔子と信敎自由の問題を最も徹底的に論斷したるものとして、陳獨秀の「憲法と孔敎」及び「再び孔敎問題を論ず」を擧げることが出來る。

陳獨秀「憲法與孔敎」（「新青年」第二卷第三號）

孔學會……今乃專橫跋扈竟欲以四萬萬人各信徒共有之國家獨尊祀孔氏竟欲以四萬萬人各教信徒共有之憲法獨規定以孔子之道爲修身大本嗚乎以國家之力强迫信教……萬國憲法無此武斷專橫之規定……蓋憲法者全國人民權利之保證書也決不可雜以優待一族一教一黨一派人之作用……以憲法而有尊孔條文則其餘條文無不可廢

陳獨秀「再論孔教問題」(「新青年」第二卷第五號)

或謂……應定入憲法以爲教育之大方針余對此說有三疑問以求解答

(一) 孔門修身倫理學說是否可與共和立憲政體相容儒家禮教是否可以施行於今世國民之日用生活

(二) 憲法是否可以涉及教育問題及道德問題

(三) 萬國憲法條文中有無人之姓名發現……人民信教自由之權利乃國家待遇各教平等之權利也國家收入乃全國民公共之擔負非孔教徒獨力之擔負以國費立廟祀孔亦當以國費建寺院祀佛道建教堂祀耶回否則一律不立廟不致祭國家待遇各教方無畸重畸輕之罪戾……非獨不能以孔教爲國教定入未來之憲法且應毀全國已有之孔廟而罷其祀

ところが陳獨秀の只管敬順しようとする德先生(德謨克拉西《デモクラシー》)と賽先生(賽恩斯《サイエンス》)が案外萬能でないことを如實に示したものは前の歐洲大戰であつて、かねがね憧憬やまなかつたヨーロッパ文化に對する失望はやがて自己固有の文化に對する反省を促すこととなり、かくして反孔の嵐の中から浮び上つて來たのが國故整理の運動である。「國故」とは中國の一切の過去の文化・歴史のすべてを指す（胡適）。吾々は、はじめに支那に於ける社會改革が「精神は變ずべきではないが、法或は物は變ずべきである」といふ二元論の立場の上に立つて企てられたことを述べた。その二元分裂の立場そのものの不徹底性が今や白日の下にさらされるに至つて、精神も亦或る程度整理を免れないことが自覺せられたのである。一定の性格を具へた——即ち有的限定をもつた——古の精神をその原型のまま現代へもち込まうとすることは、結局「打倒」の反撃に直面せざるを得ない所以が明かに事實となつて示されたからである。支那に於ては「保存國粹」は「整理國故」を必要とするのである。しかし國故は整理されるに從つて次第にその影を薄くすることを免れぬ。されば孫文は一九二四年一月廣東に於ける第一回全國國民黨代表大會の際に行つた三民主義の講演の中に於て「中國固有の道德で中國人が今日でも忘るる能はざるものは第一に忠孝、次は仁愛、信義、平和である」旨を力說し（一）更に蔣介石は一九三四年三月孫文逝世九週年記念日に際して行つた「孫文總理の思想と人格」なる講演に於て、孫文の「基本的思想は全然中國の正統的思想たる中庸の道に淵源せるもので」孫文こそは「孔子以後に於ける第一人者にして中國の道德及び文化を既往に繼承し將來に展開したる大聖であること」（二）を强調して居るのにも拘らず、これらは何れも「信古」的傾向のある民心を收攬する方便のための言説としか受取れないのであつて、事實また一九三四年の中華民國憲法草案初稿は先づ

第一章　總　則

　第一條　中華民國爲三民主義共和國

と規定したる後

第二章　人民之權利義務

　第十五條　人民有信仰宗教之自由非依法律不得限制之

第四章　國民教育

　第三十四條　三民主義爲中華民國國民教育之根本原則也

　第三十六條　教育應以培養高尙人格增進生活技能及造成健全國民爲主要目的

といふ風に傳來の儒教的なるものは、僅かに國民教育の三つの主要目的の一つとして「高尙なる人格の培養」なる字句となつて、辛うじてその面影を殘して居るに過ぎない。換言すれば、「孔子の道」は整理せられて「高尙なる人格の培養」といふ形で保存せられることになつたのである。(三)

(一)　支那が中華民國になつて以來、各所の廟に揭げてある「忠孝」の文字の中、「忠」の方が削除される樣になつた。孫文に

依れば、民國になつたからといつて「忠」はもはや不必要であるといふのは間違ひであつて、忠は君に對する忠すなはち忠君に限つたことではなく、一般に事を爲すに當つて全力を傾倒し「成功せざるときには生命をも犧牲として惜しまないといふのが卽ち忠であるから、「たとひ君主のない民國となつてもやはり「國に忠なるを要し民に忠なるを要する」といふのである（孫中山「三民主義」改造文庫七六―七七頁）。ここに吾々は整理せられた忠の姿を見出すことが出來るであらう。

（二）村上貞吉「支那ニ於ケル立憲工作ト憲法草案」昭和九年　二五六頁

（三）國民政府になつてから右の中華民國憲法草案初稿（一九三四年）が出來るまでに既に二回次の様な立案が試みられて居るのである。

○中華民國約法草案（一九三〇年）

第二章　人民之自由權利義務

第三十九條　人民有信教之自由非違背良善風俗及擾害社會秩序不得干涉

第六章　教育

第二百九十條　學術之研究及思想與社會秩序無直接妨害者應保障其自由

第六章は此の第一百九十條のほかはたゞ技術的な法規のみを列擧するにとどまり、教育の根本方針となるべきものは全然掲げて居ない。

○中華民國訓政時期約法（一九三一年）

第二章　人民之權利義務

第十一條　人民有信仰宗教之自由

第五章　國民教育

第四十七條　三民主義爲中華民國教育之根本原則

ここに於ては三民主義が從來の孔子の道に代つて現はれ、儒教的なるものは全然姿を消して居るのである。儒教的なるものが「人格之修養」或は「人格之培養」なる形に於て示されたのは次の二つの私擬草案に於てである。（私擬草案とは公に設けられた憲法立案機關のほかに、學界或は政界の主要なる人物が全く個人的に立案を試みた憲法草案を指すのであるが、これらのものは其の當時、公の機關が立案するに際して重要なる參考資料となり從つて重大なる影響を及ぼしたものなのである。）

○呂復私擬中華民國約法草案（一九三〇年）

第十六條　人民限於不違背良善風俗及不擾害社會秩序之範圍内有信教之自由

第一百十條　中華民國人民之教育以人格之修養及能發揮三民主義之精神爲宗旨

○吳經熊私擬中華民國憲法草案（一九三三年）

第三十一條　人民有信仰宗教之自由非依法律不得加以限制

第一百八十七條　實施教育助人格之培養與其他目的並重

支那が現代に生きるためには、精神の世界に於ても亦或る程度國故の整理を免れることは出來ぬ。本來のものを整理することなしには、外來のものを内實的に攝取することが――支那に於ては――不可能だからである。憲法上の「人民之權利」としての「信仰宗教之自由」は、「孔子之道」の一歩退却によつてはじめて一應安定し得るであらう。(一)それは所謂「信教の自由」の問題の支那式解決である。これに對し、吾々は日本獨自の解決の仕方をもつ。我が國に於ては凡てのものをして夫々の道を歩ましめることが、却つて我が本來の神ながらの道をいよ〳〵發揚することとなるのである。印度に於て衰亡した佛教が我が國に於て日本佛教として榮えた樣に、支那に於ては所詮整理を免れない儒教も却つて日本儒教としてのみ榮え得るのではあるまいか。かかる寛く豊かな地盤の上にこそ、「信教の自由」の問題は眞にその内面にまで徹した解決の途を見出すことが出來るであらう。しからば、それは如何なる事態を意味するのであらうか。

（一）「孔子之道」は本來「修身大本」たるべきものであるから宗教問題とは直接關係がないといふのは――宛も我が國に於て「神社は宗教に非ず」とすることによつて萬事解決し得たものと考へるのと同じく――全く皮相の見であり、たゞその形をのみ見て實を見ざるものと云はねばならぬ。上來述べ來りたるが如く、孔教を國教としようとする一派がそれによつて外來宗教を放逐しようと企てたことは云ふ迄もないが、たとひ教育の根本原則としてではあれ「孔子之道」を掲げることに反對論が唱へられたのは、國家の根本法の中に特にかく孔子の道を規定すること自體が結局他教に壓迫を加へることになると考へられたからであつて、まさに此の點にこそ問題の核心が伏在して居ることが見失はれてはならないのである。（陳獨秀は――前掲の如く――その「憲法と孔教」の中で「四萬萬人各教信徒共有の國家を以て獨り孔子を尊祀し、竟に四萬萬人各教信徒共有の憲法を以て獨り孔子の道を規定して修身の大本となす、嗚呼國家の力を以て信教を強迫す」と叫んで居るのである。）而してかかる見地よりすれば「三民主義」を「國民教育之根本原則」とすることは内實的にも「信仰宗教之自由」と何等牴觸するところがないであらう。といふのは、三民主義はその精神から云へば世界の一切の不平等を平等に化する「平等主義」に他ならないからである（周佛海「三民主義解説」岩波新書上卷一四頁）。

三　日本に於ける「信教の自由」

我が國に於ける信教の自由の問題は、大日本帝國憲法第二十八條「日本臣民ハ安寧秩序ヲ妨ケス及臣民タルノ義務ニ背カサル限ニ於テ信教ノ自由ヲ有ス」なる條文の精神を如何に理解するかといふ點に存する。而して（伊藤博文の著とされてゐる）「憲法義解」に依れば、

中古西歐宗教ノ盛ナル之ヲ内外ノ政事ニ混用シ以テ流血ノ禍ヲ致シ、而シテ東方諸國ハ又嚴法峻刑ヲ以テ之ヲ防禁セムト試ミタリシニ、四百年來信教自由ノ說始メテ萠芽ヲ發シ、以テ佛國ノ革命北米ノ獨立ニ至リ公然ノ宣告ヲ得、漸次ニ各國ノ是認スル所トナリ、現在各國政府ハ或ハ其ノ國教ヲ存シ或ハ社會ノ組織又ハ教育ニ於テ仍一派ノ宗教ニ偏信スルニ拘ラス、法律上一般ニ各人ニ對シ信教ノ自由ヲ與ヘザルハアラズ。而シテ異宗ノ人ヲ戮辱シ或ハ公權私權ノ享受ニ向テ差別ヲ設クルノ陋習ハ既ニ史乘過去ノ事トシテ復其ノ跡ヲ留メザルニ至レリ。之レ乃信教ノ自由ハ之ヲ近世文明ノ一大美果トシテ看ルコトヲ得ベク、而シテ人類ノ尤至貴至重ナル本心ノ自由ト正理ノ伸長ハ數百年來沈淪黑暗ノ境界ヲ經過シテ纔ニ光輝ヲ發揚スルノ今日ニ達シタリ。蓋本心ノ自由ハ人ノ内部ニ存スル者ニシテ固ヨリ國法ノ干渉スル區

域ハ外ニ在リ。而シテ國敎ヲ以テ偏信ヲ强フルハ尤人知自然ノ發達ト學術競進ノ運歩ヲ障害スル者ニシテ、何レノ國モ政治上ノ威權ヲ用キテ敎門無形ノ信依ヲ制壓セムトスルノ權利ト機能トヲ有セザルベシ。本條ハ實ニ維新以來取ル所ノ針路ニ從ヒ各人無形ノ權利ニ向テ濶大ノ進路ヲ與ヘタルナリ。

但シ信仰歸依ハ專ラ內部ノ心識ニ屬スト雖、其ノ更ニ外部ニ向ヒテ禮拜儀式布敎演說及結社集會ヲ爲スニ至テハ、固ヨリ法律又ハ警察上安寧秩序ヲ維持スル爲ノ一般ノ制限ニ遵ハザルヲ得ズ。而シテ何等ノ宗敎モ神明ニ奉事スル爲ニ(一)法憲ノ外ニ立チ、國家ニ對スル臣民ノ義務ヲ逃ルルノ權利ヲ有セズ。(二)故ニ內部ニ於ケル信敎ノ自由ハ完全ニシテ一ノ制限ヲ受ケズ、而シテ外部ニ於ケル禮拜布敎ノ自由ハ法律規則ニ對シ必要ナル制限ヲ受ケザルベカラズ、及ビ臣民一般ノ義務ニ服從セザルベカラズ。之レ憲法ノ裁定スル所ニシテ政敎互ニ相關係スル所ノ界域ナリ。

(一) 此の「神明ニ奉事スル爲ニ」なる一句に關し五十六議會に於て花井卓藏氏と神社局長との間に次の樣な問答が交はされて居る。

花井氏　憲法の起案者は「信敎」なる文字の中に神社を除外したものであると斷言出來るか。憲法義解に用ゐてある「神明ニ奉事シ」なる文字は神社を除外したものか何うか。

神社局長　神明の二字は神社關係の法令に使つたものもあるけれど、憲法義解にあるのは神に奉事する意味で、何人と雖も、どの宗教と雖も神に奉事するため（といふ理由を以て）憲法の外に立つて國家に對する臣民の義務を免るる權利を有して居らない、といふのであつて、ここにある神明の意は神社に於ける祭神といふが如きはつきりした考へを以て書かれたものではないと考へる。

（二）憲法發布當時の新聞には、憲法第二十八條の解説として次の如く掲載してあつたと謂はれる（憲法解釋資料一〇二頁）。

凡ソ如何ナル宗教ニテモ、己ヲ正トシ他ヲ邪トシ、用フルニ破邪顯正ノ手段ヲ以テスルガ故ニ、宗派ノ爭ハ常ニ絶エズ。其熱度昇騰シテ亂ヲ社會ニ釀スニ至ル時ハ、主權者ハ政治上ノ權力ヲ以テ之ニ干渉セザルベカラズ。又タ宗教ノ爲メニ君臣父子貴賤貧富ノ秩序ヲ紊シ平等破壞ヲ目的トスルモノアラバ、是亦タ其自由ヲ許スベカラズ。或ハ又タ敵國同宗ノ徒ニ教唆煽動セラレ、自國國民タルノ義務ニ背キ、或ハ祕密ヲ敵ニ漏ラシ或ハ款ヲ敵ニ通ジ、其他日本臣民タルノ一切ノ義務ニ違背スルノ徒アラバ、我國權ハ之ヲ許サズ、其信教ノ自由ヲ剝奪シテ之ニ保護ヲ加ヘザルベシ。

苟モ此大義ヲ守リ、平穩ニ忠誠ニ自ラ信ズル所ノ宗教ニ歸依スルハ、凡ソ日本人民タルモノノ自由ノミ。本條ノ意卽チ是ナリ。

右の「憲法義解」の見解を要約すれば、信教の自由も人間内部の本心の自由たる限り無形の權利として完全であるが、それが外部に現はれて有形の行爲となれば當然必要なる制限を受け又臣民一般の義務に服從しなければならぬ、といふことに盡きる。條文の單なる解釋としては一應明快な法律家的見解であり、從つて多くの法律學者によつて殆んど無批判的に承認せられるものの如くであるが、かかる見解は無形と有形とを切り離し内部と外部とを簡單に切斷するところに法律家的抽象性があり、且又その論旨は西洋に於ける信教の自由の原則の説明としてはそのまま妥當性を主張し得るものではあつても、我が國に於ける信教の自由の問題の焦點が奈邊に存するかを全然把握せざるものと云はねばならぬ。(一)

(一) 穗積八束博士は「我が學者にして我が憲法を視る之を一種の舶來品の如くに取扱ひ、」「外國憲法の翻譯を視るが如くす」ることを歎いて居られるが（穗積八束「憲法制定之由來」明治文化全集第四卷四一九頁、四二七頁）、第二十八條に關する限り、「憲法義解」自體がその譏を免れないのである。そしてそれは次の事實と思ひ併せる時、決して偶然ではないことが了解せられるであらう。即ち、伊藤公が憲法取調の命を帶びて歐洲に赴いた際「ドイツの宰相ビスマークは宗教關係の重要性を說き其の注意を怠らざる樣、そして日本はこれを何うなさる考か と問うたさうである。それに對し、私(田川大吉郎氏)の聞いた所に若し誤りがないなら、伊藤公は——もともと宗教を以て過去の迷信と爲し、もはや今日の政治家の注意を要するに値しないものと思ふてゐられたから——それに對する何等の準備がなく、その答へに戸惑ひせられたさうである。ビスマークはそれに拘らず、繰返して伊藤公の注意を喚起し、公はやや啓發せられる所があつたといふ。」(田川大吉郎「國家と宗教」六九頁)以て、憲法義解が第二十八條に關して、何故に西洋直譯的にならざるを得なかつたかを推測するに足るであらう。

通常憲法學者は、帝國憲法が日本臣民に對して認める自由權に八種ありとなし、信教の自由が他の七種の自由——居住及び移轉の自由、人身保全の自由、住所安全の自由、信書祕密の自由、所有の自由、思想發表の自由、集會及び結社の自由——と異る點は、これら七種の自由については憲法は之を制限すべき條件を法律の定むる所に一任すると共に、その條件は必ず法律を以て之を定むべく直ちに命令を以て之を定むることを得ざるものとして居るのに對し、信教の自由の場合には憲法自ら之を制限すべき條件を定めると共に、法律を以てするも猶且之に制限を加へ得ない旨を明かにする代りに、苟も安寧秩序を妨げ又臣民たるの義務に背く場合には特に法律を以てするを要せず、單に警察命令を以てその自由を制限し得る所以を示せるものとなし、謂はば法技術的な見地からその相異點を指摘するにとどまる。卽ち凡ての場合を通じ、かかる立場に於て理解せられる憲法上の自由權とは、それぞれ一定の制限を外枠としてその內側に於ける各自の勝手であることには變りはないのである。一定の枠內に於ける勝手――それは確に人民が戰ひ取つた憲法上の自由權の本質をなすものではあらう。しかしかかる觀念を以て吾々は果して我が欽定憲法に於て認められる日本臣民の自由權の特質を正當に理解することが出來るであらうか。

外國の諸憲法は多くの場合、力と力との抗爭の結果つくられたものであると謂はれる。勿論その中には、革命の結果一擧につくられたものもあれば、長年月の間に序々に出來上つたものもあるであらう。しかし何れにしても人民側の力が遂に優勢を占めて遠く彼方に國權を排除し、もはや國權の侵入し得ない外枠を確立することによつて、その內側に於ける各自の自由を保證するものが卽ち憲法に他ならぬのである。しかるに我が國に於ては、皇室典範及び大日本帝國憲法御宣布の場合、明治二十二年二月十一日朝早く　明治天皇親しく皇祖皇宗の御靈に告げまゐらせられた御告文の中に、

惟フニ之レ皆
皇祖
皇宗ノ後裔ニ貽シタマヘル統治ノ洪範ヲ紹述スルニ外ナラス而シテ朕カ躬ニ逮テ時ト共ニ擧行スルコトヲ得ルハ洵ニ
皇祖
皇宗及我カ
皇考ノ威靈ニ倚藉スルニ由ラサルハ無シ

と仰せられて居るのである。即ち、我が皇室典範と憲法とは――御告文のはじめに宣まはせられて居る如く――「皇祖皇宗ノ遺訓ヲ明徵ニ」せられたものに他ならぬ。これ即ち、帝國憲法は今まで何もなかつたところに創めて作られた製作憲法ではなくして、本來有るものをして彌々有らしめた顯彰紹述憲法であると謂はれ、(一) 又「我國體ハ無爲ニシテ成リ無識ニシテ之ニ依ル、憲法ナクシテ憲法アルモノ實ニ我カ民性ノ美點トス」(二) と稱せられる所以である。

(一) 井上孚麿「帝國憲法制定の精神」國民精神文化類輯第十七輯　四九頁
(二) 穗積八束「憲法制定之由來」明治文化全集第四卷　四一九頁

憲法なくして憲法あり、それを「世局ノ進運ニ膺リ人文ノ發達ニ隨ヒ」(御告文) 顯彰紹述し給ふたものが我が欽定憲法であるとすれば、それはまさに我が國柄そのものの具體的顯現であると云はねばならぬ。從つて憲法の條文を單なる外面的消極的限界——即ち外枠——と解し、その範圍を逸脱しない限りは如何なる內容をも自由に盛り入れることが出來るとする外枠說は、我が帝國憲法の解釋論としては根本認識を誤つたものと云はねばならないのである。「憲法の條文を黃色の法令を通じるならば黃色に見えるし、また綠色の法令を通じるならば綠色に見える」とする所謂「憲法の動態的把握說」も——現在の新事態と憲法との結びつきを明かにしようとする努力は多とすべきも——實は憲法の條文を死せる硝子の容器の如く解する點に於て、その攻擊する「憲法の靜態的把握說」(一)と相去る幾何もないのである。帝國憲法の眞面目は、その具體化たる法・令・慣行などから逆推することによつて所謂動態的に把握さるべきものではなくして、(二)——それはまさに本末顚倒と呼ばるべきであらう、——むしろ如何なるものをも派生し得べき根源的なるものとして、その本來の面目が如實に把握されねばならないのである。かかる「根源的把握」によつてのみ、正しき意味に於ての「動態的把握」もはじめて可能となるであらう。(三)

(一) 動態的把握說の非難する靜態的把握說とは「憲法條文の觀念的なる形式論理的展開」として凡てを把握しようとするものと謂はれるのであるが、しかし例へば憲法が法令に自らを具體化することは、時代的條件を媒介とすることは勿論であり、決して單なる「憲法條文の形式論理的展開」によつて成立するものではないから、嚴密には世に靜態的把握說なるものは存在し得ず、從つてそれに對する非難は的なくして矢を放つものと云はねばならぬ。

（二） 憲法の色相がその時々の時代の要請に從つて或は黄色に或は綠色に染めなされるものとすれば、――此の「時代の要請」自體には價値の差別があり得る筈はないから、――結局無規準の相對主義に陷らざるを得ないであらう。

（三） 井上孚麿「新體制憲法觀」（「國民精神文化」第七卷第五號）
猶此の論文に於て、我が立憲制を以て「勃興期資本主義の標榜する自由放任主義の表現として對立と分化・牽制と均衡・分割と闘爭・合議體の重視を政治的指導原理としたものである」と解するが如きは、帝國憲法を以て全く西歐の憲法と均しからしむるものであつて、帝國憲法に對する根本的無智又は歪曲といふ他はない旨が力説せられて居る。

吾々は帝國憲法をその最も根源的な姿に於て把握しなければならぬ。單に條文と條文との關係を――法律學者の愛好する言葉を用ひるならば――みつめて相互に矛盾のない樣に解釋するといふ樣なことも、例へば行政法などの場合には一應承認せられるでもあらう。しかしかゝる解釋法をそのまゝ國家の根本法たる憲法に適用し、それのみを以て能事畢れりとするならば、それは我が帝國憲法の特質を全然理解せざるものと云はねばならぬ。入念の限りを盡して制定せられた國家の根本法に矛盾がある筈はない。從つて若し單に矛盾のないことを明かにすることを以て憲法學の課題が果されたものとするならば、憲法學は畢竟文章の解釋につきることとなるであらう。憲法學は――憲法が國家の根本法であるといふ・まさにその理由によつて――單なる條文の解釋にとどまらずして、その根本精神にまで徹しなければならぬ。

憲法第二十八條はその表現の仕方より觀れば、西洋に於ける信敎の自由の規定に類似して居ることは事實である。しかしその外觀の類似に惑はされて、それが「國權を以てしても人民の信仰生活の内容に干渉し得ず、一定の枠内に於ては各自の勝手たるべきこと」を規定したものと解釋し、且かゝる規定が憲法の他の條文と毫も矛盾するものでないことを示すことによつて能事畢れりとするならば、それは穗積八束博士の歎かるゝ如く、我が憲法を「一種の舶來品の如く取扱ひ」「外國憲法の翻譯を視るが如くす」ることであり、國家と敎會との妥協の結果生れた西洋に於ける信敎の自由の原則と、我が立國の大法そのまゝを宣言した帝國憲法第二十八條の精神との根本的相異を全然自覺せざるものと云はねばならぬ。先きに述べたるが如く、我が欽定憲法は本來有るものをして彌々有らしめた顯彰紹述憲法として、我が國柄そのものゝ具體的顯現であつた。我が國柄に於ては、いふ迄もなく、天皇が皇祖皇宗と御一體であらせられるのみならず、一般臣民も亦皇室を宗家と仰ぎ奉つて居るのであつて、その間踰ゆべからざる障壁を設けその枠内に於て各自が勝手をきめこむといふが如きことは、到底我が國民的信念の許さざるところである。我が國に於て國家と人民とは決して枠の外と内とに夫々別の方向を向いてよそ〳〵しく對し合つて居る樣なものではない。帝國憲法の規定する信敎の自由を、國權の及び得ない外枠の確立と解することほど、我が國柄の特質に對する無自覺を表明するものはないのである。

所謂「神社は宗敎に非ず」といふ有名な命題は、右の外枠説的な考へ方を以て神社と宗敎の問題に對して一應形式的な論斷を下したものに他ならぬ。しかも日本國民の日常生活に於て神社の前に跪いて只管祈念を捧げる敬虔な姿が否定すべからざる事實であることに直面して、「社會學的事實としては神社も宗教であるが、法律學的には神社は宗教ではない」といふのである。同一の事實を分析して別々の部門の研究對象として取扱ふことは勿論學問に許された自由であるが、しかしその場合の分析は本來の全一態の姿をよりよく究明せんがための手段にすぎないのであるから、ただ異る面を別々に摘出する單なる抽象的分離態にとどまつて根源の生きた事實に還つてその全貌を把握することをなし得ないならば、それは畢竟現實に對する學問の無能の表明以外の何物でもないであらう。かゝる學問上のセクショナリズムの揚棄が要請せられること、今日ほど切なるはない。

基督教が宗教であるといふのと同じ意味に於ては「神社は宗教ではない」といふのも正當であるし、更に又一般に廣く絶對的なるものに祈願することによつて魂のやすらひを得ようとする時その關係を宗教と呼ぶならば、「神社は宗教である」といふ命題も決して不當ではない。しかし問題は決して單なる命題の正否にあるのではなくして、同一の人間が神社の前に跪いて祈念を捧げると共に又佛壇の前に只管合掌するといふことが――人格の分裂なしに――如何にして内面的に結びつき得るかといふ點にこそ、我が國に於ける信教の自由の問題の核心が存するのであり、又まさに此の點がヨーロッパ人の全く不可解とする所なのである。此の核心點にまで觸れ得ない憲法第二十八條の解釋は、畢竟極めて皮相的な條文解釋にとどまるものと云はねばならぬ。流石に精神家の筧克彥博士は憲法第二章中でも第二十八條の信仰の自由の規定は特に我が立國の大法そのまゝを宣言した重要條文であるとなし、普通の憲法學者と異つて問題を餘程内面的に把握して次の如く述べ居られる。

皇國は「　天皇樣の全人格の御擴張に皇族樣・臣民の悉皆の全人格の溶け込みつゝある普遍我」である。「卽皇國たらせ給ふ　天皇樣」に尊むべきは「皇天不二の皇神の御信仰」にあり、皇族樣及臣民の最も重しとする所は、天皇樣の御信仰を仰ぎ之に入り奉ることである。

………

〔此の〕日本族の神ながらの信仰は、日本族が全人類・全天地を提げてなし來れる悠久の史實の本質たり精華たる體驗である。………〔しかし〕日本族内部の體驗が純眞のものなるか親身のものなるかは、少くも之を外部にうつして見ることを要する。先づ内部に力を入れねば外部の深みは分からぬが、外部の深みを探らねば内部の深みに生きたる所をうつして見ることは出來ぬ。日本族は何を措いても唯一の内部に己を求め己の信仰を固くし神人祖孫の一體を提げつゝ、彌々外部の各族種の體驗を歡迎せねばならぬ。是が我が神ながらの信仰其のもの・我が祭祀の本質其のまゝの要求である。殊に　天皇樣は御人格の全一其の者に於て（權力を以ての義でなく）萬邦に光被し給ふべき御方樣であり、日本族は皇國を成せども族としても・國としても、日の本たり・大本たり模範たるものである。普く他の一切を救ひ美化して我に歸せしめんとするには、他の生命・精神の純眞なる深き所と親しみ、彼等の深みについて彼等を美化し、また我自らの生命・精神を深くすることによりて自ら他の深みを我が深みに歸一せしむることを要する。我々は現に、神代より　皇神樣に齋き神意を奉じ、是を外來諸教に照らして彌々光あらしめ、殊に外來諸教を純化して我に仕へしめ、又夫等諸教を介して夫等諸教の本土・本國・故郷を救ひ來りしものである。

〔かくして〕憲法中の第二十八條は「　皇祖皇宗の御遺訓たる立國の大法卽神ながらの信仰夫自身の本質たる寛容性及至歡迎性を規定否宣言したもの」に外ならぬ。卽之を「人民個人や又は内外國に跨る宗教團體等の申し方に從ふことを餘儀なくせられて、國家が人民教會等に讓步したる妥協の箇條」と同一視してはならぬ。

〔されば我國に於ては〕　天皇樣の道卽　皇祖大御神樣の彌榮の道を、臣民として彌々純にし確實にする樣御輔翼申し上げ油斷なく斯の道に追進するについては、臣民は「如何樣なることあげ（型・形式・ドグマ）により手を引き手を引かれて心のまことを鍛へても」差支ない。

但し「ことあげせぬ神ながらの道」を害してはならぬとのことである。皇國體の要義たる本末を忘れ神を汚し皇を輕んずるが如きは安寧秩序を紊すことの最たるものであり、臣民が皇上の奉齋者たる本義に反するが如きは義務に背くことの顯著なるものである。更に平たく申せば、印度傳來の敎たる佛敎を信ずるのも之を說くのも結構であるが、其の際には釋迦牟尼が神ながらの日本臣民と生まれ給ひし時如何に其の精神を說かるゝかといふことを心して致すべく、イエス・キリストの敎を信ずるのも亦可なるが、イエス・キリストが神國日本の臣民と生れ給ひし時は何と爲さるゝか何と說かるゝかとの心を以てすべしとの事に歸する。こゝは生く足る日の本つ國であり、お互は生く足る日本人「まろ」であり「みこと」である。外敎を信ずるは惡い所でなく、其の眞精神に入ることは我自らをして「ことあげ」に陷ることなからしむる所以であり、殊に諸外邦を美化する所以・廣く親しむ所以であり、實に天上天下唯一無二の御主人樣　天皇樣に齋き奉る所以である。是を第二十八條の根本義とする。

（筧克彥「大日本帝國憲法の根本義」三三八―三四九頁）

誠に論旨明快であるが、更にもう一歩反省して、我が神ながらの道が外敎を歡迎しなければならぬといふのは、いつたい如何なる事態を意味するのであらうか。若し單に他者に於て自己を自覺しなければならぬといふだけのことならば、それは所謂「私と汝」なる人間的關係一般に通ずることであつて、その場合の「歡迎」はむしろ對立者を要求することに他ならぬであらう。即ち、私は汝に對することによつて私であり、汝は私に對することによつて汝であり得るといふのであつて、かゝる關係のみを以てしては未だ私が汝を仕へしめ・歸一せしめる根據は示されないのである。況んや、外教を信仰することが却つて我が神ながらの道をいよ／＼顯揚する所以は、理解さるべくもないであらう。否むしろ、信仰といふが如き嚴肅な事實に於ては、一つのものを信仰することはそれと異る性格をもつたものを信仰することと激しき矛盾反撥をすら惹き起すのである。それ故に、我が神ながらの道が外教を歡迎しなければならず又歡迎し得る所以は、それが「ことあげせぬ道」であるといふ理由によつて諸々の「ことあげする教」を歡迎しなければならず又歡迎し得るといふところに索められねばならぬ。しからば、ことあげせぬ道が「ことあげ」を歡迎するといふのは、如何なることを意味するのであらうか。此の問は、日本人本來の神の觀念を明かにすることによつて答へられるであらう。

一般に日本的世界觀の特質は、それが連續觀たるところにあると謂はれる。それは我が日本神話の明白に物語るところである。即ち、舊約聖書の創世記が

元始《はじめ》に神天地を創造《つくり》たまへり、地は定形《かたち》なく曠空《むなし》くして黑暗《やみ》淵《わだ》の面《おもて》にあり、神の靈水の面を覆ひたりき、神光あれと言《いひ》たまひければ光ありき。

と說き起して居るのに對し、我が古事記は

天地《あめつち》のはじめの時、高天《たかま》の原になりませる神の御名は、天の御中主の神。次に高御產巢日の神。次に神產巢日の神。この三柱の神は並獨神《みなひごりがみ》なりまして御身を隱したまひき。

と天地初發を語つて居るのであつて、舊約聖書の神が「創造の神」としてつくられた天地から超絕して居るのに對し、古事記の神はそれ自身「成りませる神」として萬物と連續的なつながりをもつ。(一)單に多くの神々が天つ神から生れ出たばかりでなく、諸々の島々も亦神の生みませるものであり、かくして我が國に於ては神々と國土と國民が生むものと生れたものとの生命全一體を形づくることとなる。之を逆に、生れたものから生むものへ遡源するならば、神は祀られる神でありながら同時に又より根源的なる神を祀るものとなり、和辻博士の所謂「祀られると共にまた自ら祀る神」が我が神代史の重要なる特色を示すこととなるのである。

(一)　創世記の神が「存在する神」であるのに對して、古事記の神は「成立する神」であるといふことも出來る。
(田中晃「日本的世界觀としての連續觀」(「思想」第二百一號二〇頁)

ところで、祀られる神がまた自ら祀る神であることを最も顯著に示すものは、神代史の主神天照大神である。天照大神が天つ日繼の現御神にとつて皇祖神であらせられ、從つて此の神が我が國に於て最も大いなる「祀られる神」であることは云ふ迄もない。然るに高天原にあつては、此の大神は天上の國の主宰者として自ら神を祀られ、ひたすら神意に従ひ神意の實現を念願せられるのである。現に記紀は速須佐之男の命の御亂行を語る箇所に於て、

天照大御神、坐忌服屋而、令織神御衣之時、穿其服屋之頂逆剝天斑馬剝而、所墮入時、

（古事記上卷）

見天照大神方織神衣居齋服殿、則剝天斑駒、穿殿甍而投納、

（日本書紀卷一）

と述べて居るのである。忌服屋或は齋服殿が上代に於て神に捧げるための神聖な衣服を織るところであつたことは疑がない。大神が自らかゝる場所に臨まれるのは、天照大神御自身がやはり神を祀り給ふ祭司としての神卽ち神命の媒介者たる性質をも併せ具有せられることを物語つて居るのである。しかも其の場合祀られる神が如何なる神であるかは、全然記されては居ない。宣長は「此の大御神の祭り給ふ神を天つ神ぞと云說は宜し」(一)といふ風に、天つ神と觀る說に贊成して居る。假りに此の說を正しとして、しからば此の天つ神がいよ／＼最後の究極神であるかといふに、記紀の記すところは實はさうではないのである。伊邪那岐・伊邪那美の二柱の神が最初の「くに生み」に失敗せられて更めて天つ神の命を請はれたとき、天つ神は太古《フトマニ》にうらへて指令を與へられたといふ。(二) 占卜によつて知られるのは不定の神の意志であるが、天つ神にとつての不定の神とは如何なる神なのであらうか。天つ神の背後には最早神はない筈である。しかも猶天つ神

が古卜を用ひられるとすれば、その背後になほ何ものかがなければならぬ。それは所謂神ではなくして、むしろ無限定そのものと云ふべきものであらう。即ち最後の天つ神さへも、無限定そのもの〻現はれる謂はば通路としての媒介者であつて、決して究極的なるものではない。究極的なるものを一定の神として把握しようとする意圖は、こ〻には毫も認められないのである。宣長は此の點を喝破して曰く、「今此天神の卜へ賜ふは何神の御教を受賜ふぞと疑ふ人も有なめど、そは漢籍意にて古の意ばへに違へり」と。(三)

(一) 古事記傳八之卷　四四〇頁
(二) ここに二柱の神議り給ひつらく、「今吾が生めりし御子ふさはず、なほ天つ神のみもとに申すべし」と宣り給ひて、即ち共にまゐ上りて、天つ神のみことを請ひ給ひき。ここに天つ神のみこともちて、太古にうらへて宣り給ひつらく「女を先立ちしによりてふさはず、また還り降りて改め云へ」と宣り給ひき。（古事記上卷）
(三) 古事記傳四之卷　二二五頁

かくして我が國固有の意ばへに於ては、究極的なるものはつねに無限に深い背後にあつて決して限定せられることのないものとして——神々をして神々たらしめつ〻——しかもそれ自身は遂に神として固定せられることはなかつた。即ち、究極的なるものは一切の有るところの神々の根源でありつ〻、それ自身はいかなる神でもない。換言すれば、我が國固有の考へ方に於ては神々の根源は、決して有的限定には盡きないところの神聖なる無である。それは根源的なるものを、本來の日本人が決して對象的に把握しなかつたことを意味するものに他ならぬ。かくの如く究極的なるものを無限にはたらく神聖性の母胎として、あくまでも無限定にとどめたところに我が國古來の國民的信念の凡てのものを包容せずんば已まぬ大いさがあり、而してまさにこゝにこそ、我が國家的神道の既成宗教に對する寛容性の根據が索められなければならないのである。(一)

(一) 和辻哲郎「尊皇思想とその傳統」第二章 上代に於ける神の意義(岩波講座「倫理學」第一册)

眞の無は決して有に對立するものではない。有に對立する無は、實は有に對して有るものとして畢竟一特殊的有に他ならぬ。有と無との相對的な對立を超越してしかも兩者を共にあらしめるところに、眞の意味に於ける——即ち絕對的な意味に於ける——「無」の本質が存するのである。凡てのものをしてその所を得しめる日本精神は、かゝる意味に於ての「無」の精神としてその眞髓を明かにすることが出來るであらう。我々は此の尊い傳統を益々生々發展せしめねばならぬ。我々の祖先が端的に把握した絕對的な無を、ゆめ相對的な無に即ち單なる一特殊的有に墮せしめるが如きことが斷じてあつてはならないのである。かゝる意味に於て、日本は世界諸國中の一國にすぎないといふ單なる平面的廣狹の關係のみを理由として所謂世界宗教の我が國家的神道に對する優越性を主張するが如きことが、全然我が國民的信念の本質を認識自覺せざるもの・否更に一般に「精神」の何たるかを理解しないものであることが強く指摘されねばならないと同時に、また逆に、「世界宗教なるが故に」といふ唯それだけの理由を以て、それが我が國家的神道と全然相容れないものであるかの如く單純に排斥することも亦、我が日本精神の偉大なる絶對無的性格を變じて一特殊有的性格に墮せしめるものとして嚴に戒愼されねばならないのである。

眞の無は、絶對的なる無であるの故に、決して有から遊離して夫自身で有るものではない。有から遊離した單に抽象的な無は、もはや絶對的な無たることを主張し得ないであらう。絶對的な無は、その絶對性の故に、却つて有の媒介を要求し有となつて無限にはたらかねばならぬ。筧博士の所謂「神ながらのことあげせぬ道が諸々の外教のことあげを歡迎する」ことの眞意は、かくしてはじめて根本的に理解せられるであらう。天照大神に於て「カミ」の最も偉大なる顯現を仰ぎ奉つた我々の祖先が、(一)はじめて佛像を見、經典に接した時、決して之を印度の宗教たる佛教の表現としての佛像や經典として見たのではなく、自分たちの心に抱いて居る神の一つの具體的な表現として佛像を見、その神の言葉を記錄したものとして經典を讀んだのである。換言すれば、彼の佛像の中に・又此の經典の中に、自分たちの心にある神の姿・神の言葉を見たのである。(二)　佛寺が建立されたのも、天皇と兩親とに對する報恩の念からであつた。日本書紀卷第二十二は「二年春二月丙寅朔、皇太子及大臣に詔して三寶を興《おこ》隆さしむ、是の時に諸臣連等各君親の恩の爲に、競ひて佛舍を造る。卽ち是を寺と謂へり」とこのことを述べて居る。かくして成立せる日本佛敎のことあげは、ことあげせぬ神ながらの道の內容を一層豊かならしめることとなつた。かゝる意味に於ての外敎のことあげを、我々はむしろ積極的に歡迎しなければならぬ。勿論「天皇ハ神聖ニシテ侵スベカラズ」(憲法第三條)。(三) 我々は現御神としての天皇に於て、神聖なる無の光を仰ぎ奉るのである。その神聖性を傷つくるが如き內容をもつた信敎は、斷じて許容することは出來ぬ。しかしそれと共に、宏大無邊なる無の豊かさをいよ〳〵發揚し參らすべく、各人をしてそれぞれの道を步ましめ以て遺憾なく個性を發揮せしめねばならぬ。「無」の精神としての日本精神はそれによつて益々豊かとなり、我が日本はいよ〳〵大日本たるの眞面目を中外に宣揚し得ることとなるであらう。かゝる思想的地盤の上にのみ、眞の意味に於て日本的性格を具現した健全なる宗敎對策が樹立され得るのであつて、「現代に於ける信敎の自由の問題」は、かゝる積極的な見地から考慮されなければならないのである。

(一) 强大な政治的中心力を缺いで居た古代支那に太陽の崇拜が見られず專ら星の崇拜が盛んであつたことと、我が國に於て天照大神が皇祖神であらせられることとを思ひ併はせる時、彼我國柄の相異は歷然として眼を蔽ふべくもないであらう。宣長は「玉かつま」一の卷に於て「此天地をはじめ給ひ、國土萬ノ物を造りなし給ひ、人の道をも萬の事をも始め給ひ、世ノ中のよろづの事をしり行ひ給ふ神たちのましますことをば、すべてえしらずして、これらの重く大きなる事には、たゞ天をのみいひて、たゞかたはらなる小き事にのみ、神をばいひて、此世を照し給ふ日ノ大御神をすら、かろ〴〵しく、ことなることもなき物のごとくして、此神をもとも畏れ尊み奉るべきことだにしらざるは、いとあさましきわざなりかし」と漢意を憐れんで居るけれども（全集第四、一九―二〇頁）、無政府的にして地方分散的な古代の支那にとつては、夜空に輝く無數の星こそは、最も適はしい信仰の對象であつたのであらう（支那地理歴史大系第十一卷「支那宗教史」一五―二〇頁）。

（二）　勿論、佛教傳來當時、拜佛の可否について賛否兩論のあつたことは云ふ迄もない。

日本書紀卷十九に依れば、欽明天皇十三年冬十月、百濟の聖明王が佛像經論をたてまつり、その拜佛の可否を群臣に問ひ給ふた時、蘇我大臣稻目宿禰の賛成論に對して物部大連尾輿・中臣連鎌子が反對して「我が國家《みかど》の天下《あめのした》に王《きみ》とましますは、恒に天地社稷百八十神《あまつかみくにつかみもゝやそがみ》を春夏秋冬に祭拜《いはひをが》むことを事《わざ》となしたまふ。方今《いま》改めて蕃神《となりぐにのかみ》を拜まば、恐らくは國神《くにつかみ》の怒を致しまつらむ」と奏上したこと、更に卷二十一に依れば、用明天皇二年夏四月群臣に詔して「朕《あれ》三寶に歸《よ》らむと思欲《おも》ふ、卿等議《いましたちはか》れ」と仰せられた際、物部守屋大連と中臣勝海連とが反佛論を唱へて「何《いか》にぞ國神に背きて他神《あだしかみ》を敬《ゐやま》ひたまはむや、由來《もとより》斯の若き事を識らず」と主張したと傳へらる。

しかし、かかる反佛論を唱へることが「異《け》なる計《はかりごと》」とせられたこと、反佛論者も亦「佛」の中に蕃神・他神を觀たことが注目されねばならぬ。

（三）　憲法制定會議のとき、陛下親臨の下に熱心な議論が鬪はされたのであるが、此の第三條に至つて一同ただ肅然と襟を正したと傳へらる。さもありなんことである。

人間精神に於ける感情の意義及び性質に就て（一）

世良壽男

目次

第一　序說

パスカルがその『パンセー』に於て、『心情（le coeur）には自からの秩序がある、心知（l'esprit）には原理と論證とから來るところのそれの秩序があるが、心情はそれと違つたものを有つてゐる。人は愛の原因をば順次に羅列することによつて、かれが愛されねばならぬことを證明しはしない、それは笑ふべきものであらう』（Pensées, p. 460）と言つて理知の論理に對して心情の論理の必然を主張したのは餘りにも周知のことである。かれによればかのキリストやパウロは『慈悲の秩序』（l'ordre de la charité）をもつてゐたがそれは『心知のそれ』ではなかつた、これ彼等は『温め』やうと欲するのであつて、『敎へ』やうと欲したのでのなかつたから（Ib. p. 460）。實際心情は理知の知らない理由（raisons）を有つてゐる（Ib. p. 458）。吾々はただ理知によつてのみでなく、また心情によつても眞理を識る、吾々が第一原理を知るのはこの後者即ち心情を介してである、そしてこの心情の知識及び本能の知識こそ、理知が凭りかゝらねばならぬもの、そのすべての議論をもとづけねばならぬものである（Ib. p. 459）。即ち理知が第一原理に同意する代りにそれ等の證明を心情に要求することは、心情が理知に對して、理知の論證するあらゆる命題を受容する代りにそれの感知を要求すると同樣に無用にして且つ滑稽である（Ib. p. 460）。それゆゐに、神を感ずるのは心情であつて、理知ではない。神は心情に感知されるものであつて、理知に感知されるものではない。心情の直觀なくしては信仰は人間的のものに過ぎなくなり、救濟にとつて無用のものとなるであらう (Ib. p. 458. 460)。かくして一切の吾々の推理は感情に讓歩せねばならぬ、卽ちそこにはすべての理知から獨立せる心情の世界、感情の世界と、それの秩序、それの合法則性が存在せねばならぬ。そしてこの秩序又は合法則性は、如何なる仕方に於ても知的合法則性に還元することを得ないやうな、情感、愛及び憎の永久的且つ絕對的法則性である。パスカルが『心情は理知の知らない自からの理由を有つ』と言ふ場合、それは、そこには理知から借られないところの『かれの』又はかれの『自身の』理由があるといふことである、卽ちそれは心情の『理由』であるとともに、『心情の』理由でなければならない、それは悟性の法則によつては理解されない心情自身の法則性でなければならぬ、そしてそれに對しては、悟性は恰度耳及び聽覺が色に對して盲目的であるやうに盲目的である、しかもそれは吾々に眞の客觀的對象と、彼等の間の永久的秩序と價値とを導き來るのである (Schler, Ethik, S. 261, 262)。然しかやうに悟性の法則性から區別せらるべき心情の法則性とは如何なるものであるか。先づ法則性とは如何なる意味であるか。かのコーヘンのいふやうに、法則的であるといふことは法則と直定的に同意味ではない、法則は傳襲的でもあり得るから。そして假令法則自身が一致にもとづかないにしても、彼等がそこから打建てられ且つ公布されるところの法廷（Instanz）への關係がなほ常に彼等法則に內住してゐる(Cohen, Aesthetik, S. 69)、そしてこの法則の根柢として、法則をば法則たらしめる法廷がやがて法則性の場所となる。そして吾々はこのやうな法廷をば吾々の純粹自覺の根柢に於て有つ、これ自覺卽ち自己意識とは單なる自己認識ではなくして自己意志又は自己への意志であり、自己への意志は自己への假定又は條件付けであり、この自己への假定又は條件付けはやがて自己への法則性であるから。かやうにして自覺の根柢には絕えず永遠なる根源的なる無に於ける自己が見られねばならぬ。然し無に於ける自己を見るとは、それを單なる無規定的存在に於て見ることではなくして、それをその創造に於て見ることでなければならぬ。永遠なる根源的なる存在は、それがなほ存在である限り、更にそれの存在根據が問はるべきであるから。それがために法則性は法則に對する單なる根柢としてではなくして、それの根柢付けとして考へられねばならぬ。そしてこのやうな永遠なる、根源的なる根柢けとしての法則性をば直定的に把捉し表現するものが『天才』である、『天才は法則性の一つの顯現である、それ故に新しい法則を啓示する』(Ib. p. 70) といはれる所以である、これ眞に創造的なるもののみが、眞に永遠的なるもの、根源的なるものを意味すべきであるから。今心情又は感情の法則性はかゝる創造的なる根源付けでなければならぬ。普通には心情又は感情はそれの本來の對象界をば藝術に於て有ち、藝術に於てそれの法則性が實現せられると考へられるのであるが、然し心情又は感情そのものの法則性が自已を實現してゆくのは決して藝術のみではなく、認識に於ても道德に於ても、その究極に於て感情に於ける深い根源付けを含む、否な認識が純粹認識であり、意志が純粹意志であり得るのは、それの純粹性が感情そのものゝ純粹性にもとづくがためでなければならぬ、これ感情とはかの自己への意志としての自覺に於て、無に於ける自己がそこに限定せられる創造の場所であるかゝら。若し認識がイデーの可能性の立場、即ち見る立場であり、意志がイデーの現實性の立場、即ち働く立場であるとするならば、感情の立場は、この可能性を現實性へ、見ることを働らくことへ媒介する立場であらう。或はまた認識をばプラトーンに於けるやうに想起の立場、意志をば實現の立場とするならば、この想起をば實現へ、過去をば現在へ媒介する永遠の豫料の立場、即ち永遠の愛の立場がやがて感情の立場でなければならぬ。認識は開いた世界を造る、意志は閉ぢた世界を造る、そしてこの閉ぢた世界を開いた世界へ、開いた世界を閉ぢた世界へ媒介して、眞に具體的且つ創造的なる世界を實現するものは深い愛としての感情の純粹性そのものでなければならぬ。かくしてあらゆる道德は同時に美の道德であり、あらゆる認識は同時に愛の認識でなければならぬ。然し普通單なる主觀的のものと考へられる感情は如何にして、かやうな根源性と媒介性とを有つことが出來るであらうか。吾々は感情をば先づ過去に於けるそれの主要なる理說について回顧し、これをば豫想しながら他の精神活動への關係に於てそれの本質と秩序と意義とを考察して見たいと思ふ。

第二　感情の主要なる理說についての歷史的回顧

一

一般に心的領域に於ける精神活動の分類は、古代に於ては何等第一の學的關心の對象ではなかつた。かの古代ギリシャに於て、そこに人間の生が顧みられる場合でも、それは心的世界と物的世界とを分ち、物的世界の秩序をば心的世界へ關係せしめることであり、從つてそれは形而上學的であつて人間學的でなく、倫理的であつて心理的ではなかつた。それがために心的現象そのものの體系的分類といふやうなものは、それによつて學的分類が最も內的のものへ聯關する『定義』がソクラテースによつて發見せられる以前には何等試みられなかつた。それがために獨立的なる感情といふやうなものは獨立的なる意志とともに未だ發見せられず、ただ形而上學的又は倫理學的意味に於て、ロゴス的なるものに對するパトス的なるもの、又は單なる快不快の現象として考察されてゐるに過ぎぬ。感情の自由なる獨立的考察といふやうなものは全く近代に屬することであるが、ただ感情についての近代的理論の根本は既に古代の思辨の中に根ざしてゐることは否定出來ぬ。

今感情の性質の考察はかやうに心的現象の體系的聯關の把捉に於て行はるべきであり、そして心的現象の體系的把捉の最初の試みをば吾々はかのソクラテース的概念の形而上學的深化によつて世界把捉を試みたプラトーンに於て有つのであるが、然しかれの教説はもとより彼れ以前に於ける多くの先行者を豫想するものでなければならぬ。かのヘラクレイトスの如きはその一人である。かれは情的現象をば、乾と濕、熱と冷といふやうな二元的原理が身體に於てそれの正常的混合を維持するか又は妨害されるか、といふことによつて生ずると考へた。かれに於ては、あらゆるものは生成に於てあり、生成は相反對するものゝ相互的移行であり、そしてこの相互的移行は、すべてが本質的に一つであることによつて可能である。そしてこの移行の根柢にある一つなるものをば彼は『永久に生ける火』(πῦρ ἀείζωον) に於て見た、世界の美と秩序の根源として理性がこれに歸せられた。そして生の原理としての精神はやがてこの世界火、即ち普遍的理性を分前するものである。それゆゑに火氣があればあるほど、即ち乾燥的であればあるほど、精神はより善く、より理性的であり、之に反して濕つてくるといふことは『醉拂ひ』の人間の精神によりて證示されるやうに理性を失ふことである、即ち『濕つてくるといふことは精神にとつては快又は死である』(Diels, Fragmente I, S. 84, 93)。かく人間的精神はそれが乾を失ふて濕に變ずる場合に情的となる、感情とは彼に於ては乾より濕への移行である、精神はそれが濕氣付くほど無知、欲求、激情が增加する、從て精神に對しては、濕の原理にもとづく身體的快又は欲求の滿足は、人間の眞の幸福を構成しない、これ『若し幸福にして身體的快に於て成立するならば、その時牛が豌豆を食するを見出した場合、この牛をば幸福と稱せねばならぬであらう』から(Ib. S. 78)。ヘラクレイトスのこのやうな相反對するものゝ相互移行にもとづく精神及び感情についての考へに結付き得るものはかのエムペドクレスの愛憎二原理についての考へであらう。彼は周知のごとく世界がそれから成立する質料をば地水火風の四原素となしたが、然しこれがかのパルメニデス的存在のやうに不變なる實體としてそれ自から何等運動の根據を含まない限り、この四つの根本質料の外に世界說明のために、なほ運動の原因又は運動力を必要とした、そしてこのやうな運動の原因又は運動力として導入れられたものがかの『愛』と『憎』との二原理であつた。卽ち彼は世界の成立及び發展をば、素材についてのこれ等二つの運動力の爭ひに歸した。『或はすべてが愛(φιλία)に於て一つの秩序にまで自からを合一し、或は爭ひの憎(νείκος ἔχθει)に於て個々の原素が再び自からを分散する、かくして彼等は終に殆ど全一にまで一緒に生長しないで再び壞滅する』(Ib. S.236)。そして吾々の認識は各事物に於ける原素の類緣により、同じものによる同じものゝ認識として成立する、即ち『吾々の地素をもつて地を、吾々の水をもつて水を、吾々の愛をもつて世界の愛を、又吾々のいたましき憎をもつて世界の憎を見る』(Ib. S. 262) のであるが、彼はこれに於ける『思惟力』(νόημα) をば血液に於て見た、即ち『心臓の周りに波立つ血液は人間に對し思惟力である』(Ib. S. 261)、これ彼は生の本來的なる擔持者たるこの血液に於て人間の原理の最も完全なる混合が存してゐると想定したから。そしてこの混合の完全性の度に人間一般の精神的狀態は依存する。かくして愛憎の二原理による原素の離合によつて人間は思惟し、喜び、また怒るのである (Ib. S. 261)。然るに彼によればこの世界はより多く憎の世界である。すべての領域に於て爭ふところの對立の狀態が現はれる。かくしてこの土地は『喜びなき場所』(ἀτερπος χῶρος) となつた、そして天國をば眞の故郷として有つ不死の精神も、愛から憎への墮落によつてこの『屋根ある穴』(ἄντρον ὑπόστεγον) の中へ陷りゆく、(Ib. S. 269)、そして自からをば肉體をもつて包ましめるのである。しかも肉體は精神に對してどこまでも異質的であるがゆゑに、これから再び解放せられることが精神の全努力となる。そしてこの場合愛のみが、かの憎によりて分離された多をば結合して、世界を一つの秩序に於て打建てることが出來るのである、そしてこゝに後のコスモポリタン主義の形而上學的萠芽を見ると考へられてゐる。

次にデモクリトスに於ても、精神はかのヘラクレイトスの場合のやうに火素から成立する、精神過程は、感情も欲求もすべて火元子の運動に外ならない。そして彼等はそれが安靜である場合には幸福を惹起し、それが強く且つ激しき場合には不幸をもたらす、それゆゑに彼は幸福をば精神の平靜として規定した。そしてこの幸福の實現には有用なるものと有害なるものとを區別する能力を有たねばならぬが、かの快及不快の感情はやがてかやうな能力であつた、即ち『快(τέρψις)及不快(ἀτερπίη)は有益なものと有害なものとの限界規定である』(Diels, Fragm. II, S. 57)。かくして感情はまさしく實踐的領域に對して標準として妥當する。然し丁度理論的領域に於て、主觀的に妥當する感覺的のものが、客觀的に妥當する思惟的のものから區別されるやうに、この快及び不快の感情に於ても、主觀的にのみ妥當する『快適』(ἡδύ) と絕對的に妥當する『善』(ἀγαθόν)とが區別せられる、即ち『すべての人間に對して同一のものが善及び眞として妥當する。然るに或る人に對してはこれが快適であり、他の人に對してはあれが快適である』(Ib. II, S. 77)。そして快適とは肉體的及び感性的喜びであり、善とは精神の正しき性質である限り、人は前者に對して後者を選ばねばならぬ、即ち『すべての快を人は努力すべきではなくして、ただ高貴なるものと結合したるもののみを努力すべきである』(Ib. II, S. 103)。かくして人間は外物から獨立し、自己自身から自己の喜びを創造することが出來るのである、これ『幸福と不幸福とは精神の中にある』から (Ib. II. S. 95)。

二

プラトーンに於ける心的活動についての理說はかれのイデア論と密接なる聯關をもつ。彼に於てはイデアは二重の意義を有つ、一つは機能としてのイデアであつてこれはソクラテース的概念の活動であり、他は對象としてのイデアであつてこれはパルメニデス的存在としての眞の實在そのものである。然しこの眞の實在としてのイデアが概念の活動として吾々の中に現はれて來るといふことは如何にして可能であるか、卽ちイデアの辨證法的性質は如何にして可能であるか。彼はプロタゴラスの知覺說の批評を通して、知覺と思惟との關係を規定することによつてこの問ひに答へた。彼によれば元來吾々の知覺には區別せらるべき二側面がある、卽ち一つは『それが知覺によつて旣に充分規定されてゐるがゆゑに、考察にまで全然思惟力を呼寄せないもの』であり、他は『知覺では何等充分なものをもたらさないがゆゑに、考察に際して思惟力を呼寄せるもの』である (Politeia, 523 A–B)。思惟力を呼寄せるとは思惟に對する知覺の課題性を表はす。そしてかく知覺の中に思惟を呼寄せるもの、思惟を目醒しめるもの、思惟に對する課題性を含むがゆゑにこれによつて『可視的者』に對して『可思的者』が可能となり、かくして純粹思惟の判斷が成立し得る通路が開かれるのである。然しかやうに知覺の內容の中に與へられてゐないところの可思的者が觀られるためには、これは他の何處からか知覺以外の何等かの仕方で與へられてをり、これが知覺の觀照によつて誘發せられ、思惟によつて再認識されるのでなければならぬ。かゝる可思的者の再認識をばプラトーンは『想起』(ἀνάμνησις)として特徴付けた。然しこの想起の概念は一方に於て知覺が思惟を呼寄せるものを含むがために、又他方に於て魂は前世に於てまのあたり原像を觀照してゐたがために、かの知覺の觀照に機緣付けられてこの可思的者をば觀照するといふ神話的又は形而上學的意味にとどまるものではなく、そこには事物の單一存在に於ける根源よりも異つた根源を有つところの知識が存せねばならぬこと、しかもこのやうな知識は決して知覺を通じて外界から來たものではなくして、意識が自己自身から汲み來るものでなければならぬ、即ち想起による知識としての『エピステーメ』は自己自身から汲み來るところの知識、從て『自己についての知識』であり、そしてかく『自分で自己から認識をとり來ることをば想起といふ』のである(Menon, 85 D)。かやうにして精神は自己自からを對象とすることに於てのみ自己自からを想起することが出來る、イデアは決して觀照の超越的對象でなくして、觀照の統一の實行そのものでなければならぬ。イデアの觀照はかゝる自己省察としての『ソプロシュネ』の地盤に於て行はれ、從つてそれは必然的に自覺的形態をとる、即ち『自己自からの主』(τὸ κρείττω αὑτοῦ)といふことによりてイデアを見ることが出來る。然るにこの自己自からの主といふことの中にはプラトーンによれば『おかしなこと』(γελοῖον)が含まれてゐる。これに於ては『自己の主が明らかに自己の從屬者であり、又自己の從屬者が自己の主である』(Politeia 430 E) から。然しこの場合精神に於けるこの主卽從屬者、從屬者卽主の關係は、必ずしも近代的意義に於ける自覺の本質に於て實現せられないで、むしろ精神そのものに於て『部分』(μέρος)といふ考へが導入せられ、同一精神の或る部分がより善き部分として主となり、他の部分がより惡しき部分として從屬者となるといふ傳襲的考へ方が維持せられてゐるのを見る。卽ち『人間の精神の中にはより善きものとより惡しきものとがある、そして本來的により善きものがより惡しきものゝ主となる場合にそれは自己自からの主たるのである』(Pol. 431 A)。そしてこれに於て精神のより善き部分としての支配的部分はこれを『理性的のもの』(λογιστικόν)といひ、これに對してより惡しき部分としての被支配的部分をば『非理性的のもの』(ἀλογιστικόν)と名付ける (Ib. 439 D)。そしてこの非理性的のものは、更らに自己自かの主といふ關係に於ける價値的區別によつて、よりよく理性に服從する高等なる衝動としての『氣慨的のもの』(θυμοειδές)と、むしろ理性に反抗する衝動としての『欲求的のもの』(ἐπιθυμητικόν)とに分れる。今これ等三つの部分は如何やうに關係するかといふに、先づ理性的のものは『精神がそれをもつて熟慮するところのもの』であり、欲求的のものとは『それをもつて精神が愛し、餓え、渴きその他の欲望の刺戟に委ねられるところのもの』、そして『或る充滿と快感とに執着せるもの』である。これに對して『氣概的のもの』は『元氣卽ちそれをもつて吾々が憤慨するもの』、卽ち『欲望が理性の熟慮と矛盾する時、人間が自己を罵り、自己の內部の暴力に對して立腹するもの』であつて、これは一見欲求的のものと同種的に見えるが、然しそれとは異り、むしろ『精神の爭ひに於て理性的のもの〻ために武器をとつて味方するもの』である。しかもこれがどこまでも非理性的として、理性的のものと異るのは言ふまでもない (Ib. 439 D-440 E)。今人間の精神に於けるこの三つの部分の關係はその國家的生活に於ける三つの階段、卽ち『助言するもの』(βουλευτικόν) と『防衛するもの』(ἐπικουρικόν) と『獲得するもの』(χρηματιστικόν) の關係を成立せしめ (Ib. 441 A)、そしてこれに聯關する個人的及社會的德として『知慧』(ἐπιστήμη)、『勇氣』(ἀνδρεία)、『節制』(σωφροσύνη) 及びこの三者全體に關係する『正義』(δικαιοσύνη) の所謂四主德を成立せしめると共に(Ib. 428 B, 429 A, 430D,433A)、人間の三種類、卽ち『知識の愛好者』(φιλόσοφος) と『名譽の愛好者』(φιλότιμος) と『獲得の愛好者』(φιλοχρήματος) を決定する (Ib. 581 C)。

今精神活動についての以上のやうな分類に於て快樂の主體としての感情は如何なる位置を有つかといふに、彼に於てもそれは在來と同じく何等獨立的な能力として取扱はれてゐず、やはり精神の非理性的部分に於ける欲求的部分が『愛し、餓ゑ、渴き、その他欲望の刺戟に委ねられるもの』又『充滿と快感とに執着するもの』である限り、感情はこの部分に屬すべきであるのはいふまでもない。然しかれは感情そのものについて語るよりもより多くその內容たる快不快について語り、快不快の本質についてよりもより多くその道德的意義について語つた。彼は先づ快樂に於て自然に結付くものと善に結付くものとを區別して次の如くいふ、『若し自然に適合するものをもつて充たされることが快適（ἡδύ）であるならば、より眞實なる意味に於てより眞實なる存在をもつて充たされるものは眞實なる快樂（ἡδονή）によつて、より現實的、より眞實なる喜びに導かれねばならぬ。之に反して實在に與かること少きものは眞實に且つ持續的に充たされることも少く、又確かな眞實な快樂を分前することも少いであらう』（Ib. 585 D-E）。かくして或る快樂は美にして且つ善なる欲望の滿足であるが、他のものは惡しき欲望の滿足である、それ故に前者はこれを目指し、これを尊重せねばならぬが、後者はこれを馴らし、制御せねばならぬ（Ib. 561 B-C）。即ち『人は善のためにすべての殘餘のものを、從て快適のものを爲さねばならぬ、しかも快適のために善をなしてはならぬ』（Gorgias 500 A）。なほ快樂は全く單純に快樂としてただ一つのものゝやうに見えるが、然しそれにかゝはらず、それは多樣の形式をとり、そして相互に或る仕方に於て現實的に非類似的である、これ吾々は快樂をば放縱なる人と同樣にまた思慮深き人にも、又非理性的なる人と同樣にまた理性的なる人にも歸するから。それは丁度『色はこの色そのものが色であることに關して、色から全然異つてゐないであらうが、然し白きものは黑きものに對して、差異の外は全く反對のものである』(Philebos 12 E) と同樣である。

さて右のやうなプラトーンの心的現象の三分法が在來の分類に比して體系的であるとはいへ、アリストテレース及びかれ以後殊に近代心理學に於ける所謂三分法と直ちにその意味を同じくするものでなく、それが餘りにも一方面的に實踐的又は倫理的であり、それがために個々の精神活動がこの三種類の何れの部分に歸せらるべきかを規定せんとするや否や、種々の困難が生ずることはブレンターノの指摘したごとくである。例へば感性的知覺は非理性的部分に屬するやうに見えるとともに、それが知的要素と考へられる場合、理性的部分にも歸せられ得るのである (Brentano, Psychologie II, 5-6)。同樣に今問題となれる感情も上述のごとく非理性的として欲求的部分のみならず、氣慨的部分へも關係すると共に、快樂が肉體的のみならず精神的としても許される限り、また理性的部分にも屬すると考へられる。然しこれにかゝはらず、理性的と非理性的との傳統的分類に立つとともに、人間精神の知的、意的、情的活動の三つの側面を區別したプラトーンの分類は、體系的分類の初めといひ得ると共に、アリストテレースの一層學的なる分類の中にその位置を保ちながらアリストテレースと並びて心的現象の近代的分類に種々の暗示を與へ、特に快樂の批判を通して與へられた感情の道德的意義は、アリストテレースの快樂の學的批判の根柢となり、かくして近代に於けるホッブス、デカルト、スピノザ等の精神に於ける感情活動の精細なる論究となり、そしてメンデルスゾーン、テテンス、カント等に於て全く獨立的なる精神活動として感情が、精神現象の體系的分類に於て基礎付けられるやうになつたのである。

三

アリストテレースに於てはかのブレンターノが注意したやうに精神活動の分類は嚴密には二種の立場からなされてゐる。卽ち第一種の分類は、從來の傳統的分類に從ひ、精神活動をばどこまでもそれの擔持者たる主觀の價値的區別にもとづいて分類するものであつて、これは純粹に學的といふよりもむしろより多く倫理的意義を有つものであり、かの『ポリティカ』や『エーティカ』に於ける心的活動の分類は多くこれに屬する。次に第二種の分類は、第一種のそれがかく心的活動を擔ふものゝ價値的相異にもとづく分類、從てまたそれの對象の區別による分類であるに對して、これは主として對象に對する心的作用の關係の相異による分類、卽ちブレンターノの所謂志向性の性質による分類であつて、かの『ド・アニマ』に於ける分類は、かの第一種のそれと交叉しながら、主としてこの種の分類の立場に於てなされてゐると考へられてゐる。先づ第一種の分類によれば一般に心的活動はプラトーンと同樣に大體『理性的部分』(τὸ λόγον ἔχον)と『非理性的部分』(τὸ ἄλογον ἔχον)とに分たれる。今廣義に於ける精神的なるものゝ概念は、これをば植物の上まで擴げられる限りに於て、精神は植物的部分と動物的部分と人間的部分との三つの部分に分たれ得るが、然しすべての生物に共通なる營養、生長及び生産の働きのみを含むところの第一の植物的部分は狹義の心的活動から除外せらるべきである。第二の動物的部分は、かの植物的部分と共に『非理性的部分』であつて、これは動物と人間とに共通的なる『欲求的部分』(ὄρεξις)と稱せられ、感覺、欲望、意欲等がこれに屬する。第三の人間的部分は精神の『理性的部分』であつて、これは本來的に人間にのみ特有であり、より高い思惟、及意欲を含むものである (Politica 1334 B 17–20; Eth. Nic. 1102 A 28, 32 B 12)。然るに精神に於ける非理性的なるものとしての欲求的部分は更らに『或る意味に於て理性的原理に與かるもの』と『この理性的原理に對して戰ひ且つ反抗するもの』との二種に分たれる。かの『不節制な人の衝動』の如きは後者に屬し、『努力的のもの』や『欲情的のもの』はそれが『理性的原理に耳を傾け且つこれに從ふ』限りに於て前者に屬する (Eth. Nic. 1102 B 13–31)。次に理性的部分にも二種ある。一つは『それの端初がそれ以外の仕方であることとの出來ぬ存在者をば觀照するところの部分』であり、他は『それ以外の仕方に於てあることの可能であるものを觀照するところの部分』である、そして一は『認識的部分』(τὸ ἐπιστημονικόν)といひ、他は『勘考的部分』(τὸ λογιστικόν)といふ、これ『思量すること』(βουλεύεσθαι) と『勘考すること』(λογίζεσθαι) とは同一であるが然し何人も『それ以外の仕方であることの出來ぬ存在』について『思量する』ものはないから (Eth. Nic. 1139 A 3-14)。

今右の第一種の分類はかく心的擔持者の相異、從つてまたそれの向ひゆく對象の相異による分類であつたが、次に第二種の分類はかく主觀又は對象の相異にもとづく分類でなくしてどこまでも主觀の作用と對象との關係そのもの丶相異による分類として特徴付けられるが、然しこれがなほ第一種のそれと相交叉せるはいふまでもない。さてこの第二種の分類に於てアリストテレースは精神活動をば廣義の『思惟』(νοῦς) と『欲求』(ὄρεξις) との二部分に分つた。そしてこれは理性的部分と非理性的部分とに分つ第一種の分類に對應するものとも考へられるが、然しその取扱ひに於て又その內容に於て決してそれと直ちに同一のものと限定することを得ない。卽ちこゝに思惟とは、單に狹義の理性のみでなく、判斷、推理の高級の思惟活動から、想像、記憶、及び感覺、知覺等のごとき下級の思惟活動をも含み、そしてこれに對して欲求とは、單なる衝動、欲望等のみならず、より高い要求、努力と共に、すべての感情、情緒等をも含むもの、卽ち前者に屬しないすべてのものを含むのである。それゆゑに第一種の分類に於て、精神の非理性的部分に屬せしめられた感覺又は知覺は、第二種の分類に於ては『理性的部分へも、非理性的部分へも容易に屬せしめられ得ない』(De Anima 432 A 30) とせられながら、なほそのことのためにそれは一方に於て『快不快の感情』を機因し、從て『欲求を生せしめる』(Ib. 413 B 22; 414 B 3–5) と共に、他方理性の場合との類比に於て對象との關係が考へられ (Ib. 429 A 13–23)、又理性と同じく『識別的把捉の能力』(κριτικός) (Ib. 432 A 16) としてあらゆる思惟の基底たる『表象』(φαντασία)を成立せしめる限り、これは廣義の思惟へ、從て理性的部分へ屬せしめられるのである。又第一種の分類に於て『激情』(θυμός)及び『欲望』(ἐπιθυμία) と共に精神の非理性的部分に屬せしめられた『意欲』(βούλησις) は (Politica 1334 B 17–24) 第二種の分類に於ては『欲望』『激情』が非理性的部分に見出されるに對して、これはむしろ理性的部分、特にその『勘考的部分』に於て見出されるのである (De Anima 432 B 5–6)。然しそれにもかゝはらず、この意志又は意欲は『ド・アニマ』の他の場所に於てはやはり欲望、激情と共に欲求に屬せしめられ (Ib. 414 B 2)、第一種の分類が維持されてゐるのであるが、今かやうに第一種の分類と第二種のそれとは相交叉しながら、しかも第一種の分類に於て分つたところのものを第二種のそれに於て結付け、又第一種の分類に於て結付けたものをば第二種のそれに於て分つやうにアリストテレースを導いたものは上述の如く對象の『志向的内在』の概念であつた、又は『内在的對象への心的現象の關係に於ける區別』であつた (Brentano, Psychologie II, S. 8 9)。それがために第二種の分類に於ける思惟的部分と欲求的部分への精神現象の分類は、決て異つた對象へ向けられたる異つた主觀の活動の二つの種類ではなくして、むしろ同一對象に向けられたる異つた仕方の二種類である。例へば『精神が或ものにつきそれは善又は惡である、としてそれを肯定又は否定する場合に、かれはそれをば欲求又は嫌忌する』(De Anima 431 A 14-17) といはれ又『思惟に於ける肯定と否定とに對應するものは、欲求に於ける追求と囘避とである』(Eth. Nic. 1139 A 21-2) といはれるのは明らかに、思惟と欲求とが對象の相異による區別でなくして、對象に對する關係卽ち志向性の性質の區別を示したるものであると考へることが出來る。

今右のやうな精神活動の分類に於て、感情は如何なる位置に於て、又如何なる意味を有つものとして限定せられるかといふに、かれの所謂『感情』(πάθη) はその何れの分類に於ても、精神の非理性的部分、卽ち欲求的部分に屬し、そしてこれは、感覺の內容が、存在又は善への存在者の自然的努力に對應するか、しないかの限りに於て、感覺から生ずるものであつて、例へば『欲念、怒り、怖れ、信頼、嫉み、喜び、友情、嫌惡、憧憬、競ひ、憐み、及び一般に快及び苦によつて伴はれたもの』(Eth. Nic. 1105 B 21-3) 等がこれに屬する。そしてかく善惡に對する感情の同意、不同意をば、肯定、否定の論理的機能に比較したことは、感情そのものゝ志向性をば論理的志向性に對して規定したものであるが、彼はただに感情の志向性のみならず、それの根柢となれる感覺に於ても一種の志向性を認め、これに於ける快の感情の內面的結合を次のやうに規定した。即ち『すべての感覺は感性的存在を對象として活動するものである、そしてよい狀態にある感覺は、それの對象の最も美なるものへの關係に於て完全に能動的であるが故に、各の感覺の場合に於て、最上の活動は、それの對象の最も美なるものへの關係に於ける最もよく條件付けられたものによる活動である、そしてこの活動は最も完全且つ愉快なものであらう、即ち快は活動を完全ならしめる』(Ib. 1174 B 14-24)。然るに彼によれば、すべて『精神の感情』(τὰ τῆς ψυχῆς πάθη) は身體との聯關を含むやうに見える、即ち激情、怖れ、憐み、勇氣、喜び、愛及憎等すべてこれ等には身體の共同的感能が存在する、それがために物理學者は精神の感情をばかの辨證家と異つて定義せねばならぬ。即ち辨證家は、例へば『怒り』をば『苦痛に對して苦痛を返へすことに對する感情』又はこれに類するものと定義するであらうが、然し物理學者は、これをば『血液の沸騰』として又は『心臟を圍むところの暖かな物質の沸騰』として定義するであらう。即ち物理學者は物質的條件を示し、辨證家は形相又は形相的本質を指示するのである (De Anima 403 A 16-B 2)。然るに感情の物理的又は生理的意義にも增して、倫理的意義は彼に於てもプラトーン及び他の先行者と同樣に重要なものであつた。即ちアリストテレースに於ても感情は、一般に非理性的なるものとして理性によつて制御せらるべきものであると共に、又同時に理性を動かし、理性を制約するものでもあつた (Magna Moralia 1206 A 37-9)。それ故に『善い條件にある理性が感情と適合してゐる場合、又は感情がその本來の德を有ち、又感情が理性に適應してゐる場合にのみそこに德が存する』のみでなく、又『一般的にいへば理性が原理であり、且つ德への嚮導者であるといふことが事實ではなくして、むしろ感情が然るのが事實である、これ吾々の中には正しきものへの非理性的衝動が始めて生ぜねばならぬ、そしてそれから後に理性が採決してこれを決定せねばならぬから。しかも正しきものへの原理を理性から受取つたとしても感情は必ずしもこれに從ひ且つ承認を與へないで、却て屢これに反對する。かくしてよく調和のとれた感情（τὸ πάθος εὖ διακείμενον）は理性よりもむしろ德へ導く原理である』（Ib. 1206 B17–29）ともいひ得るのである。然し感情がかく理性に對して強い力を有つだけ、理性はどこまでも惡しき情緒と戰はねばならぬ。完全なる德は感情が最早理性と矛盾しないで、却て充分理性と調和する場合に始めて到達せられる。感情は洞察や習練が德の成立の條件であるに對し、どこまでも德の成立の素質又は地盤であると考へられる。

四

プラトーンに於て理性的なるものに對する非理性的なるものに感情の根源が見られ、アリストテレースに於て、思惟に對する欲求の中に『善きもの又は惡しきものに對する感覺的手段による働き』として感情の志向的性質が考へられたとするならば、このやうな感情そのものをばその形而上學的根柢に於て限定しやうとしたものはプロティヌスであり、更に感情の深い宗教的意義を把捉しやうとしたものはアウグスティヌスであるといひ得るであらう。先づ情緒についてのプロティヌスの關心は、從來の何れにもまして形而上學的であつた。彼はかれの理說に於て精神の本質的獨立性をば確立せんことを求める。彼によれば、精神が身體の中にあるのは、身體が空間の中にあり、又は屬性が實體の中にあるやうなものではなくして、むしろ火が空氣の中にあるやうなもので、それは身體をば特別の仕方で精力付け又生命付ける。元來叡智的世界に於ては『眞實の本質性』又は『この世界の最善のものとしての理性（νοῦς）』があり、そしてその時その世界にもあり、またそこから吾々の國へも入來つた『精神』（ψυχή）がある。そして叡智界は『身體なき精神』を有つが、吾々の世界はこれに反して『身體に入來つた、そして身體によつて分たれた精神』を有つ（IV. Enneaden I）。そしてそれに於て精神と自然とが現在的であるところの身體に對しては『快不快から感觸されること』が本來的である。然るに吾々卽ち理性を賦與された精神に對しては『快不快の無感動的認識』が屬する。それゆゑにこの身體は、吾々から全然はなれてゐるものでなくして、むしろ吾々に屬する、從て身體が喜び又は苦痛を感ずる場合には、また吾々をば感動せしめる。吾々の中で最も高貴なる部分は人間の本質である。『感情』（πάθη）をば人は本來的に精神に歸せしめ得ない、むしろ『生命付けられた身體』に歸せしめられ得る（IV. Enneaden IV, 18)。かやうにして精神は身體との密接な結合によつて身體の感觸を意識する、しかも吾々は精神をば感觸されたものと考へてはならぬ、又反對に身體をば精神なしに感性的に感觸されたものと考へてもならぬ。この基礎の上にプロティヌスは快不快の感情についての特殊の教説を述べてゐる。彼によれば人は『苦痛』(ἀλγηδών)をば『身體が精神の影像を失ふやうに脅やかされる場合の、身體の分離についての認識』であるといひ、『快』(ἡδονή)をば『身體と精神との再結合についての、生ける存在者の認識』であると稱する。今身體に於て『情緒』(πάθος)は起り、『認識』(γνῶσις)は、それの隣接によつて感覺を有つところの、感覺する精神に歸せられる。然るに精神もまた苦痛を感覺する、これ精神は、それの隣接によつていはばそれをば分前するから。即ち精神は全體として情緒を知覺する間に、苦痛がそれの坐を有つところの場所へその情緒を移すのである。そのために、苦痛は常に苦痛の感覺から伴はれてゐるといはれるが、然し感覺それ自身が苦痛なのでなくして、この苦痛の感覺はむしろ苦痛の認識でなければならぬ。(Ib. IV, 19)。

これまでの他の何れの人にもまして感情に對するアウグスティヌスの關心は實踐的又宗教的であつた。彼は神と精神との外何ものをも知らうと欲しない。精神について考察する唯一の目的は人間自身の弱さと神の完全とを知ることであつた。彼は情緒（affectus）をば何等體系的仕方に於て取扱はない。彼はその『懺悔錄』に於けるやうに彼自身の經驗の敍述か、又は『神の國』に於てのやうに、宗教的生活に關する事柄の解明に於てこの情緒の本質に觸れるに過ぎなかつた。しかも彼自から深い情的性格として何人にもまして鋭い內省の力をもつて、人間の精神の情的本質とそれの內的鬪爭の眞相とを明らかにした。彼はプラトーン學派やストア學派の人々が、感情について語る場合に『事柄』よりもより多く『言葉』について論議することを難じた（De civitate Dei IX, 4）。彼はプラトーンの教說に負ふところが大であつたにせよ、傳統に對する彼の態度は比較的自由であつた、從つて情緒的經驗についても獨創的の分析が多くなされた。彼によれば『感情』(passiones) とは、精神の運動として、自然に相反するところの、精神の攪亂する運動である。それゆゑに感情は神にも天使にも歸せられない、又他方に於て感情は身體にも歸せられない。肉體なき惡しき靈の中にもそれは存するから。又感情は誤れる意見へも歸せられない。あらゆる情緒、あらゆる感情の根源はこれ等のものではなくして『意志の性質』(qualitas voluntasis) に歸せられねばならぬ、卽ち『意志はあらゆるものゝ中に現存してゐる、否なすべては意志のすべてに外ならない。吾々の欲するところのものゝ承認に於ける意志でなくして欲望（cupiditas）や快（laetitia）は何のためであるか、又吾々の欲しないものゝ不承認に於ける意志でなくして、怖れ（metus）や

悲しみ (tristitia) は何であるか。……全く一般的に、意志は人がそれを追求したり、回避したりするところの種々の對象から或は牽かれ、或は斥けられるやうに、それに應じて自からを種々の情緒に變じ又轉ずるのである』(Ib. XIV. 6)。意志への情緒のかやうな還元とともにアウグスティヌスは今や全情緒生活に對して、意志の傾向に關し意志の根本性格であるところのものに於て、一つの共通的原理を見出した、そしてこの原理は『愛』(amor, dilectio) であつた。即ち愛することゝ意志することゝは彼に於て一つであつた。それがために『正しき意志』(recta voluntas) は『善き愛』(bonus amor) であり、『誤れる意志』(voluntas perversa) は『惡しき愛』(malus amor) である。『それの對象の所有に對して喘ぐところの愛』は『欲望』であり、『それの對象の所有及び享樂に於ける愛』は『快』である。又『それに敵性的に對抗するところのものを避けるところの愛』は『怖れ』であり、そして『それに敵對的な出來事を感覺するところの愛』は『悲しみ』である。そしてすべてこれ等のものは、それゆゑに、若し愛が惡しくあるときは惡であり、又愛が善くあるときは善である (Ib. XIV. 7)。かやうにして愛は人間的生に於ける普遍的動力である、又神への精神の旅行に於ける精神の手また足である、又認識への衝動そのものも愛の表現に外ならない。愛の對象は時間的のものでなくして永遠的のものである。『時間的によきものは、人がそれを有する前により多く愛され、人がそれを有する時にその價値は著しく減ずる、何故ならば、それは、それの眞の持續的故郷が永遠的のものであるところの魂をば滿足せしめないから。永遠的のものはこれに反して人間がそれを得たときには、永くそれを希望してゐたときよりも、ます〳〵激しく愛されるものである』(De doctr. Christ. I, 42, Harnack, Augustin S. 136)。かくして『愛そのものが愛の對象である』(De civitate Dei XI, 28)。『あらゆる惡人はかれが惡である限り憎まれ、かれが人間である限り愛せらるべきである。吾々が惡人に於て正當に惡むもの－惡德－を承認させ、かくして吾々がかれに於て正當に愛するもの、卽ち人間的本性をば惡德から淨め、且つ解放することが吾々の意圖であらねばならぬ。それ故に吾々はかれに於ける惡しきもの－不義－のために敵を憎み、又かれに於ける善きもの、卽ち創造によりて共同體の上に置かれた理性的なかれの本質のために敵を愛するといふことが規準である』(Contra Faustum lib. XIX, Harnack, Augustin S. 141)。

五

精神についてのアリストテレース的理說を繼承せる中世のスコラ學の傳統的敎說をば近世の地盤に於て反省して精神、特に感情についての特異なる理說を立てたものゝ代表者としてホッブス、デカルト、スピノザを擧げることが出來るであらう。一つは感情についての唯物論的理說として、次は感情の精神　生理的教説の祖として、他は感情の形而上學的體系の確立者として近代の新しい感情論への前驅をなせるものといひ得るであらう。

先づ感情に對するホッブスの關心は、大部分政治學に對するかれの關心から出て來たものと考へられてゐる。かれの哲學の主要問題はつまり市民的及び政治的社會の起源、本性及び構成といふことであつて、そしてこの問題はただ人間の本性の解明によつてのみ解決され得るとせられた。しかもその背景には、人間の本性がそれにもとづくところの宇宙の本性についての一層一般的な概念が橫はつてゐる。そしてこの概念は彼に於ては明らかに唯物的であつた。卽ちこの世界は物理學者の考へてゐるやうに精確に物體から構成せられ、そして物體の感觸は實際的接觸によつて、物體から物體へと傳達せられる運動である。人間の本性もそれ自からかやうに構成せられてゐる。心的生活は眞實に有機體の分子の機械的に傳播される運動から成立してゐる。彼によれば動物にはかれ等に特殊的なる二種の運動がある、一つは『生命的』(vital) と呼ばれ、それは發生に始まり、その全生涯を通して中斷なく繼續するもので、例へば血液の循環、脈搏、呼吸、營養等であり、他は『動物的運動』で、これは他の場合では『有意的運動』と呼ばれる、歩行、言語等のごときである。またこれ等可視的行爲に於て現はれる以前に、人間の身體の內部に起るところの『運動の小なる始め』は、普通『努力』(endeavour) と稱せられる (Leviathan, p. 23)。そしてこの努力に於て彼はすべての感情、意欲の根源を見る。即ちこの努力は、それを惹起するところの或るものゝ方へ向つてゐる場合には『欲求』(appetite)又は『欲望』と稱せられ、又努力が或るものから離れる場合にはそれは一般に『嫌忌』(aversion)と呼ばれ、しかも人間が欲望するところのものは『愛する』といはれ、嫌忌するところのものは『憎む』といはれる限り、欲望と嫌忌とに於て最も根源的なる感情の成立を見るのである。かく欲求と愛、嫌忌と憎とは同一のものを意味するのであるが、ただ欲望に於ては、常に『對象の不在』が意味せられ、愛に於ては『對象の現在』が意味せられてゐるに過ぎぬ。そして吾々が欲望も憎みもしないものをば『輕んずる』(contemn)といふ。然るに人間の欲求又は欲望の對象は『善』と呼ばれ、嫌忌又は憎の對象は『惡』と呼ばれ、そして輕視(contempt)の對象は『卑しきもの』(vile)及び『とるに足りぬもの』(inconsiderable)と稱せられる(Ib. p. 23-4)。然るに『善の顯現及び感覺』は『快』(pleasnre)であり、『惡の顯現及び感覺』は『不快』(displeasure)であるがゆゑに、かの欲求、欲望及び愛は、多少とも或る『歡び』(delight)を伴つてをり、又嫌忌及び憎は多少とも『不快又は不興』を伴つてゐる。そしてこの快又は歡びには、『感能の快』と『精神の快』卽ち『喜び』(joy)とがあり、同樣に不快にも感官の不快卽ち『苦痛』(pain)と精神の不快卽ち『悲しみ』(grief)とがある。そして以上のごとき、欲求、欲望、愛、嫌忌、憎、喜、悲をば、ホッブスは『單純感情』(simple passions)と稱した

(Ib. p. 24-5)。かやうにして彼に於ては感情は、中世心理學と共通して、基本的に『努力的』(conative)として特徴付けられる間に、それはまたどこまでも快不快の情緒的要素と密接に結付けられてゐる。即ち彼によれば、快又は不快は、慾求又は嫌忌の對象の享受、從つて善又は惡の享受である、そしてこの快苦と努力との唯一の區別は前者が常に現在的經驗であるに對して、後者は未來に關係するといふことである。なほこの快不快は、たとへそれが感覺と呼ばれても、それは決してかの外的關係を有つところの普通の感覺ではなくして、一種の『内的努力』としての感覺であつて、これはどこまでも感情そのものゝ内容をなすものでなければならぬ。このホッブスの欲求と嫌忌、愛と憎、快と不快、善と惡といふやうな諸聯關の結付きに於て含まれてゐる感覺主義的、聯想主義的契機は、後にロック、ヒューム等の精神現象の分析に於て發展せられ、感情の精細なる聯想心理學的敍述となつた。

六

デカルトの有名なる『精神の感情』(Les passions de l'âme)は彼とその愛弟子なる王女エリザベトとの間の、この問題についての文通から成つてゐるもので、これは一六四五年から翌年の冬に亙りて書かれた短い論文の改訂且つ擴大であるといはれてゐる。この感情論は三つの部分から成つてゐる。第一部は感情一般の論で、人間の二重的性質に於ける感情の位置及び起源を論じ、第二部は、感情の數及び順序、特に六つの基本的感情について論じ、そして第三部はこの基本的感情の種々の變容及び結合について論じてゐる。今この論文に於ける主なる特質は、身體的過程の徹底的機制と、精神に對する身體の關係に於ける徹底的二元論の見地から說明された感情の精神=生理的理說である。先づ一般に感情とは如何なるものであるか。かれによれば古代人が『感情』(passions)について敎へたところは甚だ僅少で、その上多くは殆ど信ぜられない程なので、彼等とは別の途をとらねば眞理に近き難いやうに思はれる。さて『生ずる又新たに起る一切のものは、一般に哲學者達からそれの起る主體に關しては感情(受動)(passion)と呼ばれ、そしてこれを起させたものに關しては活動(action)と呼ばれてゐる。そして能動者(agent)と受動者(patient)とは屢非常に相異つたものではあるが、活動と感情とは、關係される二つの主體のために、常にかやうな二つ名を有つところの同一のものでである』(Passions de l'âme, p. 8)。然しこゝにいふ『活動』と『感情』とはアリストテレースに於ける範疇としての『能動』(ποιεῖν)と『所動』(πάσχειν)とに直ちに同一ではない、卽ちアリストテレースに於ける能動と受動との關係は『切る』と『切られる』との關係のやうに、全く反對の關係にあるものであるが(Categoria c 11 b 3-4)、デカルトに於ける活動と受動としての感情との關係は、相異れる二つの主體から見られたる同一出來事の二方面に過ぎぬ、即ちかれに於ては『活動』とは、必ずしも他の原因に基づかないで自己から發する働らきをば意味しないで、一般に他から及ぼされる働らきを意味するのである、それがためにその働きを及ぼしたものからいへばそれは活動であるが、然しこの同じ働らきの生じてゐるものからいへば感情である、かくして活動と感情とは同一のものといひ得るのである。然るに他方に於てデカルトでは『吾々の精神に附與されねばならぬところの機能は思惟（pensées）を除いては他にない』がゆゑに、かの精神の活動と感情とはやがて思惟の二種となる（Ib. p. 18）。そして精神の活動と呼ばれる思惟は、それが直接的に精神から來てをり、精神にのみ依存するやうに見えるから、すべて吾々の『意志』（volontés）である（Ib. p. 18）。然るにこれに對して、吾々の中に見出されるすべての種類の『知覺又は認識』をば吾々は一般に感情（受動）と稱することが出來る、これ知覺や認識をして知覺や認識たらしめるものは屢吾々の精神ではなく、また知覺によつて表象されてゐる物からして精神は常にかれ等を『受取る』からである（Ib. p. 18）。然るに知覺には『精神を原因としてゐるもの』と『肉體を原因としてゐるもの』との二種がある。後者即ち吾々の肉體の種々の狀態に關係せしめられる知覺も最廣義には精神に對して感情と呼ばれるが、然し一般には前者即ち精神そのものに關係せしめられる知覺のみを狹義の感情と名付くべきである。デカルトの所謂『精神の感情』（Passions de l'ame）とは、かく精神にのみ關係せしめられる知覺に外ならない (Ib. p. 21)。かやうにして精神の感情とは精神又は意志の活動でないところの心的現象としての知覺又は感覺を意味する、何故ならばこれ等の感情は外感の對象と同樣に精神が受容したものであり、さうすることによりてのみ精神に認められるものであるから (Ib. p. 22)。然るにデカルトに於ては『精神に結合してゐる肉體ほど直接に精神に影響するものは他になく』從て『精神に於て感情といはれるものが、普通肉體に於ては活動といはれる』(Ib. p. 9) ゆゑに、感情を理解するにもこの兩者の關係に於てなされねばならぬ、卽ちそれの精神=生理的考察が必然的に要求せらるべきであるが、彼は感情をばかゝる側面に於て『腦の中央部にある小さき腺を動かすところの精氣 (esprits) の震動』に於て見 (Ib. p. 37)、從て精神の感情をば『精神に特に關係するところの、そして或る精氣の運動によつて起され、保たれ、强められるところの知覺、感動、情緒である』(Ib. p. 22) と定義した。

次に感情の『種類』とその『順序』とに於てデカルトは二十九種の感情を擧げた中で、『驚嘆』(admiration)『愛』(amour)、『憎』(haine)、『欲望』(desir)、『喜び』(joie)、『悲しみ』(tristesse) の六種をば『基本的感情』となし、その他のすべては、この六種の何れかが複合して生じたものか、又はそれの種類かであるとなした (Ib. p. 42)。そしてデカルトは彼の擧げた二十九種の感情の順序をば『最も良き順序』となし、從來のものが、『精神の感性的部分をば二つの欲求 (appetits)、

即ち嗜欲的 (concupiscible) と嫌忌的 (irascible) とに分つことから感情を列擧し始める』が、然し『精神に部分の區別を認めない』立場からすれば、かれ等が『二つの欲求』と見るものは何等精神の二つの部分ではなくして、『精神の有つ二つの能力、即ち欲望的と反撥的の能力』を意味する、しかも精神は同樣に『驚嘆し、愛し、希望し、憂慮する能力』を有ち、又あらゆる他の感情を受容する能力』や、『感情が促がすところの動作を爲すべき能力』を有つてゐるから、何故にすべての感情をば嗜欲的か又は嫌忌的かに歸屬せしめねばならぬか理解出來ぬ、なほ從來の列擧は、右の列擧に於ける『主要なる感情のすべてを盡さない』と彼は言つてゐる (Ib. p. 41-2)。かやうにして彼は『驚嘆』をばかの基本的感情の最も原本的のものとなした、これこの情は『吾々を驚かすやうな或ものに始めて出會したとき、しかも吾々がそれを新しいと判斷するか、又は前から知つてゐたところと非常に違つてゐることを覺えるとき』起る感情であり、そして『このものが吾々に好適なものであるか否かを何等知らないうちに、かゝることは起り得る』のであるから、この感情はあらゆる感情のうちで『第一次的のもの』となるのである。(Ib. p. 38)。然るにこの對象が吾々にとつて善いもの、又は好適するものと思はれるとき、吾々はこれに對して『愛』を覺え、又これが惡又は有害なものと考へられるとき『憎』を感ずる、そしてこれ等の感情が現在又は過去よりも未來に向ふ場合には『欲求』となり、又一つの善又は惡が吾々に屬してゐるごとく表はされるとき、かゝる善の現存を考へれば『喜び』を生じ、惡の現存を考へれば『悲しみ』となる (Ib. p. 39, 40)。かやうにして善惡の考察から他のすべての感情は生ずるのである、そしてこゝに人間の生に對する感情の深い意義が存する。卽ち『感官を刺戟する物體は、物體それ自身の中に存する多樣のゆゑをもつて多樣の感情を吾々に喚起するのではなく、ただ物體が吾々を害し又は益する、否な一般に吾々に重要であり得るそのあり方が多樣であるゆゑに、多樣の感情を惹起するのである。感情の用は自然が吾々に有要であると告げる事物をば、精神に欲求せしめ、そしてその意志をば維持せしめることに外ならない』(Ib. p. 37-8)。それがために『感情は本來すべて善である、ただ惡用又は過度を避けさへすれば足りるのである』(Ib. p. 110)。なほ精神は別個に自からの快樂を有つてゐるが、然し精神の快樂が肉體のそれと共通してゐるやうな人にとつては、それは悉く感情に依存する。かくして感情のために最も動かされ易い人はその生の甘味を最も多く味ひ得る人である。ただ感情を善用することを知らぬときには彼等は却て多くの不幸を嘗める。そして智慧がこゝに主として有要なのは、それが感情を適宜に節制することを敎へて、感情の惹起する害惡をば堪え得るほどのものとなし、又はすべての感情から喜悅を得るやうにさへする點に存する (Ib. p. 112)。

今右のやうなデカルトの『精神の感情』についての理説は、一般に考へられてゐるやうに、大體に於てスコラ哲學の感情説やアウグスティヌスの感情についての深い洞察を媒介として、アリストテレースの理說を繼承せるものと見られ得るであらうが、然し彼れの理說が從來のそれに對して有つ獨自的性格は何處にあるか、といふに、それはこれまでの傳統的考へ方が、感情に於て主として心的過程のみを見たのに對し、デカルトは身體的條件に於て受動なる精神的狀態の根元を見出した點にあるであらう、これ本來的に活動であるところの精神から受動である感情が生じ得るためには、單なる實體的活動の一側面にとどまらないで、これに對して質料的原理としての身體との關係が入來らなければならぬからである。もとよりアリストテレースに於ても、またデカルトが大なる影響を受けたトーマスに於ても肉體上の顧慮が度外視されてゐるのではなく、肉體と精神とが相合して一つの自然をつくることが認められてゐるのであるが、然し彼等に於ては質料は本來形相の手段として消極的制約たるに過ぎぬ。然るにデカルトはこれに反して、純粹なる二元論的立場から、精神と肉體との間の客觀的聯關の中に能動卽受動の感情の意義を見、從來の形而上學的心理學に對する近代の科學的心理學、特に精神＝生理的心理學の先驅となつた。しかもそれは單に精神現象をば生理學的に規定しやうとするに過ぎぬのではなく、どこまでも機械的な具體的な生活意識の過程を示さうとするものに外ならない。かやうにしてデカルトの心理說は一般には主知主義的立場として特徴付けられ得るのであるが、然しそれはまたメーン・ド・ビランの解釋に於けるやうに主意主義的契機を含む。即ちデカルトは心的現象に於て受動と能動との二方面を見るが所謂知の作用は受動的であり、意志のみが能動的である。感情も前述のごとく大體に於て知と同樣に受動であるが、精神はデカルトによれば本質的に思惟であるがゆゑに、あらゆる心的現象の基礎には知があるといはねばならぬ、そして感情に於てもその最も基本的なるもの、例へばかの『驚嘆』の情の如き、善惡の區別のかなたなる叡智に關する感情であるとも考へられる。然るに他の五種の基本感情は、吾々を驚嘆させる新しい對象が吾々にとつて善か又は惡かであるに從て起る限りに於て、それは意志の感情といふべきであらう。そしてこの意志に關する感情の中で最も基本的なものはかの『愛』であらう。これ『憎』とは障碍に對して起る愛であり、『欲望』は、未だ所有してないものに對する愛であり、『喜び』、『悲しみ』は、愛するものゝ有無によつて起る感情に外ならないから。そして若し右のやうな主知的にして同時に主意的なるデカルトの感情説が感情の生理＝心理學といひ得るならば、このデカルトの感情説を前提しながら、人間精神に於ける感情の形而上學的又は存在論的本質を明らかにすることによつて人間そのものゝ無力を摘發し、この無力に徹することによつてこれを超越せんとせるスピノザの感情説は、これを感情の倫理學と言はねばならぬ。

七

スピノザに於て感情の問題がいかに重要な問題であつたかはその『倫理學』の根本動機とその中心內容の大部分が殆ど感情の問題に捧げられてゐることによつても明らかである。その第一部なる『神に就て』も、第二部なる『精神の性質及び起源に就て』の深い形而上學的又は存在論的考察も、結局第三部以下感情の問題の解決の根本前提とも考へられる。感情は實に彼に於て人間存在そのもの〻無力がそれを通して曝露せられることによつて却てこれを永遠に超越すべき人間の最も根源的なる在り方である。かくしてかれの感情についての中心問題は感情の本質とその力とその制御の問題であるが、この第一の問題はかの『倫理學』の第三部たる『感情の起源及び本性に就て』に於て、第二の問題はその第四部たる『人間の屈從又は感情の力に就て』に於て、そして第三の問題は、その第五部たる『知性の力又は人間の自由に就て』に於て考察されてゐる。

彼によれば、これまで感情及び人間の本質について論じた多くの人々は、自然の共通の法則に從ふ自然的事物を取扱ふのではなくして、自然の外にある事物を取扱つてゐるやうに見える、これ彼等は人間が自然の秩序に從ふよりもむしろこれを妨げ、又その行動に於て絕對の力を有ち、そしてこれに於て自己以外の如何なるものによつても決定されないと信んじてゐるから（Ethica

p. 120)。それ故に感情の性質並びにその統御について精神が何を爲し得るか、についても未だ何人も決定しなかつた。かのデカルトすらも『精神がその活動に於て絶對的力を有つ』と信じ、且つ『人間の感情をば、その最初の原因から説明し、そして同時に精神が感情に對し絶對的主權を有ち得る道を示さうと努めた』とはいへ、しかもそれに於てかれは『彼れの偉大なる精神の鋭さ』を示すに過ぎなかつた（Ib. p. 120）。かやうにして人は『私が人間の過ちと愚かさとを幾何學的方法に從て論述することを企て、又彼等が理性に反し、空虚で不條理で又嫌忌すべきものとして罵倒するものをば悟性に從て證明しやうとすること』をば疑ひもなく奇異に思ふであらうが、然し『自然の中には缺陷として歸せられ得る何ものも起らない、これ自然は常に同一であり、又その能力、活動力はあまねく同一である、從て自然の法則及び規則はあまねく常に同一であり、それゆゑにまたすべての物の性質を認識する樣式も同一でなければならぬ』から。かくして『憎惡、忿怒、嫉妬等の感情も、それ自身に於て考察すれば、他の個物のやうに自然の必然と能力から起る』、從てそれ等の感情は『それを認識せしめる或る原因』を有ち、又『吾々の認識に値ひする或る特質』を有つてゐる。（Ib. p. 121）。そしてこゝに感情をばかの神及び精神を取扱つたと同じ方法によつて取扱ひ得る理由が存せねばならぬ。

先づ感情とは如何なるものであるか、その起源及び本質は如何なるものであるか。今若し『それの妥當なる原因が吾々であるところの或ことが、吾々の中に又は外に起る』ならば、『吾々が働きを爲す』といひ、之に反して若し『吾々が單にその部分的原因であるところの或ることが吾々の中に起り、又は吾々の本性から起る』ならば『吾々が働きを受ける』といふ (Ib. III, Defin. 2)。然るに『吾々の精神は或る働きを爲し、又或る働きを受ける、しかも精神は妥當なる觀念を有つ限りに於て必然的に或る働きを爲し、又非妥當なる觀念を有つ限りに於て必然的に或る働きを受ける』(Ib. III, prop. 5)。そして精神の能動は吾々の力を表はし、それの受動は吾々の無力及び不完全なる認識を表はす (Ib. IV, Append. cap. II)。そして『感情』(affectus) とはただにこの非妥當なる、即ち混亂せる觀念に於て成立するところの、そして働きかけられ且つ力に於て制限されたものとして人間に歸せられるところの精神の『受動』に關係するのみでなく、又妥當なる觀念に於て成立し、そして精神の內的精力を表はすところの精神の『活動』にも關係するのであつて、これは精神と身體との必然的なるかかはりから來る。かくして感情は『それによつて身體に於ける行爲の力が增加又は減少せられ、促進又は妨止せられるところの身體の變容及び同時にこれ等變容の觀念』であつて、若し『吾々がこれ等の變容の妥當なる原因であり得る』ならば感情は『能動』と解せられ、然らざる場合にはそれは『受動』と解せられるのである (Ib. III, Definit. 3)。そして受動としての感情は『精神が否定を含む或ものを有つ限り又は精神が他の部分なくして、それ自身のみでは明白且つ分明に知覺されない自然の一部として考察される』限りに於てのみ精神に歸せられるのであり(Ib. III, Prop. 3 Schol.)、これに對して能動としての感情は『それ自身の内的精神から働くところの精神の肯定的要素』であつて、これは精神の『努力的要素』として現はれる。卽ち『各の物はそれ自身の中にある限り、その有に固執することを努める』(Ib. III, Prop. 6)、そして『各の物がそれ自身の有に固執せんとする努力(conatus)はやがて物自身の現實的本質に外ならない』(Ib. III, Prop. 7)のであるが、『精神は明白で分明な觀念を有つ限り、不定なる時間の間、それ自身の有に固執することを努め、且つこの努力を意識してゐる』(Ib. III, Prop. 9)、そしてこのやうな努力が『精神にのみ關係する』場合には『意志』(voluntas)と呼ばれ、それが『同時に精神及び身體に關係する』場合には『欲求』(appetitus)と呼ばれ、『意識を伴へる欲求』はやがて『欲望』(cupiditas)に外ならない。かくして『吾々は如何なるものをも善と判斷すがゆゑに努力し、欲求し、また欲望するのではなく、吾々が努力し、意欲し、欲求し、また欲望するがゆゑに或ものを善と判斷する』(Ib. III, Prop. 9, Schol.)といふことが出來る。今感情をばかく本質的に『努力的』と解することはストア派又アリストテレースまで溯り得るものであつて、當時多くの學者に於て普通であつた、例へばかのホッブスの如きは感情の根源をば上述の如く、努力の二つの對立的形式なる欲求及び嫌忌に於て見た。かくしてスピノザに對して殘された課題は、この感情に於て表現を見出すところの努力的傾向をば、自己保存といふ一つの基本的努力へ還元し、そしてそこからしてあらゆる人間の行爲及び感情をば導出すといふことであつた。そしてこの課題を解くために彼は先づ欲望の形式に於ける努力をば感情の內容たる快不快と連結する。卽ち彼によれば『吾々の身體の活動力をば增加又は減少し、促進し又は妨碍するものゝ觀念は吾々の精神の思惟力をば增加又は減少し、促進又は妨碍する』(Ib. III, Prop. 11)のであるが、『このことによつて精神は大なる變容を受け、或はより大なる、或はより小なる完全に移ることが出來る』、そして『精神がそれによつてより大なる完全に移るところの受動』をば『快』(laetitia) といひ、又反對に『精神がそれによつてより小なる完全に移るところの受動』をば『不快』(tristitia) といふ。そしこの快及び不快とかの欲望の三者をば彼は『基本的感情』(affectus primarius) となし、他のすべての感情をば『これ等三者から生ずるもの』として規定した (Ib. III, Prop. 11, Schol.)、そしてこれはかのデカルトの、驚嘆、愛、憎、欲望、喜び、悲しみの六つの基本的感情の單純化と考へられ得るであらう。かやうにして次のごとき『感情の一般的定義』が與へられる、卽ち『精神の受動としての感情は混亂した觀念であつて、これによつて精神がその身體又は身體の部分について、以前よりも一層大なる又は一層小なる存在力を肯定し、又それの現在によつて精神自身が或ものについて、他のものよりも一層多く思惟するやうに決定されるものである』(Ib. III, p. 180)。そしてこの場合精神の受動としての感情が『混亂せる觀念』といはれるのは『精神が非妥當なる又は混亂せる觀念を有つ限りに於てのみ働きを受ける』からであり、又『これによつて精神がその身體又はその部分について以前よりも一層大なる又は一層小なる存在力を肯定する』とは、『吾々が身體についてすべての觀念は外部の物體の性質よりも一層多く吾々の身體の現實的狀態を示しゐる』からであり、最後に、『それの現在によつて精神自身が或ものについて他のものよりも一層多く思惟するやうに決定される』とは、定義の最初の部分が説明せる『快及不快』の性質の外になほ『欲望』の性質をもそこに表示せんがためである (Ib. III, p. 180–1)。

さて吾々のすべての努力又は欲望は上述のごとくすべて吾々の性質の必然から起る、そしてかく吾々の性質のみによつて理解せらるべき努力又は欲望は、妥當なる觀念から成ると考へられる限りに於て精神に關係し、これに反して他の努力又は欲望は、精神が物を非妥當に考へる限りに於てのみ精神に關係し、從てその力及び增大は人間の力によつて説明せられずして、吾々の外なる物の力によつて説明されねばならぬ、それがために前者は正當に活動と呼ばれ、後者は受動と呼ばれる、これ前者は常に『吾々の力』を表はし、後者は『吾々の無力及び不完全なる認識』を

表はすから (Ib. IV, Append. 2)。然るに今『感情を支配し且つ制御する上の人間の無力』をば『屈從』(servitus) といふ、これ『感情に從へられる人間は、自からの權能によらないで、運命に從屬し、たとひ一層善きものを見ても一層惡しきものに從ひゆくやうに屢強要される程運命の力の下に置かれる』から (Ib. IV, Praefatio, p. 182)。かやうな人間の無力の原因を一層具體的に考察するために、感情そのもの丶力、又感情が如何なる善又は惡を有するかについて考察されねばならぬ。

さて吾々はそれ自からで、獨立的に考へられ得ない自然の一部としてかく受動であり (Ib. IV, Prop. 2)、從て必然的に自然の共通なる秩序に從ひ、且つ物の性質が要求するだけそれに適合する (Ib. IV, Prop. 4, Corol.) 限りに於て、この『受動又は感情の力』は『感情がかたく人間に纏綿するために、かれの他の活動又は力を凌駕することが出來る』(Ib. IV, Prop. 6) のである。しかもこの感情は『それと反對であり、且つその制御さるべき感情よりもより強い感情によつてのみ制御又は止揚され得る』のである (Ib. IV, Prop. 7)。然るに今『善及び惡の認識』は吾々がそれを意識する限り『快又は不快の感情』に外ならない (Ib. IV, Prop. 8)、從て善惡の認識はそれが『眞』である限り感情を制御し得るのではなくして、それが『感情』として見られる限りに於てのみ感情を制御し得るのである (Ib. IV, Prop. 14)、そしてこ丶に『何故に人が眞の理性よりも意見によつてより多く動かされるか、又何故に善又は惡の眞の認識が心情の擾亂を喚起し、且つ屢各種の快樂に負けるかの原因』が示される。しかもこのことは決て無知が知よりも優れてゐること又は感情の支配に於て愚者と知者との間に何等の差別がないことを結論するがためではなく、理性が感情の制御に際して何を爲し得るかを決定するために、吾々の性質の能力と無能とを知ることが等しく必要であるからである（Ib. IV, Prop. 17, Schol.）。然しながら善惡の認識にして必然的に快不快の感情に結付き、從て感情の制御は唯だ感情に於てのみ全うせられ得るとするならば、感情そのものは如何なる意味で善又は惡であるか。スピノザによれば『快』(laetitia) はそれが『身體の活動を增加し又は促進する』感情であり、又『不快』(tristitia) は『身體の活動をば減少し又は制限する』感情であるために、『快はそれ自身に於ては惡でなくして善であり、之に反して不快はそれ自身に於ては惡である。』(Ib. IV, Prop. 41)。次に『愛』(amor) 及び『欲望』(cupiditas) は過度になることが出來、從て惡となり得る、これ愛は『外部の原因の觀念を伴へる快』であり、しかもこの快はその性質上快樂 (titillatio) であり、快樂は過度によりて惡となり得るからである。これに對して『憎』(odium) は決て善であることを得ない、これ吾々は憎むものを滅することを努める、從て惡を爲さうと努めるから (Ib. IV, Prop. 43, 44, 45)。同樣にして嫉妬、嘲笑、輕蔑、忿怒、復讎、及び憎に關し又それから生ずる他の感情は惡である (Ib. IV, Pr op. 45, Schol.)。

然しながら以上の如く感情を通して曝露される人間の無力及び不安定に對して、理性は果して何を命ずるか、又如何なる感情が人間理性の規則と一致するかといふに、『理性は自然に反する何ものをも要求せぬ』ゆゑに、從て『それは各人が自分自身を愛し、自分に有用なるものを、眞に有用なる限り求め、又人間を眞に一層大なる完全に導くすべてのものを欲し、且つ一般に各人が自分の生存を能ふ限り維持するやうに努めることを要求する、そしてこのことは全體が部分よりもより大であると同樣に必然に眞である』(Ib. IV, Prop. 18, Schol.)。かくして理性より起るすべての努力は、『認識』以外の如何なるものにも向はず、又精神は認識に導くもののみを彼に有用と判斷する、從て現實に認識に導き又は吾々の認識を妨碍し得るものについてのみ吾々はその善か惡かを確知するのである (Ib. IV. Prop. 26, 27)。

然しこゝに問題となるのは理性は感情に對して何を爲し得るか、理性に於ける認識の力は如何なるもので　　といふことである。彼によれば元來受動としての感情の力は、『吾々自身の力と比較した外部の原因の力』によつて說明せらるに對し、精神の力は『認識』によつてのみ說明せられ、しかもその無力又は受動は『認識についての單なる缺乏』即ち『それによりて觀念が非妥當といはれるところのもの』によりて測定せられる。かくして爲すことよりも働らきかけられることによつて一層よく認識されるやうにその大部分が非妥當なる觀念より成るところの精神が最も多く働きを受け、之に反して、同樣に多くの非妥當なる觀念を含む場合にも、なほ人間の無力を示す非妥當なる觀念によるよりも、人間の德に屬する妥當なる觀念によつて一層よく認識されるやうに、その大部分が妥當なる觀念から成れる精神は最も多く働らきを爲すのである(Ib. V, Prop. 20, Schol.)。然るにかのストア學派にては『感情が絕對に吾々の意志に依屬し、吾々はそれを絕對に支配し得る』と考へてをり、又かのデカルトも少からずこの見解に傾いてゐる、これ彼は、精神が腦の或る部分、卽ち松果腺と呼ばれるものと密接に結合し、これを介して精神は身體の中に起るすべての運動及び外部の對象を知覺し、又精神は單にそれが欲することによつて松果腺を異つた仕方で動かすことが出來る、卽ち吾々は松果腺の、從てまた精氣の運動を一定の意志と結合することが出來、又意志の決定は吾々の力のみに依屬するゆゑに、若し吾々がそれによつて自分の生活々動を指導せんと欲する確實で定まつた判斷によつて吾々の意志を決定し、且つ吾々が有たうと欲する感情の運動をこれ等の判斷と結合さへすれば吾々は自分の感情に對して絕對の權力を獲得することが出來るであらうと彼は主張してゐるから(Ib. V, Praefatio, p. 245, 246)。然しながらこのやうな見解は、『若しそれがかく銳犀でなかつたならば、それがかく偉大な人から起つたことを殆ど信じなかつたであらう』。精神の力は前述のごとくただ認識によりてのみ定義されるがゆゑに、すべての人が經驗によつて知つてはゐるが、精密に考察せず、また分明に認識しない感情に對する手段をば、吾々はただ精神の認識によつてのみ決定し、且つこの認識から精神の福祉に關するすべてを導かねばならぬ (Ib. V, Praef. p. 246-7)。

さてスピノザによれば『受動なる感情によつて吾々が決定されるすべての行爲に、吾々はこの感情がなくとも理性によつて決定されることが出來』また『理性から生ずる欲望は決て過度になることが出來ぬ』ゆゑに、『理性から生ずる欲望によつて吾々は直接に善に就き、又間接に惡を逃れる』ことが出來る (Ib. IV, Prop. 59, 61, 63 Corol.)。然るに他方に於て『受動なる感情は、吾々がそれについて明白且つ分明なる觀念を形成するや否や、受動たることを止める』(Ib. V, Prop. 3) がために『感情は吾々がそを一層よく知るに從て益々吾々の力の内に在り、且つ精神がそれから働きを受けることが少くなる (Ib. V, Prop. 3 Corol.)。それゆゑに感情に對しては、これを眞に認識することによるこの手段以外に、吾々の力の内にあつて一層優れたものは考へられ得ない、これ思惟し且つ妥當なる觀念を形成するより外の力が精神の中にないからである (Ib. V, Prop. 4 Schol.)。然るに今『自身及び自身の感情を明白且つ分明に認識する人は、神を愛し、且つ彼が自身及び自身の感情を一層多く認識するに從て、益々神を愛する。』(Ib. V, Prop. 15)。

スピノザに從へば元來認識には三種ある。第一は『感覺によつて毀傷し、混亂し、且つ悟性に從つた秩序なくして現はれる個物』から作られた一般的概念、卽ち『不確實なる經驗による認識』と、『記號から、例へば吾々が或る語を聞き又は讀む場合に同時にそれに相應する物を想起し、且つこれに類似の觀念を形成することから』作られる一般概念とで、物を考察するこれ等二樣の樣式をばこれを『意見』、『想像』又は『第一種の認識』といふ。第二には、『吾々が物の特質について一般的概念及び妥當なる觀念を有すること』から作られた一般的概念で、これをば『理性』又は『第二種の認識』といふ。第三は、以上の如き二種の認識の上に位するもので、これは『神の或る屬性の形式的本質の妥當なる觀念から物の本質の妥當なる認識に進むもの』で、これをば『直觀知』又は『第三種の認識』といふのである (Ib. II, 40 Schol. 2)。そして『精神の最高の努力及び最高の德は、物を第三種の認識に於て認識することである』、そしてこの第三種の認識からして、最も高い精神の滿足が生ずる (Ib. V, Prop. 25, 27)。スピノザによれば元來物は二樣の仕方で吾々に現實として考へられる、卽ち吾々が物を定まれる時間及び場所に關係して存在すると考へる限りに於てか、然らざれば、吾々が物を神の中に含まれ、且つ神性の必然から起ると考へる限りに於てかである。今この第二の仕方に於て『眞又は實在として考へられる物をば吾々は永遠の相の下で (sub aeternitatis specie) 考へ、又その觀念は神の永遠無限の本質を包含する』

(Ib. V, Prop. 29 Schol.)。それゆゑに『吾々の精神は、それが自身及び身體を永遠の相の下で考へる限りに於て必然に神の認識を有し、又それが神の中にあり、且つ神によつて考へられることを知る。』(Ib. V, Prop. 30)。かやうにしてこの第三種の認識からして必然的に『神に對する知的愛』(Amor Dei intellectualis) が生ずる、これこの種の認識から、吾々が現在として表象する限りではなく、吾々が神の永遠なることを認識する限りに於て、原因として神の觀念を伴へる快、卽ち神に對する愛が生ずる、これが神に對する知的愛と呼ばるべきものであるから (Ib. V, Prop 32 Corol.)。そしてこの第三種の認識から生ずる神に對する知的愛は『永遠』であり、そしてこの知的愛以外の如何なる愛も永遠でない (Ib. V, Prop. 33, 34 Corol.)。然しこの神に對する精神の知的愛は『神が無限なる限りに於てではなくして、彼が永遠の相の下で觀察された人間精神の本質に於て說明され得る限りに於て、神がそれをもつて自分自身を愛するところの彼の愛自身』である、又は『神がそれをもつて自分自身を愛するところの無限なる愛の一部』である (Ib. V, Prop. 36)。そしてこのことからして『神は彼が自分自身を愛する限り人間を愛し、また從て人間に對する神の愛と神に對する精神の知的愛とは同一であり』、そしてこれがためにまた『吾々の幸福又は福祉、又は自由は、神に對する恒常永遠の愛、又は人間に對する神の愛にある』といふことが起こる (Ib. V, Prop. 36 Corol., Schol.)。かくしてこの知的愛は精神の性質が神の性質によつて永遠の眞理として觀察される限り、精神の性質から必然に起るがゆゑに、『吾々の福祉は德の報でなくして德自身である、また吾々は快樂を制するが故に福祉を樂しむのではなく、反對に吾々はこれを樂む故に快樂を制することが出來る』のである (Ib. V, Prop. 42)、これ感情を制する人間の力は『認識』にのみ存するがゆゑに、何人も彼が感情を制するゆゑに福祉を樂しむのではなく、反對に快樂を制する彼の力は福祉それ自身から生ずるといひ得るのである。(Ib. V, Prop. 42 Demonst.)。

八

十八世紀の獨逸心理學は、かのアリストテレース以來中世の學者達が欲求と密接に結付け、又デカルト以後の近代の學者が一層密接に認識と結付けたところの感情をば、知識又は努力のやうな判明且つ獨自的な精神生活の樣相として限定するやうになつた。そしてこのやうな限定の背景となり、又前提となつたものは『能力』(Vermögen) の概念であつた。この能力の概念は周知の如く δύναμις, Potentia として、力の範疇に屬する存在論的概念であつた、即ちアリストテレースに於ては δύναμις は、成り得ること、在り得ること、即ち可能力又は展相として、能動的と受動的とが區別せられた。然しこの概念は本來內的經驗、即ち志向の遂行に對する意志の力の意識を原像としてゐるより、他方に於て精神能力といふ心理學的概念となり、かの『部分』としての精神の區別に對し、『能力』としての精神の區分がこれに代るやうになつたのである。このやうな考へ方はかのデカルトが『嗜欲的』と『嫌忌的』とを欲求の『二つの部分』でなくして『精神の有つ二つの能力、卽ち欲望的と反撥的の能力』となしたところにも見られるのであつて、その後ライプニッツ、ウォルフを經て、かのメンデルスゾーン、テテンス、カントに至つて、精神能力の性質のみならず、それの體系的聯關が精神現象の考察の中心內容となつたのである。然しデカルトに於て感情が精神に於ける重要なる機能でありながら、なほ思惟の一種としての受動であり、又は精神に關係せしめられたる知覺であつて未だ獨立的な能力として限定されてゐないやうに、ライプニッツに於ても精神の原始的能力としての知覺の外に悟性と意志とが右のやうな意味に於ける能力として認められたが、なほかゝる獨自的能力としての感情は認められなかつた、卽ち彼に於ては感情はやはり感覺、漠然たる知覺又は觀念に外ならなかつた。卽ち『物體の感覺と同樣に、精神の思想も無關心的か、快又は苦によつて伴はれてゐる』、そして人はこれ等の快苦をば他の單純觀念と同樣に、敍述することも出來ねばまた定義することも出來ぬ（Nouveaux Essais, d. 148-9）、そしてこのやうな快や苦からして種々の感情（passions）は生ずるのである。例へば人は『快を生じ得るもの』に對しては『愛』(amour) を感じ、そして『現在的又は不在的原因が生じ得るところの不快又は苦の思想』は『憎』(haime)である(Ib. p. 149)。然るにすべて『人の要求を惹起するもの』を『幸福』と稱するが、これは『吾々に可能なる最大の快』であり、『不幸』とは『吾々が感じ得る最大の苦』に外ならない。かくして幸福は『快から快への道』であり、快とは『幸福への歩みと接近』に外ならない(Ib. p. 179)。從て快とは根本的には『完全性の感情』であり、苦とは『不完全性の感情』であるといふことが出來る(Ib. p. 180)。

次にライブニッツ及びかれ以前の思想をば體系的形式に於て次の時代へ運んだと考へられてゐるウォルフは、精神能力をばかのアリストテレースの分類に於けるやうに高級精神能力と下級精神能力とに分ち、そしてこれと共に精神能力をば更に認識能力と欲求能力とに分ち、この二種の分類を交叉せしめ、そして感情をばこの欲求能力に屬せしめてゐる。卽ちウォルフに於ては既にGefühl といふ語が用ひられてゐるのであるが、然しそれはなほ獨立的能力としての感情を表はすものではなくして、感情の原始的本性と最も密接なる關係を有つ觸覺として用ひられてゐる。卽ち『Gefühle は物體的事物が吾々の身體に觸れるか、又は吾々の身體が物體的事物に觸れるかする場合に、吾々の身體の中に起るところの變化を表象する能力である。』(Vernünftige Gedanken v. d. Welt u d. Seele d. Menschen, S. 106)。そして彼は感情の本質をば從來のごとく快及不快に於て見、そして感情現象をば主として『情緒』(Affekte)として限定した。快とは彼によれば實在的又は想像的なる完全性及び不完全性の直覺的認識である。即ち『吾々が完全性を直觀する間に吾々に於て快が成立する』即ち快は『完全性の直觀』の主觀的內容に外ならない（Vernünftige Gedanken von Gott. etc, S. 220）。そしてこの快が限定された時、即ち『それがどんな性質を有つか可感的となつた時』にそれは『情緖』となるのである。それゆゑに情緖はまた『感性的欲求及び感性的嫌忌』としても限定せられる。そして彼はこの情緖をば三種に分つた。『快適の情緖』と『不快適の情緖』と『混合的情緖』とがこれである（Ib. p. 242）。然るに感性的欲求は彼に於ては『善の不明晰なる表象』によつて成立し、之に反して感性的嫌忌は『惡の不明晰なる表象』に於て成立するがために『快適なる情緖』は『多くの善の不明晰なる表象』によつて成立し、『不快適なる情緖』は『多くの惡の不明晰なる表象』によつて成立し、又『混合的情緖』は『同時に善及惡の不明晰なる表象』によつて成立せねばならぬ（Ib. p. 242-3）。然るに『善及惡の不明晰なる表象を有つ人は、善及惡をば快及不快によつて區別する』ゆゑに、快適の情緖に於ては可感的快が混淆してをり、不快適の情緖には可感的不快が混淆してをり、又混合的情緖に於ては可感的快及不快が含まれてゐるのである（Ib. S. 243）。

かのメンデルスゾーン及びテテンスによつて行はれたる能力としての精神活動の三分法はブレンターノのいふやうに『それの破格といふことに於て有意義であり、又それの影響といふことに於て持續的であり、そして一般になほ今日も心理現象の分類に於ける進歩として考へられてゐるところの分類』(Brentano, Psycholoie II, S. 10) であつて、彼等はすべての精神現象をば『三つの同格的種類』に分ち、そしてそれの各に對して『特殊的精神能力』を想定した。先づメンデルスゾーンは、かれの初期の『感覺に就ての書翰』(Briefe über die Empfindungen, 1755) に於て既に『吾々は吾々が思惟するや否やもはや情感しない』(Briefe üb. d. Empf, S. 9) と言つて思惟からの感情の分離を注意したのであるが、その後の『認識能力、感覺能力及び欲求能力に就ての所見』(Bemerkungen über die Erkenntnis-, Empfindungs-und Begehrungsvermögen 1766) に於てはその表題の示すやうに、精神能力は認識能力と感覺能力と欲求能力とに分たれ、これに於て感情の働きは感覺能力に於て考へられ、しかもこの感覺能力は認識能力と欲求能力との中間の能力として、吾々が或る事柄に於て快又は不快を感覺するところの、且つ是認又は否認するところの能力として規定されてゐる。彼によれば、快及不快はかの欲求及嫌忌から全く區別せらるべきである、これ感覺能力は欲求又は嫌忌に於けるやうな努力的能力でないから。そしてこの感覺能力に於ける種々の情緒的性質は、或は對象に於ける又は少くとも吾々自身に於ける完全性又は不完全性の意識に屬するものとして、在來の傳統的考へ方が維持されてゐる。メンデルスゾーンは一つの啓蒙的學者として廣い影響を與へ、殊にカントに與へた影響は注意を値すると考へられてゐる。然し彼よりもはるかに大なる學的重要性を有ち且つはるかに獨創的なる研究に於て深い影響を與へたものはかの『人間的本性及びその發展についての哲學的試論』(Philosophische Versuche über die menschliche Nasnr und ihre Entwicklung, 1777) の著者テテンスであつた。彼によれば『私は、それによつて精神が新しい變容をば自己の內に又自己の外に生ずるところの、又單なる情感から竝びに表象及び思惟の作用から區別されるところの、精神のあらゆる活動をば、一つの名稱の下に把捉し、そしてそれに對する能力をば、一般に狹義に於ける精神の活動力と名付けようと欲する。かやうな仕方に於て私は精神の三つの根本能力を數へる、感情(Gefühl)、悟性(Verstand)及び精神の活動力(Thatigkeitskraft)がこれである。この中で感情は精神の可變性(Modifikabilität)又は感受性(Empfänglichkeit) 竝びに自己に於ける新しい變化の單なる感じをも含む。表象力と思惟力とは一緒に、悟性に屬する、そして感情及び悟性に比較せらるべき殘りの能力は活動力(意志Wille) といふ名稱を有つ』(Phil. Versuche, S. 613)。かやうにして彼に於て始めて精神現象の體系的なる三分法が確立せられると共に、この體系的分類を構成する一つの獨立的なる根本能力として感情が認められて來たことは重要なる意義を有する。然しかやうに感情が獨立的な根本能力であるならば、それと不可分離的に考へられた感覺とそれは如何なる關係を有つか、といふに、先づ感覺とは彼れによれば、吾々の狀態の變化、精神に於ける新しい變容として原始的に感情と結付くものである。例へば、私が眼を太陽へ向ける、そこに何かが起る、そして何かを感ずる (fühlen) 又は何かを感覺する (empfinden)。この場合印象は外から來る、私は外官をもつて感ずる又は外的感覺を有つ。このやうな感覺は時に無關心的であり、又時に快適又は不快適である、即ち感ぜられた變化は感覺である、この感覺が無關心的なるものに屬しない場合、又は感覺が感觸する (affizieren)する場合、又は感覺が氣に入つたり、入らなかつたりする (gefällt od. missfällt) 場合にそれは『所感』(Empfindnis) 又は『感動』(Rührung) と稱せられる (Ib. S. 161–2)。かやうにして感覺及び感覺することは『所感』に於て感情又は感ずることと一つになる。しかも彼等の間になほ區別の認められるならば、それは感ずることが、感覺することの『對象』に對してよりもより多くそれの『作用』に關係するに對し、感覺することは、吾々が感性的印象によつて吾々の中に感ずるところの對象により多く關係するといふことである。しかも感情卽ち Gefühl といふ語はより一般的な範圍のもので、『感ぜられたもの (das Gefühlte) を區別することなしに、感ずること (Fühlen) の同じ作用が現存してゐるやうな最も不明瞭な感情』をも含んでゐるやうに見える (Ib. S. 162–3)。そして以上のやうな感情は彼によれば一般に次のやうな三つの主要な特質を有つてゐる。卽ち第一には、『感情は現在的の事物にのみ關係する』。吾々は現在的であるものゝ外何ものをも感じも感覺もしない、吾々についての現下の變化及び現在の狀態のみが感情の對象であり得る。表象は過去的のもの及び未來的のものをも對象に有つ、想起や記憶は過去的のものへ、又豫見、要求、努力は未來的のものへ關係せしめられる。然るに吾々が感じるところのものは現在的でのみあり得る、それは現在的のものを超えゆかない (Ib. S. 165-6)。第二には『感情は種々の度が可能である。』卽ちそれは强度、延長及び持續に關し、より强く又はより弱くあり得る、そしてこれは經驗である (Ib. S. 165, 167)。第三には『直接的に感ぜられるものは精神の受動的變容である』、卽ちそれは精神が受入れるところの外的原因の、精神に對する印象、又は精神が直接的に腦髓の內的器關から受取るところの變化である。吾々が直接的に感じるものは活動そのものでも、努力そのものでもなく、それが感情の對象である場合、それは吾々の自己活動的力から生ぜられたのではなくして旣に生ぜられてゐる或るものゝ持續的結果である (Ib. S. 186-9)。

次に吾々の感じ又は感覺の向ひゆく對象は普通次のやうな四種に區別され得る。卽ち第一は『絕對的對象及び吾々の內又は外の物自體の變化』であつて、これに對して吾々は外的及內的感覺を有ち、そしてこの後者にまで『自己感情』又は『獨立的に考へられたる內的狀態及變化のすべての種類の感情』が屬する。第二は『對象に於ける關係又は對象の客觀的關係』であつて、これはその關係に聯關する內的及外的感覺を含み、從て『同種性、異種性の感情、結果、場所及結合の感情、依屬の感情』等がこれに屬する。第三は『對象と、吾々の現在の狀態に於ける變化との主觀的關係』であつて、これは常に『內的感覺』にのみ關係し、そしてそこに『美、善、眞の感情』が屬する。第四は、『吾々の自己活動力への對象の影響』であつて、これにまで『關心、重要性、心情の强さ等の感情』が屬する (Ib. S. 184-5)。さて吾々の感じ又は感覺の向ひゆく對象はかやうに異り、そしてこの對象に應じてそれについての感情も相異るのであるが、しかもこれにかゝはらず、テテンスは『感情の直接的對象が決て相對的のものでなくして、どこまでも絕對的のものである』ことを主張する。卽ち『吾々が直接的に感じ又感覺するところのものは何等或る相對的のもの、又は事物の關係ではなく、却てただ、吾々の外の又內の事物に於ける絕對的のもののみが、直接的に感情の對象である。』(Ib. S. 186, 187)。然し若し感情の直接的對象にしてすべて絕對的であつて相對的でないならば、如何なる仕方に於て吾々は關係をば認識するか、といへば、それは『思惟』せられるのであつて決して『感』せられるのではない。然し若し『認識する』ことにして、人が旣にいひ慣れてゐるやうに『感ずる』又『感覺する』と呼ばるべきであるならば、吾々は『關係の感情』について『絕對的のもの〻感情』からはるかに異つてゐるところの一種の感情を有つ。關係のすべての感覺に於て人はかれ等をば感情の獨自的種類として、又は對象そのものゝ感情の變更及び性質として見做すかもしれぬが、しかも一層充分なる探究に於て、そこに絶對的のものゝ感情が注意される、そして關係の認識から區別せられるのである、但しこの場合絶對的のものゝ感情は、最も主要なる部分として、何故にこの兩者が一緒に結合して一つの感情又は感覺と稱せられるかといふ原因たるのである (Ib. S. 186)。

九

かのメンデルスゾーンやテテンス等によつて獨立的能力として認められた感情をば快不快の現象の主體として深く把捉し、そしてそれの本質と領域とを認識や意欲との聯關に於て始めて明確に限定し且つ基礎付けたものはカントであつた。彼は既に一七六三年に認識の能力と善を感知する能力としての感情との間の區別を認めてゐた。第一批判に於ては、彼は認識の領域から感情をば排除し、快不快の判斷は先驗哲學に屬しないで實踐哲學に屬するとなした。然し第三批判の出版の少し前に彼は既にラインホールドに對して、精神能力が、認識、快不快の感情、欲求の三つの能力であるとの見解を示してゐた、即ちかの純粹理性批判は認識の能力に關係し、實踐理性批判は欲求能力に關係した、今彼は快不快の感情の能力に關する著作に從事してゐる、そしてこれ等の三能力は互に不可還元的で、彼等は共通の根元から導出され得ない、といふことが告げられた。かやうにして快不快の感情の先驗性をば反省的判斷力の根抵に於て基礎付けることによつて認識能力及び欲求能力との體系的聯關を確立したものは第三批判であり、又この聯關をば經驗的心理學の領域に於て敍述したものはかの『人性學』(Anthropologie)であつた。先づこの『人性學』に於て彼は人間の精神能力をば、『認識能力』と『快不快の感情』と『欲求能力』とに分つた、そして第一の認識能力に於ては、『感性的認識能力又は下位認識能力』と『知的認識能力又は上位認識能力』とが區別され (Anthropologie, S. 25-6)、第二の快不快の感情に於ては『感性的快』と『知的快』とが分たれ、前者に於ては感能による快としての『滿足』と、構想力による快としての『趣味』、後者に於ては概念による快と理念による快とが考察された。(Ib. S. 119, 129)。第三の欲求能力に於ては、習慣的なる感性的欲求としての『傾向』と對象の產出への力の使用なき欲求としての『願望』とが分たれ、そしてかの『主觀の理性によりて强要せられ難き又は全然强要され得ない傾向』としての『激情』や、『主觀に於て熟慮を生ぜしめないところの、現在的狀態に於ける快不快の感情』としての『情緒』はむしろこの欲求能力の內に於て規定された。そしてこゝになほアリストテレース以來の傳統的分類の殘存を見る (Ib. S. 141)。かくカントは精神能力をば認識能力と快不快の感情と欲求能力との三つに分類し、そしてこれをば基本的と考へた。基本的とはこの三種の何れもが他のものから導出され得ず、又は彼等の共同的根元へ還元せしめ得ないことである。然しこれは如何なる意味に於て可能であるか。加之感情はカントに於てはかく認識能力と欲求能力との中間能力としてかの兩者を媒介するものと考へられてゐるが、然しかゝる媒介性格は感情が單にあらゆる認識作用にも意志作用にも常に結付いてゐるといふことのためではなくしてそれが先天的原理に從ふそれの深い主觀性のためでなければならぬ。しかもその先天的原理はかの認識能力に先天的原理を與へる悟性と、欲求能力に先天的原理を與へる理性とを媒介すべき判斷力から與へられるのであつて、快不快の感情に於ける媒介性は實にこの判斷力の媒介性に基づくといふことが出來る。これ『主觀的合目的性の表象と一つであるところの快不快の感情』は『客體の經驗的表象に於ける感覺に伴ふもの』としても、また『客體の概念に伴ふもの』としても見なされないで、『判斷力の特有の働きである反省及び反省の形式に伴ふもの』として判斷力そのものゝ內容をなすと考へられるから (Erst. Einl. i. d. K. d. U. S. 229)。吾々はもつぱら、感情そのものに先天的原理を與へるところの、否な感情そのものゝ認識能力ともいふべき判斷力のこの媒介性格について反省することによつて、感情そのものゝ先天性と媒介性との根據について考察して見たいと思ふ。

カントは『第三批判』の序說に於て、周知のごとく、悟性と理性、從つて自然概念と自由概念との結合の可能を基礎付けるために先づ一般に概念に關してそれの『領野』(Feld)と『地面』(Boden)と『領域』(Gebiet)とを區別した。即ち概念はそれが『對象の上へ關係せしめられる』限りに於て『その對象の認識が可能であると否とにかゝはらず』それの『領野』を有つ、然るに『それに於て認識が吾々に對して可能であるところの領野の部分』は、この概念及び、それに對して要求されるところの認識能力に對して『地面』である。然るにまた『それに於てこの概念が立法的であるところの地面の部分』は、この概念及びそれに屬する認識能力の『領域』である。(K. d. U. S. 9)。さてこのやうな關係に於て吾々の認識能力は、それに於て概念が立法的であるところの二つの領域を有つ、『自然概念』の領域と『自由概念』の領域とがこれである。そして前者即ち自然概念は『先天的原理に從ふ理論的認識を可能ならしめる』に對し、後者、即ち自由概念は『理論的認識に關してはただ消極的原理をそれの概念の中に有つてゐるのみである』に反し、『意志規定に對しては擴張的原則を有つてゐる、』そしてこれがためにこの原則は『實踐的』と稱せられるのである(K. d. U. S. 6)。そしてこれと聯關してまた前者の領域に於ける『自然概念による立法』は『悟性』によつて與へられ、そして『理論的』であるに對し、後者の領域に於ける『自由概念による立法』は『理性』によつて與へられ、そして『實踐的』である、即ち『實踐的なるものに於てのみ理性は立法的であり、そして理論的認識(自然の)に關しては、それはただ與へられた法則から推論によつてのみ歸結を引出し得るのであるが、しかもこの歸結はどこまでも自然にとどまるものでなければならぬ。』(Ib. S. 10)。

かやうにして『悟性と理性とは經驗の同一地面に於て二つの相異れる立法を有つ、しかも決して一方が他方を侵すことがない、』これ『自然概念はそれの對象をば直觀に於て、しかも物自體としてではなく、却つて現象として表象するに對し、自由概念はそれの對象に於て物自體を、しかも直觀に於てではなく表象する』から(Ib. S. 10-11)。かくして吾々の全認識能力に對しては『一つの限界付けられない、しかも到達しがたい領野』即ち『それに於て吾々が吾々に對して何等の地面をも見出さないところの超感性的のもの〻領野』が存在する。そしてかの感性的のものとしての自然概念の領域と、この超感性的のものとしての自由概念の領域との間には、一方から他方への何等の移行きも可能でないところの『見渡し難い深淵』が存在するのであるが、しかもなほ『後者即ち超感性的のものは、前者即ち感性的のものへ影響を有つべきである、即ち自由概念はそれの法則によつて課せられた目的をば感性界に於て實現すべきである、從つて自然はまたそれの形式の合法則性が少くとも自然に於て成遂げらるべき、自由法則に從ふ目的の可能性と一致する、といふやうに考へ得なければならぬ、それがためにまた自然の根柢に横はるところの超感性的のものと、自由概念が實踐的に含むところのものとの統一の根據が存在せねばならぬ』(Ib. S.

11)。それではかやうに直接結付くを得ないと考へられる感性的のものと超感性的のもの、自然の領域と自由の領域、從つて悟性と理性とに於て、かの見渡し難き深淵のために、一方から他方への通路は全く可能でないであらうか。カントの『判斷力』及びそれの原理としての『合目的性の概念』はかゝる通路を與ふべき媒介者でなければならぬ。

カントに從へば一般に判斷力とは『特殊的のものをば普遍的のものに含まれたものとして思惟する能力』である。そして『普遍的のものが與へられた場合、特殊的のものをば普遍的のものゝ下に包攝するところの判斷力』は『限定的』であるに對し、『特殊的のもののみが與へられ、これに對して判斷力が普遍的のものを見出すべきである』場合には判斷力は『反省的』である。即ちかの限定的判斷力は『悟性が與へるところの普遍的先驗的法則の下に立つ』ものとして『單に包攝するもの』であるに過ぎず、從つて『それ自からだけでは對象の概念を基礎付くべき何等の原理』をも有たないのに反し、『自然に於ける特殊的のものから普遍的のものへ上り行くべき任務を有つところの反省的判斷力は、經驗から借來り得ない原理をば必要とする』、これ『この原理はあらゆる經驗的原理をば、同樣に經驗的ではあるが、より高い原理の下へ統一すること、從つてそれ等相互の體系的從屬關係の可能を基礎付くべきである』から (Ib. S. 15, 16)。かやうにして限定的判斷力の立場に於ては、概念の能力又は規律の能力としての悟性の與へた法則の下へ特殊的のものを包攝するのみであり、しかも悟性は自然のかれの先驗的立法に於て、可能的經驗的法則のあらゆる多樣性をば捨象するゆえに、悟性に於ては特殊的自然法則の親和性 (Affinität) のかの原理は見出されない (Erste Einleitung i. d. K. d. U., S. 191) 限りに於て、悟性のかゝる普遍的法則に於て成立するところの自然は何等生ける具體的なる自然でなくして全く抽象的普遍的なる自然であり、從つてこれに於ては單なる『合法則性』といふことの外、何等反省的なる目的論的契機を許さない、從つてかゝる合法則性のみに依存する限定的判斷力の立場は『無目的性』の立場でなければならぬ。然るにこれに對して反省的判斷力の立場は、かゝる合法則性、無目的性の立場が自我そのものゝ純粹內面性、純粹主觀性に於て反省せられる立場である。普遍への特殊の單なる包攝ではなくして、特殊的のものゝ根柢に於て、それの具體的根據としての普遍をば求めゆく立場である。それは一般化の法則の下に立つ抽象的なる自然に對して、特殊化の原理を見出さんとする立場である。それは對象に對して法則を與へる『客觀的自律』の立場でなくして、却つて對象に對する反省に於て自己に對して法則を指令するところの『反省的自律』(Heautonomie) の立場である (Ib. S. 205)、從つてそれは純客觀的なる自然をば主觀的に、又單に法則の下に立つ無目的なる自然をば『目的があるかのやうに』觀ずるところの立場である。カントが反省的判斷力の原理をば『合目的性』の概念に於て特性付けたのはこれがためでなければならぬ。かやうにして判斷力に於ける合目的性の概念は、悟性に於ける『合法則性』、又は理性に於ける『自己目的性』又は『究極目的性』の概念と異り、それは『對象に對して何ものをも歸しないで、ただ吾々が、かの徹底的に相聯關するところの經驗に關して、自然の對象への反省に於て行はれねばならぬ唯一の仕方をば表象するに過ぎない』、從つてこれは『判斷力の主觀的原理』であつて何等『經驗の構成的概念ではない、これこの合目的性の概念は何等『範疇』でないから(K. d. U. S. 20 1; Erste Einleitung, S. 200)。そしてカントはかやうに『對象の合目的性の形式』以外に何ものをもその根柢に有たぬところの、卽ち『それの規定根據が概念でも、また特定の目的の概念でもあり得ない』ところの、そしてただ『主觀的根據へ依存する』ところの判斷をば『趣味判斷』又は『美的判斷』と名付けた。(K. d. U. S. 68)。

さて『趣味』(Geschmack)とはカントに從へば『構想力の自由なる法則性へ關係せしめて對象を判定する能力』である。しかもこの趣味判斷に於て構想力がかくそれの自由に於て考察せられねばならぬ場合、それは聯想律にもとづく『再生的構想力』でなくして『可能的直觀の氣隨的形式の創始者』としての『産出的構想力』でなければならぬ。しかし構想力がかく自由でありながら、なほそれ自から合法則的であるといふことは矛盾であるであらう、これ悟性のみが法則を與へるから。それゆゑにこゝに趣味判斷に於てはたらく構想力の合法則性は、恰度悟性の自由なる合法則性が『目的なき合目的性』と呼ばれ得るやうに、『法則なき合法則性』と稱せられることが出來る (Ib. S. 82-3)。從つてこの趣味判斷に於けるかゝる法則なき合法則性に於ける普遍性は決して概念から導出さるべきでなく、言はば『快の感情（與へられた表象に於ける）について判斷するところの、主觀の自律』、否な快の感情そのものゝ自己認識に於ける主觀の自律、卽ち『反省的自律』の上へ依存するものであり、そしてその限りに於てそれは一方に於て『先天的普遍妥當性』であるにかゝはらず、しかも決して『概念に從ふ論理的普遍性』ではない。卽ちそれは外へ廣まりゆくことによつて得られる客觀的普遍性でなくして、內へ深まりゆくことによつてのみ得られる主觀的普遍性であり、全稱判斷の普遍性でなくして、單稱判斷の普遍性でなければならぬ (Ib. S. 130, 136.)。かやうにして趣味判斷は一方に於て概念にもとづかないにもかゝはらず、また同時にそれは或る概念に關係せしめられねばならぬ。然らざればそれは何等必然的妥當性を要求し得ないであらうから (Ib. S. 197)。しかしかく概念にもとづかずして、しかもなほ概念に關係せしめられねばならぬといふやうな『二律背反』は如何やうに解決せらるべきであらうか。カントによればそれはただ次のやうに考へられる場合にのみ解決せられ得るであらう。卽ち『趣味判斷は一つの概念、卽ち判斷力に對する自然の主觀的合目的性の根據一般の概念にもとづくものではあるが、しかもこの〻概念はそれ自體では規定され得ないものであり、そして認識に不適當であるゆゑに、この概念からしては對象に關して何ものをも認識され得ず、又證明され得ない、しかもなほそれにかゝはらず、同時にこの同じ概念によつてすべての人に對する妥當性（勿論直觀に直接的に伴ふ單稱判斷としてではあるが）を趣味判斷は獲得する、これこの判斷の規定根據は恐らく人間性の超感性的基體（das übersinnliche Substrat der Menschheit）として見なされ得るところの概念の中に橫はつてゐるであらうから』（Ib. S. 198–9）。然し今純主觀的なる單稱判斷としての趣味判斷に於て吾々は如何なる意味に於てかく人間性の超感性的基體についての概念をその規定根據として想定し得るか、何を通して吾々はかゝる超感性的基體をこの趣味判斷に於て見ることが出來るか。

今超感性的のものをば感性的のものに於て觀る仕方、卽ち『感性化』（Versinnlichung）としての表現は、カントに從へばこれを二樣の仕方に於て有つことが出來るであらう。卽ち『悟性が把捉する概念に對して、それに對應する直觀が先天的に與へられる』場合には、それは『圖式的』（schematisch）であり、然るに『理性のみが思惟し得るところの、そして如何なる感性的直觀もそれに適合し得ないところの概念に對して、直觀、しかも判斷力が圖式化に於て從ふところの手續きと單に類比的に一致するやうな直觀が、その下に置かれる』場合には、それは『象徵的』(symbolisch) である (Ib. S. 211)。かやうに吾々が先天的概念の下におくところの直觀は『圖式』か、又は『象徵』かである。そして前者即ち圖式は『概念の直接的表現』を、後者、即ち象徵は概念の間接的表現』を含む、そして前者はこのことを『直證的』(demonstrativ) に後者はこのことを『類比』(Analogie) によつて行ふのである。そしてこの類比に於て判斷力は二重の仕事を爲す、即ちその一つは、『概念をば感性的直觀の對象の上へ適用すること』であり、他は『この直觀に關する反省の單なる規律をば、はじめの對象がその象徵でしかないところの全然異つた對象の上へ適用すること』である (Ib. S. 212)。然るに今趣味判斷に於てはそこに何等對象の槪念がなくただ對象についての反省の概念、即ち合目的性の概念が存するに過ぎぬゆえに、この概念の下におかるべき直觀は、かの純粹悟性概念の場合に於けるやうな圖式的のものでなくして、象徵的のものでなければならぬのは言ふまでもない、何故ならばこの合目的性の概念は、一方に於てかの純粹悟性概念の場合と異り、法則なき合法則性の概念であると同時に、他方純粹理性概念即ち理念の場合と異り、決て自己目的性、又は究極目的性の概念でなくして、どこまでも對象をば目的に適合するかの如くに觀ずる反省概念、即ち目的なき合目的性の概念に外ならないからである。それでは趣味判斷に於て、かゝる合目的性の概念の下に置かるべき直觀は果して何を象徵するのであるか、換言すれば、趣味判斷に於て觀照せらるべき美は如何なるものゝ象徴であらうか。言ふまでもなくこの合目的性の概念の下に置かるべき直觀が象徴するところのものは、この合目的性の概念自からが指示してゐるやうに、この概念の背後に於て絶えずこれを基礎付けてゐるところの自己目的性又は究極目的性の理念そのものでなければならぬ。又は純粹感情の對象としての美に於て自からを象徴するところのものは、純粹意志の對象としての善そのものでなければならぬ。カントが『美は道徳的善の象徴である (Das Schöne ist das Symbol desSittlichguten)、そしてまたこの點に於てのみそれはすべての他の同意への要求を伴ひつゝ吾々に滿足を與へる、そしてこの際吾々の心情は同時に感官印象による快の單なる感受性以上に醇化せられ、高まりゆくのを意識する』(Ib. S. 213) と言つたのは必ずしも美の單なる道徳化でなくして、美に於ける象徴の深き實踐的意義を指示したものでなければならぬ。卽ち趣味が仰望し、目指すところのものは、どこまでも悟性がこを可能として思惟し、理性がこを必然として要請するところの『超感性的なるもの』又は『叡智的なるもの』であり、そして『この超感性的なるものに於て、理論的能力は實踐的能力と、共通なるしかも不可知的なる仕方に於て結合され、統一されてゐる』のである (Ib. S. 214)。

かくして『特殊をば普遍の中へ含まれたものと思惟する能力』として考へられる判斷力は、それが單に『普遍の下へ特殊を包攝する』能力又は『規律の下へ包攝する能力』として『限定的』である限りに於て、かの『概念の能力』、又は『規律の能力』としての悟性と結付くと共に、他方それが『特殊に對して普遍を見出す』べき『判定の能力』として『反省的』である限りに於て、かの『理念の能力』としての理性、從つてまた『理性の因果性』從つて『目的の能力』としての意志に結付くのである。しかもこれがために判斷力は決して悟性でも理性でもない。即ち判斷力は前述のごとくそれがどこまでも法則なき法則性を表徵とする限りに於て合法則性を原理とする悟性から區別せられると共に、またそれが目的なき合目的性に於て特徵付けられる限りに於てかの自己自的性又は究極目的性を本質とするところの理性又は意志から區別せられるのである。そしてこれと共にこの判斷力從つて感情の對象として目指される純主觀的なる美は、かの悟性の對象として、純客觀的と考へられる眞、及び理性從つて意志の對象として主觀的＝客觀的と考へられる善から區別されると共に、それが他面に於てどこまでも觀照の對象である點に於て眞に結付き、またそれが同時に創作の對象である點に於て理性又は意志の創造的對象としての善と結付くのである。しかもかの超越的意味としての眞理自體が判斷領域に入來り、作用と結付くには、意味即作用、作用即意味としての純粹意志の根據に於て可能であると考へられるやうに、純主觀的且つ反省的なる美は、主觀的＝客觀的なる純粹意志の對象としての善自體を象徵することによりて深き客觀的意義を得るのである。それゆゑに判斷力の立場、從つて感情の立場は悟性と理性とを綜合統一する立場であるよりもかの越感的者を象徵することによつて理性と悟性とを表現的に結付けるところの立場である。即ちそれの純主觀性に徹することによつてあらゆる客觀的なるものをば表現的に包む立場である。法則なき合法則性と目的なき合目的性とは、一方に於て法則性そのものを、他方に於て自己目的性そのものを範型としながら、却つてこの兩者を表現的に結付けるのである。即ちこの判斷力はその合目的性の概念を通じて、それ自から純主觀的として何等客觀的領域を有たざる感情に對して、象徵としての美的對象界をばかの單なる合法則性を本質とする自然の對象界の上へ成立せしめると共に、その象徵の根源的意義を媒介として、目的自體性又は究極目的性としてのそれの根據に歸りゆくことによりて、美的認識の客觀妥當性を自覺すると共に、又かの全く無目的なる合法則性による自然認識に對して眞理として價値表徵を與へるのである。美が眞と善とに對してそれ自からの客觀的領域を有たないにもかゝはらず、その主觀性に於てかの二つの領域を包み、これを象徵化し得るのは判斷力に於ける無限なる自己反省的性格即ちそれの純粹感情性格のためでなければならぬ。美の『假象性』は決して美の非實在性を表はすものではなくして、眞と善とを結付けるその深い主觀性を表現するものであり、又美が眞と善とに對して獨立的でありながら、しかもそれ自から眞であり、善であるといはれるのもこの純粹主觀性反省性のためでなければならぬ。この意味に於て合目的性は快不快の感情の內容となり、快不快の感情に先天的原理を與へるものとしての反省的判斷力はやがて感情そのもの〻認識能力となるのである。

然しながら右のやうに判斷力に於ける趣味判斷にして、たとひそれが一方悟性に於ける自然概念の根柢に於て可能的として想定せられ、そして他方理性に於ける自由概念の理念として要請せられる超感性的なるもの、叡智的なるものをば象徵するにしても、しかもそれはなほ形式的主觀的であつて美と善との聯關、從つて判斷力と理性との聯關はまだ內面的具體的ではない。卽ち第一に、美は上述の如くそれがどこまでも概念に於てでなくして『反省的直觀』(reflektierende Anschanung)に於て『直接的に滿足を與へ、』從つて一切の『關心』を離れてゐるに對して、善は常に客觀への關係を有し『概念』に於て滿足を與へると共に、それはまた『關心』と必然的に結付いてゐる。第二に、美の判定に於ては『構想力の自由は悟性の合法則性と調和するもの』として表象せられるに對し、善の判定に於ては『意志の自由は普遍的理性法則に從ふて意志が自からと一致すること』として表象せられる。そしてそれがために第三に、美の判定に於てはそれがかく悟性の合法則性を豫想する限り、それの主觀的原理は『普遍的ではあるが、然し何等普遍的概念によつて認識されるものとして表象されない』のに反し、善の客觀的原理は『普遍的にあらゆる主觀に對して、そして同時にまた同一主觀のあらゆる行爲に對しても、普遍的概念によりて認知され る』のである (K. d. U. S. 214)。然しかやうに直接的なる、そしてあらゆる關心をはなれ、すべての概念的規定の不可能な純主觀的なる美の立場は、如何にしてそれ自から必然的に關心と結付き、しかも概念を通じて自己を行爲へ客觀化するところの、從つて主觀化が同時に客觀化であり、自己反省が同時に自己實現であるやうな善の立場へ聯關することが出來るか。カントの反省的判斷力に於て單に『形式的主觀的合目的性』を原理とするところのかの『美的判斷力』に對して更らに立せられたる、『實質的客觀的合目的性』を原理とし、そしてこれをば外に自然に向けるところの『目的論的判斷力』と、これをば內に意志又は行爲そのものに向けるところの『實踐的判斷力』とは實に美と善、判斷力と理性又は意志との結付き、從つてまた自然と自由との結付きをば一層具體化したものであるやうに見える。

先づ『目的論的判斷力』とは如何なる性質のものであるか。カントによればかの美的判斷力が單に『形式的合目的性をば快不快の感情を通して判定する能力』であるに對して、この目的論的判斷力は『自然の實質的合目的性をば悟性及び理性を通して判定する能力』である (Ib. S. 31)。即ち前者卽ち美的判斷力がどこまでも純主觀的として純粹感情の立場であるに對して、後者卽ち目的論的判斷力はそれ自から客觀への反省に於て悟性及び理性、從つて意志の立場への結合を含むものである。しかもこれにかゝはらず『自然の客観的目的、即ち自然目的としてのみ可能であるやうな事物がそこに存在せねばならぬといふことについては、全く如何なる根據も先天的に與へられ得ない、否なそれの可能すらも、一般的並びに特殊的經驗の對象としての自然の概念からは毫も明らかにされない、唯だ判斷力のみが或る所產に逢着した場合に、理性のために目的の概念を使用するための規律を含んでゐるのである』(Ib. S. 31)。それゆゑにこの目的論的判斷力に於ける目的論的判定は、それがどこまでも自然をば『目的に從ふ因果性との類比』に從つて觀察し、探究するのであつて、これによつて自然をば『說明』すると僭稱するを得ない。即ちこれはどこまでも反省的判斷力に屬して、限定的判斷力に屬しない。これに於ける『目的に從ふ自然の結合及び形式の概念』は少くとも、『自然の單なる機制に從ふ因果性の法則では充分でない場合に、自然の現象をば規律の下に持來すための今一つの原理』に外ならないのである(Ib. S. 222)。即ち目的論的判斷力のこの原理は、自然が單なる機制的因果性に從ふてのみ規定されてゐると考へるにはあまりに生ける統一と調和とがそこに到る處に觀ぜられる限りに於て、自然は決して單なる『實在的原因の結合』又は『動力因の結合』ではなくして、同時に『理念的原因の結合』又は『目的因の結合』である、換言すれば自然をば『自然目的』(Natnrzwecke) 又は『有機的存在者』(organische Wesen) と考へるものである (Ib. S. 235)。しかもこの場合『事物をそれの內的形式のためにかく自然目的として判定すること』は、決して『この事物の實存をば自然の目的と見做すこと』ではない、そしてこの後者の主張が成立し得るためにはただに『可能的目的』の概念のみでなく、また『自然の究極目的』(Endzweck der Natur)の認識が要求せられる、しかもこのことはやがて『或る超感性的のものへの自然の關係』を要求する、これ『自然そのものゝ目的は、自然を超えてその外に求められねばならぬ』らか(Ib. S. 241)。然るに『目的論』そのものは、それがどこまでも目的自體性、又は自己目的性ではなくして合目的性の立場にとどまるべきである限り、よしかやうな究極目的としての超感性的のものを豫想するにしても、しかもかゝる超感的のものゝ可能につき何等の概念をも造り得るものでない、『ただ主觀的に、自然に於ける目的についての反省に於ける吾々の判斷力の使命に對してのみ』かゝる超感性的のものへの關係が可能となるのである、(Ib. S. 264)。カントが『目的論(Teleologie)は神學(Theologie)に於ての外はそれの探究に對し解明の完成を見出さない』(Ib. S. 263)と言つたのはこれがためでなければならぬ。

かやうにして吾々は今や合目的性の概念を原理とする判斷力の限界に達する、即ち判斷力がこの合目的性、即ち目的自體ではなくして目的があるかのやうに觀ずる立場である限り、それはどこまでも觀照の立場であり、從つてその對象界は象徴的範域以上に出でない、しかもその象徴の背後に横はる超感性的のものは、單なる觀照を通じて把捉され得ない。即ち判斷力に於ける合目的性の原理がその眞實なる具體的意義に於て基礎付けられるためには、それは目的自體又は究極目的としての理性又は意志の立場に於てそれ自からを自覺しなければならぬ。しかのみならず今かの目的論的斷力は上述のごとく『自然の實質的合目的性をば悟性及び理性を通じて判定する能力』であると考へられるのであるが、然しこの悟性がどこまでも吾々に於ける悟性にとどまる限り、それは單に『目的に從ふ因果性との類比』によつて自然を判定するのみであつて、自然の實質的合目的性は何等根據付けられない。即ち吾々の悟性は一般にその認識に於て『分析的普遍』(das Analytisch-Allgemeine) 即ち概念から特殊、即ち與へられたる經驗的直觀へ進みゆかねばならず、しかもそれに於て悟性は上述の如く特殊的のものゝ多樣について、何ものをも規定せず、むしろこの規定をば『概念の下への經驗的直觀の包攝』に關し、判斷力に對して期待せねばならぬ。然るに吾々はこゝに吾々の悟性と異つた悟性、即ち單に『思量的』でなくして『直覺的』であるところの悟性、從つて『綜合的＝普遍』(das Synthetisch-Allgemeine) 即ち全體そのものゝ直觀から、特殊へ進みゆくところの悟性 (Ib. S. 273) を要求するのであるが、しかもかゝる全體から部分へ進みゆくべき直覺的悟性はカントによれば吾々に可能でない。しかもそのやうな直覺知は、實は悟性でなくしてむしろ理性そのものゝ本質に於て可能であるやうに思はれる、何故ならば『理性は自然の理論的考察に於て、自然の原根據（Urgrund）の無制約必然性の理念を想定せねばならぬと同樣に、それはまた實踐的考察に於て、理性がその道德的命令を意識する間に、自然に關して理性の獨自的なる無制約因果性、卽ち自由をば前提する』（Ib. S. 269）。しかもかゝる實踐的無制約的因果性としての自由こそ、やがて實踐理性としての意志の本質を構成するものでなければならぬ、これ『意志とは理性的である限りの生ける存在者の因果性の一種であり、そして自由とは、まさしくかゝる因果性の性質である』から（Grundl. z. Met. d. Sitt., S. 74）。しかのみならず、この實踐理性としての意志はかやうに『理性がその規定根據を含む限りに於ての因果性』（k. d. p. V. S. 115）であるばかりでなく、それが『概念によりてのみ、卽ち目的の表象に從ふてのみ行爲する』ところの能力である限りに於て、それは同時に『目的に從ふ因果性』として特徵付けられる（k. d. U., S. 59）。かの判斷力の立場に於て、對象物でも、精神狀態でも行爲でも、それの可能性が必ずしも目的の表象を前提しないにもかゝはらず、なほそれが『合目的的』と呼ばれ得るのは『吾々がこの目的に從ふ因果性、卽ち意志をばその根柢に想定する限りに於てのみ、かれ等の可能性が吾々から說明され且つ理解され得る』がためでなければならぬ（Ib. S. 59）。吾々の所謂『道德的判定』とは實にかくの如き目的に從ふ因果性としての意志の規律の下に個々の特殊的行爲を包攝するところの判斷力、卽ち『實踐的判斷力』の働らきに外ならない、即ち實踐的判斷力に於て判斷力は意志に對し最も內面的具體的なる關係に立つと言はねばならぬ。

さてカントに從へば、この實踐的判斷力とは『感性に於て吾々に可能なる行爲が、規律の下に立つてゐるかどうか』を判定するところの能力であつて、『これによつて規律に於て一般的に言はれたものが具體的に行爲の上へ適用される』のである (k. d. p. V. S. 87-8)。然るにかやうに實踐的判斷力が働く場合に必然的に前提せられるところの『純粹理性の實踐的規律』は先づ第一に『實踐的』として『對象の實存』に關係し、第二に、純粹理性の『實踐的規律』として『行爲の現存に關する必然性』を有つてをり、從つてそれは『實踐的法則』である。しかもそれは經驗的規定根據による『自然法則』ではなくして、どこまでも『それによつて意志がすべての經驗的のものから獨立して、唯だ法則一般の表象及びそれの形式によつてのみ規定されねばならぬ』ところの『自由の法則』である。然るに今可能的行爲に對して起り得るすべての場合は、ただ經驗的でのみあり得るゆゑに『自然法則の下に立ちながらしかも自己への自由の法則の適用をば許し、又感性界に於て具體的に顯はにせらるべき道德的善の超感性的理念が適用され得るやうな場合をば、感性界に於て見出さんとする』のは不合理のやうに見える。かやうにして純粹實踐理性の判斷力は、かの純粹理論理性の判斷力の場合と同樣の困難に逢着する、しかもこの後者の場合に於ては、純粹悟性概念の適用に於て『圖式』を有つに對して、前者に於ては道德的善は、對象的には如何なる感性的直觀に於てもそれに對應するものが見出されないところの或る超感性的のものである限りに於て、これに對してはかの理論的判斷力の場合のやうな圖式も、又美的判斷力の場合のやうな象徵も可能でないゆゑに、こゝに實踐的判斷力は『自由の法則が、かの感性界に於て起り、從つてその限りに於て自然に屬するところの出來事としての行爲の上へ適用されねばならぬ』といふことにもとづく特殊の困難を有つのである（Ib. S. 88-9）。しかもこれにかゝはらず、この實踐的判斷力に對してはそこに『幸ひなる期望』が開かれてゐる、卽ち感性界に於て私に對して可能な行爲をば、純粹實踐的法則の下に包攝するに際しては、感性界に於ける出來事としての行爲の可能は何等問題ではない、これ『かゝる行爲の可能は、純粹悟性概念たる因果性の法則に從ふ理性の理論的使用の判定に屬する』からである。それがために實踐的判斷力に於ては『法則に從ふ場合の圖式』（Schema eines Falles nach Gesetzen）が問題ではなくして、どこまでも『法則そのものゝ圖式』（Schma eines Gesetzes selbst）が問題たるのである（Ib. S. 89）。それではかやうに法則に從ふ場合の圖式ではなくして、法則そのものゝ圖式を與へるものは何であるか、といふに、カントに從へば、上述のごとく、自由の法則、從つて無制的善の法則に對しては、如何なる直觀も、如何なる圖式もそれの適用のために與へられないゆゑに、道德的法則は、悟性を外にしては、自然の對象へのそれの適用をば媒介すべき何等認識能力を有たない。しかもこの場合、悟性は理性の理念に對して感性の圖式ではなくして、法則をしかも感官の對象に於て具體的に示され得るやうな法則、卽ち自然法則をば、單にその形式に關してのみ、判斷力のための法則として與へることが出來る。そしてこれこそカントが『道德的法則の範型』(Typus des Sittengesetzes) と呼んだところのものであつて、實踐的判斷力は實にこの自然法則をば媒介とし、その嚴密なる普遍性、必然性に則つて、道德的法則をば特殊的行爲の上へ適用することが出來ると考へられる (Ib. S. 89–90)。かくして『汝の目論む行爲が、汝自身もその一部であるところの自然の法則に從ふて起る場合に、汝はその行爲をば汝の意志によつて可能なるものとよく見做し得るかどうかを自問せよ』といふことが、やがて『實踐的判斷力の規律』とならねばならぬ (Ib. S. 90)。カントがその『道德の形而上學の基礎付け』に於て、定言命法の第一の型式、特にその變形として與へたる『汝の行爲の格率が汝の意志により普遍的自然法則となるべきやうに行爲せよ』(Grundl. z. M. d. S., S. 44) といふ命令は行爲の實現の法則といふよりも、行爲の判定の法則として、むしろこの實踐的判斷力の規律であるといふことが正當であると考へられる。もとより自己の行爲の格率をば普遍的自然法則とこのやうに比較することはどこまでも『可能的行爲に對する普遍的法則としての意志の妥當性が、普遍的法則に從ふ事物の存在の普遍的結合と類比を有つ』(Ib. S. 63) 限りに於てであつて、決して意志そのもの丶規定根據を示したものではない。自然的法則が道德的法則の範型として、道德的法則をば特殊的行爲へ媒介し得るのは、上述の如く行爲の道德的判定の形式的規準としてであつて、それが何等實質的規準でないのみならず、まして行爲實現の規準となり得ないのは、かの自然概念が合目的性の概念に媒介されながらそれの根源に於てかへつて自由概念にもとづけられることによりてのみ、それの普遍性、必然性が、眞理性として價値性格を得べきであると考へられることからしても明らかである。實踐的判斷力に於て道德的法則をば眞に具體的行爲へ媒介するものは、決してかやうな自然法則ではなくしてむしろ『法則に對する畏敬の情』としての『道德的感情』そのものでなければならぬこれ『この感情は全然理性によつて生ぜられたものであり、そしてそれは行爲の判定にも、客觀的道德法そのもの丶樹立にも役立たないにしても、法則を自分自からに於て格率となすための動機として役立つ』から (k. d. p. V., S. 99)。

東亞新秩序と世界觀的基礎

伊藤猷典

東亞新秩序と世界觀的基礎目次

い　自由主義と全體主義との對比

ろ　思想、信仰の自由

は　階級撤廢の自由

に　獨裁政治と議會政治の優劣

ほ　ヘーゲルの使用せる自由の意味

へ　結語

東亞新秩序と世界觀的基礎

ニーチェは十九世紀を特色づけるものは科學の勝利ではなくして科學に關する科學的方法の勝利である旨を强調してゐるが（同氏著、權力意志、第三五八節）、科學の研究に當つて必要なることはその方法論であり、方法論にして正鵠を得ない限り、學問の進步は到底望まれない。特にこのことは精神科學に於て、人生觀、世界觀を根柢に置かなければならないものに於て痛切に感ずる。現今ドイツ國民社會黨の敎育學徒が健闘してゐる主要部分も實に此處に存するのである。東亞新秩序と敎育の理念を說くに當つても矢張りこの點に細心の注意を拂はなければならない。方法論を論ずるに當つて再檢討をなす必要ある、重要なる世界觀が二三ある。

第一　主要なる世界觀中吾人の操り難き點

嘗てベーコンが新機關に於て提唱した四種の偶像破壞說は、萬民を神の光より自然の光へ轉せしめる爲には比類稀なる警鐘であつた。而してこの警鐘によつて覺醒され、學問上一大飛躍を遂げ、現在も尙遂げつゝあるものは云ふ迄もなく自然科學界である。しかし精神科學界はどうであつたか。遺憾ながらベーコンによつて破壞を提唱された偶像を未だに其の儘に崇拜してゐないか。顯著の例としては世界史に於ける理性支配の信仰の如きは、ベーコンの排斥した人類の偶像を未だに信仰するものでなからうか。

一、世界史に於ける理性支配の信仰

世界史に於ける理性支配の信仰の及ぼす影響は可なりに廣い。若し理性支配にして確實に行はれる見込があるならば、祕密共濟組合の理想も、共產主義の理想も容易に實現されるべき筈である。にも拘らず容易に實現されない所を見るとき此處に我々學徒は再檢討を要する。ナチスドイツの學者ヴイルスマイエルが本問題を俎上に載せて忌憚なき剔抉を試みてゐることは興味あることである。（Vilsmeier, Franz: Nationalsozialismus und Erziehungsziel. International Zeitschrft f. Erziehung. X. Jahrgang. Heft 2/3）參照）。

獨逸觀念論哲學によると個人の實踐理性に於て示されたる道德法は同時に世界理性の聲であり、從つて世界法則であり、歷史を豫め規定するものであるのである。この哲學の信奉者によれば歷史の內には道德的な終局目的が含まれて居り、歷史其の物は「隱れたる計畫」に從つてこの終局目的へ赴く何等かの意味の合法則的な道と解されてゐる。從つて歴史はカントに取つては永遠の平和への、フイヒテに取つては無限に進歩する人性の道德的完成への、ヘーゲルに取つては有限の國家に於て、自己自身へ歸つて來る絶對精神への道と解されてゐる。

カントの說は一般哲學者に與へる影響の最も大なるもの〻一であるから煩を厭はず、彼の語を其の儘に左に記さう。氏は Idee zu einer Allgemeine Geschichte in Weltbürgerlicher Absicht（カント、アカデミー版、第八卷、十五頁以下）に於て曰く、

(1) 被造物の自然素質は凡て一度は完全に且合目的々に展開するやうに定められてある。

(2) 人間の理性使用を目的とする所の自然素質は（地上に於ける唯一の理性的創造物としての）人間に於ては、個人に於てゞはなくして、種に於てのみ完全に發展すべきである。

(5) 自然が人類に解決を要求する所の最大の問題は、正義が支配する所の一般市民社會の建設である。

(6) 右の問題は最も困難なる、又人類が最も後れて解決する所の問題である。

(8) 吾人は廣く人類の歴史をば、內面的にも、又この目的の爲に外面的にも、完全なる國家の狀態を出現しうる爲の、隱れたる自然の計畫の遂行として、又人性に於て與へられたる凡ての素質を完全に發展しうる所の唯一の狀態と見做しうる。

(9) 一般世界史をば、人類に於ての完全なる市民的結合を目指す所の自然の計畫に從つて加工せんとする哲學的な試は可能なものとして、又自然の意圖に取つては促進すべきものと見做されなければならない。

勿論カント自身も氏の懷抱する理念が直ちに實行されるものとは思つてゐなかつたことは前記理念の第六項に於て、正義が支配する一般市民社會の建設の困難なる理由として

困難なる理由は人間は動物であり、他の人々と一緒に生活する時には主人を必要とするから。何故ならば同類と住む時自由を濫用する。人間は理性的被造物として自由を制限する所の法則を希望するとも、利己的な動物的傾向が自分丈は除外せんと試みるから。故に彼の意志を棄てゝ一般的な意志に從はしめるやうな主人を必要とする。しからばかゝる主人は何處から得るか。人類から得る外に道がない。しかもこの人間は主人を必要とする人間である。最高の主人を求めても矢張人間たるに止まる。故にこの問題は困難中の困難なる問題であり完全なる解決は不可能である。

と告白してゐることによつて明かである。

前述の如きカント、フイヒテ、ヘーゲルに於て見られる思想は世界觀的信仰として人間理性の內には大宇宙の秩序が小宇宙的に表象されてゐるといふ思想から來てゐるのであり、更に一步深く窺ふならば一神敎的神との關係が暗默の中に含まれてゐることが判るのである。ヘゲルは明瞭に「この理性は最も具體的な表現に於て神である。神は世界を支配する」と述べてゐる。(歷史哲學グロックナー版六七頁)。

しかし右の如き世界史觀に對しては周知の如くレオポルド・フオン・ランケによつて反對されてゐた。

ランケの見方は大要次のやうである。

全人類が一定の原始狀態から一定の目的に向つて進むと見る見方は、假令それが、(イ)一般的指導意志が人類の發達を一點から他の點へ促進すると見るにしても或は(ロ)人性の內には精神性のものが存在して、この精神性が事物をば一定目的に向つて必然性を以て追驅けるといふ見方にしても、何れにしてもかゝる見方は哲學的にも支持されず、歷史的にも證明されないと。哲學的に支持されないとは、(イ)の場合であれば人間の自由は無視されて人類は意志なき道具となり、(ロ)の場合には人間は神となるか、乃至は無とならなければならないからである。

歴史的に證明されないとは人類の大部分は未だ原始狀態にあり、出發點にある。成程希臘・羅馬に於ては一定方向に精神的發展はあつた。しかしそれは人類史の一部分にすぎない。猶又人類の發展は人性の凡ての方面が同時に同樣に發展するのではない。例へば藝術では近世では十五世紀、十六世紀の前半では最も榮えたが十七世紀の終り十八世紀の前半では最も衰へた。

歴史に於ける指導理念に關しヘーゲル學派の哲學者は、人類の歴史は論理的過程が正反合と進む如くに積極消極に動いて行くと說くが、此の種の見方に從へば單に理念のみが自立的生命を有し、人間は凡て理念を以て充さるべき圖式又は單なる影にすぎなくなるであらう。世界精神はその目的を達する爲に、言はゞ詐つて事物を作り、人間の懊惱に役立たしめるのだとの教說は神並に人間について最も冒瀆する所の見方である云々と論じてゐる。(Leopold von Ranke: Weltgeschichte. Achter Band. S. 175, ff.)

ランケの說は本問題の解決には最も有力なるものと信ずるから煩を厭はず更に掲げよう。

ランケはマキシミリアン二世から人類は全體として一定目的に向つて進むのではないかとの質問に答へて曰く、それは世界政策的假定であつて歴史的には證明することの出來ないものである。成程聖書では牧人と家畜のみの住む世界を求めてゐる。けれどもこの要求は今日迄は世界史の主要潮流としては實現しなかつた。このことは亞細亞の歴史を見れば明瞭である。亞細亞は最盛期は既にすぎて再び野蠻時代に入つてゐると。

マキシミリアン二世が更に重ねて、以前よりも一層多くの人々が道德的發展の爲に貢獻してゐないか、との問にランケは答へて曰く、自分はそのことは認める。けれども原則的にではない。何故ならば歴史は教へる。多くの民族は全然文化不能力者であり、又先の時代が後の時代よりも遙かに道德的であつたことを教へるから。佛蘭西は十七世紀の中葉は十八世紀の終りよりも遙かに教養があり、道德的であつた。既に云へる如く道德的理念の大擴張は主張さるべきである。けれども單に一定の範圍内に於てのみである。一般人類的立場から見て、歴史的には大國民に於てのみ表現されてゐる所の人性の理念は、漸次全人類に及ぶべしとは自分にも眞實らしく思はれる。又かくなれば道德的進歩となるであらう。歴史はこの見方に反對はしない。けれども又保證もしない。特に吾人の避くべきことはこの見方を歴史の原理となすことである。

之を要するにランケにあつては世界歴史の運行は觀念論哲學者が考へたやうに「隱れたる計畫」に從つて一定の方向に進むと見るのは、論理的には人間の自由を無視する結果となり、歴史的には事實に反することであり、況んや原理となすことは避くべきことであつたのである。（ランケ著書同上參照）

世界史に於ける理性支配信仰に對す反對説の顯著なるものとしてはランケの外に更にニーチエを擧げなければならない。ニーチエに取りては理性の存在は信じられてゐたが、しかし理性は不明瞭なる概念による哲學的所産であり、最も幼稚な偏見に基いて爲されたものであつた。理性的思惟とは吾人が棄てることの出來ないやうな圖式に從つて解釋することであり、理性の發達とは、凡ての感官の印象がなすと同一の過程たる、整頓すること、似たもの、同じものに表現することであると（Nietzsche: Wille zur Macht § 344, 347.參照）。

世界史に於ける理性支配信仰の立場から見れば人類に於ての進歩は認められるのであるが、理性を前述の如くに見るニーチエに取りては人類に於ける進歩も認められなかつた。氏は所謂進化論に對して次のやうに反對してゐる。

人類は進步しない。成程一段高等の型には到るであらう。しかしそれは永續しない。類としての水準は高まらない。

人類は他の動物と比較して何等の進步も示さない。動物界も植物界も低きより高きへ發達するのでなくして、寧ろ凡ては同じである、最も富み且複雜なる形式は――その爲に一層高等な形式だとは云はれない――一層早く滅び、たゞ最も低いものが一見亡びないで存續する。人間に於ても亦、高等なるものは最も容易に滅んで行く。彼等は各種の破壞作用に曝されてゐる。…………天才は最も纖細なる機械である、從つて最も壞れ易い。

人間の文化は深くは行かない。……それが深く行く場合にはそれは直ちに退化である。蠻人（道德的に云へば惡人）は自然への復歸である。且或意味に於て再生であり、文化の治療である（同上、第四三〇節）。

自分は世界史に於ける理性支配の信仰とそれに對する主要なる反對說をも擧げたのであつた。實世間との關係深き敎育學徒は單なる觀照的態度であることを許されない。しかも時局は一刻の苟安をも許さざる狀態にある。取るべきものは取り、捨つるべきものは早く捨てなければならない。しからば觀念論的哲學者の見方はランケ等の見る如く、哲學的にも支持されず、歷史的にも證明されず、又人間はニーチエの見る如く動物に比して進步のないものであらうか。

抑々人間のなす文化的事象の內には嘗てメーリスが說いたやうに、一定方向に於て一直線上に進むものと、然らざるものとがある。一定方向に一直線上に進まざるものゝ顯著の例はランケの引用したやうな藝術である。希臘オリンピアにあるプラキシテレス作ヘルメスの像と、伊太利フローレンスにあるミケランジェロ作ダビデの像とを對比するとき後者が前者よりも進んだと云ひうるであらうか。單に寫眞を示し、何れを好むかを詩ねるとき、自分の經驗では凡ての人が前者を好む旨答へた。

同様のことは哲學說についても言ひうる。新らしいもの必しも古いものより優つてゐるとは言へぬ。例を東洋に取らう。支那に於ての哲學は前秦時代に於ては古今未曾有の絢爛たる花を咲いたが、漢唐に及んで凋落し、宋明時代に於ては返咲き程度であり、清以後は本文批評乃至は註釋に過ぎなく、思想的には積極的に發展の見るべきものはなかつた。漢詩に於ても、唐代は最盛期にて清時代はこれの模倣にすぎないとのことである。卽ち歴史の或る部面に於ては必しも直線的發展をなすものではない。

しかし吾人は一定方向に一直線上に進むものを見逃してはならない。かゝる面の顯著の例としては數學、自然科學竝にこれの應用面たる技術を擧げうる。一例を交通機關について見よう。陸に於て唯一人を一日數十粁しか運び得なかつた駕籠から一時に數百千人を一日に數百千粁に亙りて運びうる特急汽車への發達、海にては僅かに數人を乘せうる丸木船から數萬人を載せうるノルマンディ號に到る迄、更に水陸を併せては、飛行機、飛行船の發達を知るとき、吾人は人智の發達を、從つてこの面に於ける一直線上の發達を否定することは出來ない。

單に智に於てのみならず情意方面に於ても發達を認められないであらうか。一氏族乃至一都市が城廓を繞らして互に割據してゐた封建時代から近代國家組織を經て最近の樞軸乃至共榮圈組織に到る間の道行は進歩と云へないであらうか。群小國家が併合されて大國家に移行くに從つて、旅行者に取りては國境每に受けねばならぬ税關の檢査、貨幣の交換の手數が省ける利益があるばかりでなく、諸文化施設に於て能率の上ること如何程であらう。

ニーチェの云ふ如く人間は動物に比して進歩しないものであらうか。成程有機體自體は進歩しないであらう。或る意味に於て或は退歩を認めなければならないかも知れぬ。例へば所謂文化人の身體は自然の障害に侵され易い點で蠻人よりも退化してゐると云ひうるかも知れぬ。けれども陸上動物である人間が潜水艦の發明によつて魚類と同樣に水中をよく潜り得、陸上動物の性能の外に、水棲動物たるの性能を併せ有したとき、又足を以て歩むの外なかりし人間有機體が、自動車、汽車の發明によりて四肢を以て走る馬よりも更に早く且遠く走り、更に飛行機の發明によつて翼なくとも翼ある鳥類よりも早く且遠く飛びえ、かくして哺乳動物中の一種たる人間が、自動車、汽車の利用によりて地上を走ること哺乳動物中最大最速となり、更に鳥類、魚類の持つ特殊の性能を併せ有し、鳥の如くに空中を翔り、魚の如くに水中を潜るとき、人間は他の哺乳動物、鳥類、魚類に比し進歩したと云ひえないであらうか。

ヴィルスマイヤーが指摘したやうに、理性信仰者が有機體の生命の原理として、外部事情の差異に應じて、それに適應するやうに自己を變じて行くと說くことは誤りであり、かゝる變形は目的に向けられたものでなく、多くの場合病的であり、その結果陶汰されて無くなると見るのが穩當であらう（Vilsmeier 前掲の論文、八四頁參照）。しかし自分の此處で强調したいのは人間が有機體自身を變じて行くと云ふことでなくして、外部事情の差異に應じて必要なる道具を發明するといふことである。

以上の如く委細に檢討するときランケの如く又ニーチェの如くに斷定することは速きに失する憾あるやうに思ふ。人間歷史を考察するとき、進步しない部面もあらうが進步する部面も可なりに多い。

凡そ先覺者によつて措定されたる有意義なる目的は、その人一代に於て達せられない時にはその志はその人の子供乃至弟子によつて繼承せられ、かくして無限に繼承發展することによつて我々は今日各種文化の恩惠に浴しうるのである。かくして嘗ては全くの空想であつた墨翟の飛鳶も今日は實用品となつたのである。

かく說くとも自分は生誕後習得された精神的特質が遺傳することによつて人類は無限に發達すると說くのでもなく、又人間の發達可能性は遺傳の連續性によつても制限を受けないと見るのでもない。人類の發展には遺傳の制約を受けるが故に好ましからぬ素質は人爲的に排除すべく、後天的特質の遺傳は認め難きが故貴賤上下の別なく敎育を必要とするのである。

却說、話は元へ戻して、道德的發達に於ても、之を歷史的事實に徵するとき、時に消長隆替の差はあつたであらう。けれども善き方向に進みつゝあると云ひ得ないであらうか。成程統計によれば犯罪の數は逐年增加の傾向を示してゐる。けれども犯罪學者も亦文化の高まることにより道德の高まることを豫想してゐる。但しそれは文化的敎育が道德的發展の上に及ぼす影響によるのでなくして、個人の天性によると說くとは云へ（Garofalo, Raffaele; translated by Millar, R. W.: Criminology 1914. 一三七頁以下參照）

之を要するに世界史に於ける理性支配の信仰を操るべしや否やと問はれるならば、之はランケの云ふ如く操ることは出來ないであらう。況んや理性の狡智などは一神敎の信者ならでは取り難き迷信である。從つてカントが敎育論に於て說いたやうに、「敎育計畫は宜しく世界萬民主義たるべし」となし、「兩親は家の爲に、國王は國の爲に兒童を敎育するが如きは世界最善の爲の敎育といふことも出來ず、從つて完全とは云へない」と非難することは、餘りに理想に走りすぎて現實を忘れたる空論と見倣すべきであらう（カント全集、アカデミー版、第九卷、四四八頁參照）。

さればと云つて世界史は盲目滅法の放縱生活でなく、人性內に宿る精神性のものにより一定方向に進みつゝあると見るべきであり、學者によつて善く引用されるランケの有名な句「各時代は直接神に屬し云々」なる語は「各時代は直接人に屬し云々」と、即ち神なる語を人なる語に替へて然るべきでなからうか。ランケ自身も歷史を動かす條件の大なるものとして力の加つた人間の自由を認めてゐる。（前揭の書、一六六頁、ランケ六十代の說）。しかしヴィルヘルマイヤーの如くに、適者生存と英雄化を力說することは妥當としても、歷史に存する人道化的傾向迄も否定することは當らないであらう。

人性內に存し、歷史を動かす精神性のものについての積極的論證は後に項を改めて論するであらう。

二、汎神論的世界觀

前項に述べたものは一神敎的影響の下に起るものであるが、別に汎神敎的影響の下に起るものがある。顯著の例はゲーテである。恩師小西先生引用の句を借用しよう。

宇宙の萬物は各々夫れ自身固有の個性を有し、個性を有して永遠界に根ざしてゐる。哺乳動物は魚類より完全なものとは言はれない。魚類は魚類としての固有な完全な姿であり、哺乳類は哺乳類としての固有な完全さを備へてゐる。有機的自然は進化の系列ではなく根源的特性からなる所の秩序體である（小西重直著、勞作教育、八三頁による）。

ゲーテの右の立場は教育に於ては次のやうな句で表はれる。ゲーテは「ヘルマンとドロテア」に於て、ヘルマンの教育につき母親の口を通して

人の長所はめいくちがふものですし、てんでの長所にむだはなく、それぐの道をゆきさへすれば、だれでも良い人、幸福な人になるのです（佐藤通次譯による）。

と云はしめてゐる。

哺乳動物は哺乳動物としての固有の完全さを備へて居り、魚類は魚類としての固有の完全さを具へて居ると見る立場は、之を人間生活に適用するとき、一會社に於ての重役は重役としての固有の完全さを具へ、給仕は給仕としての固有の完全さを具へると見る固定的のものとなり、給仕が重役へ昇りうるの向上の道が塞がれることゝなりはせぬか。時代的に表現せば持つものは持つものとして持たざるものは持たざるものとして各々固有の完全さを備へることゝなりはせぬか。一般的に云つて汎神論的世界觀は幸運出世の人には滿足感謝の念を、轗軻不遇の人には諦めの運命觀を與へうるの長所あり、天恵裕かな老人に取りて、乃至は因襲これ事とする衰亡民族に取りては重寶なるものであらうが義に勇む青年を元氣づけ、將に伸びんとする少壯民族を躍進せしむるの刺衝として役立ちうるや否や。自分はこの點につき甚だ疑問を抱くものである。

三、世界觀の基礎としての人間觀

い、性善説

理性支配の信仰に關聯して今一つ述ぶべきは、東洋に於て古來から行はれてゐる性善説である。この點に關し結論から先きに述べるならば、性善説、性惡説、性三品説共に人間性の最根本を捉へたものでない。東亞新秩序建設に卽應し、敎育問題を考察するに當つては、人間は普通に善惡と呼ばれる準繩を以てしても制禦し能はざるある力によつて動いてゐるといふことを知らなければならないといふことである。このことを知るに便利なものは犯罪現象である。

犯罪學專門家の説によると、感情的犯罪人といふのがあり、それは專ら自己の感情の滿足を買ふためにのみ恐ろしい罪を犯すもので、その特徴は、よしやその目的が他の正當な穩和な手段で達することの出來る場合でも寧ろ好んで罪を犯すことを選ぶものである。さうして內心は一般に臆病でありながらも、その犧牲者に苦痛と恐怖とを與へることを此上なく愉快とし、しかも亦他面には不思議なほど涙脆いところがある上に自己憐愍と僞善とに滿ちてゐるのである。佛蘭西ではこの種の犯罪人の最も性惡の者をアパシュ(apache)と稱してゐる。アパシュとは彼等の冷酷無情の殘忍さと獰猛さが野蠻人も同樣であるところから附せられた名稱であると(犯罪學雜誌第十二卷、六

○六頁、安東禾村、稀代の殺人鬼ラコムの最後參照)。アパシュは日本語にては惡黨と譯すべきか。安東氏は此の種の犯罪人の例證としてラコムを擧げ、ラコムが單に芝居を打つといふ考へからアパシュの實演を見せる爲に自ら伴つたウォルターを殺したこと、驛長を殺したのは食物を乞ふ爲に停車場へ入つた所、驛長がラコムを逮捕しようとしたから殺したまでゞ、彼は毫も惡いことをした覺えはないと云へること、情婦「金の兜」も彼を裏切つたから殺したので、實際のところ彼女を愛してゐたのであると云つたことなどを述べ、最後に惡運盡きて留置所に入れられるや、回想錄樣のものを認め、又友人宛に手紙を認め、その文面には自分が正直な人間として生永らへることを許されなかつたのは大なる恥辱であるといふことや、常に善良な市民となることを望んでゐたのが運命の神が遂に彼を裏切つたのだといふやうなことを書き列ね、法庭に於ては彼の運命を哭き、彼を陷れた警官を呪ひながら殆んど涙ばかり流してゐた。……彼こそは全く面白半分に殺人を行つた極惡の犯罪人であつたのだと(同上、六〇六頁以下參照)。

ラコムには善良なる市民として暮したいとの希望のあつたことは確かであらう、靴修繕業をなしてゐたこともあるのである。しかし他面に面白半分に人を殺してゐることを見ると彼の生命を驅り立てゝゐたものは世間の所謂道德的規準ではなくして、それよりも更に根柢に存し道德的準繩を以てしては制御しきれぬ或る力によつたものと見なければならない。斯かる力は何であらうか。

世には惡をなすのは無知なるが故である。惡と知れば行はず、善と知れば必ず行ふ。性は善なるが故にと說くものもある。この立場から見れば、敎育が普及すればそれに比例して犯罪者は少なくなる筈である。所が不幸にして統計ではさうとはならない。文書僞造、詐僞取材、破產罪等が文盲ならざる人によりて行はれることは人のよく知る所であり、尙又極端なる犯罪は全然無知なる人々よりは寧ろ目明の人々によつて行はれ、時としては高等敎育を受けた人すらも墮胎、嬰兒殺害、殺人罪で檢擧されるのである。ガロファロによると伊太利に於ての犯罪の比率は學校制度の布かれた一八六〇年に於けるよりは今日（著者の執筆當時）の方が遙かに多い。今日文盲者の數は漸次減少しつゝあるにもかゝはらず犯罪の數は年々三パーセントの比で增加してゐる。佛國に於て一八二六年に於て犯罪者一〇〇人中六一名が文盲であり、三九名が若干の敎育を受けてゐた。今日その比率は逆となり、七〇名が目明で三〇名が文盲である。かゝる變化は初等敎育の發達によると考へられてゐる。「學校が開かるれば牢屋は閉さるべし」とは單なる修辭にすぎないことが判明したと（Garofalo, Raffaele; translation by Millar. R. W: Criminology. 1914. p. 137 ff參照）。

北米合衆國に於ての或種の犯罪統計を見ても犯罪人數は逐次增加の傾向を辿つてゐる。參考の爲煩を厭はず左に揭載しよう。

アメリカ銀行聯合會調査による、竊盜、同未遂並にホールドアップの數

年	犯罪者數	竊盜並に未遂※	ホールドアップ※
1900	4,500	40.0	0.0
1901	5,504	45.2	1.8
1902	6,354	39.4	1.6
1903	7,065	35.4	1.4
1904	7,563	31.7	1.3
1905	7,667	20.9	2.6
1906	8,383	25.1	0.0
1907	9,251	15.1	5.4
1908	9,803	17.4	1.0
1909	10,682	16.8	6.6
1910	11,405	14.9	2.6
1911	12,072	28.2	2.5
1912	13,323	22.5	5.3
1913	14,100	20.6	2.8
1914	14,720	19.1	4.8
1915	15,010	19.3	18.0
1916	16,016	16.2	21.8
1917	17,328	26.5	17.9
1918	19,043	23.1	16.3
1919	20,214	38.1	26.7
1920	22,687	99.3	30.9
1921	23,632	101.5	41.0
1922	22,778	97.5	41.3

※印は人口十萬人に對する比とす。(Sutherland, Edwin H.: Criminology. p. 40による)

臺灣島内に於ける犯人數の人口に對する割合は逐年遞増の傾向を示してゐる。(臺灣總督府昭和十二年刊行、昭和十年臺灣犯罪統計、三頁參照)。

他面に犯罪の多くは貧乏から來る。貧すりや鈍するのである。仍て經濟狀態を改善すれば犯罪は減少すると說く人もあり、且教育よりはこの方を先きにせよと說いた先哲もあつた。先づ富ませよ、然る後に敎へよと。小範圍に於ける統計を見ると、犯罪者の數は生活困難なるものに最も多くして、生活の良くなるに從つて減少する傾向がある。犯罪と生活狀態に關し臺灣總督府の統計によると次のやうな結果になつてゐる。

い　上流階級（生活に餘裕のあるもの）　一・二パーセント
ろ　中流階級（上下の中位にあるもの）　一七・六パーセント
は　下流階級（生活困難なるもの）　八一・二パーセント

（臺灣總督府、昭和十二年刊行、昭和十年臺灣犯罪統計）

しかし我々はこれによつて直ちに結論を出してはならない。前記ガロファロの說によると、一九〇〇年伊太利刑務所の統計では、四人全部の十分の一に相當する三、一〇二名は働かなくても生活の出來る人であり、この十分の一といふ比は物持の全人口に對する比と殆ど同じなのである（Garofalo: Criminology. p. 157.）。又同氏によると、最貧又は最無智なる人々の間には犯罪行爲は少なく、特に重大犯は一層少ない。伊太利に於ての或年の犯罪者十萬人の中、工業階級のもの二四％商業階級のもの二七％なるに比し、貧と無知とを以て知られた農業階級が八％なるを知るとき、犯罪行爲を無くせしむる手段は敎育の普及と、經濟狀態の改善にありと信ずる人々は何と答へるべきかと反問してゐる（同上、一五九頁參照）。

ガロファロの說に對してボンガーの反對說があるが（Bonger, William Adrian: Criminality and Economic Condition. translated by Horton, H, P, Boston. 1916）、今此の問題に關し門外の自分が徹底的の研究をなしえないのを遺憾に思ふが、專門家の說によると統計の上から見るときは犯罪數は飽和狀態に達することはあつても減する傾向はないのであり、又犯罪の性質から見て機會性のものは改善可能の見込あるも、常習性のものは改善不能又は困難であり、確信性のものも亦困難とのことである。從つて犯罪は無智から生ずる。惡と知れば必ず行はないとの說は現實の社會相に於ては裏切られてゐることを知る。現實の社會には惡と知りつゝ惡を行ふ人間があるのである。卽ち或種の人間は善惡といふ道德的準繩を以てしても制禦し切れなき或る力によつて動いてゐるものと見なければならない。

犯罪人の統計を見ると常に普通人十萬人中犯人幾人あるかゞ示されてゐる。十萬人を單位として示さる如き少數の事例を以て一般を律することは妥當でないと抗辯されるかも知れない。之に對しては次の如く答へたい。世に裁判所、刑務所の必要ある限り、假令數は少なくとも犯人は問題として取扱ひ得ると。

犯罪者の例は好ましからぬと云はれるならば、目前の例を擧げよう。人を殺すことは普通道德に於ては惡の最大なるものである。しかも國を擧げて人を殺すことに、戰爭に從事しなければならないのは何の爲か。又何の力によるのか。

善惡の彼方にある或る力を力說した人にニーチェがあつた。氏はかゝる或る力を權力意志と名けた。權力意志は「パトス」であり、最も基本的な事實であり、そこから生成も、作用も起るのである」(Nietzsche: Der Wille zur Macht. § 402)「凡そ生物である限り生長しなければならない。從つて其の力を擴大し、他の力を自己の內に取入れなければならない。人々は自己を防禦する爲の個人の權利について說くが、同樣の意味に於て攻擊すべき自己の權利をも說き得る筈である。兩者共に(後者は前者よりも一層多く)各種の生命に取つて必要なことである。攻擊的利己主義と防禦的利己主義とは自由意志によるものでなくして、生命の宿命に屬するものである」と(同上、四二〇)。即ちニーチェによれば生存競爭並に之に伴ふ攻擊作用は生命に伴ふ宿命なのである。從つて氏は戰爭並に征服を拒否する社會は衰亡に向ひつゝあり、平和の保證なるものは多くの場合單なる僞瞞政策にすぎないと見たのであつた(同上參照)。ニーチェは原始林に於ける植物生育の樣を譬喩に借りて曰く「人間は幸福を求めると人々は曰ふ。借問す植物は何の爲に努力するか。……原始林の樹木は何の爲に互に戰ふのか。幸福の爲にか。力の爲にか」と(同上、四四四)。生存競爭場裡には、情、容赦のなきことを喝破して、「人間は上に行くか、下に行くか選擇權を持たない。蟲の如くに嘲笑され、否定され、踏碎かれる」と(同上四五九)。

權力意志は單に無暗に力を張らうとするのでなく、其の人の地位境遇に從ひ大要次の三種の形式で現はれる。

(1)　被壓迫者、奴隸にあつては自由に對する意志として現はれ

(2) 勢力を得つゝあり、一層強くなりつゝある人にあつては非凡なる勢力を得んとの意志として現はれる。而して初めに無效である場合には正義に對する意志として、平等の權利への意志として現はれる。

(3) 最強者、最富者、最獨立者、最元氣者にあつては人類に對する愛として、國民に對する、福音に對する、眞理に對する、神に對する愛として、同情、自己犧牲等として現はれる。英雄、豫言者、皇帝、救世主、牧人がこの部に屬する。……根本に於てはそれは自分の道具に對する、自分の馬に對する愛である（同上§465）。

かゝる立場にあるニーチェに取りては道德は個人を奴隷化する事によりて何事かを繼續せしめる爲の手段であり（同上、§48[illegible]）、又武器であり、防禦手段（同上、§500）、であつたのである。のみならず彼に取りては哲學、宗教、道德は頽廢の徵候ですらあつたのである（同上、§381.C）。

權力意志が人の地位境遇に從ひ、前記の三種の形式に於て現はれるとは穿ち得て妙なりと歎賞せざるを得ないが、道德を目して頽廢の徵候となすのは、治世に於ける道德と亂世に於ける道德との區別を、又國內に於ける道德と、國と國との間に於ける道德との區別を無みしたものと見るべきであらう。ニーチェの說は亂世に於ける國家間の道德としては首肯し得るも、國內に於けるそれとしては首肯し難い。この點論證の必要もないであらう。

上に述べたことを顧み、正直な人間として生永らへたいとの希望を持ちながら生きんが爲には愛妻をも敢て殺す極惡罪人ラコムの例を知るとき、敎育は年々歳々に普及されつゝも而も統計の上では犯人數が減じないのを知るとき、又經濟狀態はよくても尙犯罪者の絕えないのを知るとき、別して確信犯罪者の改善困難を知るとき、ニーチェの說く權力意志說に合理性を認めざるを得ない。原初にあるものは生きんとの意志であり、この意志こそ最も原本的のものである。意志であるが故に方向を持つ。この方向を規整すべき規範に名げられたる名辭こそ善惡ではなからうか。この問題について想起する事は孟子四端の說に關する宋儒と古學派の論爭である。

孟子四端の說に關し、宋儒が端はハシである、仁義禮智は性で、惻隱、羞惡、辭讓、是非の心は仁義禮智の表現の一端であると說くに反し、古學派の人々が端は端緖などいふ場合の端で事を爲す初めを、緖口を意味する。仁義禮智は性でなくして客觀的な規範であり、惻隱、羞惡、辭讓、是非の心は仁義禮智に到る緖口であると解してゐることを知る。かく古學派が仁義禮智を性と見ないで規範と見る立場は、今の場合我々に取つて最も屈强なる支柱を與へてくれるものでなからうか。

○

「生きんとの意志」に關聯し、最近自分の興味を惹いたものに極窮權（Jus extremae necessitatis）なるものがある。こは歐洲の中世から近世初期にかけて自然法學者によつて說かれたものにて、その論理は、生命の危險を齎すやうな極度の困窮狀態に曝された人間が「百方手を盡す」も猶且救助を得られざる場合に於ては、第三者の資材を以て自己の急を救ふも又已むを得ないことであり、それは竊盜、掠奪その他如何なる罪惡若しくは犯行をも構成しないといふのである。「百方手を盡す」は所有者に對する懇願、官憲への屆出で、後日に於ける對價の支拂の申出等あらゆる合法的手段を講ずるといふ意味である。即ち極窮權は決して一片の恣意による直接行動を是認するものでなく、かゝる手段と死との二者擇一の場合に於てのみその發動を認められるといふ點に於て、眞に不可避、絶對的なるものである。この論理を今、民族的國家の立場に適用するとき最も妙ではなからうか。（上田辰之助、國家生存權の理論、イタリア、昭和十七年一月號參照）。

ろ、佛性、聖靈の意義

性善說に類似の說として考察すべきは佛教で說く一切衆生悉有㆓佛性㆒の說である。佛が慈悲の權化である所から佛性といふときそれは當然に性は善であると解され易い。しかしこの場合は普通の道德世界でいふ善惡とは次元を異にした善であり、惡にもなりうる善でなければならない。佛性とは云はゞ活力といふに均しく、善にも惡にも轉化しうる力を指すのである。一切衆生悉有佛性といふとき、各人には佛の道へ進みうる可能性あることを意味するにすぎない。一切衆生悉有佛性を前提とし、釋迦何人ぞ、予何人ぞといふとき、斯かる句は各人をして奮起向上せしむる魅力を有し、各人をして善へ導くの效果多大であることは疑を容れない。しかし吾人の警戒すべきは各人には凡て佛性ありといふことから直ちに類推して、各人は洩れなく凡て善人であると推定することである。各人が凡て善人であるとの推定が確實であるならば、東洋に於ては魯の襄公廿七年（皇紀一一五年）向戌の弭兵提唱以來、戰爭はなく平和であつた筈であり、カントの說いた永遠の平和の實現も可能であるべく、祕密共濟組合も痴人の夢であると蔑視することも出來ないであらう。

祕密共濟組合とは英語にては freemasonry, 獨逸語にては Freimaurerei と呼ばれるものである。その目的とするところは純人間的、世界市民的方法に於て、善行爲により、世界萬民の道德的、精神的向上、幸福の促進にあり、その會員には猶太人、土耳古人も基督教徒と同樣に參加しうるのである。

羅馬教會と祕密共濟組合とは共に心靈上並に肉體上に於ける人種間の區別を撤去せる點に於て、愛若しくは人道の名に於て世界主義を提唱する點に於て兩者は共通である。

兩者の異る點は羅馬教會の領域（それは勿論全世界である筈であるが）內に於ては完全なる服從隷屬を要求するに反し、祕密共濟組合に於ては無制限に境界絕滅を說き、個人の苦痛、及び喜悅を人間行動の判斷の標準とするのである。而してその事はやがて個人の露骨なる富を民主主義の最高の財として認め、社會生活に於ける最高の地位を許すに到つたのである。

（ローゼンベルグ著、吹田、上村共譯二十世紀の神話による）。

佛性說について云ひうることは、一神教に於て、神は聖靈として各人の心中に働くと說くことについても同樣に云ひうる筈である。

一切衆生には悉く佛性ありとの見方、乃至は神は聖靈として各人の心中に働くとの見方は、人は凡て日本人も支那人も、馬來人も印度人も、思惟の仕方、感情の現れ方、意志の表示形式に於て同一であると見る見方に導き易く、從つて容易に世界主義への前提となる。各民族の特殊性を無視した世界主義は特殊民族の存在を否定し、特殊民族の活動の進路を妨げるものである。ローゼンベルグが印度に於てアートマン（個靈）とブラーフマン（世界靈）との同一化の哲學的認識は人種的衰頽に先行したと見てゐること（ローゼンベルグ著、吹田、上村共譯二十世紀の神話十二頁）、シリヤ系の母に動かされて皇帝の玉座に上れる最も嫌惡すべき雜種兒、カラッカラは羅馬領土の全住民を自由にしたが、それは羅馬の世界の最終であつたことを指摘してゐること（同上、三六頁）、愛の教說はその最も美しい表現に於ても何等の典型形成力はなく、却て抵抗を融解せしめる權力であつたこと（同上、一一九頁）、「一人の牧人と一群の家畜」これが文字通りに取られると、それはゲルマン精神に對する最も明瞭な宣戰であり、この思想が完全に勝利を得てゐたならば、歐羅巴は今日沒性格的の數千萬人の集團にすぎなく、而も此等の人間は天界と地獄の觀念によつて支配せられ、偶々善くて人道的憐憫に奉仕せしめられるにすぎないであらうと說いたこと（同上、二二〇頁）、氏は單に基督教ばかりでなく、凡そ民族の限界を越へる教說には凡て反對し、理性的なるもの、善良なるものを說くソクラテス、竝に氏の教義から結論を引出して、人種や民族間に存する一切の限界を打破ることが人類の進歩であると說いた氏の弟子アンチステネス等も希臘人種、竝に希臘精神に敵意を持ち且つ破壞し去つた最も偉大なるものであつたと說いてゐること（同上、二二七―八頁）、

竝に氏が懶惰者、犯罪者を保護せず、寧ろ排斥してゐること（同上、一二九頁）、脆弱なる者、腐れか〻

つた人間を人間性の象徵として揭げることを永久に撤去せよと說いてゐること（同上、一六四頁參照）

乃至は西洋人に取りて眞の人間とはアヒッレス又は創造的に力爭するファウストの如き英雄乃至

はワグナー、ニーチェの如き爭鬪魂を持つ人であると說く點など、我々日本人も三思すべきでな

らうか。

　　　　は、理想界と現實界との別。國內に於ける
　　　　善惡の規準と國外に對するそれとの別

佛性なり聖靈なりの概念が實は道德にていふ善惡の性質以前の活力とも云ふべきものにすぎな

いとするとき、聖靈卽善なりとの假定の下に進められた、永遠の平和說、世界主義等の說は崩壞

するに到るであらう。同時に次に說く、理想界と現實界との區別、國內に於ける善惡の規準と國

外に對するそれとの區別、治世の倫理と亂世の倫理の別も判明するであらう。

理想界と現實界との區別

道學先生竝に宗敎家は說く、人間が動物と異なり人間たる所以のものは理性を持ち、理想に生

きるといふことである。人間の中には人間らしからぬものも多數にゐる。けれども此等人間の皮

被れる獸類には頓著なく、人間としての生活をなすべしと。此等の說敎師は人間の暗黑面、惡し

き方面に努めて眼を遊けて、善い方面のみを眺め、それを強調しようとする。そのことは勿論よいことであり、非難すべき點はない。しかし人格の根柢そのもの迄もかく善いものであると見るとき誤りを生ずる。良く敎化の行屆き、國民敎育の就學率九九・六%に昇る文明開化の國に於てすら、警察、裁判所、刑務所が無くて濟まされぬ狀況にある。吾人若し地についた人生觀乃至處生觀を說かんと欲するならば此等の罪惡の方面をも充分に考慮に入れて後、說かなければならない。

國內に於ける善惡の規準と國外に對するそれとの區別。

次に國と國との間の關係について考察してみよう。一國內に於ては個人間の爭ひは法律の保護によつて統轄されてをり、個人の自由なり、財產が他からして故なく侵害さるゝことなきに反し、一國と一國との關係に於ては各國は私人ではなくして、完全に獨立した全體性であり、地上に於ける絕對的な力であり、主權上では他の國家に對しては獨立であるから、意見の一致した場合は國際的協調は保たれうるが、意見の一致を見ることは諸學者の說く如く極めて稀れであり、意見の衝突は激しては戰爭となる。各國間に於ての道德の規準は支配的國家が絕對的の權利を有し、その民族の爲すことが爾餘の國民の向ふべき規準を示すことゝなり、善惡の判定もそれに從つて決定されることゝなる。

治世に於ける倫理と亂世に於ける倫理の區別もこゝに詳說を要しないであらう。

善く統治された一國內に於ても惡魔的要素が多分に潛在し、國際間に於ては惡も亦善に轉ずる可能性ありとするとき、況んや現時の如く國際關係の復雜怪奇なる際に當つて、人生觀を確立するには現實に存する惡魔的要素を充分に考慮に入れなければならない。一國內に於ても理想界と現實界との混同を、又國內に於けると國外に於けるとでは善惡の規準の混同を避けなければならない。

四、天命說

い、天命の意味

支那人の用ふる天なる語には三種の意味がある。第一は自然現象としての天、物質上の天であり、書經、益稷に「洪水天に滔り」とある天の如き之であり、第二は萬物の主宰者としての天である。論語に「天德を予に生ず、桓魋其予を如何せん」「天未だ斯文を喪はざるなり、匡人其予を如何せん」とある場合の天がこれである。第三は萬物存在の根柢となる道、自然、理を指すもの例へば朱子が、中庸の天命之謂性の天を解して「天は地を以て對せず、所謂天とは理のみ」（汪份增訂、四書大全、中庸章句大全上、五枚表）「天地の化陰陽のみ、一動一靜、一晦一朔、一往一來、一寒一暑、皆陰陽の爲す所にして、之を爲すもの有るに非らざるなり。然れば所謂天とは理のみ。是れ則ち陰陽の本也」（同上、五枚表）と云へる場合の天が之に該當する。朱子に取りては牛の順なる馬の健なる、人に五常のある皆これ天の賦する所であつた。

なほ劉孝標が辨命論に於て

夫れ道萬物を生ず、則ち之を道といふ。生じて主なし之を自然といふ。自然なる者は物其の然るを見て然る所以を知らず、鼓動陶鑄するも功となさず。庶類混成するも其の力にあらず、之を生ずれども亭毒の心なく、之を死せしむるも豈虔劉の志ならんや。之を淵泉に墜せども其の怒にあらず、之を霄漢に升すも其の悦にあらず。蕩乎たり大乎たり、萬寶之を以て化す。確乎たり純乎たり、一たび作して易へず。化して易らざる、之を命と謂ふ。命なる者は天よりするの命なり。冥兆に定りて終然變せず。鬼神も能く預るなく、聖哲も謀る能はず云々。

と述べ、死生貴賤貧富治亂禍福此十者は天の賦する所なりと論じて居る場合の天も亦同樣にこの第三種の意味に屬する。

命とは朱子は中庸の註に於て「猶ﾚ令也」と。命令する如きをいふのである。又中庸章句大全上、六枚表には「賦予より言つて天命と云ひ、禀受より言うて天性といふ」とあり、又樂天知命を解して天は理を以て言ひ、命は付與を以て言ひ、二事に非ざるなり。五十にして天命を知るも亦此を知るのみと。（朱子文集、卷四十、三十枚表）要するに天命とは天によりて命令された、又は賦與されたといふ意味である。天命の第二の立場は現代語を以て表はせば唯一神の存在を信ずる一神教の立場であり、第三の立場は理性的な宇宙秩序の存在を信ずる哲學者又は自然科學者の立場である。しかし今の場合必要なことは、第二、第三の兩者の中、何れが優れるか、何れを操るべしやといふことでなくして、世界史を支配する要素は人力の外に、或は人力を超えてなほ有力なる要素があり、支那人は斯かる有力なる要素を天命と名づけたといふことである。凡そ僥倖的なる成功、不幸なる失敗の由て起る根原として、人力の及ばざるところとなすものを、神の所業とも見ず、又因果應報とも名けずして天命と名づけた立場こそは漢民族特有のものであり、儒教の精髓でもあるのである。子夏曰く、死生命あり、富貴天にありと。李蕭遠が運命論に於て述べてゐる如く、仲尼の才を以てするも器魯衛に周せず、仲尼の辯を以てするも言定哀に行はれず、仲尼の謙を以てするも子西に忌まる。仲尼の仁を以てするも讎を桓魋に取る。仲尼の行ひを以てするも毀を叔孫に招く。夫れ道は以て天下を濟ふに足れども人に貴ばるゝを得ず。言は以て萬世を經するに足れども時に信ぜられず、行は以て神明に應ずるに足れども俗を彌綸する能はず。聘に應ずること七十國なれども一も其の主に獲られず。蠻夏の域に驅驟し公卿の門に屈辱する。而も其の孫子思に及び、聖を希ひ體を備へて未だ至らざるも、勢ひ人主を動かし、遊歷する所の諸侯、駟を結んで門に造らざるはなく、其の徒子夏は堂に升れども未だ室に入らざるものである。しかも退いて家に老い、魏の文侯之を師とし、西河の人肅然として德に歸し、之を夫子に比して敢て其の言を聞るものはなかつた。故に李蕭遠は曰く、治亂は運なり、窮達は命なり、貴賤は時なりと（國譯漢文大成、文選、下、五六五—六頁參照）。

ろ、天命説の漢民族に取りての效果

孔子は患難の時只管天を恃み、煩悶の時天を唯一の其の遣り場としたのであつた。「天を怨みず人を尤めず、下學して上達す、我を知るものはそれ天か」と。儒教は人力の及ぶ能はざる所を天に歸するが故に、守分、安命、順時、聽天の説が出來、之に徹した支那人は困窮の時には淡泊に處し、患難の際には靜かに進み、營々として利を求むることをせず、汲々として生を求めることなく、文天祥の如き流離顛沛の間に於て能く分を守り、命に安んずるを得たのであつた。支那人の理想人たる聖人の聖たる所以は蓋し天を樂しみ、命を知るにあつた。故に之を遇へども怨まず、之に居れども疑はず、其の身は抑ふべくして道は屈ぐべからず、其の位は排すべくして名は奪ふべからざること恰も水が通ずれば川となり、塞げば淵となり、之を雲に升ぐれば雨施し、地に沈むれば土潤ひ、體淸くして以て物を洗ひ、濁を受けて以て物を濟ひ、而も淸を傷らざるが如くであることを理想とした。

詩に風雨晦きが如きも鷄鳴已まずと。善人の善をなす恰も鷄鳴の如くであり、君子は天命を知

るが故に榮枯得喪を以て喜憂となさないのである。こゝに天命說の長所は現はれてゐる。

佐藤一齊も言志晩錄に於て曰く「物其の好む所に集まる、人なり、事期せざる所に赴く天なり」と。「人事期せざる所に赴く、究に人力に非ず、人家貧富の如し。天に係るあり、人に係るあり、然れども其の人に係る者も竟に亦天に係る。世に處す能く此理を知れば苦惱一半を省くのみ」と。

は、天命說の漢民族に及ぼせる流幣

しかし右に述べたことは天命思想の良い部分である。天命思想には惡い部分がある。惡い部分の第一は萬事を皆天に歸して盡すべき人事を盡さず、甚しきは不當なる措置をしながら敗を取れば過ちを天に歸して平然としてゐる。紂は「我生命天に在る有らざらんや」と曰ひ、項羽は「之れ天我を亡ぼすなり、戰の罪に非ざる也」と曰つてゐる。

天命思想の第二の惡弊は革命思想の助長である。支那歷代革命の時、新しい國は多く天命に藉口して世人の耳目を聳動したのであつた。商の夏に代つたとき、周の商に代つた時、皆言を天命に託したのであつた。湯誓に曰く「台《ワレ》小子敢て亂を稱を行ふに非ず、有夏罪多し、天命して之を殛す。……夏氏罪有り、予上帝を畏る、敢て正さずんばあらず」と。泰誓に曰く「今商王受、上

天を敬せず、災を下民に降す……爾チ萬姓を殘害し、忠良を焚炙し、孕婦を刳剔す、皇天震怒し、我が文考に命し、肅み天威を將《オコナ》ふ」と。後世簒臣無恥の徒も、それに傚つて天命に假託して自ら其の失節の罪を解くのを常とした。

天命思想の第三の惡弊にして且我が國に取り最も迷惑なるものは共和思想である。書經皐陶謨に「天の聰明、我が民に自《ヨリ》て聰明、天の明畏、我が民に自りて明威」とあり、又泰誓に「天民を矜《アハレ》む、民の欲する所、天必ず之に從ふ」とあり、又「天の視る我が民の視に自《シタガ》ひ、天の聽く我が民の聽に自ふ」とある所から儒教の天は人民と一體をなし、人民によりて代表せらるると解される。そこで民心に從へば匹夫と雖も天の與ふる所として之を奉戴し、民意を失へば君主と雖も天の棄つる所として之を誅戮するのである。「匹夫の紂を誅するを聞く、未だ君を弑するを聞かず」である。かくして舜と禹は匹夫を以て天子となり、桀紂は君主にして匹夫となつたのである。即ち共和思想が古來から支那の人心を支配してゐるのである。而してこの民心を以て天意と混同するが故に、自然に奸雄が天命に假託して民意を鉗制することゝなるのである。王莽曰く「天德を予に生ず、漢兵其予を如何せん」と。

以上三種の惡弊こそは天命說に伴ふ免れ難き流弊と云ひうるであらう（大谷幸太郎著、現代支那人精神構造の研究、六五〇頁以下參照）。

に、天命說に對する吾人の操るべき態度

a　天命の本質

天命の本質を理解するに當つて、充足理由律に慣された近代人に取りて有力なる示唆を與へるものはヴィンデルバンドの偶然說（Wilhelm Windelband : Die Lehren von Zufall）でないかと信ずる。氏は偶然と原因、偶然と法則、偶然と目的の三點から觀察し、何れの場合に於ても大量に於て、乃至は全體に於て眺めたならば偶然は消失する。偶然とは個々の觀察に局限された場合に生ずるものであり、若しそれが形而上的な實在原理に移行しなければならない場合には主觀的現象として、認識の缺乏として現はれたのであつた。そこで氏は偶然と概念との關係を說いて、偶然は凡ての場合に於て我々の觀察の原理であつて生起の原理ではないとの結論を下したのであつた。且最後に說いて曰く、偶然の完全なる止揚は全世界を一目で見、全歷史を一讀以て知りうるやうな無限大の精神力を持つた人にのみ可能である。從つて吾人は慥かと承知しなければならない、凡ての科學、道德、藝術の生活も偶然性に對する、撓まざる又少くとも或點では勝利の戰であると。

ヴィンデルバンドが大量に於て、又全體に於て眺めるとき偶然は消失すると云つたことは佐藤

一齊が言志晩錄に於て「氣運に常變あり、常は是れ變の漸にして痕迹を見ず、故に之を常と謂ふ。變は是れ漸の極にして痕迹を見る。故に之を變と謂ふ」と云へると揆を一にせりと云ふべく、東洋人特意の直覺的知には此處にも亦棄て難きものあるを覺ゆ。ヴィンデルバンドの見方である偶然は觀察の原理であつて生起の原理でないとの說は、今問題の天命說についても同樣に當てはまり、天命とは觀察の原理であつて生起の原理ではないと云ひえないであらうか。生起の原理でないが故に嘗ては天命と思はれたものも人爲を以て徐々に除きうるのである。更に卑近な例を取つて述べよう。自分の顏が醜惡であり、體軀が短矮であり、才が愚鈍であることは、民族學的、生理學的、遺傳學的立場から見れば必然であつて偶然ではないであらう。しかし斯く必然であると精密に論證することは吾人の認識能力の彼方にあり、强いて之を知らんとするのは所謂蜉蝣の春秋寒暑の變を論ずると同一であり、經驗的な自分に取つては偶然と見る外なく、斷じて必然ではない。かゝる場合我々は之を天命と見なければならない。しかしこの偶然性も人爲によりて若干の變容を得る。婦人は化粧によりて醜を覆ひ、愚者は修學によつてその短を補ふ。子路は孔子に學んで賢士となり、曾參は愚と呼ばれながらも努力によりて孔門の正統を繼ぎえた。天命の信仰者と雖も不幸は力めて自力を以て避くべしと說いてゐる。孟子曰く「命を知る者は巖牆の下に立たず」と。左傳に曰く、禍福無門、唯人所召と。

天命は觀察の原理であつても生起の原理ではない。陸士衡が辨亡論に於て、帝王は天時に因りて興り、地利によりて守り、人和に依りて立つものである。此の三者なければ國即ち亡ぶ。呉に衆民あり、賢士あり、要害あり、利器あり、而も滅亡に至れる所以は、人を用ふること宜しきを失ひしが爲である旨を論じてゐるのは觀察の立場に於てのみ妥當であり、これと類似の場合が將來にありと假定し、その場合假令陸士衡の言に從ふとも、その言の如くになるとの保證は出來ない（陸士衡、辨亡論、國譯漢文大成、文選下、五七三頁以下）。

しかし偶然と天命とは既に言葉が異なる。異るだけに天命にはなほ偶然の有する以上の內包を持たなければならない。顯著なるものは前述の朱子のいふ如き牛の順なる、馬の健なる、人間の五常の如きものである。即ち吾人の操るべき規範的方向である。この規範的方向は前項ろに於て述べた漢民族に取りての效果として現はれるものであり、將來に對しては次項に述べる倫理的良心又は宗敎的信仰として表はれるものであり、この部面は吾人の永遠に尊重すべき部面であるであらう。

b　將來に對して

明日の天氣は決定されてゐるか否かの問題について、マックス・プランクは興味ある表現をなしてゐる（江上敏著、宗教と自然科學、參照）。天氣を決定する爲に物理學の法則を精密に徹底的に應用することを前提とするときは、即ち客觀的科學的考察の立場に立つて云へば明日の天氣は決定されてゐると云ひ得ることになり、若しまた現に今利用し得るだけの氣象學上の手段を前提として云へば、即ち主觀的考察の立場に立つて云へば明日の天氣は決定されてゐないと云ひうると。斯かる見方は人間一生に關しても適用されないであらうか。客觀的科學的の立場から考察すれば人間の一生は決定されてゐる。これに反して自覺の主觀的な立場からすれば人間の一生は決定されてゐないと。

我々が行動を取るとき、我々の知識が完全になる迄、凡てを知るに至るまで、吾人の意志決定を待つことは出來ない。我々は生活の眞只中にあつて、生活に於ける多樣な要求と、必要とに迫られて、屢々即座に決心し、志向を實踐に移さなければならないことがある。而してこの決心と志向の適正を、永々と熟考することは出來ない。たゞ一定の鮮明なる指示を要する。この指示をなすものは、客觀的規範に從ふことを要求する主觀的な倫理的良心、宗敎的信仰に外ならぬ。所謂天命に屬せずして我に屬することを知らなければならない。

個人について云ひうることは同時に民族についても云ひうる。民族の將來如何についての純科學的究明は吾人の認識能力の彼岸にある。たゞ吾人の此處に確信して云ひうることは未來を支配せんとの意志を長養し、且その意志を實踐する民族こそ將來ある民族といふべく、人事を盡さずして單に天命を待つ民族は衰亡の民族であるといふことである。而して此處になほ附言したきは劉孝標が辨命論に於て六蔽を說き、その第五蔽に於て治亂興廢は己に在りて天命に非ずとの說を誤りとなしたこと、第六蔽に於て、善をなせば天之に福し、亂をなせば天之に禍すとの古人の言を虛言として斥けしことは自分の最も賛し難きことであるといふことである。（國譯漢文大成、文選下、劉孝標、辨命論參照）

五、民族有機體說

民族有機體說とは個々の生物には長短の差こそあれそれぞれ生老病死がありて永遠に存在するものでないと同樣に、民族にも亦生長、發展、老衰、滅亡ありて、永遠に生存することは不可能となす說である。

民族有機體說は大別して二種ある。一は人類の發展全體を一有機體の發展に比し、個々の民族の發展をその部分に包攝するものであり、他は個々の民族を一有機體の生滅に比するものである。ヘーゲルは時に前者を、時に後者を說き、內藤虎南は後者を說いてゐる。

ヘーゲルは歷史哲學序論に於て曰く、胚種が旣に樹木の全性質を、從つて果實の形、味迄も內藏してゐると同樣に、精神も亦その最初の發足に於て旣に潛在的に歷史全體を內藏してゐる。

(グロツクナー版、四五頁)個人が死滅すると同樣に民族も亦死滅する。(同上一一五頁)又曰く、精神は種子に比し得る。蓋し植物は種子を以て初まるがしかし種子はその植物の全生活の結果である。……個人並に國民の生命に於ても同樣である。國民の生命は果實を熟せしめる。……しかしこの果實はそれを實らせ、生んだ國民の小技には歸つて來ない。反對に苦き飲物となる。この飲物を飲めば自己の否定となり同時に新原理の發生となると。(同上一一九頁)世界史の終局目的は自由の實現にありと見た氏は自由の實現の度に從つて世界史を四期に分ち、且之を有機體の小兒、兒童、成年、老年に擬し、民族としてはそれ〴〵に東洋、希臘、羅馬、獨逸を配したのであつた。

内藤虎南は支那論に於て民族の生命について大要次のやうに述べてゐる(同氏著、支那論、二九八頁以下參照)。民族の生命には個人の生命の如く矢張大體年齡がある。世間で民族性の差異と稱するものも實は民族性の本來の差異でなくして年齡の差異に基くものであること恰も竹の中の空洞が去年生えた竹と今年生へた竹とで異ると同樣である。今日では日本と支那とが國民性を異にして居るやうであつても、日本が支那だけの長い歴史を經た時には支那の如くなるかも知れぬ。支那の政治的年齡は漢代に於て經過し去つた。支那の最も進歩した階級が眞に政治上の興味によつて動かされる可能性は漸次薄らいで來た。近代でも政治上に活動するものは大方今迄文化の餘り波及しなかつた極く初心な人民に、初めて文化が及んだ土地から出た者が多い。即ち曾國藩時代の湖南人、今日の廣東人等がそれであつて、彼等は支那の文化階級としては最も幼稚な、最も低級な趣味を持つてゐる地方人である。日本が今政治軍事に於て全盛を極めて居るのは國民の年齢として尚幼稚な時代にあるからである。支那の如く長い民族生活を送つて、長い文化を持つた國は軍事政治等には漸次興味を失つて、藝術に益々傾くのが當然の事である。支那の過去の歴史を見れば、或る時代からこのかたは他の世界の國民のまだ經過せず、これから經過せんとして居るところの狀態を暗示するもので、日本とか歐米諸國などの如き、其の民族生活に於て支那より自ら進歩して居るなど考へるのは大なる間違の沙汰であると。

古代地上に棲息繁茂せる動植物にして今は單に形骸を留めるに過ぎぬものが多數存在することから、乃至は歴史上に現はれた民族に興亡ありしことから一般的に類推して我々民族にも興亡ありと豫想することは何人にも起り得ることであるが、しかしこの事については次の四點に注意すべきでなからうか。

い、古生物に消長ありしと同樣に人類の生存にも消長ありと見ることは妥當であらう。しかしそれは幾十億年の間に起りうる消長であつて、近々數百千年間に起つた文化的歴史的生活を問題とする我々に取つては餘りに長期に亙り、無限大の時間に近き問題として考慮の外に置きても差支へないものでなからうか。

なほ文化的歴史的時間内の事項であるにしても、ヘーゲルの如くに世界史を四期に分ち幼兒、兒童、成年、老年に擬することが、事實に反するものなることは、現代のナチス獨逸の活動が何よりも雄辯に證明するであらう。

ろ、ヘーゲルによつて說かれる一國民の國民精神の完成は同時に衰亡であり、他國民の精神の出現であると見る見方は（前揭書一一二頁參照）一年生の植物の開花、凋謝からなされた比論であつて、多年生の植物からなされた比論とも思へぬ。民族の消長についての比論を用ふるならば年々歲々同一の幹から同種の果實を產出する多年生の植物に比し、甲の果樹が生育繁茂した時は同時に枯れ始める時であり、その生產的地位を乙の果樹に讓るのであると說くべきでなからうか。しかし此の場合には人類は各民族共に同一性質のものと見られ、民族間の質的差異は認められてゐない。然るに他面に民族學について著明の學者コビナウによれば民族間の差異は發達の差異によるのでなくして性質的差異によるものであり、某々民族は如何に敎養の度を高めても他の優秀民族の如くにはなりえぬと說く。又或る經驗家は日本領土に住む或る種類の人間は如何に敎育を施してゝ、例令大學を卒業してもその活動能力たるや高等小學卒業程度以上には出でないと說く人もある。諸民族間の文化の度の差が、民族の性質的差異に基くのか、又は性質は同じであるが發達の度の差異に基くと見るべきかは、まだ決定してをらぬ。若し發達の度の差異に基くと見るならば、ヘーゲル、内藤兩氏の説は成立つが、性質的差異に基くと見るならば兩氏の説は成立たないのみならず、凡庸の族とは性質を異にする優良民族に取つては甚だ迷惑な話である。否啻に迷惑であるのみならず却て人心を沮喪せしむる害すらある。況して内藤虎南の如く軍事政治に興味を有するものは文化階級としては幼稚低級に屬すと見做すことは支那の俚諺、好鐵不錬釘、好子不當兵によるものにて國家存立の條件を無視し、民族の自滅を拱手傍觀するものと見なければならない。

は、假りに各民族は同性質のものであるとして、且(い)に於て說いたやうな長期に渉る消長でなく、吾人の思惟に入りうる程に短き時間内の事項ならばそれは人爲によつて多少の變更をなしうるものでなからうか。自分は近來遺傳學が有用動植物に應用せられて品種の改良に多大の進歩を與へたことを聞いてゐる。例へば甘蔗に於ては莖が害蟲竝に風の抵抗に強く、且糖分の豊富なものが得られ、蠶については、桑葉の量は少なくて、繭の量の多く、且絲が丈夫で、解ぐし易きものが得られてゐる。人間に於ても遺傳學に關する知識は結婚に際して相手方の選擇に嚴重愼重を期するに到り、斷種法の實施は民族の發展に惡影響あるものを強制的に除去することゝなつた。其他、衞生學、榮養學の發達、運動の鼓舞、奬勵等は民族の長養に資する所極めて大なるものがある。仍て吾人は民族の發達は同時に衰亡の初めなどと運命的に諦めることなく、その長養に努力すべきであらう。

に、民族有機體說に關聯し最後に且最も强調すべきことはこの說には看過することの出來ない重要なる誤謬が伴ふといふことである。それは即ち「發展とは自己に歸ることである」との說を生むことである。發展とは自己に歸ることだとはヘーゲルの流れを汲む日本の哲學者に於てもよく云はれてゐる。その故にこそ自分は强調する。胚種の中に幹も花も果實も含まれてゐると見る立場に立てばこそ、その植物の生育中の凡ての過程は自己に歸るとの表言も妥當である。人間の身體の發達に關する限りは同樣の表現も妥當するであらう。しかし精神に關する限りこれは妥當しない。若し精神にも妥當するとしたならば、如何に發達するともそれは當初に含まれたもの以上には出でないのであるから先祖代々同一狀態を繰返すことはあつても、全體としての歷史上の發達といふことは認められないこととなる。この點に於て吾人は民族の消長を有機體に比することと竝に自己に歸るとの表言を意味なきこととして排しなければならない。

「自己に歸る」との說は宗教的立場からも說かれうるがこのことは他の機會に述べたい。

民族有機體說に關し右四點を考慮に入れるとき、(い)の意味に取るときは無限大近くの時間の問題として考慮の外に置き、(ろ)に說けるが如く人種間に優劣の性質的差異を認める時、劣等民族を以て優良民族を判することは誤りであるのみならず却て害あり、(は)の場合には運命觀に左右さるゝことなく大いに長養に努力すべく、(に)に說ける「自己に歸る」との說は意味なき事として排すべきであらう。

六、文化自存說並に獨善的生活

人間は變易性のものを輕視して恒久性あるものを重視する。人間は永生を求める。五十歲で死ぬよりは七十歲迄生きたいと。七十歲よりは百歲迄壽あらんことを冀ふ。而して壽命が意の如くに延ばしえないことを知るときその業蹟をして命あらしめようと希望する。名を靑史に留めようとする。かゝることから人はその仕事、職業の選擇に當りて、その業蹟の後世に永く留まるものを選ぶ傾向を生じた。かゝる仕事の選擇に當つて人生の歸趨を示したものが近代に於ては新觀念論的價値哲學である。

新觀念論的價値哲學によれば。科學、藝術、宗敎等の客觀的價値界は人間によつて作られながら、作つた人間の手から離れて獨自の論理によつて自存するのである。他の事柄はよく變易する。のみならず個人的人間の暴力によつて曲げられる。然るに科學藝術等は獨立自存であり、個人的暴力によつて侵害される心配はない。爾餘の事柄が永續性を持たないのに反し、文化の世界のみは永續性を持つ、名を千載の後に遺すにはこの方面で活動するに越したことはないと考へられた。從つて敎育の目的措定に當つても、斯かる客觀的價値の實現に與かることが、最も妥當な又最も永遠性のあるものと考へられてゐた。第一次世界大戰直後我國に輸入されたヨーナス・コーンの著、「敎育の精神」に於て、兒童敎育の權利は何處から獲るのかとの設問に對し、兒童の側からでもなく、敎師の側から來るのでもなく、現實を超越した價値界から來るのであると自問自答してゐた。

　科學、藝術等の文化が人間によつて作られながら、作つた人間の手を離れて獨立に存在するといふことは慥かである。例へばピタゴラスによつて說かれた相似形に關するピタゴラスの定理はピタゴラスの死後二千數百年の後も尙眞理として中學生徒の敎材中に生きてゐる。けれどもかゝる定理は人間によつて保存され、人間の爲に存するものなることが輕視され、時には無視されてゐた。「科學の爲の科學」「藝術の爲の藝術」なる句は、科學者なり藝術家が個人的な利害得失を離れて專心にそのことに沒頭するといふ意味から更に進んで、科學なり藝術を人生に於ける唯一至上のものと見做すものと解され、それが人間に依つて人間の爲に存するものなることを忘れては居なかつたか。ニーチェが、「それは何であるか」といふ發問の根柢には「それは私（我々、萬人）に取りて何であるか」といふことが橫つてゐる。事物の本質とは事物についての意見にすぎないと述べてゐることは今の場合にも適用しうると思はれる（權力意志、三九一節）。

科學上の眞理の發見、藝術品の創作等元より有益なることであり、この點については何人も異論のある筈はない。けれどもこれのみが最も優れたる人生の課題と見倣すとき、此處に人生觀上最も重大なる誤りを生ずる。支那の官吏は政治生活を卑んで文藝生活を尊んだ。その理由は前者は泡沫的生活であり、後者は永遠に生きるものであるからである。支那民族が政治生活に興味を持つことは民族年齢から見れば若年時代として政治生活を卑み學問、藝術を尊重した。結果は今日の狀態を引起した。（內藤湖南著支那論二九八頁以下參照）最も人を誤るものは「科學の爲の科學」、「藝術の爲の藝術」なる句である。我々は科學なり藝術が依つて以て立ち、又は何の爲に存するかの根柢を窮めなければならない。凡そ一般に科學にしても藝術にしても宗敎にしても、國家的庇護の下に發達、存續し、國民の生存の爲に存するものである。達磨が印度より支那に渡來したことは阿育王の保護による。伊太利フィレンツに於ける藝術の發達はメヂチイ家の後援に負ひ、支那、明清に於ける陶磁器の發達は官窯に於てであつた。然るに人々は恰も空氣の有難味を忘るゝ如く國家の有難味を忘れて、科學、藝術、宗敎が何等他に依存せず、獨立自存のものと誤認して、是等に奉仕することを人生最上の課題と見倣すに到つた。人間生活上最も大きな誤りと云はなければならない。科學研究の獨立性と國家との關係を説くに當つて人はよくガリレオが羅馬法王廳にて審問にあつたこと、ブルノーの焚殺された事例を引合に出す。しかし近代科學に醒めた近代國家の爲政者を自說に就いては固陋、他說については苛酷を以て有名な羅馬法王廳の僧職に比することは既に誤りであるであらう。

羅馬がコペルニクスの太陽中心說を信奉せる典籍を禁止書目表から除き去つたのは一八二七年であつたとのことである。

かく說くとも自分は國家の方が大切で、文化は無くても差支へないと說くものではない。文化も無論同樣に大切である。蓋し國家は文化によつて媒介されてのみ歷史の原動力となりうるのであり、しからざれば國家は却て歷史に對して破壞作用となるのであるから。ローゼンベルグの說を待つ迄もなく、凡そ世の中に無前提の學なるものはなく、(ローゼンベルグ前揭の書、八七頁參照)、近時我國大學令第一條に含まれたる「國家ニ須要ナル」とか、「國家思想ノ涵養ニ」なる句が注意を喚起しかけたことも意義あることゝ思ふ。我々は飽く迄も國家といふ前提の下に、科學者として硏究し、藝術家として創作することでなければならない。

文化自存說に關聯してなほ述ぶべきことは獨善的生活である。

こゝに云ふ獨善的とは、自分の利益になれば他は如何樣にならうとも構はないといふ利己主義とは異なり、善行爲を行ふことに於ては常に戰々兢々たるものあるも、その範圍たるや單に自己一個人に留まり、他人の行爲に對して迄强いて干涉しない。否寧ろ他に對しては無關心で居るものである。善をなすこと單に自己一個人に限定される點で獨善的と呼ばれるものを指すのである。

この立場は自己の身を清淨に保ち、他に害毒を及ぼさない點で取柄はあるが、善を守るに汲々たるの餘り、進んで世に益せんとの意志なく他に對して積極的に惡を排除し、善を勸めることを爲さない點で消極的であると云はなければならない。空樽の哲人ヂォゲネス乃至は竹林の七賢の如き、孤高を以て自ら慰めえた取柄はあつても、彼等の住む國家の興廢に取つては用なき存在であつた。

殊に東洋に於て「寧爲二五斗一折レ腰、何如一瓢滿レ腹」と稱し官途に仕ふるを以て單に一身の榮譽の爲とのみ解する見方は易世革命を常とする支那に於て、又日本ならば德川時代に於けるが如く諸侯に仕ふる士の立場に於ては妥當であつたであらう。けれども今日の如く民族を擧げての死鬪を敢てなす場合には、況してや皇室を中心に結束すべき日本民族に於ては妥當しないことは論を待つ迄もないことである。普く人口に膾炙した「尾を塗中に曳く」なる句は支那の興亡に影響することとなかつたであらうか。吾人は莊子の如く尾を塗中に曳くよりは寧ろ進んで神龜となるべきでなからうか。

七、世界史の終局目的としての自由

ヘーゲルにあつては世界史の終局目的は人間の自由であり、その手段は國家であり、その過程は世界史的民族であつた。

ヘーゲルは世界史の立場から世界各國人の自由の意識について曰く、東洋人はたゞ一名のみ自由であることを知り、希臘人、羅馬人は單に數名のもののみが自由であることを知り、獨逸人は各人が自由であることを知る。而してこの形式は同時に世界史の區別であり、世界史取扱ひの方法であると。(ヘーゲル歴史哲學序論)

右に述べたヘーゲルの見方の批判の前に、自由問題に關し自分の腦裏を去來した左記二三の問題に觸れることを許されたい。

い、自由主義と全體主義との對比

全體主義が强調されるやうになつてから、當該主義を支持する立場から破壞すべき反對思想として自由主義を擧げ、兩者は全く矛盾關係にあるもの〻如くに說く人があるが、これは眞面目なる自由主張論者に取つては甚だ迷惑な話である。

經濟の方面に於てアダムスミスは國民の富は各人がたゞ自らの利益のみを追求することを前提としてのみ增進することが可能であると說いてゐる。卽ち富國策としては國民各個の所得を出來るだけ增大ならしめる所以を、全體の爲には個人の自由の重ぜらるべき事を主張したまでゞある。卽ち個人の自由は社會全體の進步の契機と見傚されてゐる。決して全體を無視したものではない。經濟學者はこの點を特に辯護して曰く、この全體への義務的性格を各人に自覺させる必要はないと考へたところから、全體への關心を動機の格率に取入れなかつたのである。各人をして特に社會的義務について氣を煩はさせずに、而も結果に於てそれをなしたと同じ狀態を將ち來たさうとした着想こと自由主義であつて巧妙を極めたものと云つてよいと。（杉村廣藏著、經濟哲學通論、一六八頁參照）

敎育の方面で自由を說いた有名な例はペスタロッチーであるが、氏が敎育上の自由を主張するには、恰度其の頃隆盛に向ひ始めた工業上の發展と密接な關係があるのである。各方面共に優れた人間を俟たずしては技術と工業の勝利は不可能であつた。單に傳統的、階級的の狹き敎育では新しい使命達成の爲には最早間に合はなくなつた。新時代の要求に即應する爲には人格の圓滿なる發達を、自由なる敎育を必要としたのである。卽ち全體主義に對立した意味に於ての自由でなくして、全體の爲を前提とし、時代の必要に即應する爲の自由であつたのである。

經濟活動の場合に於ても、敎育活動の場合に於ても、自由を尊重したのは全體に對する對立の意味に於てゞなくして、全體の爲に、全體を榮えしめんが爲の手段、方法としての自由であつたのである。卽ちこゝで注意すべきことはこの場合の自由の尊重は（a）決して全體を無視せんとするものでないといふことゝ、（b）自由は一定目的を達する爲の手段方法であるといふことである。

ろ、思想、信仰の自由

ヂェスイット敎團の憲法である「式目」には次のやうなことが書いてあるとのことである。「服從の下に生きるものは自分が勝手に彼方此方へ運ばれたり、置かれたりする屍體であるかのやうに、或は自分が、それを摑んでゐる老翁に、意の任に奉仕する杖であるかのやうに、神の攝理から敎團長を通じて己れを導かしめなければならないことを、何人も確信してゐなければならない」。ロヨラが鍛錬の書に附加へた所の「式目」に於て、彼は重ねて「自己の判斷の全き撤去」を要求し、更に「敎會が黑として定義した所の或者が、吾々の眼に白く見へる場合にも、それを矢張り黑だと公言すべきことを要求した。」（ローゼンベルグ、前揭の書、一三四―五頁參照）

歐洲近世に於ても「彼の領地には彼の宗敎を」といふ短かい命題が國法上最重要なる原理となつてゐたとのことであり、この命題を近代的に解釋すれば「國家は世界觀的統一を持たなければならない」といふ意味になる。（シュプランガー原著、小塚新一郎譯、現代文化と國民敎育、四二頁參照）

自己の信仰する宗敎に歸依する限り、その信條に絕對依憑することは宗敎の本質上當然のことであり、又國家の成立が單なる契約に基くものでなく民族の發生と共に始まり、非合理的根基に繫がり、しかもそれが歷史創造の核をなすものであるとするとき、國家は世界觀的統一を持たなければならないことは勿論のことゝ思はれる。斯かる理由の故に、自己の屬する宗敎團體に於て、又は自己の屬する國家内に於て、思想信仰の自由は許されない。信敎の自由を許されたる國家内に於ては自由を求むる信者は他の宗敎に轉じうるでもあらう。しかし國家構成の民族の有すべき思想信仰は、自己の好むと好まざるとに拘らず、統一あるべき筈であり、眞に自由を求むるの士は國外に去るの外はない。かゝる意味に於て、思想信仰の領域に於ては自由は與へられてゐない。又あるべき筈ではない。

前記ヂェスイット派の式目は神に對する絕對依憑の典型であるが、未だ理性の發達しなき子供の親の指導に對する、下役の上官に對する、乃至は無智蒙昧なる民衆の英明なる君主に對する關係も同樣であるべきであらう。かく小我を滅して大我に歸一する意味に於ては、小我の自由は全く認められないと云はなければならない。假令自ら進んで大我に歸一するともそれは、權威に服從することであつて、眞の自由の名に値しない。これはヘーゲルのいふ自由意識の發達の兒童期に相當する。

思想、信仰の自由に關する問題を、前記ヘーゲルの世界の終局目的に關聯して考ふるとき、信仰上完全なる救濟を得るためには敎義に對し疑義を挿む自由を認めない。又國內の完全なる統一を得る爲には思想上の絕對の自由を認めないといふことであり、卽ち自由は完全なる信仰、完全なる統一を得る爲の手段であつて、目的自體とはなり得ぬものであることを知らなければなら

は、階級撤廢の自由

印度古代に於ける刹帝利、波羅門、毘沙、首陀の別、近世歐洲に於ける、王侯、貴族僧侶、市民の別、我國德川時代に於ける士、農、工、商の別、是等の社會的、世襲的の區別を撤廢して、是等階級間の交流が容易に行はれる所に近代史發達の特色があり、個人の行動（主として職業選擇の）の自由が認められたのであつた。

支那にては舜何人ぞ、予何人ぞ或は王侯將相寧ぞ種あらんやと說き、佛家にては釋迦何人ぞ我何人ぞと說く。

階級撤廢の自由の齎らす效果は其の範圍極めて廣い。職業の選擇の自由から適材は適所にて活動し、その綜合的の效果は國家的に見て、又歷史的に見て極めて大なるものとなる。

而して是等の效果の中、國家的に又歷史的に見て顯著の例は萬民が政治に與かりうるといふ共和制乃至立憲制度に移行することである。

この場合に於て意味されてゐる自由は制限打破である。洪水の際狂奔せる水勢の堰堤を突破するに等しく、新たに增大せる新勢力が舊き狹き流れを避けて、廣き道を選ばんとするものである。この場合に於ての主目的は天稟の力を充分に發達させるといふことであつて、その力を用ふべき方向が明示されてゐない點で、或は寧ろ方向を明示することよりは制限を打破することに重きが置かれてある點で、自由の眞の意味を示すやうに思はれる。

固定的な階級が打破されて職業選擇の自由が認められ更に又政治的には立憲政體に移り行くことは自由の本來の意義を辿るものと言ひうるであらう。世界の終局目的は人間の自由にありと見るヘーゲルの立場はこの場合に最もよく當篏るやうに思はれる。蓋し羅馬法が特定の人間だけに、法律能力を認め、爾餘の人間を奴隷として即ち物として認め、又父權の側から子供を物として取扱ふことを許したことを初めとし、（ヘーゲル全集同上、七卷九三、九七頁）思想上には永年ローマ法王の壓迫の下にありて白をも黑と云はしめられ、强いて眞理を述べんとせばガリレオ、ブルノー等に見る如き桎梏を甘受しなければならぬ事情にあり、政治的にはナポレオン一世の鐵蹄蹂躙を餘儀なくされたといふ境遇にあつては、人間の自由の獲得が世界史の終局目的に掲げられることも無理からぬことゝ思ふ。

しかしこの場合にも人生の主目的が明示されず從つて觸れられない迄で、自由はその目的を達する爲の手段概念でなからうか。自由なる概念は手段概念であつて人生の目的自體とはなりえぬものであること恰も快樂乃至幸福なる概念が一定事項を完成し得た場合に伴ふ附隨現象に冠せられたる概念であつて、決して目的自體とはなり得ないと同樣でなからうか。自由は目的を達する爲の手段であつて決して目的自體とはなりえぬものである。

かゝる意味に於ての自由の提唱は人間生活を清淨純潔になすの效果は大であつたであらうが、又結果に於てはフィヒテによる時代の區別の第三期に到るのみでなからうか。自由の國として、又その故に非常な繁榮を來たした英國を旅行した人は何人も恐らくロンドンの議事堂を見學し、セント・ステファン・ホールにある壁畫を見たであらう。自分に最も異樣に感ぜられたのは、第四圖、英國人が禁書ウィクリフの聖書を内密に會合して耽讀してゐる樣、第五圖、下院議長トーマス・モーアがヘンリー八世に補助金を支出すべしとの樞機官ウォルセーの傲慢なる要求を、議會の協贊を經ずしてはと拒絶せる樣、殊に第三圖に於て國王ジョーンが有名なる大憲章に不本意ながらも同意せる最後の瞬間を最も悲劇的なる構想に於て表現されたる樣は皇室中心の日本に於ては夢想だにも出來難き人民の自由を表現せるものであつた。

三四年前英國留學より歸られた英文學者某氏の話に、氏が滯在中の出來事として人民の自由に關する興味ある話があつた。それは英國の南部の或る地に軍部で飛行場を建設し、且巨大なる格納庫を建造した。するど其の土地の敎會の長と、學校の長とが協議して、かゝる景勝の地にかゝる殺風景のものを建設するは怪しからぬとて格納庫を燒棄したと。

英國崩壞の兆はこの挿話の内にも伺はれると同樣に、所謂自由の功罪も明白なるやうに思はれる。

に、獨裁政治と議會政治（立憲政治、共和政治も含めて）との優劣

この問題について史家ランケは曰く西洋歷史上最初に暗示を與へるものは希臘と波斯との爭ひの際に於ける兩國の政體である。不羈獨立なる希臘的要素と中央集權の大君主國波斯的要素とは互に衝突してゐた。この衝突に於て希臘人が共和主義であつた間は、波斯人が希臘人を征服することが出來なかつたと同樣に、希臘人も亦波斯人を服從せしむることは出來なかつた。蓋しこの時代に於て希臘國民は大事業を企圖して成功せんとする者あるを見れば、之を嫉みて排擠したからである。けれども希臘にも君主國起るに及んで波斯人は始めてこの爲に征服せしめられた。その君主國たるや希臘的本質を、東方的形式を以て包めるマセドニア王國であつた。

これと類似の例は近代に於てはナポレオンの出現に於て見ることが出來る。

佛蘭西人は自由を求めつゝあるが如く見えし間に革命に革命を重ね、歩一歩進んで遂に外國の軍事體系中何れのそれよりも遙かに凌駕せる武斷專制政治に到達した。幸運の將軍ナポレオンは帝冠を戴き、使用しうる國民の凡ての力を、何時にても戰場に向はしめうるの權力を有した。斯くの如き途を經て佛蘭西はルイ十四世時代の優勢に立還つたのであつた。

以上二個の例に就いて見ると一國の運命を賭しての大事業、大統一をなすには共和政治よりも

專制政治の方が優つてゐるやうに思はれる。

次には右と反對の例を述べよう。史家ランケは合衆國の獨立の意義について次のやうに述べてゐる。（ランケ著、村川堅固譯、世界史論進講錄、二七八頁以下參照）

從來歐羅巴に於ては君主が最もよく國民の利益を理解してゐると考へられてゐたが、合衆國の獨立以後は、國民自らが治めなければならないといふ理論が現はれた。

又以前は神祐によつて王位に登れる國王があつてその周圍を一切の臣民が圍繞してゐたのであつた。所が今や權力は下方から發しなければならないといふ觀念が現はれたと。

今一つの例は、英國並に同系統のアングロアメリカが西班牙、和蘭に代りて世界の海上を支配したことである。ランケはいふ。英國が發揮し、同系統のアングロ・アメリカ的思想によつて倍加せられた力の如きは從來未だ嘗て見なかつた所である。英國人はその商業によつて全世界を支配し東印度を領有し、又支那の門戶を歐羅巴に開いた。是等の諸國は云はゞ凡て歐羅巴精神に服從したのである。共和主義、立憲主義の優勢はこの點に存する。何故ならば此の種の政體の行はれる所の國民が世界に於て最も大事を成し遂げたからである。彼等は益々前進して已まず、彼等は今來りて土耳古を援けてゐる。けれども彼等の目的は之を服屬せしむるにあり、而して其事も亦成功するであらうと。（ランケ、同上、三〇四頁參照）

前掲二種の例によれば國力の増大、發展には專政政治よりも立憲政治共和政治の方が優れてをり、且世界史經過の上から見れば共和政治、立[illegible]政治[illegible]方向に進みつゝあるやうに思はれる。しかしこゝ數年來の歷史的現實は獨逸のナチス、伊太利のフワッショの專制政治が擡頭してから、兩者の良否の判斷に迷はされざるを得なくなつた。しかし歷史の專門家ランケは共和政治の後に再び專制政治の必要を疾くに看破してゐた。曰く「人若し人民主義が一切を支配するに到ることが世界史の傾向であると見倣すならばそれは事物の眞相に通ぜざるものと見倣すべきである。何故ならばこの人民主權的努力には幾多の破壞的傾向を伴ふものにて、若しこの傾向が優勢を得るやうになれば文化と基督敎界とは共に威嚇されなければならない。これを防禦する爲に君主政治の必要が生ずるから、この政治も亦再び其の根を張ることが出來ると。(ランケ著、同上、三〇五—六頁參照)

專制政治と議會政治と何れが優れるかについて單に概念的に抽象的に決死することは出來ない。民族の性質、國際事情、歷史進轉の具體的事情、人物の有無等によつて、專制政治の都合よきことあり、議會政治の都合よきこともある。全體主義國家に於て採用されてゐる衆議統裁制度なるものも、獨裁政治の色元より濃厚であるけれども、他面に議會政治の長所たる人民の立場を生かして取入れたものであり、たゞ投票によるの決を取らない迄のことである。兩者の優劣長短につき抽象的に云ひうるとしたならば、平和時にあり、且長期に亙りて事を處するには議會政治を可とすべく、火急の場合に際し速決を必要とし且つ國運を賭しての爭ひにて國民の一致團結を絕對必要とする場合には專制政治を可とすると云ひうるであらう。

獨裁政治と議會政治とに關聯して自由を考察するとき前者は國民の主觀的意志を極度に制限せんとするものであり、後者は反對に國民の主觀的意志を出來うる限り生かさんとするものである。主觀的意志を尊重することは各人の欲する目的を欲する儘に達せしめるといふことである。此の場合に於ても自由は前諸項の場合に於けると同樣に一定目的を達する爲の手段であつても目的とはなりえぬものである。

ほ、ヘーゲルの使用せる自由の意味

本項の冒頭に引用した世界史の終局目的に關するヘーゲルの提唱が果して妥當なりや否やを檢する爲の道程としていよりに迄の迂回をなしたのであつた。而してヘーゲルについて引用した句を文字通りに解するならばはの項の末尾の批評で竭きてゐるやうにも思はれる。しかしヘーゲルの使用した自由の概念はさほど簡單なるものではなかつた。氏の自由の概念には左の三種の特質が含まれてゐる。

(a)　自由は精神の本質であり、思惟作用乃至活動作用と同義であつた。曰く「物體の本質が重さであるとすれば精神の本質は自由である」「精神の凡ての特徴は自由によりてのみ成立する。凡

ては自由に對する手段である」（ヘーゲル全集、グロックナー版第十一巻四四頁参照）。「人間は思惟的であるが故にのみ自由を有する」（同上、一〇九頁）「……活動的であり、自己限定的である限り自由と呼ばれる」（同上、六四頁参照）と。

(b)、精神は他に依存せず、自己自身に依るが故に自由と呼ばれる。曰く、「物體は自分以外に實體を持つ、然るに精神は自己自身に於てあるものである。これぞ恰も自由である。蓋し自分が依存的である時には、自己を自己でない所の他に關係せしめる。其の場合自己は他なくしてはあり得ない。自己が自己自身にある時に自己は自由である」（同上四四頁）と。

(c)、第三に、且つ最も大切なることは自由とは主觀的意志、乃至肆意を原理とせずして一般意志を、法則を、乃至は正義を原理としたことである。氏は曰く、「法則は精神を客觀化したものであり、實際に於てはその意志である。而してかゝる法則に從ふ所の意志のみが自由である。何故ならば彼は自己自身に從ひ、自己自らにあるから」（同上、七一頁）「自由とは主觀的意志並に肆意を原理とせずして一般意志を原理とする」（同上、八二頁）「眞の自由とは意志が主觀的利己的目的を有せず、却て一般内容を目的とすることである」（同上、第十巻三六五頁）「自由とは正義を求め、それに適つた國家を建設することである」（同上、第十二巻九六頁）と。ヘーゲルの云ふ自由とは從つて個人の同意を與ふることなどは自由とは呼びえなかつた。否寧ろ排撃したのであつた。曰く「個人の同意を與ふることを以て自由と見做すならば、凡てが一致する以外に如何なる法則も妥當しないことゝなり、少數者は多數者に席を讓ることゝなる。ポーランドの國會では各人が同意を與へなければならなかつた。この自由の爲に國家は滅んだ。」「各人が同意を與へなければならないとするとき、憲法なるものは存在しえない」（同上、七六頁參照）と。一般的な自由は何等積極的な動作をなしえない。なしうるのは否定的な動作のみ（同上、第二卷四五三頁）神が世界を支配すると信じたヘーゲルは自由を神に關係せしめて「眼前に存する個性が神の本質と見做される場合にのみ自由は存在しうる」（同上、第十一卷八五頁）と。自由の理念が基督教的神と關係あることについては次のやうに述べてゐる。

アフリカも東洋も、全世界のものが此の理念を持つてゐなかつたし、今も未だ持つてゐない。希臘人も羅馬人も、プラトウもアリストテレスもストア學徒も持つてゐなかつた。彼等はたゞ人間は（アテナの、スパルタ等の）市民として生れることによつて、或は人格力、教育、哲學（賢者は奴隷としても又鎖で繋がれてゐても自由である）によつて實際に自由であることを知りしのみ。この理念は基督教によつて世に齎らされた。その見方によれば、各人はそれだけで無限の價値を有するものである。その譯は各人は神の愛の對象、目的であり、從つて精神としての神に對し絕對の關係を有し、この精神を自己心內に持つべく運命づけられてゐる。換言すれば人間は生れつき最高の自由に向ふべく運命づけられてゐる。（同上、第十卷三八〇頁）

右に列記した三種の特徵並に引用の句によつて推知されうる如く、主觀的乃至個人的權利の自由を說くものでなくして、神の意志、客觀的法則乃至は正義を承認し、それに從ふことを意味したのであつた。從つて冒頭に引用した、世界史の終局目的は人間の自由であるとの句は、世界史の終局目的は正義の實現にありとの句によつて置きかへられうる筈である。而して一般的意志を具體化したものは國法であるから國法に從ふことは自分自らに從ふこと、卽ち自由であるのである。かく見るときへーゲルの自由概念の內には所謂危險なるもの、排斥すべき分子は見出されぬやうである。

へ、結　語

若し自由なる語をへーゲルが意味したやうに、神の意志、一般法則乃至正義に從ふことゝ解するならば、自分が後に說かんとする道統の顯彰と本質的に異なる所なく、自由は世界史の終局目的として揭げられうるであらう。しかし自由なる語をかゝる意味に用ゐることは、い乃至はに於て用ひられた用法とは全く異り、へーゲル學徒に取りては異論なからんも、一般人に取りては奇異に感ぜらるゝことであり、現代の如き統裁乃至統制の强く行はれる時代には誤解を招く恐れがある。加ふるに先きに屢說した如く、普通に使用される自由なる語は社會倫理上の秩序であり、政治的には原理となつても、人生目的を達する爲の手段であつて、目的自體とはなり得ぬものであるから、世界の終局目的としてはかゝる句を避くべきでなからうか。（未完）

人格形成の科學としての教育科學の可能性とその方法

福島重一

目次

一　教育科學の可能性とその對象

科學の前段階は常に實際的經驗竝に要求から生ずる行動の合理化であり、技術化に過ぎなかつた。しかしそれが科學に迄發達すると共に課題はもはや單なる技術ではなく、あらゆる經驗竝に觀察に基いて、その經驗された事實相互の關聯を明かにし、その間に存する法則性の探究に向ふ。教育學に於ても、從來それは如何に教授すべきか或は教育すべきかの技術に就ての理論に過ぎなかつた。ところが教育現象に就ての認識が深まり擴大するとともに、もはや單なる技術論に止まることが出來なくなり、深い理論的根底に立つてこれを考察し、記述し、説明し、それら事象間の法則性を明らかにしようとする要求が生ずるのは、他の諸科學に於けると同樣である。

ひとは教育といふとすぐに親子の間、教師と生徒との間の作用を想ひだす。さうしてさうした關係に於ける作用だけを教育的なものとして特質づけようとする。けれども教育なる現象をこれら間柄だけに限らなければならぬ理由は何處にもないはずである。親と子、教師と生徒との間の作用は本質的に教育的なものであり、また最も重要な作用であることは事實である。しかしわれわれはさうした限られた間柄に於てだけではなく、友人の間に於ても、夫婦の間に於ても、また主人と召使との間にも、更に指導者と隨從者との間にも、敎育的と呼ばれなければならないやうな作用の存することを認めないわけにはゆかぬ。こゝに於てひとはその範圍を擴大し、一般に敎育する者と敎育されるものとの相互作用を考察することによつてその本質をとらへ得ると考へる。しかしひとが相互に作用するのは結局二人の個人の作用に歸せられるとして、さうしてその限りに於てかうした考察の仕方には意味があるとはいへ、一體誰が敎育し誰が敎育されるのであるかと問ふとき、われわれは、彼等がともに屬するところの社會的集團に於ける彼等の地位を語らなければならないであらうし、更に何が敎へられるのであるか、如何なる人格が形成せられるのであるかとの問ひに應へるものは社會的集團の風習制度傳統以外のものではない。從つてわれわれが敎育作用の概念を如何に擴大して考へるとしても、敎育するものとされるものとの間の作用だけを考へる限り、これを制約する諸條件は考慮の外に置かれることゝなる。一體科學が目ざすところのことは、如何なる條件の下に於て特定の現象が生起し、生起しないか、現象とそれを制約する諸條件との關係を明らかにすることである。ところが從來の所謂敎育學は敎育作用を制約するこれらの諸條件に對する考慮を缺いてゐたやうに思はれる。

從來の敎育學の根本的誤謬は、敎育作用をその生起する社會的地盤から引離して、いはば、無地の場に於てなされる作用として理解しようとしたところにある。しかしながら各々の個人はその屬する社會的集團の力が彼自身の人格力となり彼を通して作用する限りに於て他者に對して敎育的影響を與へ得るに過ぎない。母親は子供を家庭の成員に、或は一層廣く共同社會の成員にまで形成するが、彼女のかうした敎育的力は、子供の敎育を彼女に委ねた家庭そのもの或は共同社會そのものから來るのである。こゝに母親の敎育作用を可能ならしめる根本的制約をなす敎育的權威は根ざしてゐるのである。敎師にしても同じことである、敎師はその屬するところの共同社會によつて、家庭によつて兒童を敎育することが委ねられてゐる。從つて敎師の敎育的作用は、それを委ねた共同社會に對する彼の關係によつて制約されてゐるのみならず、その敎育力そのものは本質的にはその屬するところの共同體の文化的傳統に由來するものに外ならない。從つてよし敎育を敎育するものと敎育されるものとの間の作用として把握する事が誤りでないとしても、われわれはそこに於てその作用のなされる社會的地盤を考慮に入れない限り、敎育作用はその本質的な點に於てわれわれに理解され得ないであらう。

從つてもし敎育についての科學が可能であるとするならば、それは敎育現象を社會的集團に於ける生起として考察しなければならない。社會的集團は人格形成に對する必然的な假定である。敎育は實に人間が特定の社會的集團に屬するものであるといふことから必然的に生ずるところの作用に外ならない。從來の敎育學は敎育をば意識的に目的を設定し、その目的に達するやうに、被教育者を形成することであると考へた。從つて教育學はその目的設定に關しては倫理學に、その方法に關しては、形成さるべき年少者の心理的狀態に關する知識を必要とする事から、心理學に依存するものとして考へられて來た。しかし乍ら、かうした意識的目的、教育的意圖に基いてなされる作用そのものは上述せる社會的制約の下に於てなされるものであるのみならず、かゝる自覺的目的そのものが、既に社會的集團そのものに於て、無自覺的になされてゐる作用に對する自覺に基いて生れたものに外ならないのである。またかゝるものである限りに於て自覺的目的に基く教育作用は始めてその效果をもつことが出來るのである。自覺的な目的活動の背後には無自覺的な活動が存しなければならない。教育的意圖はこの無自覺的になされてゐる作用を合理化し、經濟化することによつて、最善の可能的な成果に達しようとするものに外ならない。

それ故に教育科學は意圖的教育の目的、意圖的教育作用から出發することは出來ない。教育科學は意圖的であれ、無意圖的であれ、凡ゆる教育現象を制約するところの條件の究明に向はなければならない。然し乍らひとは教育が與へられたものではなく、課せられたものであるとの理由で教育科學の可能性に對して疑ひをさしはさむ。けれども教育がひとが社會的集團に屬する成員である限りに於て必然的に生起する現象であること、從つて或特定の法則に從つて生起する現象であることは明らかである。從つてこの社會的生起の法則性の探究を目標とする科學の存すべきこと、少くともその成立の可能なることを疑ふわけにはゆかぬ。

教育はひとが特定の社會集團に屬する成員であることから、必然的に生ずる現象である。社會的集團に於ては、ひとは自覺的に他者に對して教育的に作用しなくても、各人が他の各人の人格形成に對する條件をなすことは確實である。各人はその力によつて又その力に應じて他者の人格形成の條件である。言ひかへれば各人は他者の人格形成に對して何等かの形に於て影響を與へてゐる。從つて教育は社會的集團に屬する成員相互間の作用とみられる。それは本質的には人格と人格との交渉の現象である。從つてもし後に述べるやうに凡て文化が生成するのは人格的交渉を通してであるとするならば、すべて文化生成の現象は本質的には教育現象そのものに外ならないといはなければならぬ。もし教育といふものが社會を動かす力であるならば、教育はかゝるものとして把握せられなければならない。

教育作用と文化の生成とは同一事象の異つた側面に外ならない。文化は人格の教育が現實的になされるところに生成する。それは對象の內容の展開とみれば文化の生成であり、人格的交渉とみれば教育現象である。從つて何等かの文化が生成するとき教育は存し、教育の存する時は何等かの文化は生成するのである。從つてもしわれわれが教育なる現象をその本質性に於て理解しようとするならば、これを文化生成の現象と切離して、教育といふ面だけを取扱ふことは出來ない。われわれは現象をその具體的現實性に於てとらへなければならぬ。しかしながら人格と人格との相互作用は教育作用であるといつても、教育が私自らの手によつて直接に他者の人格を形成することであるといふのではない。たゞ人格が他者との人格的交渉の現實に於て形成されるといふのである。共同社會がひとを陶冶するのである。

共同社會はそこに於て人格の教育が事實的に生ずる場處である。從つて教育過程に對し、その方向並に力に對して常にその共同社會の制約がある。ひとの知るやうに各々の家庭、各々の地方、各々の民族には固有な風習傳統があつて、それが世代を通して傳へられてゐる。ひとびとは特定の對象に對して、勿論そこに個人差の存することは否定出來ないとしても、同じように感じ考へ、行動する。かうした集團の成員の思想感情行動の一樣性、齊一性はひとびとが同じ社會的諸條件の下に生活することから生ずるものに外ならない。然しながら風習制度はただ單に成員の行動を外部から制約する條件ではない。風習制度の成員の行動を拘束する力は、實にそれが成員の人格の力をなす信念に根ざすことより來るのである。從つてそれの有する外面的拘束性は特殊な場合に過ぎないのであつて、普通の場合には、ひとはかゝる拘束の下に於て人格の自由を感得するのである。このやうに外的には行動を制約する諸條件そのものが内的には人格の行動の原理となるところに社會的集團の風習制度傳統の人格形成に對する重要な意味がある。

このやうに教育の基礎は社會的集團の風習制度傳統にある。從つて社會的集團の風習制度傳統こそ教育科學の重要な研究對象でなければならぬ。歴史上に存在する諸々の民族はその固有の風習傳統をもつてゐて、それがそれら諸民族に獨自の性格を與へてゐる。すべて傳統はそれに内在的な人格を形成する力をもつてゐて、その固有の法則に從つて人格を陶冶する。かうした意味に於て「教育は同化作用である。」といはれ、或は「教育は年少者の社會化である。」と言はれる。而もかうした作用は社會そのものによつてなされる作用に外ならないから、「教育は社會の根本的機能である」とも言はれる。然し乍ら種々の社會的集團にはその固有の陶冶樣式があり、人格形成の内在的法則がそこに於て行はれてゐるとしても、教育科學がたゞ單にそれらの型の敍述に向ふものとするならば、教育科學はその課せられた本質的課題に對して忠實なものであるとは言へないであらう。教育科學は科學として、更に進んで、如何なる條件の下に於て、その社會の存立の根本條件たる風習制度傳統は新しき世代に傳へられるのであるかの問題に應へなければならない。科學は教育は社會の根本的機能であるとの命題に滿足すべきではなく、更に社會の根本的力學的構造を明かにすることによつてこの問題に應へなければならない。

二　習慣なる生物學的心理學的概念によつて果して社會の慣習を說明し得るか

社會的集團の風習制度傳統の力學的構造を明かにすることによつて、社會的集團の教育機能を認識するといふことが教育科學の根本的課題である。ところがもし教育が社會の同化作用であり、個人の社會化であるとするならば、これを同化され社會化される個人の側からみるならば、個人の社會に對する適應の現象に外ならない。從つてひとはデューヰのなしたやうに生活體がその環境に適應することによつて獲得する習慣なる生物學的心理學的原理を、社會的環境に存在する有機體としての人間に適用することによつて人間形成に對する社會の機能を明かにすることが可能であると考へる。デューヰはその Human Nature and Conduct に於てわれわれがこゝに教育科學の對象となすその同じ對象を研究對象とする社會心理學を習慣なる概念によつて現はされる事實に基いて建設しようとしてゐる。しかしながらひとをして一般に習慣なる概念によつて社會の慣習を說明し、それによつて人間の形成を說明する事が可能であると思ひ込ませるのは有機體が外的環境に働きかける事によつて有機體の組織の中に形成される習慣なる機能が特定の活動に對する傾向性を有するかのやうに見えるからである。といふのは、社會の慣習はそれを支持し確保しようとする人間の内的傾向性に基くものであり、かゝる内的傾向性こそ人格の本質をなすものに外ならないからである。(註)

(註) デューエはいふ、人間活動に於ける習慣の特殊な位置を知るためには、われわれは悪い習慣、たとへば酒を飲むとか、他人の悪口をいふとか、いふやうな惡癖について考へる方が便宜である。これらの惡い習慣は、或る活動に向ふ内面的傾向を示してゐるかのやうに見える。われわれはさうしたくないと思ひつゝもさうせしめられる。惡い習慣はわれわれを支配する。習慣がこのやうな力を有するのは、それがわれわれ自身の内面的部分をなしてゐるがためであると認めざるを得ない。一般に習慣は或種の活動を要求するものであつて、われわれの有力な要求を構成し、われわれに働く能力を與へるのである。數多の特殊な習慣によつて構成せられた素質は意識的選擇作用に比し、はるかに根本的な自己の部分を形成する。習慣は思想をも支配する。われわれの思考作用も、各個人によつてそれぞれ一定の傾向を有するものであるが、かゝる傾向性は矢張り習慣によつて規定されたものである。更にわれわれは行動せんとする一定の傾向を離れては道德的性質といふものを考へる事は出來ない。從つてもしも現實的に生きた力を有する道德的意志と稱すべきものがあるならば、それは素質卽習慣でなければならないと。デューエに於ては意志とは習慣の別名である。

このやうにデューエによれば意志は具體的には習慣を意味するものであるから、意志は決して單一ではない。われわれの住む環境は多樣であるから、環境をそれ自らのうちに體現する習慣、素質、意志は多樣である。卽意志は單一な傾向性から成るものではなくて、多樣な傾向性から成るのである。私はこゝでかういふ原子論的な議論の内面に横はる矛盾を一々指摘しようとは思はない。がたゞこのデューエの主張はひとが習慣なる生物學的心理學的原則に基いて人間の形成を說かうとするとき、習慣なる概念に忠實であらうとする限りに於て必然的に生ずる論理的歸結を示すものとして興味深いものがある。

人間は歷史的具體的な生きた內容を有する人間社會に於て生活する存在である。この人間の生活する無數の社會的集團はそれによつて他の集團と區別される獨自の存在樣式を有する。從つていまこの個々の社會の有する獨自の存在樣式を慣習なる概念を以て表せば、すべて人間の行動が社會的集團の慣習の制約を受けるものであり、すべて人間的なる行動が社會の慣習に根ざす行動であることは事實である。またかうした社會的制約の下にない意志といふものゝないことも確實である。ところが社會の慣習はその集團を構成する成員の行動樣式に於てのみ保持され確保されるものである。この社會の慣習が個々人の行動樣式に於て現れたものが習慣である。社會の慣習を離れては個々人の人間的なる習慣なるものは考へ得ない。私の持つ習慣は特定の慣習を有する集團の成員としての私の習慣である。

このやうに見てくるとき、直接的社會的環境は如何にして個々人の習慣を形成するのであるか、その具體的諸條件を探究することによつて、如何にして集團の成員の人格は形成せられるのであるかを明かにすることが出來る筈である。だがしかし單なる生物學的心理學的概念にすぎない習慣なる概念によつてそれがその下に於て形成される條件をなす社會の慣習そのものを說明することが出來るであらうか。

凡てわれわれの文化的意味を有する人間的行動が他者に負ふものであること、他者の行動に於て表現されてゐる社會的集團の慣習が、新しき世代の成員の行動の規準となることは、確實である。しかしかうした集團の慣習が新しき世代の成員の行動を規正する力はどこから來るのであらうか。慣習は社會的集團のその成員に對して容認を迫る力である。特定の行動樣式としての習慣は社會的慣習がかゝる容認を迫る力をもつてゐればこそ形成されるのである。從つてもし社會の慣習がその成員の習慣に於て保たれてゐるとするならば、習慣なる概念は單に事物を處理する行動の樣式を意味するに止まらず、或特定の仕方によつて行動しようとする內的傾向性をも意味するものでなければならない。總じて習慣なる概念によつて人間の形成を說明し得るとなす思想は、根本に於ては習慣なる概念のこの二義性に基いてゐる。だがしかし習慣の形成によつて生得的ならぬ內的傾向が生れるとの想定は果して科學的に容認され得る命題であらうか。われわれは如何にして習慣は形成せられるか、生物學的心理學的事實にかへり、現代心理學が如何にこの問題に應へてゐるかを聞かなければならない。

三　習慣形成の根本制約

普通ひとは、習慣は物事を繰返し繰返すことによつて得られるものであると考へてゐる。例へばテニスをする時、とんで來た球を打たうとする行動を反復する事によつて球が來れば特定の行動が自然に正確になされるやうになるのである。このやうに同じ行動を繰返すといふことが習慣形成の缺くことの出來ない條件をなしてゐると考へる。然しこゝに同じ行動とは、或特定の要求を充たさうとする同じ意味を有する行動――この場合球を正確に打たうとする行動――を指すのであつて、決して實質的に同じ行動を指すのではない。もしいつも全く同じ行動が繰返されてゐるならば、行動は是正せられはしないであらうし、テニスは上達しはしないであらう。問題を大げさに取上げなくても、形成された習慣が始めの不器用な行動の繰返しではないこと、新しい行動の仕方が習得されるためには、始めになされてゐた行動が是正せられなければならぬことは明かである。無用な運動が省かれ適切な行動が殘るのは、行動が始終、特定の目標に達しようとする要求に基いてゐるがためであり、同じ目標を目指す行動、卽同じ意味の行動を繰返すことによつてである。勿論あらゆる習慣が行動の反復によつて形成せられるとは限らないが、「この繰返すうちに學ぶ」といふ通俗的表現のうちには、習慣形成に就ての、力學的力についての見解が祕められてゐる。

すべて行動は、それが人間の行動であるにせよ、動物のそれであるにせよ、特定の目標を目指すものである。如何に單純な生物にしても、外界の刺戟は決して純粹に物理的に作用するものではなく、それが生活體に作用する限りに於て、外界の事物から來る刺戟は、外界の事物の性質を表はすものとして生活體によつて認められるといふことがなければならない。しかし外界の事物のもつてゐるあらゆる性質が生活體によつて認められるのではなく、生活體にとつて意味のある事物の特定の性質だけが認められるのである。言ひかへれば、生活體の生存に關係をもつ特殊な生物學的意味をもつ特定の對象の性質だけが主體に迫るのである。而も生活體は特定の變化を對象に來らすやうに規定せられてゐる。從つて生活體の住む環境の事物の性質はかくかくの行動を呼び起す信號と看做される。

しかし乍ら生活體の働きかける對象の意味がわれわれに知られるのは、主體がその對象に働きかけることによつて生ずる內的竝に外的な事態の變化によつてである。言ひかへれば行動の成果に因つてである。從つてわれわれは動物を行動の主體としてみるとき、すべて動物の行動はかゝる行動の成果を目指すものであるといふことが出來る。ところがわれわれは普通主體をその目指す目標にまで驅りたてるところの力學的力を欲求或は要求と呼ぶ。從つて今こゝに欲求なる概念を導入するならば、動物の行動はすべて欲求を充たすためになされるものであるといはなければならない。さうして欲求されるものは、いふまでもなく欲求をみたす對象の性質である。對象が動物の行動に對して信號としての意味をもつてゐるのは、そこに欲求をみたす或性質がみられるがためである。欲求を滿たす或性質が期待されるがために、特定の對象はそれに相應しい行動を呼び起す信號としての役目をなすのである。

習慣形成の問題はかうした動物の行動の目的論的性格からのみ理解出來る。動物が以前食物の豊富であつた場所に食物を探しに出かけ、全然見付けることの出來なかつた場所に二度と出掛けようとしなくなるのも、行動の全系列が食欲を充たすための過程であることからのみ理解せられる。行動は食欲を充たすためになされるのであるから、食欲を充たすやうな對象の存在する場所は、動物にとつて間接的に生物學的意味を有するものとなるのである。雞が穀物の置いてある納屋の戶の音に反應するやうになるのも、納屋の戶の音が、雞に食物を期待せしめるからである。從つてこの期待が度々裏切られる時、かくして形成された習慣は消去つてしまふのである。

パヴロフの犬に於てみられる所謂條件反射なる現象にしても本質的にはこれと異つたものではない。この現象は固有の生物學的意味をもつてゐた對象から、今迄何等の意味をもつてゐなかつた對象に犬が反應するやうになるといふことである。(註)

〔註〕普通の條件の下に於て、犬は空腹になると、食物を求めてあちこち步き廻り、食物のありさうな場所を探すものである。さうしてありさうな場所が探されるのは、食物と何か關聯をもつてゐさうな對象に反應することによつてなされるのである。實驗は空腹の犬のかうした積極的行動を阻止するやうな條件の下になされるのである。空腹な犬は目の前に肉が置かれる時、かうした條件の下に於てでないならば、すぐにそれに飛びついて食べるであらう。ところが實驗は犬の目の前に肉を

置きながら、すぐには食べさせずに、たとへば或音をならしてから與へるのである。かうした實驗を繰返して行ふと、遂に犬はそれ自體では何等の意味をもつてゐなかつたその音に反應して、唾液が流れ始めることが確かめられる。さうして最早音につゞいて肉が與へられなくても、音は十分に反應を生ぜしめるやうになる。

われわれはこゝに空腹な犬に美味さうな肉片を見せれば、たゞ見ただけで唾液を出すといふことを注意しよう。食物を見ると唾液が分泌されるのは、それが空腹をみたすものであるからである。食物に對する期待が唾液の分泌を促すのである。實驗はこの期待が音に移される事を示すに過ぎない。ではどうして食物に對する期待が音に移されるのであるかといふ事は、犬が積極的にその要求を充たす對象に近づく代りに、言はゞ對象が犬の方に近づいて來るといふ實驗の特殊な條件のみが說明する。

この今迄主體にとつて意味をもつてゐなかつた對象が生物學的意味をもつてゐる對象に對する合圖となるといふ一般的性格はすべての習慣に於て容易に認められるものである。慣れた魚が誰かが池に近づけばすぐに水面に來て口をパクパクするのも、石を投げつけられた犬が、石を投げる仕草に反應するのも同じことである。習慣は先立つ事態に對して終りに來る筈の事態に對する期待によつてなされる行動である。習慣が形成されることによつて、動物は生物學的意味を有する對象に對して、對象の現れる前に、その對象を期待せしめる對象に反應することが出來るやうになるのである。日常生活に於けるわれわれの行動も、食事の時の箸の運び、衣服を着たりぬいだりする動作、或は道具の使用にしても、それがとどこほりなくなされるのは、各の事態が終りに來るものを目指して次に來ることに對して用意されてゐるがためである。テニスする人は球が未だ來てゐない點をラケットで打つのではなく、相手の球を受止めたその動作によつて球の來る方向を見定め、それに對して用意するのである。

このやうに習慣的行動に於ては、各々の動作は悉く終りに來る筈のものを目指してゐる。言ひかへれば、主體の要求をみたす對象を目指してゐる。從つてもし先立つ動作が、その目指す目標に達するのに役立たないならば、言ひかへれば、目標に達するのに失敗するならば習慣は破られる。たゞこの目標によつて保證されてゐる行動のみが殘るのである。

習慣の形成は動物の行動が特定の目標を追求するものであるといふことからのみ理解される。動物は動物にとつて生物學的意味を有する對象に對してのみ反應するのである。從つて直接的に生物學的意味を有しない對象が特定の反應を呼び起すやうになるのは、換言すれば行動價を持つやうになるのは、生物學的意味をもつてゐる對象から、その對象に行動價が移されなければならない。第二次的行動價は第一次的行動價の反射であり、それが行動價をもつてゐるのは、固有の行動價をもつてゐる對象によつて保證されてゐるがためである。だから二次的行動價をもつてゐる對象は行動價を全く失つてしまふ事があるわけである。然し對象によつてはその行動價を保證する對象がなくても、依然として行動價を持ちつゞけることがありはしないか。

われわれの多くの習慣は、子供の時、行動を確證するところのものがあつたからこそ、形成されたものに違ひないが、現在ではかつて行動を確證したところのものは既に消え去つてしまつてゐるかのやうに見える。それにもかゝわらず、われわれの習慣が破られることなく持續されてゐるのはどうしてであるか。それはギョウムもいつてゐるやうに、「それを確證するところの條件が一層本質的な條件にとつて代へられてゐるがためである。習慣は制度のやうに、屢々それを形成した力とは非常に違つた力によつて保たれる。習慣はこの力によつて舊い確證にとつて代るところの新しい確證を得るのである。」では人間の習慣に於て、それを確證するところの行動價を有する對象は何であらうか。ひとは如何なるものを目指すものであるがために、社會的に意味のある習慣が形成されるのであらうか。これこそわれわれが人間の習慣形成に就いての條件を明かにしようとする限りに於て究明せられなければならぬ問題である。

　人間の習慣に關する限りに於て習慣形成は單なる生物學的要因に因るものではなく、社會的要因もまたそれに協働する。否社會的要因こそ最も重要な要因である。ひとが習慣が形成される事によつて行動の內的傾向が生れると考へるのも、これがためである。習慣が行動の內的傾向を生むとの思想は既にアリストテレスの倫理學にみられる。アリストテレスはその倫理學でいつてゐる。ひとは勇敢な行動をすることによつて勇敢な人となり、正直な行動をなすことによつて正直な人となる。同じ性質の行動を繰返すことによつて識らずしらずのうちに、さうした性質の人になり遂にはそれに反するやうなことをしようと思つても出來ない人となる。行動がすべてそれに相應しいやうに人間を作るのである。その人の仕事がその仕事に適するやうにその人を作るのみならず、道樂もそれに適するやうに人を作るものである。たえず步いてゐる人は足が丈夫になるし、いつも書物を讀んでゐる人は讀むことが達者になる。このやうに同じやうな行動を繰返すことによつてその行動に適するやうな人柄が生れるのである。だから一度び始めた行動は終にはもうそれから免れることの出來ないものとなつてしまふのであると。

けれどもひとびとのかうした行動の傾きは、同じやうな行動を繰返すことによつて生れたものではなく、同じやうな行動を繰返さなければならないやうな事態に置かれてゐるがため、事態の必然性に基いて內的傾向が發動しようとするのである。言ひかへればひとは同じやうな行動によつて特定の要求を充たさうとするのである。ひとが自分の要求を充たさうとするとき、最も手近かな又自分に最も容易な道を選ぶのは自然である。このことが困難な慣れない道を通つて、一層大きな或は充たされない要求を充たさうとする冒險を避けしめるのである。殊にひとは年をとると共に新しい異つた仕方で新しい道を切開くといふことは大儀となる。といふのは、年をとると共に新しい習慣を形成する能力は減退するからである。非常に年をとつた動物はもはや條件的反射を獲得することは出來ない。迷路を學ぶ素質は鼠では生後七十五日迄は增大するが、それからは減少するといふことである。このやうに年齢とともにその既存の習慣を變形し、新しい習慣を形成する能力が減退するため、行動の範圍は制限されるやうになり、そのために要求の方向も制約されるやうになるのである。けれどもそれは決して行動を繰返すことによつてさうした行動の傾きが生れたためではない。習慣は要求を生みはしない。習慣は特定の要求を充たすための行動の様式として、ひとが新しい習慣を形成する能力を缺くやうになると共に、要求を制限するものともなりはするが、習慣そのものがひとを特定の行動にかる推進力をもつてゐるのではない。けれども習慣は社會的環境に對する適應によつて生れたものである。ひとが習慣が要求を生むといふ風に考へるのもこれがためである。といふのは社會的環境に於ては、單なる生物學的環境に於ては生じないやうな要求が生れ、この要求に基いて習慣が形成せられるがために、習慣が作られる事によつて内的傾向が生れるかのやうに見えるからである。道具の使用の場合をとつてみよう。一體道具は同じ性質の行動を繰返すことの必要から生れたものである。たとへば金鎚は釘を打込むといふ單純な行動を反復するために作られたものである。鍬にしても、鋏にしても、筆にしても同じことである。從つて道具を用ゐるためには、同じ行動を繰返し繰返してなし、遂にそれが全くわれわれ自身の手足の代りと迄ならなければならぬ。而も子供がかうした道具の使ひ方を手に入れるのは、大人の行動を模倣することによつてである。子供はいつの間にか着ることを覺え、椅子に腰かけ、筆をもつて何か書くことを覺えてゐる。さうしてかうした日常の用具の使用が手にはいると共に、最早やそれらのものは日常の生活から切離すことの出來ないものとなつてしまふ。椅子さへなかつたならば、否、同じやうな行動の反復によつて椅子に腰かけることを覺えさへしなければ、椅子にかけようといふ要求は生れはしないであらう。だがしかし椅子にかけようとする要求が習慣の形成によつて生れたのではない。ではなくして、椅子にかけたいとの要求に基いて習慣は形成せられたのであり、つかれた場合椅子になれたひとは疊の上ではなく椅子にかけたいとの要求をもつのである。從つてかうした場合始め努力の對象であつたことが習慣が形成せられると共に、一々の動作に對して氣を配らなくてもたゞさうしようと思ひさへすれば、行動がすら〱と運ばれるやうになるだけのことであつて、何もひとをさうした行動に迄かりたてる内的傾向が生れるのではない。しかしそれにもかゝわらず習慣が要求を生むと考へられるのは、そも〱かうした習慣が形成されるに至つたのは、さうした道具の使用と切離すことの出來ない生活環境に置かれることによつて、道具を使用しようとする要求が生れ、習慣はこの要求に基いて形成されたものであるがためである。而もひとはさうした道具を用ゐなければ用を足すことの出來ぬ生活環境に生涯止まつてゐるのである。否この要求はひとが成熟せる成員となると共に益々强い要求となりさへするのである。實にこのことがひとをして習慣が要求を生ぜしめるのであると誤認せしめるのである。從つてわれわれが人間の習慣に目を向けるとき、如何なる條件の下に於てかゝる要求は生れ、習慣は形成されるかといふことが大きな問題となつて來る。こゝにわれわれの面する問題は模倣による習慣形成の問題である。

社會の種々の風習が世代から世代へと傳へられてゆくのは、われわれの話す言葉、書く文字、或は道具の用ゐ方、かうしたわれわれによつて日常繰返されてゐる行動の樣式が模範として見習はれ、子供自身のものとなることによつてである。しかしかうした行動が子供自身のものとなるのは、繰返し繰返し練習を積むことによつて、それが習慣となることによつてである。ひとが行動の反復によつて習慣が形成せられると考へるのもこれがためである。しかしそれは決して實質的に同じ行動の單なる機械的反復によつてではなく、前になされた行動を修正し改善しより全からしめることによつて始めて修得せられるに至るのである。しかしそれにもかゝわらず行動の反復によつて習慣が形成せられるといはれるのは、その目指す目標が同じものであるがためである。模範となる行動の樣式がそこにあり、その行動の樣式を見習ふ行動が反復せられるがためである。しかしその行動の樣式が手にはいるのは繰返し繰返し行動を是正することによつてであり試みることによつてである。この型の學習は純粹に人間的な學習の仕方であつて、これは社會動物にも高等動物にも存しないやうに見える。しかしそれはたゞ單にそれが柔軟な心性に於て始めて可能であるがためではなく、それが可能なるためには單なる生物學的要因のみではなく、社會的要因が最も重要な要因としてそれに協働しなければならないがためである。

同じ對象に對してなす社會的集團の各々の成員の行動は同一でもなければ、同じ成員の同じ樣式の行動にしても常に必ずしも同じとは限らない。而もそれにもかゝわらずそれが年少者に見習はれるのは、それらの行動が共通する型をもつてゐるがためである。子供によつて見習はれるのは、この型であつて、他人の行動の系列がそのまゝに見習はれるのではない。社會の慣習が各個人によつて異つてゐながらしかも齊一性を有するのはこれがためである。このことはまた模倣が決して模範の再生ではないことを示すものである。それは模倣者の要求によつて變形せしめられ、またよしそれが原型の再生を目指すものであつても、生物學的心理學的諸條件の相違並に社會的諸條件の相違によつて原型は變形せられるのである。このことは同じ習字の手本によつて學習しても個人によつて筆跡の異ることを見てもわかる。

われわれはこの型の習慣形成の一實例として子供が泳ぎを習得する場合を考へてみよう。子供は外の人達が如何にも面白さうに泳いでゐるのを見て、自分も仲間に加つてやつて見たくなる。お手本はそこに具體的實例をもつて示されてゐる。子供は泳ぐ稽古を始める。が始めは見たり敎へられたりしていろ〳〵な運動をしようとするがなか〳〵手足が動いてくれない。筋肉は適當に收縮されず運動は正しい順序でなされない。始めは無駄な運動がなされそれが全體の運動を亂してしまふ。それがいろ／＼と試み工夫するうちに遂には不必要な動作は除かれ、この要求を充たすやうな動作だけが殘り、運動は適當に是正せられて漸次に模範として示された行動の型に近づくやうになる。それは恐らく先づ浮ばうとして試みられる無數の動作のうち、この期待を裏切るやうな動作が除かれ、その目標を保證するやうな動作だけが殘り、身體がやつと浮ぶやうになれば、今度はもつとよく身體を浮かべて前に進まうといろ／＼工夫する。この試みが成功すれば、それが保たれ、かくして漸次に一層目的に添うやうな行動、期待にそうやうな行動が殘り、それに背くやうな行動は除かれ、漸次に是正せられ、修正に修正を加へて修正の跡方さへも殘らなくなる時、それら一つ一つの動作は一つの全き行動の構成要素として確實な位置を占めるやうになる。運動の全體的系列は一つの閉ぢた全體となり、ひとは全體を破ることとなしにその中の一つの要素をも變へることは出來なくなる。ひとは習慣的行動のかうした全體性を音樂的施律になぞらへる。もし運動の展開が途中で阻止せられると、ひとは如何なる點に於てもそれを續けることは出來ない。ときにはひとは始めに遡り始めからやり直さなければならない。各々の部分的運動がそれに先立つ運動に依存するのみならず、全體の運動の調子に依存するがためである。複雜な習慣の形成に於て問題となるのは實にこの全體的運動の律動を理解し、これを手に入れることである。一度びこれが手に入れば、それに類似せる行動は難なく出來るやうになる。これ運動の調子が移調されるがためである。大きく書いても細かく書いても、又紙に書いても黒板に書いても腕の運動が指の運動に代るのに、その人の筆跡が典型的な形を保つのはこれがためである。

他者によつてなされる行動が、われわれの行動の模範となるのも、その運動の施律が、たゞそれを見ることによつて知られるがためである。然しわれわれは音樂の演奏を聞くことによつてその施律を理解することは出來ても、これを實行器管の運動に移すことは容易ではないのと同じように、目によつて理解された他者の行動の施律は、私がそれを理解する限りに於て私の行動を規正する模範とはなり得るが、私がそれを私自身の行動の施律となすためには、努力ある試みがなされなければならぬ。

然し他人の行動を模倣し得るためには、われわれはそれとは離れてそれと同じ種類の行動をなすことが出來なければならない。他人によつて示される模範とわれわれのなし得ることとの間の距離は餘り大きくあつてはいけない。子供が文字を習ふことを模倣することが出來るのも、子供が既に棒を引張つたり線を引いたりするやうな基本運動をなすことが出來るからである。從つて難かしい運動を學習するためには、模範と實行し得る運動とを仲介するやうな運動をそこに挿入するとか、模範を實行し得る運動の部分に分解するとかすることが大切である。模範は分解して再構成する事を可能ならしめる。指導者は體操の動作を時間の系列に從つて分解して一つ一つ實行させる。書き方を學ぶ子供は棒や線を書きそれから全體の文字を構成する。それはわれわれが直接に實行することの出來ない複雜な行動を、われわれの既に實行することの出來る單純な運動の系列に分解し、それを新に組織するのである。然しこれが新しい行動の構成要素となるためには、これらの要素的運動は相互に反應しあひ、全體的行動に對する從屬によつて變形せしめられなければならぬ。言ひかへれば全體としての運動の律動を表はすものとならなければならぬ。然し凡ての運動習慣が要素の綜合によつて或は分析によつて得られるのではない。先に述べた水泳の習慣とか自轉車に於ける平衡の習慣とかは、全體を直接に實現しようとする試みによつて習得されるのである。始めは非常に不完全な動作がいろ／＼と工夫せられて漸次に訂正せられて行くのである。

だが一體ひとは如何なる條件の下に於て他人の行動を模倣するのであらうか。それはひとがたゞ單に「格別それに反對すべき理由のない限り、ひとのなすことを自分もしようとするものである」からであらうか。だがもしさうだとすれば、どうして弟の行動を兄が模倣するのではなくて、兄の行動を弟が模倣するのであらうか。ひとがするから自分もするのは、單なる自然的傾向に因るのではない。ひとのすることを自分もしようとする限り、そこにはひとのなすことが自分に肯定され是認されるといふことがなければならない。ひとはそれが悪いことだと思ひ、さうすることが自分に不利だと考へれば、ひとがするがゆゑといつて必ずしもさうはしないのである。ひとは他人の行動を何でも模倣しはしない。模倣されるのは模範である。手本となるべき行動の型が見習はれるのである。そこには既に手本に對する價値評價があり、主體によつてそれがかゝるものとして是認されるといふことがなければならない。さうしてその限りに於て模倣の現象は人格の形成にとつて重要な意味をもつてゐるのである。從つて單なる行動の樣式の模倣であつても、單なる生物學的心理學的立場からは行動を動機づける要因は決して明かにはならない。模倣の現象に於ける最も本質的な事實は、ひとは自分の關心をもつてゐる事に對して優れたひとを自分の周圍に見付ける時、自分も又彼のやうにならうと努力するやうになるといふ事實である。或特定の領域に於て他の人達より優れてゐるひとは、その領域に於て、他の人達に對して指導的立場に立つことは人の認めるところである。この指導的立場にあるひとの行動はそのためにその領域に於ける模範として一般に認められる。從つて模範は社會的に承認せられた行動の樣式であるといへる。これを社會的に受容れられた或は受容れらるべき行動の樣式として受容れようとするところに模倣は生れるのである。こゝに模倣の問題が單なる生物學的心理學的立場から解明し得られない所以があり、われわれが人格の形成を問題とする限りに於て、單なる生物學的心理學的立場を越えて、さうした生物學的心理學的法則の行はれるところの根本的制約の究明に向はなければならぬ所以がある。のみならず習慣が形成せられるためには、その習慣的行動を保證する對象がなければならぬことをわれわれは見たが、ひとが社會的集團に屬する成員である限りに於て、この習慣的行動を保證するところのものは、單なる生物學的要求、身體的要求を充たすだけのものではない。さうした行動を保たしめる最も重要な要因は、さうした行動の樣式が、その個人の屬する社會的集團によつて容認せられるといふことでなければならない。さもなければ、さうした行動は保たれはしない。ひとの行動が自分だけのものではなく、他者の生活と何等かの形で交渉を持つ限り、他者によつても容認されるやうな行動の樣式のみが保たれるのである。從つて習慣的行動を保證するところのものは、こと人間に關する限りに於て、それが社會的に容認されるといふことでなければならないし、又ひとが自らの行動が社會的に容認されることを求めるものであればこそ、習慣は形成せられるのであるといはなければならない。又その限りに於て習慣の形成は人格の形成にとつて意味あるものとなるのである。かくしてわれわれはそれが模倣によると否とにかゝわらず一般に習慣形成に於て、それが人間の習慣形成である限りに於て、單なる生物學的心理學的立場に於ては解明し得ない問題に突當るのである。さうしてこれこそ人格形成の問題が單なる生物學的心理學的立場から明解し得ない所以に外ならない。實に問題は生物學的心理學的領域を越えたそのところに於て始まるのである。

四　社會的生起とそれに關與する諸人格の交渉との間には一定の函數關係の存すること

このやうにわれわれの構成しようとしてゐる科學の課題は、心理學的法則がその下に於て行はれるところの根本的制約を明かにすることにあるのであるから、ミルが精神科學の方法論に於て、性格形成の科學としての Ethology の方法論として提唱してゐるやうな心理學によつて確證せられた基本的法則から演繹的にその原則を導き出し、それを觀察の事實によつて檢證するといふ方法をとることとの出來ないことは明かである。といふのは、こゝに問題となつてゐるのは、主體と對象との間に存する法則性ではなく、主體と主體との間に存する法則性に外ならないからであり、主體と對象との間に存する關係から導出された如何なる原則も、主體と主體との關係には適用され得ないからである。われわれは人格的交渉を人間と對象との關係の類推によつて明かにすることは出來ない。先に習慣によつて社會的慣習を說明しようとした立場の如きものは、人格的交渉をこの人間と對象との間の關係と看做さうとしたところに根本的誤謬は存するのであるといへる。一方のみが目標に近づかうとする關係と、多數者が特定の目標に近づかうとする場合生ずるこれら多數者間の交渉とは本質的に異つたものであり、言はゞ次元を異にする關係であるからである。從つて個體と事物との關係について確立された諸原則は、この領域に於ては妥當しない。從つて人格の形成といふことが問題である限りに於て、われわれは人格的交渉そのものをその具體的現實性に於てとらへなければならない。

すべて人格的交渉は特定の對象を媒介としてなされる。その各々の主體のその對象に對する關係からみれば、心理學的に確立された諸原則はその範圍内に於ては妥當する。しかしながらこの主體の對象に對する行動は、その對象を媒介としてなされる人格相互の作用によつて制約せられる。この人格的交渉が主體の對象に對する行動を制約するといふ根本的事實こそ人格形成の科學としての敎育科學が心理學的に確立された諸原則に依存することが出來ず、かへつて心理學的諸法則のそこに於て行はれるところの制約の究明に向ふものとして、一層具體的な現實的な立場をとらなければならぬ所以を示すものである。ではわれわれは如何にしてこれら諸人格の行動を制約し拘束する諸條件を明かにすることが出來るか。このことはこの拘束が特定の對象を媒介としてなされる人格的交渉によつて生ずる拘束として、それに關與するひとびとの力學的關係に因つてその力學的構造を明かにすることによつてなされるであらうし、又なされなければならない。

然し乍ら人格的交渉はそれが如何なる對象を媒介としてなされるにせよ、それは無地の場に於てなされるのではなく、先にもみたやうに、特定の風習制度の支配する社會的集團に於ける生起として、これら社會的諸條件によつて制約されてゐる。從つて問題は見掛け程簡單ではない。といふのは社會から抽象された要素間の力學的關係に基いて、よしそれによつて生ずる拘束力の力學的構造が明かにされたとしても、それから直ちに社會の風習制度、其他一般の文化の傳統の力學的構造を類推することは穩當でないからである。然しながらわれわれはこの集團の成員の人格的交渉を拘束する社會的諸條件の力學的構造を直接的な方法で究明することは出來ない。從つてわれわれは人格的交渉を具體的現實的な社會的集團内に於ける生起として把握し人格的交渉によつて生ずる社會的生起がその集團の文化の傳統に對して影響を與へるといふ事實に基いて、文化の傳統そのもの〻力學的構造を究明するといふ手續きをとらなければならぬ。

すべて社會的生起は人格的交渉によつて生ずるものであるが、人格的交渉は常に特定の對象を媒介としてなされるものである。われわれは普通、この人格的交渉を媒介する諸對象の總體を文化と呼ぶ。從つて人格的交渉を媒介する諸對象、經濟的財とか法的權利とか、共同社會の秩序とか、科學とか藝術とか、ひとびとがそれを通して他者に働きかけるこれらの對象はそこに人格的交渉が存續する限り、常に流動してゐる、或は常に生成してゐるといつてもよい。共同社會に於ける生ける現實的文化は共同社會に屬する諸人格の相互作用を通して、絶えず進展せしめられてゐる。社會的生起とは內容的には文化生成の現象に外ならない。從つて社會に屬する成員の蒙るところの拘束力は決して恒常的なものではなく、常に變化してゐるものである。言ひかへれば、社會的集團のその成員の行動を拘束する諸條件は、成員の人格的交涉によつて生ずる社會的生起によつて現實的には變化せしめられてゐるのである。從つてもしこの生成しつゝある文化の力學的構造をそれに關與するひとびとの力學的關係に基いて解明することが出來るとすれば、それによつて、それに關與するひとびとの蒙るところの拘束力の力學的構造を明かにすることが出來るはずである。

然し現實的文化が常に生成してゐるといつても、社會の風習制度、科學、宗教、言語等の文化がそれを媒介としてなされる人格的交涉によつて根本的に別のものとなるのではない。これらの文化は常に特定の傳統を保持してゐる。變化はたゞ或る特定の限界內に於てなされるだけである。これ、これらの傳統が、特定の對象を媒介としてなされる人格的交涉を拘束するがためである。ではわれわれは如何にしてその下に於て生起する人格的交涉に基いて、それを制約する社會的諸條件の力學的構造を明かにすることが出來るか。われわれの科學の根本的課題は、先に述べたやうに、實にこの文化的傳統の力學的構造を明かにすることにある。ところが、文化的傳統は現在の成員の手によつて生れたものではなく、先立つ世代の産物である。從つてわれわれはこれら人格の行動を拘束する諸條件の力學的構造を直接的な方法で明かにすることは出來ない。けれどもこれら傳統は過去に由來するものではあつても、上述せるやうに現在の成員の人格的交渉によつてよし微分的にではあつても絶えず變化してゐる筈である。從つてわれわれはこの微分的に變化生成しつゝある文化的傳統そのものゝ力學的構造を、その變化に關與する諸人格の力學的關係に基いて明かにすることは、原理的には不可能ではない。換言すれば人格を拘束する社會的諸條件の力學的構造をその靜止せる形態に於て、直接的に解明する手段は缺けてゐるとしても、變化しつゝある諸條件の力學的構造をそれに關與する諸人格の力學的關係に基いて解明することは必ずしも不可能ではない。ところが文化的傳統そのものゝ變化は文化生成の現象に外ならない。從つてわれわれの問題は現實社會に於て生成しつゝある文化そのものゝ力學的構造、卽特定の社會に生起する社會的事件そのものゝ力學的構造を、それに關與する諸人格の力學的關係に基いて明かにするといふことでなければならぬ。

すべて社會的生起はその社會的集團に屬する成員の人格的交渉の結果とみることが出來る。この意味に於て物理學に於けると同樣に、そこに於て生起するあらゆる變化は社會的集團の人格的諸條件の結果であるといへる。從つて力學的見地からすれば、社會的生起は、その社會的生起G

に效果を及ぼす人格の總體の函數として記述される。$G=f(S)$ 勿論社會的生起は現在それに關與してゐる人格のみではなく過去の諸人格の力にも因るものであることは明かである。特に社會の風習制度傳統は現在の成員の力によつて生れたものではなく、先立つ世代の產物である。然し乍ら過去の成員の力によつて生れた制度傳統が、現在の成員の行動を拘束する力を持つてゐるのは、それが現在の成員によつて承認され、現在の成員の信念となつてゐる限りに於てである。從つてよしそれらの風習傳統が過去の世代に由來するものであつても、それが保持されてゐるのは現在の成員の力によつてであることは明かである。從つて社會的生起に關與せる諸人格は同時的なものとして考へ得るわけである。

然し乍ら或特定の社會的生起はそれに直接間接關與せるあらゆる成員の人格的交涉の結果生れるものに外ならない。從つてそれに關與する成員の範圍をきめることは非常に困難である。恐らく特定の社會的集團に屬するあらゆる成員はその集團に生起する事件に對して關係をもつてゐるであらう、言ひかへれば、直接間接それに對して影響を與へるであらう。從つて社會的事件には、それがそこに於て生起する集團を構成するすべての人達が直接間接それに關與してゐるものと看做さなければならない。從つてわれわれの公式 ($G=f(S)$) に於けるSは、そこに於て社會的事件Gの生起する社會的集團の全成員の人格的交涉を現はすものでなければならぬ。然しながらか

四　社會的生起とそれに關與する諸人格の交渉との間には一定の函數關係の存すること　二六四、

うした特定の社會的集團に於て生起する事變は更に一層廣い、それを包む社會的集團に於ける事變とも見られる。かくしてわれわれは社會的事件に關與する人員を何處に限つてよいか見境ひがつかなくなるやうにも思はれる。然しこのことは社會的生起がそれが生起する社會的集團を構成する全成員の人格的交渉によるものであるとの原則と矛盾するものではなく、ただ生起を一層廣い社會的集團の機能とみることが出來ることをいふだけである。たとへば、われわれは特定の家族內の或る私的な出來事をその家庭內の出來事として家庭なる集團の成員の人格的交渉の結果とみることも出來れば、更にそれを或特定の民族內の出來事として見、民族全體の直接間接に關與する事件だとみる事も出來るわけである。しかし何れにしても、社會的生起がそれが生起するところの集團を構成する全成員の人格的交渉の結果とみられる事は確實である。言ひかへれば、集團を構成する全成員が直接間接その生起に對して人格的關係をもつてゐることは確實である。もしさうでないならば、それはその集團內の社會的生起とは見られないであらう。

然しながら、社會的生起がその生起する集團全體の函數として現はされるといつても、$(\mathfrak{G}=f(\mathfrak{S})$ に於て $\mathfrak{S}=P_1P_2$ とした場合、たとへば二人が碁を打つてゐるとすると、黑が或特定の箇所に石を置いたといふ生起を、それに先行せる白の石の配置から、或は白をもつ P_2 の態度から導き出すことが出來るといふのではない。一般に P_1P_2 のそれに續く時間に於ける行動を、それに先立つ行動、或は交渉から導出することが出來るといふことをこゝに主張しようとしてゐるのではない。確かに碁盤に現れる石の配置は社會的生起としてみられるし、それは碁の規則を前提とせるP_1P_2の人格的交渉の結果生れたものに外ならない。この意味で$G=f(P_1P_2)$として記述される。けれどもこの公式の意味するところのものは、それが特定の曲線によつて現されることを示すものであり、それの嚴格な意味はその曲線の任意の點に於ける方向の變化と速さとが、P_1P_2の力學的關係によつてきまることを示すものである。即社會的生起の經過をそれに關與する諸人格の力學的關係の時間的横斷面の系列として記述されることを示すものである。從つて社會的生起を豫見し得るやうな法則を確定し得るとするならば、社會的生起とそれに關與するひとびとの人格的交渉との關係が特定の曲線を描くことが示され、この曲線の形を決定することが出來なければならぬ。ところが特定の生起に關與するあらゆる人達の現在の狀態を知るといふことは始めから不可能なことは明かであり、またその間の交渉の仕方を一々知るといふ事は人間に出來得ることではない。從つてもし社會的生起を豫見し得るやうな法則が發見され得るとするならば、人格的交渉に就ての或種の抽象化がなされなければならない。さうしてこのことは人格と人格との交渉を媒介する對象によつてその領域を制限することによつてなされ得るであらう。たとへば經濟的媒介物によつて人格と人格とが交渉する場合の如き、媒介物を特定の對象にのみ限り、人格的交渉をその對象に關する限りに於て見る限りに於て、そこに於て行はれる法則性を發見することも可能であらう。しかしそれは或特定の領域に限られてゐる。然しかく制限した場合に於ても、かうした例へば經濟的な領域に於ても、經濟的ならぬ他の要因が、經濟的生起に影響することがあり得るわけであるから、特定の事態をそれに續く事態から導き出すことは必ずしも可能ではない。そこには經濟的ならぬ要因が入り來り、偶然による變化があり得るからである。

從つて社會的集團に於ける生起を豫言し得るやうな法則を確定するといふことは、或特定の領域に於ては或程度可能であるとしても、一般的には不可能であることを承認せざるを得ない。人格と人格との交渉を媒介する對象によつて領域を制限し、その對象に關する限りに於て社會的法則を發見することが或程度不可能ではないとしても、現實に於ては諸他の要因が事實に於て作用するのであるから、かくして得られた法則の妥當性は著しく制限せられざるを得ないからである。

然しそれにもかゝわらず、如何なる媒介物によつて人格的交渉がなされるにせよ、一般に社會的生起が、直接間接にそれに關與する諸人格の交渉に因るものなること、從つて力學的には、社會的生起が、これら諸人格を構成要素とする社會的集團の函數として表はされることは確實である。然しこの公式の嚴密な數學的意味は、先にも述べたやうに、社會的生起が特定の曲線によつて現はされるものであり、その曲線の任意の點に於ける方向の變化と速さとが、その生起に關與する諸人格の力學的關係によつてきまることを示すものである。換言すれば社會的生起の經過をそれに關與する諸人格の力學的關係の時間的横斷面の系列として現はされることを示すものである。ところが社會的生起は先にもみたやうに内容的には文化の生成の現象に外ならない。更に社會的集團に於ける文化の生成は廣い意味に於ける社會的運動の展開といふ形をとつてなされる。凡て社會的集團に於けるひとびとの人格的交渉は後にみるやうに、その交渉を媒介する對象に就ての人格の主張要求の他者によつて容認されることを求める限りに於て成立つものである。從つて社會的集團に於けるひとの行動は、それが何等かの形に於て他者と人格的交渉をもつ限りに於て、他者の容認を迫る運動としての性格を有するものである(註)。從つてわれわれの公式の嚴密なる意味は社會的運動がそれに關與する人格的力の函數として現される事を示すものである。即社會的運動の變化の方向と速度とはそれに關與する諸人格の力によつてきめられることを示すものである。ところが社會的運動そのものは逆にそれに關與する人格の行動を一般に拘束するものである。さうしてこの拘束作用こそ人格形成にとつて重要な要因である。從つてよしかゝる運動が如何なる曲線を描くかといふ事を確定することが現實的には不可能であるとしても、從つてもし特定の時點に於て社會に生起する事件を豫言することの出來るやうな法則を發見することは不可能に近いとしても、すべての風習制度傳統が結局社會的集團に於ける或種の運動と看做され得るとするならば、われわれは社會的場に展開する運動の一般的力學的構造を明かにすることによつて、風習制度、傳統の力學的構造を明かにすることが出來るはずである。

（註）この點に關しては私は臺北帝大文政學部哲學科研究年報第六輯「社會的場と人格」に於て精しく述べてゐるつもりである。

五　人格的相互作用の力學的性格

われわれは社會的生起がそれに直接間接に關與する人達の人格的交渉に基くものであること、従つて社會的生起Gはそれに關與する人達の函數として記述されることをみたが、しかし社會的生起に關與する人達は嚴密にはそれが生起するところの社會的集團の全成員を抱括してゐる。從つてよしこの公式が妥當であるとしても、社會的集團の全成員の人格的交渉の有樣が悉く知られない限り、それによつて社會的事件そのもの〻力學的構造を明かにする事は出來ない。從つてこのことが可能であるためには、多樣なる人格的交渉を比較的單純な關係に還元するといふ事が出來なければならない。而もそれは事態を單純化するために人爲的にさうされるのではなく、人格的交渉そのものの本質的性格に基いてなされ得るのでなければならない。

然しながらよし多數の人達の人格的交渉も結局單純な要素間の關係に歸せられるとしても、又社會的生起とそれに關與する人格と人格との相互作用との間に一定の關係の存することは確實であるとしても、更によしそこに或一定の數量的關係によつて現はされ得る事實があるとしても、具體的現實的な人格的交渉に關與する人格の力を計量する事の出來ないことは明かであり、實驗によつて人格間に存する法則を確定するといふ事は明かに不可能である。のみならず單なる外的觀察もまた法則確定に對して充分有效であるとはいへない。といふのは、人格的交渉は本質的に道德的實踐的な事件であり、直接にそれに關與することなくして知ることは出來ない現實であるからである。では法則の確定に對して實驗的方法も何等の役に立たず、又單なる外的觀察もそのまゝでは充分有效ではあり得ないかうした科學の領域に於てもし假りに法則を確定する事が出來るとすれば、それは如何なる方法によるべきであるか。

　特定の科學に於て如何なる方法が採られなければならないかといふ事は、一般にその方法の適用される對象によつてきめられる。從つてわれわれの場合に於てもそれは人格的交渉そのものゝ獨自の性格によつてきめられる筈である。ところが人格的交渉は第三者の立場から觀察するとき、その本質的特異性はわれわれの眼から見のがされてしまふやうな性格をもつてゐる。それはたゞ歷史的現實に於て自ら實踐的に歷史的生起に關與することによつてのみ知られる事實である。こゝにわれわれの研究對象の物理學の對象と異つた特異性がある。さうしてこれこそ物理學に於ける實驗によつて側定される數量的關係にも比すべき基本的事實に外ならないのである。この基本的事實を無視する限りに於て、こと人格の形成の科學である限りに於て、何等現實的地盤をもたぬ科學とならざるを得ない。從つてわれわれは人格的交涉の現實的事實に基いて一般的法則を構成しそこから出發してその歸結を特殊な經驗によつて檢證するといふ方法をとらなければならない。それは科學的には一般的法則から出發して、その歸結を特殊な經驗によつて檢證する方法として演繹的方法と呼ばれるものである。實驗といふ有力な方法を缺ぎ、而もその上に單なる觀察もそれだけでは全く不充分である科學のこの領域に於て、われわれの採用し得る唯一の科學的方法はかくの如きものでなければならないであらう。われわれは觀察によつて理論を構成することは出來ないけれども、現實に基いて構成された理論を觀察によつて檢證することは出來る。

しかしこゝで直接間接それに關與する多數の人達の人格的交涉に基く社會的現象を、それ以上單純化する事の出來ない要素間の關係として見ようとすることに對して、ひとは或は抗議するかもしれない。勿論かくの如き還元は、それが人爲的になされる限りに於て問題となる。ところが社會に於ける人格的交涉は具體的現實的には我と汝との關係として、人格と人格との相互作用は、現實的には結局二つの對立する要素間の關係であることは事實である。たとへば今こゝにA.

B.C.なる成員より成る社會的集團に於て特定の社會的生起Gが生じたとする。さうするとそれはわれわれの公式によれば、G=f(A. B. C.)によつて表はされる。今これらの要素A. B. C.の相互間の人格的交渉について考へるに、結局人格的交渉はA.とB.と及びA.とC.との關係並にA.とB.C.との關係に歸せられるか、或はB.とA.C.更に或はC.とB.A.との關係に歸せられ、結局人格的關係は二つの對立する要素間の關係に歸せられる。といふのは、A.とB.C.との間に人格的交渉が生ずる場合、B.とC.とは一つの要素として作用するからである。この場合社會的生起に關與する成員が多數であつても同じことである。更にこのことはA.B.C.が個人ではなく社會的集團を表はすものとしても同じことである。たとへば家族にしても國民にしても、その内部に於て成員或は集團が如何なる關係に立つてゐるにせよ、他の家族或は國民に對して立つとき、それらは一つの全體として、或は一層廣い社會的場の一つの要素として他の要素と關係するのである。從つてわれわれは對立する二つの要素間の關係に基いて社會的生起そのものゝ力學的構造を明かにすることが出來るはずである。

しかし、よし、社會的生起に關與する諸人格の交渉が、結局無數の對立する要素間の關係に歸せられるとしても、かく取出された二つの要素間の相互作用は、集團全體の社會的諸條件によつて制約され拘束されることは明かである。從つてかうした人格的交渉を拘束する諸條件の力學的構造を、その拘束の下に於て相互に作用する二つの要素間の關係に基いて明かにすることは不可能のやうにも思はれる。

けれども先にもみたやうに、人格的交渉を拘束する社會的諸條件は恒常的なものではなく、人格的交渉そのものによつて如何に微かではあつても變化せしめられるものである。從つてもし社會的集團に於ける諸人格の交渉が結局要素と要素との關係に歸せられるとすれば、社會的集團の諸人格を拘束する社會的諸條件の變化或は更新は、結局無數の對立する要素間の交渉の成果の集積に因るものと言はなければならぬ。諸人格を拘束する風習制度傳統などの社會的諸條件が、根本的には如何なるものであるにせよ、その變化がその拘束の下にある諸人格の交渉に基くものである限りに於て、對立する要素間の力學的關係に基いて、その交渉を拘束する諸條件の微分的變化の力學的構造を明かにすることが出來るはずである。從つてわれわれの問題は、この社會的諸條件の變化に微分的效果を及ぼす二つの人格間の交渉に言はゞ、擴大鏡の焦點を合はしてみるといふことでなければならぬ。しかし理論的にはかく擴大してみられる人格と人格との交渉の姿こそ、實に實踐的には、我と汝との交渉なる歷史的現實に外ならないのである。

先にみたやうに社會的生起の法則はそれが生起する共同社會の法則である。この法則はそれに關與する凡ての成員の人格を拘束する。しかし人格のこのやうな拘束は、ひとが社會的生起に關與する限りに於て蒙る拘束であつて、現實的にはひとは他者との人格的交渉にはいることによつて他の人格によつて行動が制限され拘束されるといふ事實に於て現はれる。從つて人格的交渉は現實的には第一に相互制約の關係であり、緊張せる對立關係である。ひとはたゞ他者との力學的緊張關係に込入ることによつてのみ現實的社會的生起に關與することが出來る。われわれは先に人格的交渉が常に特定の對象を媒介としてなされることを述べたが、この人格的交渉を媒介する諸對象は現實的には、夫々の事態に應じて、たとへば特定の經濟的財とか、法的權利とか、科學とか、藝術とか、それ自體人格的交渉によつて他者によつて生成せしめられたものである。從つてひとが社會的生起に實踐的に行動をもつて關與することが出來るのは、社會的生起そのものに於て、他者の主張要求が聞かれる限りに於てである。從つてひとが社會的生起に關與することによつて蒙るところの拘束は、現實的には、直接交渉をもつ他者の拘束として現れるのである。然しながらこの拘束はひとが文化の生成なる共同社會的事業に關與することから生ずる拘束に外ならないのであるから、ひとは現實的には或特定の個人と交渉を持つにすぎないとしても、彼を通して多くの他者と人格的交渉をもつのである。

このやうに人格と人格とは、社會の法則の下に、現實的對象に對する共通の努力に於て、共同の事業に於て結ばれてゐるが、相互對立、相互拘束の關係に立つてゐる。といふのは人格的交渉は特定の對象に對する相互の主張或は要求に基いて始めて生ずるものであるからである。從つて現實的な人格的行動は常に拘束されてゐる。他者の抗言によつて人格の自由は制限されてゐる。しかもこれはひとが共同の事業に關與せんとする限り、ひとの蒙るところの制限であり拘束である。この拘束からぬけだす限りに於てひとは最早現實的人格ではない。從つてひとが共同社會的事業に積極的に關與せんとする限り、他者との對立關係、對抗關係からまぬがれることは出來ない。といふのは、ひとがその實踐的課題を受取るのは、この他者によつて制限され拘束された現實からであり、實踐的課題は他者の要求に對して何等かの形に於て行動を以て應へることによつてのみ果されるからである。而もこの他者の要求に對する應へは必然的に他者に對する要求主張となつて現はれざるを得ないからである。といふのは共同社會的事業に對する何等の主張要求を持たぬ限り、ひとは他者との人格的交渉にはいる事は出來ないからである。從つて社會的現實は相互要求の現實であり、對抗の現實であるといはなければならぬ。文化はたゞかうした要素間の力學的緊張關係の現實に於てのみ生成發展せしめられる。

われわれの生活してゐる現實は他者によつて制約され他者によつて拘束された現實であり、われわれの仕事は他者の仕事の成果によつて限界づけられてゐる仕事である。從つてひとはたゞそれに於て具體的に表現されてゐる他者の要求を受容れることによつて自らを制限する事によつてのみ共同の事業に關與することが出來る。他者の要求を受容れるといふこと他者によつて拘束されるといふことは、共同の事業のなされるための根本的制約である。從つてもしわれわれが共同の事業に關與してゐるとすれば、そこには何等かの形で他者の要求が受容れられてゐるのでなければならない。從つてよしこの他者の要求に對して應へるといふことは更に自ら要求を提示することに外ならず、從つて人格と人格との交渉は行動をもつてなされる相互要求、相互主張に外ならないとしても、この相互要求に於て共同の事業は進展せしめられ、文化が生成するのであることが眞實であるとすれば、かくして生成せられる文化そのものが、對立するこれら要素の協働の産物として、それに關與する諸人格の力學的關係に基く特定の力學的構造をもつてゐることは明かである。

すべて文化は、藝術にしても科學にしても、それが發達し生成するためには、たとへば、他者によつて生産された作品或は著作が私の行動を制約する條件とならなければならない。しかもそれが新なる文化を進展せしめる契機となる限りに於て、それは實踐的課題をひとに投げかけなければならない。言ひかへれば單にそれが過去の文化としてみられるのではなく、現實に動いてゐる文化である限りに於てそれは現實的行動を以て應へる事を要求する主張を體現してゐるのでなければならない。又事實すべて文化は人格的交渉によつて生れたものとして特定の人格によつて創造されたものとして、それは對象化され、それを創つた人格の手を離れても、尚そこにそれを創造した人格の主張要求が體現されてゐるのである。といふのはそれは他者の要求に對して自らの主張を以て應へた應へに外ならないからである。一體ひとが他者によつてなされた事業を繼承發展せしめるためには、他者の事業を承認しなければならないが、この他者の事業を承認するといふことには、他者の事業の正當性を承認すると共に、他面その誤つた點を是正するといふことが含まれてゐる。といふのは凡ゆる點に於てその儘に他者の事業が承認されるのであれば、そこには發達とか發展とか或は生成といふことさへも生れないであらうからである。從つてひとは、先達によつてなされた事業を繼承發達せしめるといふことが可能である限りに於て、それら事業に關與せる諸人格に對して對立關係に立つといふことがなければならない。他者とかうした關係に立つことによつてのみ、文化は流動し生成するのである。從つて社會的生起は、よしそれが生起すると共に對象化されても、それが生ける生命をもつてゐるものである限りに於て、他者の抗言或は要求として私によつて聞かれなければならない。そこに他者の要求主張抗言が聞かれない限り、それは現實的實踐的對象とはならない。法、慣習、科學、藝術の如き諸對象はそれが流動に於てある限りに於て、相互抗言竝びに批判の對象とならなければならない。

このやうにひとが共同の事業に關與しようとする限り、他者によつて行動の範圍は制限され、行動は拘束される。他者は私に對して對立者、對抗者として現れるが、それは他者によつて生成せしめられた生ける文化そのものから來る拘束に因るものである。從つて、他者が私に要求するところのものも、文化の生產に對する協働である。或はそれに協働しないことに對する抗言である。他者によつてなされた事業が私に問題を投げかけるのは、私共が特定の文化の生產を目指す協働者であるがためである。從つて對抗の緊張關係を通して生產せられる各の文化、各の社會的生起は他者に對する要求を表現し、それが生ける文化、生成しつゝある文化である限りに於て、涯しなき對抗の緊張關係にひとを驅りたてるものであるにせよ、各の生起そのものをとつてみれば、他者との協働の產物として、何等かの形に於て他者の要求が受容れられてゐるのである。卽力學的には他者による拘束に基いて自らの主張が特定の偏みを與へられてゐることは確實である。勿論この要求この主張はそれについて要求主張のなされる對象によつて、又それぞれの事態に應じて、私の主張に特定の偏りを與へた要求が私だけに向けられてゐるとは限らないと同樣に、その對立者にだけ向けられてゐるとは限らないが、それでも矢張り對立する要素に向けられてゐる要求主張に外ならないのである。從つてわれわれは文化の生成に於ける社會的集團の構成要素間の力學的關係が如何に複雜多樣であつても、對立する要素間の力學的關係に基いて生成せる文化の力學的構造を明かにすることが出來る筈である。而もこの對立する要素間の力學的關係を通して特定の共同社會の文化は生成するのであり、又たとへ微分的にではあつてもそれによつて共同社會の文化の傳統は變化せられてゆくのである。從つて對立する要素間の力學的緊張關係を通して生產せしめられる文化そのものゝ力學的構造をそれに關與する要素の力學的關係に基いて明かにすることが出來るとすれば、かくして構成せられた基礎概念は、決して社會から抽象せられた個人と個人との交涉を示すものではなく、充分なる社會的實踐的地盤をもつてゐるわけである。われわれの研究の對象のやうな個々の場合に於て、そこに於て如何なる力が作用してゐるか、實驗的にこれを測定することも出來ず、又個々の事實の完全なる記述を期待する事も出來ないやうな對象に於ては、科學はかうした基礎的事實に基いて構成せられた概念が果して觀察の事實によつて保證されるかどうかといふことを檢證するといふ手續きをとらなければならない。しかしこのことはたゞ上述せるやうに、明かに力學的關係としてのみ把握される現實的人格的交涉を特定の數學的概念によつて表はし、それに基いて得られた基礎概念を種々の社會的事象に就ての觀察の事實によつて檢證するといふことによつてのみなされ得る。といふのは、數學的概念の補助手段によることなくしては、凡ての生產せられた文化がその生產に關與せる對立せる要素の緊張關係をはらむものであるといふ事以上のことは言へず、それに基いて複雜なる社會的事象の力學的構造を明かにすることは不可能に近いであらうからである。かうした意味に於て現實に於ける人格と人格との交渉に存する法則を確定することは、物理學に於ける現象論的記述と呼ばれるところのものに對應するものである。勿論われわれは人格的關係を計量することは出來ないが、しかしそれにもかゝわらず、これを一定の數量的關係として記述することは出來る。われわれはそこに存する力學的關係を或特定の數量關係によつて記述し、この一般論から生ずる數學的歸結が將して日常の經驗によつて知られてゐる事實と合致するかどうかといふことによつて、これを檢證するといふ手續をとらなければならない。從つてかくして構成せられた理論は、言葉の嚴密な意味に於て假說的であることはいふ迄もない。

ひとは或はわれわれのかうした試みに對して、それは人格的關係を物理的關係に歸しようとするものであるとして、非難するかもしれない。といふのは、人格的關係が物理學に於て取扱はれる力學的關係でないことは明かであるからである。しかしそれにもかゝわらず、社會に於ける人格の諸關係が或種の力學的關係であることはわれわれの日常の言葉からも推察される事實である。ひとが社會的事實を表現するに當つて用ゐる諸概念、たとへば緊張とか對抗とか抵抗とか或は運動とか地位とかいふ概念はもとより、人格にとつて最も本質的な自由の概念にしても、嚴密な科學的意味に於て力學的概念に外ならないのである。人格の自由は生理的心理的諸條件によつて制約されるが、それにも增してそれを制約するものはその人格の屬する社會的集團の諸條件である。風習制度傳統はわれわれによつて常識的にも人格を拘束する力として理解せられてゐる。のみならず人格の概念そのものが本質的には力として理解せられてゐるのである。ひとは人格は力であるといひはしないか。しかしひとが人格は力であるといつても誰もそれが物理的力であることをいつてゐるのではない。同樣に普通ひとが社會的事象を表はすために力の概念やそれに關係ある多くの概念を用ゐてゐるにしても、それは力の概念を物理學に於けると全く異つた內容を意味せしめてゐるのである。しかしこのやうに全く異つた領域の事實に對して同一の用語が使用せられてゐるのは、物理學の根本體系に於けるこれらの諸概念とそれが機能的に等しいがためであらう。從つて形式的に等しい數學的概念を社會的事實に適用したからといつて、それは決して社會的事象を物理學的理論の類推によつて說明しようとするのではない。もしその適用の結果たま〱物理學に於けると類似せるやうな歸結が得られたとしても、それは單に同一な數學的概念の適用の結果得られただけであつて、その意味するところの內容は全く別のものである。われわれが人格の力學的交涉を現はすために用ゐようとしてゐる「方向づけられた量」ヴェクトルの概念は他の數學的概念と同樣に極めて異なる內容をもつ諸事實を表はすのに用ゐられる。それは大きさのみを有して方向を持たない量スカラーに對して、大きさと方向とを有する量を意味するだけであつて、物理學的な力の概念と同じものではない。從つてもし人格的力が方向と大きさとを有する量によつて表はされ、人格的交渉がヴェクトルの關係によつて記述せられるとしても、何も人格を物理的なものとして規定したことにはなりはしない。然し問題はかうした數學的概念によつて經驗的事實を適切に表現することが出來るかどうかといふことにある。言ひかへればこれによつて人格的關係の論理的構造を適切に表現することが出來るかどうかといふことにある。

然しそれにもかゝわらず、ひとはわれわれの理論に對して又理論の歸結に對して、それは結局比喩的にさう言はれ得るだけではないかと論難する。しかし若し人格の力が嚴密な科學的意味に於てヴェクトルとして記述され得るとすれば、さうして人格と人格との力學的關係がヴェクトルの關係として適切に表現する事が出來るとすれば、そこから必然的に生ずる論理的歸結が單なる比喩的意味しか持たないといふことはあり得ない。しかしそれにもかゝわらず、それが比喩的意味しか持たないかのやうに見えるとすれば、その論理的歸結が前に述べたやうに假定的意味しか持たないところから來るのではなからうかと思ふ。しかしこのことを別にしても尙それが比喩的意味しか持たないとの主張に對しては、私は一體人格が力であるとか、或は社會運動とか、人格の自由とか拘束とか位置とか對抗とか壓擦とかいふ概念も單なる物理學の比喩に過ぎないのかどうかと問はざるを得ない。一體人格的關係の力學的性格に基いて對象間の力學的關係が理解せられるのか、それとも物理的對象の力學的關係に基いて、人格間の力學的關係が理解せられるのであるか、かうした根本的問題を遡つて考察するのでなければ、何れが何れの比喩であるかといふことに就ては應へ得ないであらう。成程ヴェクトルの概念は先づ物理學に於て使用され、物理學に於て適用された概念である。從つてこの概念を他の領域に於て使用するとき、物理學に於けると類似せる歸結が得られるとき、ひとはやゝもすればそれを物理的運動の比喩であると早合點する。しかしこゝに考へてみなければならぬことは、物理學のかうした理論こそ、かへつて人格的交渉のかうした力學的構造の原型に基いて始めて成立つのではないかといふことも考へ得られることである。從つて、われわれはヴェクトルの概念が歷史的に何れの領域に於て先きに使用されたかといふことによつて後に適用される領域に於けるヴェクトル的解明をその先の領域の比喩に過ぎないと論斷するのは少し早計であらうと思ふ。問題の根本は先にも述べたやうに人格の力をヴェクトルによつて適切に表はしうるか、人格的關係の力學的構造をヴェクトルなる數學的概念によつて果して適切に表現することが出來るかどうか、又かくして得られた基礎概念から導出せられた歸結が經驗の事實によつて確證されるかどうかといふ一事にかゝつてゐる。

附記

この論文は一面、臺北帝大文政學部哲學科研究年報第八輯「社會的場と人格」なる論文に於て述べてゐる思想、考へ方に私がどうしてたどりつくやうになつたか、またそれが私の専攻する教育學と如何なる關係をもつてゐるのであるかといふことを示したいため、他面あの論文の基礎概念を方法論的に基礎づけてみたいといふ氣持から書いたものである。

（昭和一七・一二・五）

參考書

一、Ernst Krieck; Philosophie der Erziehung, 1922.
Ernst Krieck; Grundrisz der Erziehungswissenschaft, 1927.
デュルケム著、田邊壽利譯、教育と社會學
二、John Dewey; Human Nature aud Conduct, 1927.
三、V. Uexküll/Kriszat; Streifzüge durch die Umwelten, 1934.
カッツ著、山田坂二譯、人間と動物
クルト、コフカ著、縣巻太郎譯、兒童精神發達の原理
Stout; Manual of Psychology.
Giullaume; La Formation des Habitude.
Ogden; A B C of Psychology.
高田三郎譯、アリストテレス、ニコマコス倫理學
四、石原純著、物理學概論（岩波講座）
J・Sミル著、松浦孝作譯、精神科學の論理（改造文庫）

五　人格的相互作用の力學的性格

K・レヴイン著、外林松村兩氏譯、トポロギー心理學の原理

K. Levin; Dynamic Theory of Personality, 1935.

五、Eberhard Grisebach; Die Grenzen des Erziehers und seine Verantwortung. 1924.

Magdalene von Tiling; Grundlagen Pädagogischen Denkens.

彙　報（昭和十六年十月一日より 同 十七年九月三十日まで）

哲學科講義題目　昭和十七年度

（昭和十七年四月—九月）

【東洋哲學】

今村教授　特殊講義（經學歴史）

後藤助教授　東洋哲學史概説

同　講讀（儀禮註疏）

【西洋哲學】

岡野教授　哲學概論

同　特殊講義（行爲現象學—前年度續き）

淡野助教授　特殊講義（カント前の大陸哲學）

同　講讀（Hegel: Die Vernunft in dr Geschichte）

【倫理學】

世良教授　倫理學概論

同　東洋倫理學概論

田中助教授　西洋倫理學史

【心理學】

力丸教授　心理學概論

同　講讀（Dashiell: Fundamentals of general psychology）

力丸教授
藤澤助教授｝心理學實驗演習

藤澤助教授　講讀及演習（Köhler: Dynamics in Psychology）

同　講讀及演習（Koffka: Principles of Gestalt Psychology）

【教育學】

伊藤教授　教育學概論（伊藤猷典著「教授方法學」）

福島助教授　教育史概説

哲學會主催公開講演會

【秋季講演會】（第十五回）

日時　昭和十六年十月二十五日

場所　文政學部第五番教室

演題及講演者

「朱子學に於ける知識の問題」

助教授　後藤俊瑞氏

【春季講演會】（第十六回）

日時　昭和十七年五月九日

場所　文政學部土俗學特別教室

演題及講演者

「アリストテレス存在論の基礎構造に就て」

教授　岡野留次郎氏

昭和十八年八月一日印刷
昭和十八年八月五日發行

臺北帝國大學文政學部
哲學科研究年報　第九輯
定價　金五圓拾錢

編輯者　臺北帝國大學文政學部哲學會
代表者　今井義忠

臺北市壽町一丁目一八番地
發行者　臺灣出版文化株式會社
取締役社長　西川純
臺灣出版協會々員番號八一號

臺北市大正町二丁目三七番地
印刷者　頴川首

臺北市榮町四丁目三一番地
印刷所　臺灣日日新報社

發行所　臺北市壽町一丁目一八番地
振替口座臺灣一一八七八番
臺灣出版文化株式會社

28 Volumes, US$360.00

督印者　中國民俗學會
編纂者　婁子匡教授
　　　　中國民俗學會理事長
出版者　東方文化書局
　　　　台北市・士林・福林路四二二號
總經銷　東園文化書局有限公司
　　　　士林大東路八四巷九號三樓
印製者　合星製版有限公司
　　　　國際彩色印刷有限公司
經銷處　台北：敦煌書局
　　　　美國：藍絲帶書局
　　　　日本：東豐書店
定價　精裝二十八冊美金三百六十元
　　　郵費：亞洲10%・美洲・歐洲20%
出刊期　中華民國六十四年夏季
登記證　內版臺業字第〇六七〇號